信託法

第2版

道垣内弘人

現代民法 別巻

有斐閣

■ 第2版 はしがき

　本書初版が出版されたのは，2017年5月であるから，ちょうど5年前である。勤務先から研究専念期間を与えられ，執筆に集中した結果のものであり，主観的には，みずからの信託法研究に一区切りを付けるものであった。

　ところが，出版直後から，気に入らないところ，再考を要すると思われるところが，多く見つかった。また，私を座長とする2つの研究会（現代信託法理に関する研究会，信託法・信託法理の展開に関する研究会。いずれも公益財団法人トラスト未来フォーラムのお世話になった）の参加者から，また，他の様々な機会にも多くの実務家・研究者から，いろいろ有益な指摘をいただいた。論文や書籍も，この5年間で多く公刊され，それぞれから貴重な教示を受けた。以上は過去形で記したが，すべて現在完了形と現在進行形が用いられるべき事柄である。

　となると，付いたと思った一区切りは幻であったことがわかってくる。せいぜい一里塚にすぎず，残された旅は長い。そこで，再び，三里に灸をすえ，全面的に見直すことにした。

　多くの方々からのご教示が，本改訂の基礎にある。また，有斐閣法律編集局書籍編集部の佐藤文子さんには，初版に続き，お世話になった。この本と前後して，信託法についての私の論文集（『信託法の問題状況』）も出版されることになっているが，佐藤さんには，同時並行的に2つの本について編集をしていただいた。まだ旅の途中ではあるが，一歩でも進むことができていれば，これらのみなさんのおかげである。心から感謝したい。

　　2022年5月

　　　　　　　　　　　　　　　　　　　　　　　　　道垣内 弘人

■ 初版 はしがき

「今年は信託法の本を書く」と最初に年賀状に書いたのは、いつのことだったであろうか。旧信託法の時代であったことはたしかであり、ということは、十数年が経過している。新信託法が制定された後、体系書執筆の準備も兼ねて、『信託法入門』（日本経済新聞出版社）を書いたのは2007年のことであり、それからもずいぶん時間が経過した。

狼少年になりかかりながら、やっと信託法の体系書を上梓する。

新信託法が制定された後、多くの解説書が公刊された。それぞれに特徴のある書物であり、実務への目配りが行き届いているものも多い。これに対して、本書は、信託法について、わかりやすく簡潔に解説するものではないし、実務における信託についてヴィヴィッドに叙述するものでもない。外国法に触れることも、ほぼない。日本における現行の信託法について、条文の文言・論理構造に注意しながら、解釈論を示すものである。わが国の信託法学において不十分なのは、まさにこの点である、という認識に基づく。そのため、実務的には重要性が認められない議論に踏み込んでいることも多く、また、通常の体系書に比べ文献も詳細に引用した。

論理的構造を重んじたため、叙述の順序は必ずしも条文に沿うものではない（もっとも、クロス・レファレンスは詳細に付した）。反対説に留意しながら解釈論を展開したので、かなり細かい叙述もある。信託法の全体を簡単にお知りになりたいときは、上記の『信託法入門』によられたい。また、条文ごとの注釈については、私も執筆に参加した『条解信託法』（弘文堂）が近刊予定である。あわせて参照を請いたい。

本書によって、信託法の解釈論が確立された、と思うほど、私は自信過剰ではない。しかし、いくつかの箇所で、今後の議論の基礎を提供した、と思うほどには、自惚れ屋である。本書を踏み台として、より精緻・妥当な解釈論が展開されることを望んでいるし、私自身も検討を続けたい。

現行の信託法が制定される以前から，多くの研究会等で様々な方々のご教示を得た。とりわけ，上記の『条解信託法』の準備のための研究会（公益財団法人トラスト未来フォーラムのお世話になった），有斐閣から公刊されている『信託法セミナー』（第1巻から第4巻）の座談会，一般社団法人信託協会のお世話による商事信託法研究会での議論からの影響は大きい。これらの研究会等における他の方々の発言については，そのオリジナリティを損なわないように努力したが，様々なご教示は私に内部化されてしまっており，断りなく利用している箇所があるかもしれない。ご海容をお願いするとともに，看過できないほど不当な点があれば，（公に糾弾する前に）ぜひご指摘いただきたい。

　本書のようなものでも，多くの方々のご援助がなければ，私にはとても完成できなかった。様々な研究会等をご支援いただいた諸団体，様々な場や文献を通じてご教示いただいた方々には，心から感謝したい。執筆の大部分は，2016年度前半の研究専念期間に行われた。このような期間を提供してくださった東京大学大学院法学政治学研究科，および，同僚のみなさんにもお礼を申し上げる。また，刊行にあたっては，高橋均さん（有斐閣取締役），佐藤文子さん（有斐閣法律編集局書籍編集部）のお世話になった。佐藤さん（愛称・文ちゃん）には，「神楽坂の『焼鳥・文ちゃん』でごちそうする」と約束しながら，これも一昔前の話になってしまっている。文ちゃんへの感謝のため，本書の打ち上げも兼ねて，さあ，『焼鳥・文ちゃん』に出かけよう。えっ，高橋さんも来るの？

　2017年3月

道垣内　弘人

目　次

■ 第1章　総　論 ―――――――――――――― 1

第1節　信託法の存在理由　1
1　信託法における定義　1　　2　旧信託法の立法過程における説明　4　　3　「信託法の制定」という選択　8　　4　わが国における信託法と信託の発展　13　　5　共時的な分析　17

第2節　信託の基本構造と解釈指針　20
1　信託の基本構造　20　　2　信託法の解釈指針　21　　3　信託の分類と解釈指針　25

第3節　信託の形式的な分類　26
1　総　論　26　　2　信託の設定方法による分類　27　　3　信託目的が私益か公益かによる分類　27　　4　信託利益の帰属先による分類　27　　5　信託引受行為が営業としてのものか否かによる分類　28　　6　営業信託についての分類　28

■ 第2章　信託の設定 ―――――――――――― 29

第1節　序　説　29
1　信託法3条の定め　29　　2　3つの方法　29

第2節　共通の要件　30
1　当初信託財産の受託者への帰属　30　　2　信託目的の設定　46　　3　信託設定意思：受託者の信託財産管理等の義務の設定　53　　4　受託者の資格　57

第3節　信託設定の3つの方法　58
1　信託契約による信託設定　58　　2　遺言による信託設定　62　　3　信託宣言による信託設定　72

■ 第3章 信託財産と受託者による取引のメカニズム ──── 79

第1節 受託者による信託事務処理 79

 1 受託者の行為 79 2 権限外行為の扱い 85 3 信託のためにする意思のない行為の扱い 90 4 受託者が複数の場合 94

第2節 管理・処分等による信託財産の変動 105

 1 信託財産の変動原因 105 2 受託者の取引による変動 106 3 信託財産に属する財産の滅失・損傷等 107 4 信託財産に属する財産との添付・混同・識別不能 108 5 信託財産に対する給付 116 6 信託行為において信託財産に属すべきものと定められた財産 117

第3節 信託財産の独立性 118

 1 序説 118 2 受託者に対する債権者との関係 118 3 委託者に対する債権者との関係：詐害信託の取消し等 129

第4節 信託財産に属する財産であることの第三者への対抗 145

 1 公示の必要性 145 2 登記・登録が不要な財産 151

第5節 とくに相殺をめぐって 153

 1 問題の現れ方 153 2 第三者からの相殺 153 3 受託者からの相殺 159

第6節 限定責任信託 163

 1 総説 163 2 限定責任信託の設定 165 3 受託者の行為と債権者の保護 171

■ 第4章 受託者の義務と責任 ──── 179

第1節 受託者の信託事務処理義務と第三者への委託 179

 1 信託事務処理義務 179 2 第三者への委託 189 3 第三者委託の場合の受託者・第三者の責任 197

第2節 公平義務 201

 1 同一信託の受益者間の公平 201 2 複数の信託間の公平 202

第 3 節　分別管理義務　203

　　1　総　説　203　　2　問題となる財産　206

第 4 節　報告義務・帳簿等作成義務と検査役の選任　207

　　1　総　説　207　　2　報告義務　208　　3　帳簿等作成・報告義務　208　　4　他の受益者の氏名等の開示請求　215　　5　検査役の選任　216

第 5 節　忠実義務　219

　　1　忠実義務に関する規定の構造　219　　2　利益相反行為の制限　220　　3　競合行為の禁止　238　　4　一般的忠実義務　247

第 6 節　義務違反に対する受託者の責任　252

　　1　総　説　252　　2　受託者の損失てん補の責任等　252　　3　忠実義務違反における損失額の推定　265　　4　法人である受託者の理事等の連帯責任　267　　5　損失てん補責任等の免除・消滅時効　270　　6　受託者の行為の差止め　274　　7　費用または報酬の支弁等　278

第 7 節　受託者の費用償還請求等　278

　　1　信託財産からの費用償還　278　　2　受益者からの費用償還　287　　3　信託報酬　288　　4　信託財産からの損害の賠償　289

第 8 節　受託者の変更　290

　　1　受託者の任務終了　290　　2　任務終了時の手続　296

■第 5 章　受益者と受益権────────────────309

第 1 節　総　説　309

　　1　定　義　309　　2　受益者の位置づけ　310

第 2 節　受益者の決定　313

　　1　受益権の取得　313　　2　受益者指定権・変更権　315　　3　遺言代用信託（委託者の死亡の時に受益権を取得する旨の定めのある信託等）　321　　4　受益者連続信託（受益者の死亡により他の者が

viii

　　　　新たに受益権を取得する旨の定めのある信託）325　　5　受益者の権利・義務 328　　6　受益者の定めのない信託（目的信託）334

　第3節　受益権等　341

　　　　1　受益権の移転 341　　2　受益権の質入れ 347　　3　受益権の放棄 350　　4　受益証券発行信託 351　　5　受益証券発行限定責任信託 362

　第4節　受益債権　363

　　　　1　総　説 363　　2　受託者の責任の範囲等 364　　3　受益債権の譲渡等 367　　4　消滅時効 368

　第5節　複数の受益者の意思決定　371

　　　　1　総　説 371　　2　受益者集会における多数決以外の定め 373　　3　多数決の定め：受益者集会 375　　4　受益権取得請求権 380

　第6節　信託管理人等　387

　　　　1　総　説 387　　2　信託管理人 387　　3　信託監督人 395　　4　受益者代理人 397　　5　併任と競合 402　　6　信託管理人等の責任 403

■第6章　委　託　者 ──────────────────── 405

　　　　1　信託設定後の委託者 405　　2　委託者が原則的に有する権利 406　　3　信託行為の定めにより認められる権利 408　　4　委託者の地位の移転 410　　5　委託者の地位の相続 411

■第7章　信託の変更・併合・分割 ──────────── 413

　第1節　信託の変更　413

　第2節　信託の併合・分割　420

■第8章　終了・清算・倒産 ──────────────── 427

　第1節　信託の終了　427

1　総　説　427　　2　公益確保のための信託終了命令以外の事由による終了　427　　3　公益確保のために信託終了を命じる裁判による終了　435　　4　信託財産が費用等の償還等に不足している場合の受託者の信託終了権限　436

第2節　信託の清算　438

　　1　信託の存続　438　　2　清算受託者の職務と権限　439　　3　清算の終了　447　　4　限定責任信託の場合　448

■第9章　罰　　則─────────────────451

　　1　総　説　451　　2　受益証券発行限定責任信託の受託者等　451　　3　過　料　451

条文索引 (453)
判例索引 (473)
事項索引 (475)

■ 文献略語表

【判例集等】

民録	大審院民事判決録
刑録	大審院刑事判決録
民集	大審院民事判例集・最高裁判所民事判例集
高民集	高等裁判所民事判例集
下民集	下級裁判所民事裁判例集
家月	家庭裁判月報
判時	判例時報
判タ	判例タイムズ

【雑誌】

岡法	岡山大学法学会雑誌
関学	法と政治（関西学院大学）
金判	金融商事判例
金法	金融法務事情
銀法	銀行法務21
ジュリ	ジュリスト
商事	旬刊商事法務
信研	信託法研究
曹時	法曹時報
登研	登記研究
南山	南山法学
日法	日本法学
ひろば	法律のひろば
法協	法学協会雑誌
法教	法学教室
法研	法学研究（慶應義塾大学）
法時	法律時報
北法	北大法学論集
立教	立教法学
立命	立命館法学

論叢	法学論叢（京都大学）	

【書籍】

新井	新井誠『信託法〔第4版〕』（有斐閣，2014）
新井監修	新井誠監修『コンメンタール信託法』（ぎょうせい，2008）
井上	井上聡『信託の仕組み』（日本経済新聞出版社，2007）
井上編	井上聡編『新しい信託30講』（弘文堂，2007）
小野＝深山編	小野傑＝深山雅也編『新しい信託法解説』（三省堂，2007）
神田＝折原	神田秀樹＝折原誠『信託法講義〔第2版〕』（弘文堂，2019）
佐久間	佐久間毅『信託法をひもとく』（商事法務，2019）
四宮	四宮和夫『信託法〔新版〕』（有斐閣，1989）
条解	道垣内弘人編『条解信託法』（弘文堂，2017）
セミナー(1)	能見善久＝道垣内弘人編『信託法セミナー1』（有斐閣，2013）
セミナー(2)	能見善久＝道垣内弘人編『信託法セミナー2』（有斐閣，2014）
セミナー(3)	能見善久＝道垣内弘人編『信託法セミナー3』（有斐閣，2015）
セミナー(4)	能見善久＝道垣内弘人編『信託法セミナー4』（有斐閣，2016）
田中	田中和明『詳解信託法務』（清文社，2010）
寺本	寺本昌広『逐条解説新しい信託法〔補訂版〕』（商事法務，2008）
道垣内	道垣内弘人『信託法入門』（日本経済新聞出版社，2007）
道垣内・問題状況	道垣内弘人『信託法の問題状況』（有斐閣，2022）
永石ほか編	永石一郎ほか編『信託の実務Q&A』（青林書院，2010）
能見	能見善久『現代信託法』（有斐閣，2004）
福田ほか	福田政之ほか『詳解新信託法』（清文社，2007）
本書初版	道垣内弘人『信託法』（有斐閣，2017）
村松ほか	村松秀樹ほか『概説新信託法』（金融財政事情研究会，2008）

■ 第1章 総　　論

第1節　信託法の存在理由

1　信託法における定義
(1)　信託法2条1項

　本書で扱うのは，信託法（平成18年12月15日法律第108号）にいう「信託」という法律関係である＊。この法律は，1922（大正11）年に制定された信託法（旧信託法）を公益信託に関する条文を除き廃止するとともに，新法のかたちで制定されたものである。

　そこにいう「信託」について，信託法2条1項は次のように定義している。

> 「この法律において「信託」とは，次条各号に掲げる方法のいずれかにより，特定の者が一定の目的（専らその者の利益を図る目的を除く。同条において同じ。）に従い財産の管理又は処分及びその他の当該目的の達成のために必要な行為をすべきものとすることをいう。」

　信託の設定方法については後に検討するが（→第2章），信託法3条に定められている方法により信託を設定する者を**委託者**とよび（同2条4項），同法2条1項にいわゆる「特定の者」，すなわち「一定の目的（……）に従い財産の管理又は処分及びその他の当該目的の達成のために必要な行為」をする義務を負う者を**受託者**とよぶ（同条5項）。自己信託という類型においては，委託者と受託者が一致する。また，当該財産，あるいは，その運用から生じた利益の給付を受ける者がいるとき，その者を**受益者**とよぶ（同2条6項・7項）。

　　＊　**信託法に関する特別法**　　信託法以外にも，信託の実体法的規律を定める法律がいくつか制定され，それらは信託法の特別法となっている。
　　（i）　まず，信託業法は，信託業の規制監督を主たる目的とする法律であるが，

同法には，1922（大正11）年の制定時から，受託者が信託会社である信託について，その実体法的規律を定める条文もいくつか置かれていた。具体的には，当初信託財産の制限，および，自己取引禁止の一方での強化と他方での緩和である。現行の信託業法には，さらに，信託業務の第三者への委託（信託業22条，23条），信託会社の忠実義務等（同28条，29条），信託の変更（同29条の2），信託財産である登録国債についての公示（同30条），信託財産に係る債務の相殺（同31条）等についての規律がある。

もっとも，信託業法は，その制定後，直接には適用されなくなっていた。

信託業法制定以来，わが国の金融制度においては，銀行業，貯蓄銀行業，信託業の厳格な区分がなされ，それぞれが別個の主体により営まれていた。そして，信託業を営む信託会社は，信託業法に基づき免許を受けて信託業を行うものであり，同法の直接的な適用を受けていた。ところが，1943（昭和18）年に至り，戦時経済の運営上，金融機関の整理統合が行われるとともに，国民貯蓄の増強を図るため，既存の金融機関の中で最も発展していた普通銀行に貯蓄業務・信託業務を兼営させることとし，「普通銀行等ノ貯蓄銀行業務又ハ信託業務ノ兼営等ニ関スル法律」（昭和18年3月11日法律第43号）（以下，「旧兼営法」という）が制定された[1]。この法律に基づいて信託業務を営む普通銀行は，信託業法によって免許を受けているわけではないので，それらには信託業法は直接には適用されない。そして，普通銀行による信託会社の吸収合併が進んだことにより信託会社の数は減少し，さらに，1948（昭和23）年に至り，残っていた少数の信託会社も，銀行法上の銀行に転換した上で，信託業務を兼営することになったので[2]，信託業法が直接適用される場合は存在しないことになったのである。

ところが，信託業法については2004（平成16）年に全面的な改正があり，とくに，業として行われる信託について，信託設定時に受託可能な財産の範囲を拡大するとともに，信託業の担い手を金融機関以外にも拡大した[3]。これによって，金融機関ではない信託会社が信託業法に基づく免許を受ける事例が生まれることになり，信託業法の固有の適用場面が復活した。また，旧兼営法も，何度か改正され，現在では，「金融機関の信託業務の兼営等に関する法律」（以下，「兼営法」というときは，この法律を指す）となっている。

本書では，信託業法のうち実体法的な規律については，信託法と比較しつつ扱うことにする。これに対して，兼営法は，信託業法の条文を多く引用しており，とりわけ信託の実体法的規律については，信託業法が適用される場合と同

---

1) 西内彬『普通銀行等ノ貯蓄銀行業務又ハ信託業務ノ兼営等ニ関スル法律』1頁以下（第一法規，1972）参照。
2) このあたりの事情は，神田＝折原・22頁参照。
3) たとえば，神田秀樹ほか『新信託業法のすべて』（金融財政事情研究会，2005），小出卓哉『逐条解説信託業法』（清文社，2008）参照。さらに，その後の改正を含め，井上聡＝須田英明「信託法制」金法2000号112頁以下（2014）。

様となっているので，信託業法とは規律が異なる場面を中心に一定の説明を施すにとどめる。

（ii）次に，1951（昭和 26）年に制定された証券投資信託法，および，1952（昭和 27）年に制定された貸付信託法[4]である。前者は，1998（平成 10）年に大改正を受けて，「証券投資信託及び証券投資法人に関する法律」となり[5]，後者は，1971（昭和 46）年に信託財産の運用方法などについて改正がされた。

さらに，信託法に先立って制定された担保附社債信託法は，1993（平成 5）年に，商法の社債の規定を一般法とし，その特別法として位置付ける整備が行われた[6]。さらに，2005（平成 17）年，会社法の制定にあわせ，現代語化とともに若干の改正が行われ，また，法律名を担保付社債信託法[7]とした。

また，1998（平成 10）年に制定された「特定目的会社による特定資産の流動化に関する法律」は，2000（平成 12）年に一部が改正され，その題名が「資産の流動化に関する法律」と変更されるとともに，信託を利用して資産の流動化を行う特定目的信託制度が導入された[8]。

以上の法律については，信託法との比較のために言及することがあるが，全体的には扱わない。

(2) 「信託」であるとされるための要件

さて，信託法 2 条 1 項からは，ある法律関係が「信託」であるとされるためには，以下の要件が充足される必要があることがわかる。すなわち――，

①一定の財産が存在し，それが受託者に帰属すること，

②達成すべき目的（受託者自らの利益をもっぱら図る目的を除く）が定められていること，

③受託者は，②で定められた目的に従って，当該財産につき，管理・処

---

4) 両法の立法の経緯について，麻島昭一『日本信託業立法史の研究』341 頁以下（金融財政事情研究会，1980）参照。注釈として，佐々木功＝松本崇『証券投資信託法・貸付信託法』（第一法規，1977）。

5) 森・濱田松本法律事務所編『投資信託・投資法人の法務』（商事法務，2016），澤飯敦ほか『投資信託・投資法人法コンメンタール』（商事法務，2019）参照。さらに，小島新吾編『逐条解説投資信託約款』（きんざい，2019）も参照。

6) 岡光民雄『逐条新担保附社債信託法』（商事法務研究会，1994）参照。

7) 江頭憲治郎編『会社法コンメンタール 16』261 頁以下（商事法務，2010）参照。

8) 山﨑和哉『資産流動化法』（金融財政事情研究会，2001）参照。その後の改正も含め，長崎幸太郎＝額田雄一郎『逐条解説資産流動化法〔改訂版〕』（金融財政事情研究会，2009），本村彩『一問一答改正資産流動化法』（金融財政事情研究会，2012）参照。

分など，その目的の達成に必要な行為をする義務を負うこと，である。

もちろん，どのような場合にこの各要件が充足されることになるのか，さらには，ある法律関係について，法文上に明記された各要件が満たされるだけで，そのすべてを「信託」と性質づけ，信託法の定める効果を生じさせるべきかは，解釈の問題である。しかしながら，一定の法律関係が，「信託」とよばれることはたしかであり，そうすると，ある一定の法律関係について，なぜ，それを「信託」として，信託法という法律によって規律する必要があるのかが問題になる。そして，この問題の検討が，上記の解釈問題を考える基礎となる。

2 旧信託法の立法過程における説明

(1) 司法省の説明

現行信託法に先立つ旧信託法の立法過程において，司法省は信託法制定の必要性を次のように説明していた[9]。すなわち，わが国においても，ある者が，自己に帰属する一定の財産について，その財産を特別に扱い，定められた目的に従って管理・処分などの行為をする例（法人ではないクラブや学会の財産を代表者の名義で所有する例，一定の目的に拠出するために資金を募集するとき，その目的が執行されるまでは発起人の名義でその財産が管理される例，頼母子講で会主の名義で会員に対する一切の債権等が管理される例，遺児の教育資金のために集められた資金を故人の友人が管理・運用し，遺児のために適当な支出をするという例など）が少なくないところ，民法・商法の規定では当事者の関係を規律するのに十分ではないので，その私法上の権利関係を明確にし，関係当事者の利益を保護し，目的達成のために法律上の保護を与えることは緊急の事項である，というわけである。

(2) 求められるルール

それでは，《ある者（A）が，一定の財産（甲）について，定められた目的に従った行為をすることが義務づけられる》という法律関係において，

---

[9] 司法省「信託法案説明書」山田昭編『日本立法資料全集 2 信託法・信託業法〔大正 11 年〕』247～248 頁（信山社，1991）。

当事者の権利義務を適切に規律するためには，どのようなルールが必要であろうか。

① まず，Ａの負う義務内容についてのルールである。そして，その内容は，Ａが，一定の財産（甲）について，定められた目的に従って行為をする，という特徴に応じたものであることが求められる。

② 次に，定められた目的が，ある一定の者（Ｂ）に利益を得させるものであるときには，Ｂの権利の具体的な内容も問題になり，これについてのルールも必要になる。

③ また，その法律関係を設定した者（Ｃ）の権利についてのルールである。Ｃは，自らが設定した法律関係がきちんと履行されるかについて利害関係を有するといえるが，一定の目的が定められた以上，もはやＡは，Ｃに対して義務を負うのではなく，目的遂行の義務を，一般的に，あるいは，Ｂが存するときにはＢに対してのみ負うという制度設計も考えられる。

④ そして，当該財産，すなわち甲の性格付けに関するルールである。甲は，定められた目的に従って管理・運用・処分などが行われるものである。しかるに，ある財産がＡの責任財産になるのは，Ａがその財産をもって，自己の債務を弁済できるからであり，だからこそ，債権者はその財産からＡに対する債権を強制的に回収できるのである。そうすると，Ａが，甲から自らの債務を自由に弁済できない状況であるならば，甲は，Ａの責任財産から分離されるべきだとも考えられる。つまり，甲をいかなる性格の財産として扱うかという問題が生じるわけである。同様に，Ｃの責任財産からの分離も問題になる。甲がＡ・Ｃの責任財産から別扱いされると，定められた目的が達成しやすくなり（ＡやＣの資産状況に依存しなくなる），目的達成について利益を有する者，とりわけＢに有利になる。

⑤ さらに，定められた目的の達成前に，ＡやＣが死亡した場合等についてのルールである。目的の安定的な達成のためには，ＡやＣの死亡等にかかわらず，法律関係が存続していく必要がある。

(3) 既存の制度による対応

それでは，以上述べてきた必要なルールに照らし，民法・商法の既存の

ルールは，司法省の説明のように，不十分だったのであろうか。

　(ア)　法人制度は，④に述べた財産の分離を，一定の目的のために別個の法人格を作ることによって達成するものである。会社法上の株式会社が，その典型である。そして，株式会社についていえば，①につき，取締役の責任等，ガバナンスに関する様々な規律が会社法に置かれている。②は，株主の権利の問題であり，これについても詳細な規定がある。③について，発起人は，会社設立後，発起人たる地位に基づいて何らかの権利行使ができるわけではないことが規定上，明らかである。⑤については，発起人や個々の株主の死亡等は，会社の法律関係に影響を及ぼさない。

　しかしながら，法人について，わが国では自由設立主義はとられておらず（民33条1項），旧信託法制定時には，営利を目的とせず，また，公益を目的とするわけでもない団体が，法人格を取得することはできなかった。さらに，平成年間に入るまで商法改正のかたちで行われていた営利会社法制の整備は，比較的規制色が強いものであり，柔軟性に欠けると評されていた。他方，公益法人については，その設立に主務官庁による許可が必要であり，なかなかハードルは高かった。

　(イ)　民法上の委任も，委任事務が財産に関するものであるときには，《ある者（A）が，一定の財産（甲）について，定められた目的に従った行為をすることが義務づけられる》という法律関係になる。

　しかるに，①については，民法644条が善良な管理者の注意をもって委任事務を執行する義務を定めるほか，いくつかの規定が置かれているものの（民644条の2，645条），株式会社の取締役等についての規律に比べると不十分である。委任が財産に関する事務を行う場合のみに特化していないため，一般的規定にならざるをえないのである。②に関して，Bが委任者でないときについては，第三者のためにする契約一般の規律しか存在しない。委任は，それが委任者のためにされることを前提としているからであり，そこで，③については，委任者は，契約当事者として，受任者の義務履行を強制することができ，損害賠償を得られるとともに，適宜，受任者に指図をする権利を有するとされている[10]。④については，委任者が委任事務の対象財産を受任者に預けたとき，当該財産の所有権は（当該財産

が金銭である場合を除き）委任者にとどまっているのが原則であるし，受任者が委任者から授与された代理権を行使して取得した財産の所有権は，当然に委任者に帰属する。また，受任者が，委任事務の処理にあたって受け取った金銭その他の物，および，委任者のために自己の名で取得した権利は，これを委任者に移転しなければならないとされており（民646条），受任者が当該財産を取得した時点でそれを委任者に移転する旨を委任者と受任者の間であらかじめ合意していれば（その合意は，買入れの委託の場合には推定される[10]），受任者が当該財産を取得した時点でそれが当然に委任者に帰属する[12]。つまり，一定の財産については，それを受任者が占有していても，委任者に所有権があるとされることにより，別扱いされているわけである。もっとも，委任者の有限責任性は確保されていない（民650条1項・2項）。また，⑤について，委任者または受任者の死亡等は，委任の終了事由となっている（民653条）。

　組合は，財産が組合員の共有になるだけであり，多くは，委任について述べてきたところが妥当する。組合に対する債権者は，組合員の個人財産にも権利を行使することができ（民675条2項），その際，組合財産から先に弁済を受けることを要しない。つまり，組合員の有限責任性は確保されていない。ただし，組合員個人に対する債権者は，組合財産について，その組合員の持分を差し押さえることができないと解されており，その限りでは，組合財産の独立性が確保されている。なお，組合員の死亡は組合からの脱退事由とされており（民679条1号），その際，持分の払戻しが行われる（民681条）。

　このように委任においても，一定の財産については受任者の財産からの独立性をもたらすことができる。しかし，そのときは，委任者の財産からの独立性は保てない。委任者に対する債権者は，当該財産を差し押さえることができる。組合財産は，委任に関わる財産よりも独立性が強いが，組合員は無限責任を負い，組合債務であっても，まず組合財産から弁済する

---

10)　幾代通＝広中俊雄編『新版注釈民法(16)』230頁〔中川高男〕（有斐閣，1989）。
11)　大判大正4・10・16民録21輯1705頁。
12)　大判明治38・5・16刑録11輯497頁，大判大正7・4・29民録24輯785頁。

という仕組みにはなっていない。さらに，受任者・業務執行組合員の義務についての規定も不十分である。上記の例でいえば，同窓会の会員や学会の会員は，同窓会の債務や学会の債務について，自らが弁済しなければならないとは考えていないが，それに適した法制度にはなっていないことになる。さらには，契約当事者でない者に対して利益を得させるための仕組み，関係者の死亡等のときにおける継続性の確保も十分ではない。

　(ｳ)　以上を踏まえると，旧信託法制定時においては，司法省の説明にあるように，「法人ではないクラブや学会の財産を代表者の名義で所有する例，一定の目的に拠出するために資金を募集するとき，その目的が執行されるまでは発起人の名義でその財産が管理される例，頼母子講でも会主の名義で会員に対する一切の債権等が管理される例，遺児の教育資金のために集められた資金を故人の友人が管理・運用し，遺児のために適当な支出をするという例など」について，《一定の目的のための財産の分離が図られ》，かつ，《当該目的に従った執行行為をする者について適切な義務を規定している》法制度が求められていたといえる。

3　「信託法の制定」という選択

(1)　異なる選択肢の存在

　もっとも，上記の法制度の導入のためには，信託法の制定が唯一の方法ではない。

　(ｱ)　まず考えられるのは，法人制度の柔軟化である[13]。

　すでに述べたように，法人制度については，その設立に関する規律が問題であった。そうであるならば，営利または公益にかかわらず，広く法人の設立を認め，財産の分離を承認するとともに，権利義務規定を整備すればよいことになる。

---

13)　そもそも財団法人という法制度も，その本質は法人格にあるのではなく，寄付者の財産がその意思に応じたかたちで他者により管理されているという点にあり，そのことは信託と同様であると説かれる（中里実「法人格を有する信託としての財団法人」中里実ほか編『信託課税研究の道標』39頁（有斐閣，2019））。法人格の付与は，信託と同一目的を達成するための方法の1つなのである。

実際，旧信託法の制定以来，法人制度は改革され，会社法の制定（2005（平成17）年）によって，会社組織の柔軟化・多様化が図られた。また，一般社団法人及び一般財団法人に関する法律（2006（平成18）年）が，その事業の公益性の有無にかかわらず，法の定める要件を充足さえすれば，許認可を待つことなく，簡便に法人を設立することができるようにした（準則主義）。後に述べるように，新信託法の制定にあたっては，事業目的での利用可能性が説かれていたが，同時期の会社法制定により株式会社の設立という方式において十分に柔軟性が確保されるようになったので，信託法による事業信託の必要性が減少した，と説かれている[14]。このことは，信託法の制定によって達成しようとしていた目的は，法人法制の改革によっても達成可能であることを示している。

　(イ)　次に，契約による制度の整備である。

　たとえば，組合について，組合員の財産と組合の財産との分離をより進める立法を行い，また，組合員の死亡によって当該組合員の持分が相続人に対し払い戻されるという規律を変更すればよさそうである。

　実際，投資事業有限責任組合契約に関する法律（1998（平成10）年）による有限責任投資組合においては，組合員の有限責任が定められ（投資有限組合9条2項），有限責任事業組合契約に関する法律（2005（平成17）年）による有限責任事業組合においても，組合員の有限責任が定められているほか（有限組合15条），組合財産の分別管理義務を組合員に負わせている（有限組合20条）。これらから，少なくとも，財産の分離を認めることは，組合契約の性質と矛盾するわけではないことが示されているといえる。

　(ウ)　さらに，解釈論での対応もあり得る。

　権利能力なき社団の理論が，法人格の取得をしていない団体に，一定の要件の下で，あたかも法人格があるように扱うのは，その典型例である。さらに，委任において，財産の所有権が委任者に帰属する場面を拡大した

---

14)　道垣内弘人ほか「新しい信託法と実務」ジュリ1322号36頁（2006）〔井上聡発言〕。藤瀬裕司「会社と信託」小林秀之編『資産流動化・証券化の再構築』139頁（日本評論社，2010）は，事業については会社のほうが適切なヴィークルであるとする。

り，受任者，さらには組合の業務執行組合員につき，善良な管理者の注意による業務執行義務の具体的内容を精緻化したりする試み[15]は，これに属する。

(2) 担保附社債信託法の制定

それでは，なぜ，わが国は，対象となる財産の分離や当事者の権利義務の精緻化を達成するために，信託法の導入という方法を選んだのであろうか。これには，歴史的な偶然の面がある。そこで，わが国における信託法導入の経緯について，振り返っておくことにする。

委託よりもいっそう信認関係の重い法的関係を表すため，「信託」という言葉が，1886年には考案されていたことを指摘するものもあるが[16]，実際には，すでに1883年のある論文（土方寧「契約ノ定義」）において，「信託」という言葉がTrustという法制度の訳語として現れている[17]。日本の法律に最初に現れたのは，1900（明治33）年の日本興業銀行法9条4号である。「地方債証券，社債券及株券ニ関スル信託ノ業務」というかたちで規定された。もっとも，ここにいう「信託」とは，「預かる」あるいは「代理する」という一般的な意味であったとされる。

法律制度としての信託が登場したのは，1905（明治38）年の担保附社債信託法においてである。

同法が制定された事情については，日露戦争後の復興のために外資を導入する必要があり，そのために担保付社債をロンドン市場で発行しなければならなかったところ，その当時のロンドン市場における担保付社債は，社債管理会社に，総社債権者のために担保権を保有するというTrustの方法によって発行されており，それと同様のことをわが国においても可能とする必要があったことが説かれる。すなわち，社債を発行すると，多くの社債権者が登場する。しかし，それらの社債権者が，それぞれに，社債権の担保のために抵当権を有することになると，実行もまちまちになるし，

---

15) その1つの例として，道垣内弘人『信託法理と私法体系』147頁以下（有斐閣，1996）。

16) 栗栖赳夫『信託法・財団抵当法の研究』5〜6頁（有斐閣，1968）。

17) 道垣内・問題状況2〜11頁参照。

社債が譲渡されるたびに抵当権も移転しなくてはならず面倒なことになる。そこで，社債管理会社に，総社債権者のために抵当権を保持させようということになるが，そのためには，社債管理会社に抵当権を取得させる必要があり，かつ，その際，社債管理会社には，自分のためではなく，第三者である社債権者のために，その抵当権を保有させなければならない。この目的を達成するためには，Trust の制度を「信託」として導入する必要があったというわけである。また，同時に，当時の法制度（地所質入書入規則11条）のもとでは，不動産抵当権を外国人が取得することが可能か否かに疑問があったので，担保を，外国人である債権者ではなく，受託者が有するという制度が求められたという背景もある[18]。

このように，担保附社債信託法における信託の技術は，抵当権の帰属者とその利益の帰属者とを分離するために用いられたのである。

もっとも，担保付社債権者の権利関係の適切な規律のためには，必ずしも Trust の制度を用いなければならないわけではなかった。実際，ドイツにおいては，担保付社債は，担保資産プールに対して，一定の場合，管財人が社債権者のために権利を行使し，分配を行う，という制度が，古くから存在している[19]。

イングランドの Trust の導入は，当時，国際金融の中心がロンドン市場であり，わが国がロンドン市場を通じて外貨を調達しようとした，という事情によるものである。

(3) 信託法の一般化

さて，担保附社債信託法の制定後，同法に従って担保の付された社債が積極的に発行されるようになったが，それだけでなく，「信託」という名前を冠した会社が多数設立されるようになった。明治末期には 500 社近くに達していたようである[20]。ところが，これらの「信託会社」の多くは，

---

[18] 鈴木俊夫「関説：第一次世界大戦前のロンドン金融市場と日本企業」阿部武司＝中村尚史編『産業革命と企業経営1882〜1914』282頁（ミネルヴァ書房，2010）。

[19] たとえば，最近のものとして，中山知己「ドイツにおけるカバード・ボンド——ファンドブリーフ（Pfandbrief）の基本的特質」明治大学法科大学院論集14号321頁以下（2014）参照。

高利の金融業者であり，また，信用力に乏しく破綻するものもかなりあったので，このような会社の規制が必要となった。すなわち，信託業法の制定である。規制のポイントは，単純な金融業務を行う会社に「信託」という名称を用いさせないことにあり，「信託業」を定義したうえで，その営業主体を主務大臣からの免許を受けた者に限定しようというものであった。

その後，大蔵省と司法省との主導権争いの末，結局，1922（大正11）年に，規制法である信託業法と，当事者間の法律関係を定める実体法である信託法（旧信託法）とを分離したうえで，両法が同時に制定されるに至った。

実体法である信託法の起草は，司法省の主導で行われた。初期は，池田寅二郎の見解に基づくとともに，インド信託法およびカリフォルニア州民法典（とりわけ前者）が参考にされたが，起草が進むにつれ，池田の見解どおりの内容ではなくなり，また，参照される外国法も最終的にはイングランドの判例・学説となったとされる[21]。

担保付社債信託のみの規律を超えて，一般的な信託法が必要な理由として説明されたのは，すでに述べたように，わが国においても，法人ではないクラブや学会の財産を代表者の名義で所有する例，一定の目的に拠出するために資金を募集するときにも，その目的が執行されるまでは発起人の名義でその財産が管理される例，頼母子講において会主の名義で会員に対する一切の債権等が管理される例，遺児の教育資金のために集められた資金を故人の友人が管理・運用し，遺児のために適当な支出をするという例などが少なくないところ，民法・商法の規定では当事者の関係を規律するのに十分ではない，ということである。

しかし，これもすでに述べたように，上記の例を規律するために，信託

---

20) 麻島・前出注4) 105頁は451社とし，山田昭『信託立法過程の研究』13頁注(1)(勁草書房，1981)は474社とする。

21) 山田・前出注20) 94, 97頁。池田の見解に大きな影響を与えたのはテリー（H. Terry）である（加毛明「受託者破産時における信託財産の処遇(1)」法協124巻2号400〜402頁（2007）参照）。その見解については，能見善久「テリーの分析法学と信託理論」野村豊弘古稀『民法の未来』423頁以下（商事法務，2014）参照。

法の制定が必須なわけではない。ドイツにおいては，法人理論の進展が規律をもたらした。それを，イングランドでは Trust を用いて行った，というだけである[22]。

そして，わが国が，イングランドの方法を選択した背景には，すでに担保附社債信託法が導入されており，「信託」という概念が実定法上のものであったところ，そこにおける「信託」を規律しようとする際に，信託会社の乱立を規制する必要のみを強調すると，立法が大蔵省の主導になってしまうので，司法省としては担保付社債に限らない一般的な信託法の必要性を主張せざるを得なかったという事情がある。一般的な信託法の制定も，やはり歴史の偶然なのである。

4 わが国における信託法と信託の発展[23]

(1) 新信託法の制定

信託法の制定後，いくつかの特別法は制定されたし，信託業法は，何度か改正された（→1頁＊(i)）。これに対して，信託法そのものは，長い間，大きな改正を受けなかったところ，2006（平成18）年に，新しい信託法として信託法（平成18年法律第108号）が制定された。この法律は，実質的には旧信託法の改正であるが，形式的には，「信託法の施行に伴う関係法律の整備等に関する法律」（平成18年法律第109号）によって，旧信託法につき，公益信託に関する部分以外を削除し，「公益信託ニ関スル法律」と題名を変更するとともに，別個に新たな「信託法」として制定されたものである（なお，本書では，「公益信託ニ関スル法律」の内容は扱わない。ただし，改正の状況につき，→335頁＊）。

それでは，なぜ，新信託法が制定されたのだろうか。

(2) 旧信託法・信託実務の単一性

旧信託法から新信託法への変化は，《単一化から多様化へ》とまとめることができる。

このテーゼは，旧信託法は単一的であった，ということを前提にしてい

---

22) メイトランド（森泉章監訳）『団体法論序説』（日本評論社，1995）参照。
23) 道垣内・問題状況33〜41頁参照。

る。そこで，まず，どのような理由で，どのように単一化していたのか，を考える。

第1に，旧信託法の制定経緯との関係である。すでに述べた経緯からわかるように，旧信託法や信託業法は，信託という法制度や，信託を受託する会社を育成していこうというよりも，投資家に被害を生じさせそうな会社や取引を規制しようという目的を持っていた。柔軟なヴィークルとして信託を積極的に位置づけるというよりは，受益者に被害が生じないように，受託者を縛るという観点が強く出ているわけである。

第2に，旧信託法の母法であるイングランド法の準則が，歴史的には，家族的な小規模の信託をもとに形成されてきたということがある。1人の委託者が，1人または少数の受託者に信託財産を移転し，1人または少数の受益者に利益を帰属させるというわけである。そして，わが国の旧信託法は，このイングランドの法準則をとりいれたため，想定している信託が小規模のものであると考えられる。イングランドの法準則は，しかしながら，非常に柔軟に解釈され，それがゆえに，その後，大規模で商事的な信託を様々に発展させたのだが，わが国では，第1に述べた制限的な傾向と結びついて，信託法の条文は比較的厳格に解釈されてきたといえる。

第3は，信託実務もまた，単一的であったということである。わが国においては，営業としての信託における担い手は，ずっと信託銀行であった。そして，この信託銀行の主力営業信託商品は，1952（昭和27）年6月の貸付信託法制定以来，長い間，「貸付信託」，すなわち，投資家から金銭を集め，ひとまとまりの財産を作ったうえ，それを第三者に貸し出すというかたちで運用して収益を上げ，それを投資家に還元するという仕組みであった。1980年頃まで，これだけといってよい状況だったのであり，担い手は1種類，商品は1種類，ということになっていたのである[24]。

(3) 単一化状況の変化

ところが，この単一化の状況は，変化を迎える。

第1に，営業として行われる信託が多様化してきた。1980年頃から，

---

24) 次の論文のとくに題名に注目されたい。木村恒弐「貸付信託世代からの提言」新井誠ほか編『信託法制の展望』552頁以下（日本評論社，2011）。

主として証券投資で運用する「ファンドトラスト」や「特定金銭信託」が登場し，「年金信託」といわれる商品も順調に発展してきた。さらには，資産流動化の受け皿として信託を用いることも増加した。また，個人の資産管理を行う信託についても，信託銀行はその商品を増加させ，積極的な取り組みを行うようになってきた。具体的には，生前贈与信託，株式処分信託，有価証券管理信託などが，その例である[25]。

第2に，特別法の中で，信託がより積極的に位置づけられ，役割を与えられるようになった。2000（平成12）年の「資産の流動化に関する法律」および「投資信託及び投資法人に関する法律」が，その典型である（→3頁*(ii)）。前者では，資産流動化の受け皿として特定目的信託の制度が導入され，後者では，委託者非指図型の，すなわち，受託者が運用裁量を有する投資信託が，主として不動産投資信託を念頭に置いて，認められるに至った。また，同じ年の著作権等管理事業法[26]でも，管理委託契約の1つとして信託契約が位置づけられた。

第3に，最高裁の判決にも信託に言及するものが現れてきた。その中で最も重要なのは，平成14年最高裁判決[27]である。これは，地方公共団体甲から公共工事を請け負った乙が，甲から前払金の支払を受け，銀行に預金していたという事実関係のもとで，甲と乙との間で，甲を委託者，乙を受託者，前払金を信託財産とし，これを当該工事の必要経費の支払に充てることを目的とした信託契約が成立している，としたものである。当事者が，「信託を設定する」という明示の意思を有していなかったにもかかわらず，信託の成立を認めた点に特徴があるとされる。そして，弁護士の預

---

25) 実務における信託の進展を歴史的に跡付けるものとして，田中和明『信託法案内』220〜285頁（勁草書房，2019）。なお，本書では，実務において行われている，信託を利用した様々な取引形態については，ごくわずかしか触れていない。この点については，多くの文献があるが，たとえば，井上編・153頁以下，三菱UFJ信託銀行編『信託の法務と実務〔6訂版〕』285頁以下（金融財政事情研究会，2015），第一東京弁護士会司法研究委員会編『社会インフラとしての新しい信託』（弘文堂，2010），友松義信『信託入門』（金融財政事情研究会，2014）参照。

26) 著作権法令研究会編『逐条解説・著作権等管理事業法』（有斐閣，2001）参照。

27) 最判平成14・1・17民集56巻1号20頁。

り金，損害保険会社代理店が受領した保険料，マンション管理会社の預り金などについても，信託の成立を認める余地があるのではないか，が論じられるようになってきた。

　以上の3点によって，信託はいろいろな目的に用いうるものだということが認識され，具体的な利用可能性についての議論が盛んになってきたわけである。

　そうすると，信託業法により，営業信託に対して行われている規制に対して，不満が高まってくる。2004（平成16）年改正前の信託業法は，当初信託財産（信託が設定される時点での信託財産）の種類に制約があり，たとえば，知的財産権を信託財産として信託を設定することはできなかった。この規制が廃止された。さらに，信託業への参入もなかなか難しかったところ，これが緩和された。2004年に信託業法が改正され，信託業の担い手を拡大するとともに，信託の対象となる財産についての緩和がされたのである。

　しかし，信託法は変わっておらず，信託法を改正しないままの柔軟化・多様化には限界があった。そして，信託法を改正し，より柔軟な枠組みにすることによって，信託の多様化をより推進とすべきであると，実務界から強く主張されるようになってきた。このことの背景には，すでに述べたところのほかに，もう1つ重要なことがある。それは，英米においては，Trustは，きわめて柔軟なものとして，様々な取引のヴィークルとして用いられているということである。受託者の義務や，受益者の権利についても，種々の特約が認められている。そして，金融手法は，英米スタンダードで進展していくところ，英米では，金融取引の様々な局面でTrustが極めて柔軟なスキームとして用いられている。そこで，わが国の「信託」についても同様のことが可能になるようにしてほしいという要望が強まったのである。英米との比較については注意しなければならない点があるが，事実として，英米に合わせたいという力が働いたことはたしかであろう。

　(4)　柔軟化による多様化

　そこで，信託を多様化させるために，信託法を柔軟化することとなった。具体的には，後に詳しく見ていくことになるが，①設定方法の柔軟化（信

託宣言による信託設定の是認），②信託の類型の多様化（限定責任信託の創設，受益者が多数の信託の規律），③規律内容の現代化と任意規定化（忠実義務の明示化，信託事務の第三者への委託の緩和など）である。

　信託の多様化を念頭に置いて，いろいろな目的のために信託を用いることができるようにするために，改正がされたわけである。

5　共時的な分析
(1)　利益帰属権利者に物権的救済を認めるための法制度

　すでに述べたように，わが国に信託法が制定されたのは，多分に歴史的偶然に基づくものである。しかし，現に信託法が存在する以上，それが現行日本法の中でどのような位置づけを有しているのかは，別途問題になる。

　この点に関して，私は，委任などとの関係から次のように説いたことがある。すなわち，委任事務の対象となっている財産について，受任者の不当処分や受任者の倒産の局面で，委任者に対して物権的な救済を認めようとすると，委任者が当該財産の所有者であることが要求される。しかし，ある者が他人のために財産の管理・運用を請け負ったとき，当該財産の所有権がその管理者に移転する場合もある。しかるに，どちらも同様の経済的な目的をもって行われるのであり，当該財産の所有権が形式的に管理者に移転されたか否かによって，利益帰属権利者の救済手段が大きく異なってくるのは不均衡である。そこで，上記の局面で，利益帰属権利者に所有者と同様の物権的救済を認めることにしたのが「信託」という法制度であり，信託法はそれを可能にするための法律である[28]。

　このような立場からすると，信託のポイントは，利益帰属権利者にこのような物権的救済を認めるために，受託者の有する他の財産から分離した財産（信託財産）を作り上げるということにある。

(2)　利益帰属権利者の財産からの分離

　「他の財産からの分離」ということになると，受託者の有する他の財産からの分離だけでなく，利益帰属権利者の有する他の財産からの分離も問

---

28)　道垣内・前出注15) 217〜218 頁。

題になりそうである。しかし，信託の本質を，所有権等に基づく救済が利益帰属権利者に認められない場合でも，なお類似の物権的救済を認める，という点に求めるならば，「利益帰属権利者の財産からの分離」は，利益帰属権利者に所有権等に基づく救済を認め得ない，という消極的要件にすぎないことになる[29]。

　もっとも，これに関連して，「委託者からの分離」の必要性を強調する見解もある[30]。ここには，とりわけ自益信託（→20頁）においては利益帰属権者である受益者が委託者になるところ，委託者からの分離が不十分であれば，委託者は自らがコントロールできる財産をいわば安全地帯に置くことができることになり，妥当ではないという判断がある。たしかに，自益信託において，委託者から財産が十分に分離されていない場合には，委託者に対する債権者が，当該財産から債権回収ができないのは不当であるが，そのときには委託者には，実質的所有者だと評価できるほどの権利が帰属しているはずであるから，その権利の代位行使や差押えを認めるべきである[31]。そして，そのような権利，たとえば信託の撤回権の代位行使を委託者に対する債権者に認めることができるならば，信託を無効として，受託者（委託者との関係では，管理等につき一定の義務を負うことに同意している）の義務を免れさせる必要はないであろう[32]。

（3）　財産権帰属者の義務[33]

　信託法の適用を認めるべき場合，すなわち，信託の成立を認めるべき場合とは，信託財産に属する財産*についての財産権が，受託者にあたかも帰属していないような状態にある場合である。受託者が純粋な財産権帰属者として行動できず，そこからの利益を得られないところに信託の本質があり，だからこそ，当該財産が，受託者に帰属する財産のうちで分離され，

---

29)　道垣内・問題状況74～75頁。
30)　新井・129～131頁。
31)　能見・39頁。
32)　道垣内・問題状況75頁，能見・39頁。
33)　受託者の義務の側面を強調するのは，樋口範雄の一連の業績である。たとえば，同『フィデュシャリー［信認］の時代』（有斐閣，1999），同『入門・信託と信託法〔第2版〕』（弘文堂，2014）。

特別扱いされることになるのである。

　しかし，受託者は，あくまで，信託財産に属する財産についての財産権帰属者である。したがって，たとえば信託財産が処分されるとき，その主体は受託者となる。そこで，このような場面における受託者の義務が，信託の本質に反しないように定められなければならないことになる。

　新信託法は，受託者の義務に関する諸規定を旧信託法に比べ詳細に定めたが，同時にそれらを原則として任意規定とした。しかし，その義務の変更・排除には限界があるといわねばならない。たとえば，自己取引避止義務について，いくら別の定めが許容される（信託31条2項1号）からといって，何らの限定なく自己取引が可能な仕組みになっている場合には，受託者が信託財産に属する財産について，自らの完全な所有物として，そこからの利益を受けうる仕組みになっているのであり，そのような法律関係はもはや信託ではないというべきである。これに対して，信託財産に属する財産であっても，たとえば，市場価格の明確なものについて，受託者が市場価格で購入できるとすることは，信託の本質には反しない。受託者が利益を受ける仕組みになっていないからである。

　　＊　**「信託財産」と「信託財産に属する財産」**　　信託法においては，「信託財産」という言葉は，信託により管理・処分等をすべき財産の全体を示す場合に用いられ（信託2条3項），個々の財産については，「信託財産に属する財産」という言葉が用いられている（同条5項など。信託法の条文における使用例は約100件にのぼる）。また，当該財産が債権である場合には，「信託財産に属する債権」という言い方がされる（同20条3項，22条など）。本書でもこのような用語法に従うが，いずれを用いるべきかが微妙な場合もある。
　　「固有財産」（「受託者に属する財産であって，信託財産に属する財産でない一切の財産」（同2条8項））という言葉と**「固有財産に属する財産」**という言葉についても同様の使い分けがされている。
　　また，法令上の用語ではないが，信託設定時点における信託財産を**当初信託財産**という。本書では，この用語についても，当初の信託財産全体を示すものとし，個々の財産については「当初信託財産に属する財産」ということにする（本書初版では使い分けがなお不徹底であった）。

第2節　信託の基本構造と解釈指針

1　信託の基本構造

前節の分析を踏まえると，信託の特徴は，財産の分離と関係者の権利義務の柔軟化（デフォルト・ルールの単純化）にある。

そして，信託法2条・3条にあるように，その財産は，当初，委託者から拠出され，受託者に帰属する。そうすると，信託の基本構造は，上掲の図をもって示すことができることになる。

しかし，ポイントは，受託者に帰属している財産のうちで，信託財産に属する財産が独立して扱われることにある。そうすると，委託者と受託者とが別の法主体である必然性はない。重要なのは，財産の取り分けなのであり，委託者が，一定の財産につき，「以後，この財産を信託財産として別扱いする」と宣言することによって，信託財産の独立性を認めることもできる（自己信託。詳しくは，→71～78頁）。

また，委託者と受益者が別の法主体である必然性もない。委託者と受益者が同一者である信託を**自益信託**といい，委託者と受益者が異なる者である信託を**他益信託**というが，受益者の有する地位を譲渡可能とするときは，一方から他方へと変化しうることになる。

さらに，受益者の存在も必然的ではない。信託財産，さらにはその管理・運用によって得られる利益が，一定の目的に使用されることになっていることもある。たとえば，特定の町内会の祭りのために必要な支出を，各人からの申請に基づいて給付する，ということになっているときが，そうである。このような場合は，特定された受給者があらかじめ存在するわけではなく，**受益者の定めのない信託**，すなわち**目的信託**となる（詳しくは，→334～341頁）。目的信託のうち，当該目的が公益とされるときには（特定の町内会の祭りのため，というのは，その祭りが文化遺産として認知されているような場合を除き，公益ではない），**公益信託**とされ別の規律に服する

(→335頁＊)。

　信託財産が独立して扱われ，受益者に物権的救済が認められることが確保されていれば，それ以外の委託者・受託者・受益者の権利義務については，画一的に定める必要はない。このことが，信託の柔軟性・単純性をもたらす。しかし，これらの者の権利義務は，信託財産が独立して扱われることと矛盾しない範囲で定められなければならないことは，すでに述べたとおりである。

2　信託法の解釈指針
(1)　解釈指針の必要性

　このように，信託の枠組みは可変的であるため，多様な目的のために，多様なスキームにおいて用いられる。複合的なスキームの中に信託が組み込まれ，一定の役割を果たすこともある。したがって，信託の機能は様々である。

　もっとも，そのような種々の利用形態に応じて，適切に条文や信託行為を解釈し，妥当な解決をもたらすために，学説上，いくつかの解釈指針が論じられている。

(2)　信託財産の実質的法主体性の有無

　この点でまず注目すべきなのは，実質的法主体性説である。この見解は信託財産に実質的な法主体性を仮定し，受託者にはその管理権者としての地位があるものと考える[34]。そして，このことにより，信託財産に属する財産の滅失等についての規律（信託16条1号），公益信託に関する可及的近似の原則（公益信託9条），添付・混同の規律（信託17条・18条，さらに16条2号）などの説明が論理的に可能になると主張するとともに，受益債権と受託者が固有財産において受益者に対して有する債権との相殺を不可とする解釈などにおいて，信託財産に実質的法主体性があることを根拠にする[35]。

---

[34]　フランスのルポールの見解に影響されている。ルポールの見解そのものについては，大村敦志「信託の理論」同『20世紀フランス民法学から』262〜275頁（東京大学出版会，2009）。

これに対して、伝統的な通説は、受託者が、信託財産に属する財産について完全な所有権（所有権の対象でないもの（たとえば債権）が信託財産に属する財産であるときは、その権利）を有し、受益者は、受託者に対し、信託の目的に従った信託財産の管理・処分を行うことについての債権的な請求権を有する、と考える[36]。信託財産に属する財産は、あくまで受託者の有する財産であるとされる。

新信託法は、後者の立場（債権説）をとっていると説明されることがあるが[37]、解釈論としては、なお実質的法主体性説の優越性を主張するものもあり[38]、議論が決着しているわけではない。

さて、受託者が信託財産を取得し、または、受託者の財産を信託財産にする行為、受託者の信託財産に対する権利など、信託財産に法主体性を承認し、二当事者間の契約や債権債務関係を観念した方がわかりやすい場面があることはたしかである。しかし、財産そのものが法主体となるという考え方は、わが国の実定法上の根拠を欠き、受益者に対する債務にせよ、第三者に対する債務にせよ、信託事務の執行によって生じた債務についての債務者は受託者である。実質的法主体性説は、一定の場面を説明するには適した考え方であるが、それを一般化することは妥当ではない。

(3) 商事信託の特殊性

受託者の果たす役割が財産の管理・保全または処分である場合を「民事信託」[39]とよび、それを超える場合、および、それとは異なる場合を「商

---

35) 四宮・69～79頁。相殺については、四宮・187頁
36) 池田寅二郎『担保附社債信託法論』144～153頁（清水書店、1909）、青木徹二『信託法論』299～301頁（財政経済時報社、1926）、入江眞太郎『全訂信託法原論』150～154頁（厳松堂書店、1933）など。
37) 寺本・25頁。
38) セミナー(1)・110頁〔能見善久〕。また、永石ほか編・8頁〔永石一郎〕は、現行法は実質的法主体性説を一部とり入れているとも評価できるとする。
39) ここでは信託法の解釈指針として「商事信託」という概念を用いるときに、それとの対比で「民事信託」が定義されている。これに対して、信託の利用方法の拡大やその特色を示すときに「民事信託」という語が用いられることがあり、たとえば、「家族や個人の財産管理・承継等を主たる目的とする信託」とか、「非専門家である個人が受託者である信託」とかといった定義がされる。

事信託」とよぶ。そして,「商事信託によって本質的なのは何らかの商事性を有するアレンジメントであり,そのアレンジメントを管理・実行する任務を引き受けるのが受託者であり,そのアレンジメントに実質的な出捐をし,そのアレンジメントの利益を享受するのが受益者である」とする[40]。

そして,このことから,民事信託と異なり,商事信託においては,信託財産の存在は本質的ではなく,その点において,緩和した解釈・規制がされるべきこと,受益権の性格は信託財産が何であるかとは独立して論じられるべきこと,受益者が多数存在する場合について多数決等の集団的規律が認められるべきこと(ただし,公平性の確保も重要になること),受託者の権利・義務についても,アレンジメントの趣旨・受益者の権利に即して柔軟に考えるべきこと(このとき,委託者の意思よりも,マーケットの意思が重視されること。ただし,利益相反取引については,より詳細なルールが必要であること),受益者や受託者の有限責任性が肯定されるような解釈を施すべきこと等が主張される。

これに対しては,その指摘の多くは民事信託についても当てはまるのであり,商事信託と民事信託を区別して考えるのではなく,双方に当てはまる原理の現代化を考えるべきであるとの意見もある[41]。実際,上記の主張には立法による解決が図られ,その際,民事信託についても同様のルールが規定された点も多い。しかし,たとえば特約の有効性が認められる範囲や善良な管理者の注意の具体的内容についての決定等にあたって,その指針としては,重要な意味を有する主張であろう[42]。

(4) 自益信託と他益信託

自益信託(委託者と受益者が同一者である信託)と他益信託(委託者と受益

---

40) 神田秀樹「日本の商事信託——序説」鴻常夫古稀『現代企業立法の軌跡と展望』581頁以下(商事法務研究会,1995),同「商事信託の法理について」信研22号49頁以下(1998)。具体的な解釈論の展開は,神田=折原・14〜16頁。
41) 太田達男「いわゆる商事信託法理への疑問」法時72巻11号68頁以下(2000)。能見善久「総論」信研30号3〜6頁(2005)も参照。
42) なお,神田秀樹「商事信託法の展望」新井誠ほか編『信託法制の展望』504〜506頁(日本評論社,2011)参照。

者が異なる者である信託）との区別を重視し，信託法の各条文を，自益信託の規定，他益信託の規定，両者に共通の規定の 3 種類に分ける解釈を提言するものもある[43]。自益信託では，委託者は自分の利益を図るために信託を設定しており，信託設定後も委託者（兼受益者）と受託者との人的関係が信託関係の中核的要素として機能するのに対し，他益信託では，委託者は基本的には信託関係から離脱することになる，というのが，その理由である。そして，いくつかの条文を具体例としてあげている（自益信託にのみ適用されるものとして，信託 164 条，他益信託にのみ適用されるものとして，信託 15 条，88 条，99 条，165 条。同 48 条 5 項については，他益信託への適用を限定的に考える）。

信託が設定された時点で当該信託の性質が固定されるとするものと理解するならば，この見解は，自益信託として設定されたが受益権が売却されたときはどうなるか，また，他益信託として設定されたが委託者が受益権を取得したときはどうなるか，という疑問を生ぜしめる。逆に，ある法条の適用が問題となる時点で当該信託の性質がその都度決定されるということになると，受益権の譲渡人の有する権利と譲受人の有する権利とが異なることになり，とりわけ，(3)で述べた商事信託の場合にそれでよいのかが問題になる。さらに，複数の受益者のうち 1 人が委託者であるときの適用関係にも問題がある。

しかし，受益者が 1 人であり，かつ，受益権の譲渡が予定されていない信託における権利義務関係を考察するときには，一定の意味があると思われる。

(5) 「信託でできるなら」と「信託ならうまくいく」

現在の信託法の解釈にあたって，実質的に同一の問題の処理内容が，信託という法的構成を用いた場合と民商法上の法的構成による場合とで大きく異なることは疑問であり，むしろ，双方の法的構成による処理が整合的に説明できるようにすべきである，という見解と，信託であればこそ可能になる処理があっておかしくなく，同様の結果を民商法上の法的構成によ

---

[43] 新井・66〜75 頁。

ってもたらすように腐心する必要はないとともに，民商法では困難な法的処理を信託という仕組みの活用によって実現することを積極的に評価すべきである，という見解とが存在すると分析されている（分析者は，前者の見解を「『信託でできるなら』説」，後者の見解を「『信託ならうまくいく』説」とよぶ)[44]。

　前者の見解は，民商法における既存の規律が不十分であることを理由に信託法が制定されたことに鑑みると，妥当でないものに思われるかもしれない。しかしながら，共時的に考えるとき，信託ではなくても，実質的に財産の分離を認めるべき場合には，所有権の所在の解釈や預金者の認定の手法によって分離が認められるべきであり，また，管理者の義務についても，信託法の規定がその具体的な内容として妥当であるときは，たとえば，受任者の負う善良な管理者の注意による委任事務執行義務の具体的な内容として取り入れられていくべきだと思われる。逆に，委任における受任者や民法上の組合における業務執行組合員，さらには，会社法上の取締役などの財産管理者の義務内容（義務の否定も含む）として認められている規律で，信託法に規定を欠くものについては，受託者の義務としても取り入れるべきことを考えるべきであろう[45]。

　もちろん，信託に固有の規律もあり得るが，そのときには，なぜ信託についてだけそのような規律が求められるのかを自覚的に検討しなければならない。

3　信託の分類と解釈指針

（1）　以上は，信託全般についての解釈指針であるが，信託について類型分けをした上で，解釈指針を求めようとする試みもある。

（2）　先に述べた商事信託と民事信託を分ける見解は，商事信託を，さらに，「預金型」（伝統的な意味での銀行業務（預貸金業務）と同種の目的を達成するために利用されるものであり，貸付信託が典型例)，「運用型」（資産（金銭で

---

[44]　早川眞一郎「『信託という名の相続』覚書」米倉明編『創立20周年記念・論文撰集』205〜206頁（トラスト60，2007）。

[45]　私の試みとして，道垣内・前出注15）147頁以下参照。

ある場合が少なくない）の運用のために利用されるものであり，受益者が多数であることが多く，信託財産が合同運用されることが多い），「転換型」（取引の対象ないし客体の性質を変化させるために利用されるものであり，資産の流動化・証券化のための信託が典型例），「事業型」（事業が行われるものであり，土地信託が典型例）に分け，その機能に応じた信託法の解釈・運用の重要性を説く[46]。

(3) また，理念的なモデル（中間型・融合型もある）として，「信託＝財産処分モデル」（財産処分のプロセスや最終的配分方法などの点で，財産処分者の細かな希望に従った処分を行うために用いる。委託者の意思が財産処分についての設計図（エステイト・プランニング）として重視されるが，受益者の利害との調整を図る必要がある。他方，受託者の利益との調整を図る必要性は大きくない），「信託＝契約モデル」（委託者と受託者が交渉し，信託目的や信託財産の管理処分方法を合意する信託であり，基本的には契約と同じに考えてよい），「信託＝制度モデル」（法人の設立に類似するかたちで信託を設定するものであり，いったん設定されると，委託者・受託者の意思は，信託目的や信託条項の中に客観化・制度化され，もはや信託設立の関係者の単なる合意ではこれを変更できなくなる点に特徴がある）の3つを提示する見解もある（→179頁）[47]。

(4) 一般に，法律行為に関して，当事者が当該契約で達成しようとした目的に即した解釈の必要性が説かれる。信託法・信託行為の解釈についても同様であり，その目的を把握する枠組みとして，上記の学説が説くところは重要である。ただし，むりやりにこの枠組みに即して把握することも慎まなければならない。

第3節　信託の形式的な分類

1　総　論

以上と異なり，形式的な観点から，信託の分類が行われることもある。以下の議論の便宜のために整理しておく[48]。

[46) 神田・前出注40)（「商事信託の法理について」）61～67頁。
[47) 能見・10～13頁。

2 信託の設定方法による分類

信託は，委託者と受託者との間の契約，委託者の遺言，委託者の信託宣言のいずれかによって設定される（信託3条）。それぞれ，**契約信託**，**遺言信託**，**自己信託**とよばれる。

わが国の信託のほとんどは，契約によって設定されるものであり，他の方法によって設定される信託は少数である。なお，信託銀行の実務で，遺言書の保管や遺言の執行業務を「遺言信託」とよぶことがあるが，これは実務上のネーミングであり，法的には信託ではない。また，信託宣言によって設定される信託につき，信託法本体は「自己信託」という言葉を用いていないが，同法附則2項の見出し，信託業法50条の2，登録免許税法別表第1には，「自己信託」という用語例がある。

3 信託目的が私益か公益かによる分類

公益信託とは，受益者の定めのない信託であり，学術，技芸，慈善，祭祀，宗教その他の公益を目的とするもので，主務官庁の許可を受けたものをいう（公益信託2条）。その他の信託が**私益信託**である。

4 信託利益の帰属先による分類

自益信託とは，委託者と受益者が同一者である信託であり，**他益信託**とは，委託者と受益者が異なる者である信託である。

設定時には自益信託であっても，受益権の譲渡等により，受益者が委託者以外のものになると，他益信託となる。これに対して，設定時には他益信託である場合に，後発的に受益権のすべてを委託者が取得したとき，それを自益信託とよぶか否か，設定時に委託者が受益者の1人であり，他の受益者が存在するとき，それをどのように呼称するかについては，明確で

---

48) 信託の分類方法が，分類の目的によって異なるのは当然である。他の視点による分類として，根田正樹ほか編『信託の法務・税務・会計』7～10頁〔根田正樹〕（学陽書房，2007）。また，現行税制における課税ルールの観点から，法人型課税信託，集合的信託，受益者等不存在信託，受益者等課税信託という区別を立てるものとして，佐藤英明『新版信託と課税』406頁以下（弘文堂，2020）。

はないように思われる。

5　信託引受行為が営業としてのものか否かによる分類

　営業信託とは，受託者がその営業として引き受ける信託であり，信託業法または兼営法（金融機関の信託業務の兼営等に関する法律）の適用を受ける。非営業信託とは，それ以外の信託であり，あまり例がないと考えられている。

6　営業信託についての分類

　設定時の信託財産が金銭またはそれと同視しうる小切手等であるときを，「金銭の信託」とよび，その他の財産を信託財産として引き受けたときを「物の信託」という。信託財産の運用の結果，財産の性格が変化しても，呼称は変更されず，もっぱら信託設定時の状況に着目した区分である。その意味で解釈論的有用性は低い。

　「金銭の信託」は，信託終了時に，信託財産を金銭に換価し，受益者に金銭で交付するものと，信託財産を信託終了時の状態のままで交付するものとに分けられ，前者を「金銭信託」，後者を「金銭信託以外の金銭の信託」（金外信託）という。

■ 第2章　信託の設定

第1節　序　　説

1　信託法3条の定め

すでに挙げたが，信託法2条1項は，信託につき，次のような定義をしている。

「この法律において『信託』とは，次条各号に掲げる方法のいずれかにより，特定の者が一定の目的（専らその者の利益を図る目的を除く。同条において同じ。）に従い財産の管理又は処分及びその他の当該目的の達成のために必要な行為をすべきものとすることをいう。」

そして，この条文における「次条各号に掲げる方法」として信託法3条に規定されているのは，

①委託者となる者Sが，受託者となる者Tとの間で，SからTにある財産を処分する旨，および，Tが，一定の目的に従い，財産の管理や処分など，その目的達成に必要な行為をする義務を負う旨を定める契約を締結するという方法，

②Tに対しある財産を処分する旨，および，Tが一定の目的に従い，財産の管理や処分など，その目的達成に必要な行為をする義務を負う旨を内容とする遺言をSがするという方法，

③Sが，自己の有する一定の財産について，自らを受託者T（＝S）とし，一定の目的に従い，財産の管理や処分など，その目的達成に必要な行為を自らで行う旨の意思表示をするという方法，

である。

2　3つの方法

信託法3条に定めるところは，順に，①信託契約による方法，②遺言に

よる方法，③信託宣言による方法，となる。そして，信託法2条1項からすると，信託の設定のためには，α当初信託財産の受託者への帰属，β信託目的の設定，γ受託者の信託財産管理等の義務の設定，の3要素が，いずれの方法による信託設定についても必要とされていることがわかる。

上記の信託契約，遺言，信託宣言は，いずれも信託を設定する法律行為である。これを**信託行為**という（信託2条2項）。

まず，それぞれに共通の要件について検討する。

第2節　共通の要件

1　当初信託財産の受託者への帰属

(1)　信託財産の必要性

実定法としての信託法が，受託者が受益者のために行為する場合一般ではなく，信託財産が存在し，その「財産の管理又は処分及びその他の当該目的の達成のために必要な行為をすべき」義務を受託者が負う場合のみを「信託」と呼称していることは明らかである。そして，信託の本質を，信託財産をめぐる物権的な効力の発生ととらえるときには（→17～18頁），信託法のこの態度は積極的に評価されるべきことになる[1]。

信託契約または遺言による信託設定の場合には，信託設定にあたり，一定の財産（**当初信託財産に属すべき財産***）が委託者から受託者に対して処分される。これに対して，自己信託の場合には，委託者が，自身に帰属する

---

[1]　能見・24頁（「財産を信託目的によって物権的に拘束する点にこそ特徴」がある，とする），道垣内弘人『信託法理と私法体系』217～218頁（有斐閣，1996）（「信託とは，所有者でない者に所有者と同様の物権的救済を認めるという法理であり，信託法はそれを可能にするための法律である」とする）。これに対して，受託者が受益者のために行為するというアレンジメントとして信託をとらえ，信託財産の存在を重視すべきではないとの見解も有力に主張されている（神田秀樹「日本の商事信託――序説」鴻常夫古稀『現代企業立法の軌跡と展望』581頁以下（商事法務研究会，1995），同「商事信託の法理について」信研22号49頁以下（1998））（→22～23頁）。

一定の財産について，自ら受託者として管理する旨を宣言するのであり，法主体間での財産処分は存在しない。

＊ 当初信託財産に属すべき財産の制限　2004（平成16）年の信託業法の改正まで，信託銀行等が営業として行う信託においては，当初信託財産に属すべき財産が，金銭，有価証券，金銭債権，動産，土地およびその定著物，地上権・土地の賃借権に限定されており，さらに，動産については，その種類を特定し許可を得る必要があった。信託業法は，すでに述べたように，経営基盤が弱く，不堅実な信託会社が多く存在していたという状況の下に制定されたものであり，あまり様々な種類の信託ができないように予防するという趣旨があったのである（→11～12頁）。ところが，知的財産権等の信託の需要が説かれることになったので，2004（平成16）年の改正により，そのような制限は撤廃された。

(2) 「占有の瑕疵」の承継

㈺　自己信託の場合を除き，信託の設定にあたっては，当初信託財産に属すべき財産が委託者から受託者に移転される。そうすると，たとえば，委託者に帰属していなかった財産についても，受託者が，民法177条，178条，94条2項，192条によって所有権を取得することが生じるようにも思われる。さらには，自らに所有権のないことについて悪意で当該不動産を占有している委託者が，本来は時効取得には20年の占有が必要なところ，善意の受託者に当該不動産を移転して，受託者のもとで10年の取得時効を完成させることも考えられる（民162条）。

しかし，受託者は信託財産に属する財産について独自の利益を有するわけではないので，受託者の保護を図る必要はない（詐害信託についても，受託者の保護は図られていない。信託11条1項。→130～131頁）。そこで，信託法15条は，「受託者は，信託財産に属する財産の占有について，委託者の占有の瑕疵を承継する。」としている。

「占有の瑕疵」とは，民法187条2項による概念であり，「瑕疵ある占有」とは，無権原の占有者が，善意（自らに権原がないことを知らない）・無過失（知らないことに過失がない）でない，あるいは，平穏・公然に占有しているという状態にない場合（いずれかの要件が欠ける）である。取得時効・即時取得に関連して問題となることの多い概念だが，いくつか検討す

べき点がある。

　(イ)　まず，占有の瑕疵について受託者の保護を図る必要はないとしても，受益者（委託者以外の場合）は保護に値するのではないか[2]。しかしながら，受益者は信託財産に属する財産について占有を取得するわけではないので，受益者のもとで瑕疵なき占有に転換するという法理によって保護することはできないし，受益者について，占有取得時の主観的態様や占有取得原因を考慮することも困難であろう[3]。

　(ウ)　また，たとえば，委託者が自己所有の不動産をすでに第三者に売却し，所有権を移転したが，移転登記が未了のうちに当該不動産を当初信託財産に属する財産とする信託を委託者が設定し，委託者から受託者への移転登記がされたときはどうか。受託者を保護する必要はないし，委託者が第三者に売却した当該不動産の利益を信託の設定により自らが享受し，または，第三者である受益者に享受させることができるのは妥当でないとも考えられるので，民法177条の適用を排除すべく，信託法15条の適用あるいは類推を認めるべきだとも思われる[4]。

　しかし，民法177条の趣旨は取引の安全を図ることだけにあるわけではなく，また，この場合，委託者は当該不動産を受託者に有効に譲渡する権限を有しているのであるから（他主占有者であっても，無権原占有者ではない），受託者と先に譲渡を受けた当該第三者とは対抗関係に立ち，先に登記を備えた方が優先すると解すべきであろう。委託者が，第三者のために抵当権や地上権を設定したが，それが未登記である場合も同様である。

　(エ)　これに対して，形式的には占有の瑕疵の問題ではないが，前主の権利に対する信頼の保護についての規律，たとえば，民法94条2項，96条3項等については，信託法15条の類推により，受託者には適用されない

---

[2] そこで，「占有の瑕疵」の承継の規定は，自益信託のみに適用されるとする見解が旧信託法の下では有力であった（四宮・196頁）。現行法の下でも，新井・369〜370頁。

[3] なお，沖野眞已「信託法13条1項の適用範囲に関する2, 3の疑問」トラスト60編『実定信託法研究ノート』55頁以下（トラスト60, 1996）が，この問題を扱っている。

[4] 本書初版・32頁は，そのような見解をとっていたが，改説する。

と解すべきである5)。前主である委託者は無権利者であるところ，委託者の有する以上の権利を受託者に得させる必要はなく，また，受益者が第三者であるとしても，受益者について，その善意や無過失を考慮することも困難だからである。

(オ) なお，信託法15条は一般的な文言を用いているが，当初信託財産に属する財産のみに関する規定であり，信託設定後に，受託者が委託者から財産を購入したときには，受託者につき，民法94条2項，192条等の適用はあると解される。すでに通常の取引保護の問題になっているからである。

(3) 消極財産の扱い

信託法における「信託財産に属する財産」には，消極財産である債務は含まれない6)。ある財産が「信託財産に属する」とされることによって生じる効果はいくつかあるが，一言でいえば，受託者名義の財産であるにもかかわらず，あたかも受託者の財産ではないように扱われるということである。これによって信託財産の独立性が確保される。しかるに，受託者名義の債務，すなわち受託者が債務者とされている債務について，「あたかも受託者の消極財産ではないように扱われる」という効果は生じない。債務について，「受託者個人に対する債権者は差押えをすることができない」とか，「受託者が破産したときに破産財団に取り込まれない」とかといった効果を考えることはできないのである。したがって，ある債務について，それが信託財産に属する財産であるということには，積極的な意味はない7)＊。

＊ **債務も信託財産となりうるとする見解** まず，文言上，旧信託法17条は，「信託財産ニ属セサル債務」という文言を用いており，「信託財産に属する債務」という観念を認めることが正当であるところ，これを変更する趣旨は新法にはない，という理由が挙げられる。しかし，現行の信託法は，この点で，「信託財産責任負担債務」という概念を用いるようになっており，とりわけ，信託法36条では，「信託財産に属する財産及び信託財産責任負担債務の状況」

---

5) 四宮・198頁。
6) 寺本・34頁注(5)。
7) 道垣内・問題状況314〜316頁。

と規定し、「信託財産に属する財産」に「信託財産責任負担債務」が含まれないことを前提とする文言となっている[8]。

次に、信託財産に属する積極財産に付着した公租公課たる債務については、信託財産である債務と考えた方が素直ではないか、という見解がある[9]。しかし、たとえば、固定資産税はあくまで賦課期日現在における固定資産の所有者に課される税であり（地税343条1項・359条）、その滞納処分は当該固定資産に対してだけではなく、たとえば所有者の給料債権に対してもなされる。積極財産に付着している税ではない。

さらに、包括財産を信託財産とするために、債務を信託財産にできないとすることは実務のニーズに合わないことを指摘する見解もある[10]。ただ、この見解は、信託が設定される時点で債務引受を行うことを禁止し、設定後には、債務引受を認めるという規制のあり方を問題にするものであり、債務が信託財産に含まれるべきことを理論的に主張するものではない。そして、受託者による債務引受が信託設定時に行われることは、信託法からは妨げられるものではない[11]。もっとも、この点に関し、債務引受をした対象債務が信託財産に属するものでないとするならば、その債務は受託者によって一定の目的に従って管理・処分されるものではないことになるから、債務引受で説明しようとすることは妥当でなく、当該債務が信託財産に属する財産として受託者に移転されたと考えるべきである、という批判がある[12]。しかし、たとえば、事業信託の設定にあたって債務引受をすること自体は、当該事業を独立した形態にするという信託の目的との関係で行われているのであり、また、信託設定後の債務引受による債務負担は、信託設定後に取引によって信託財産責任負担債務を負担した場合と変わるところはなく、その債務の扱いについて、とくに信託財産に属する財産であると観念しなくても、信託目的にそった態様での債務管理が要求されるのは当然である。

同様に、賃貸中の不動産が信託財産に属するに至ったとき、敷金があれば、その返還債務は受託者が承継するが（民605条の2第4項）[13]、このことも、賃貸人たる地位に付随して承継されるというだけであり、とくに信託財産に属する債務を観念しなくても説明可能である。

また、信託財産責任負担債務を信託財産に属する財産であると考えると、信託法74条は、受託者の死亡時に信託財産は法人とするとしているので、相続人はその債務を承継しないことになってしまう。しかし、信託財産責任負担債務の債権者は、受託者の固有財産も引き当てにできていたのであり、相続人に

---

8) 村松ほか・4頁注(3)。
9) 新井・163頁。
10) 神田・前出注1)（「商事信託の法理について」）56頁。
11) 村松ほか・4頁。
12) 新井・165～166頁。
13) 信託における例として、最判平成11・3・25判時1674号61頁。

承継されないという結論は妥当でない。

(4) 問題となる「財産」

(ア) 財産の譲渡性　　金銭に見積もりうる積極財産であれば，信託法2条1項にいう「財産」に該当し，金銭，不動産，有価証券，特許権等の知的財産権はもとより，特許を受ける権利などでもよいが，移転のできない権利*は当初信託財産に属する財産とはなりえないとされる。また，人格権も当初信託財産に属する財産にはならないというのが通説である[14]（移転できない権利や人格権が信託設定後の信託事務執行によって信託に帰属することはありうる）。

＊　譲渡禁止・制限特約付債権，相殺の期待の保護[15]　　譲渡禁止・制限特約の付いた債権についても，民法466条2項は，その譲渡の有効性を認めているから，そのような債権を当初信託財産に属する財産とすることも当然に認められる。しかし，受託者の主観的態様を基準とする信頼の保護は図られないことになっているので（信託15条。→32〜33頁），当該債権の譲受人である受託者は，民法466条3項の適用にあたって，譲渡禁止・制限特約について悪意であるとみなされる。したがって，当該債権が信託の設定のために受託者に譲渡された後でも，債務者は，委託者（債権譲渡人）に対する債権をもって，当該債権と相殺することができる。民法469条で認められる範囲よりも，広い範囲で相殺が認められることになる。これに対して，譲渡禁止・制限特約の付されていない債権が当初信託財産に属する財産とすべく受託者に譲渡されたとき，債務者が有する相殺権については民法469条で規律される。

自己信託の場合には，債権の譲渡が生じないから，譲渡禁止・制限特約が付いていても，当該債権を当初信託財産に属する財産とすることは当然に可能である[16]。そして，債務者の有する相殺権との関係は，信託法22条で規律され

---

14) 四宮・133頁。もっとも，人格権の譲渡が許されない理由に照らして，より精緻な検討の必要性を説く見解が現れている（米村滋人「人格権の譲渡性と信託」水野紀子編『信託の理論と現代的展開』65頁以下（商事法務，2014））。

15) 民法（債権関係）改正前の議論については，道垣内・問題状況112〜127頁参照。また，永石ほか編・57頁〔永島正春〕は，相殺禁止を信義則上主張できないという構成を主張する。これに対して，疑義があるとするのは，井上編・195〜197頁。さらに，受託者の交代が生じる場面で相殺の期待を保護する方策を論じるものとして，福田政之＝村治能宗「自己信託を利用した譲渡禁止特約付債権等の証券化・流動化の実務と法的諸問題」SFJジャーナル8巻16〜19頁（2014）。

16) 2017（平成29）年民法改正前の段階で，私は，当該特約が「当該契約の利益を第三者が取得することを妨げること」を目的として付されている場合には，自

ることになる（→153頁）。
　　なお，信託設定後に受託者が変更し，新受託者に債権が移転する場合については，会社分割等の組織法上の包括承継に準じ，譲渡禁止・制限特約の対象となる譲渡には該当しないと説かれており[17]，これに賛成すべきであろう。

　(イ)　**将来債権**　将来一定の期間に発生すべき債権（将来債権）を信託財産として信託を設定することは可能か。民法上，将来債権の譲渡は，広くその効力が肯定されており（民466条の6第1項）[18]，譲渡ができる以上，信託設定も可能であるというべきであろう。しかし，委託者に対する将来債権あるいは期限未到来の債権のみを信託財産として信託を設定することができないと解すべきである（→43頁参照）。

　(ウ)　**株式（議決権）**　株式が信託財産（当初信託財産でも同じ）に属する財産となりうることは明らかであるが，それが当該株式の経済的価値が帰属していない者（受託者）に議決権を行使させることを目的とするもの（**議決権信託**）（議決権だけの信託ではなく，株式の信託である。議決権は株主の地位とは切り離せないから，議決権のみの信託は無効である）であるときについては議論がある[19]。実務では事業承継などの局面で広く用いられており[20]，原則として有効であることにあまり争いがないが，議決権行使の基準が不

　　己信託の設定も禁止されるとし，民法改正後も同様であると主張していた（本書初版・35頁，条解・33頁〔道垣内弘人〕）。しかし，特約の目的いかんにかかわらず，信託契約または遺言による信託設定は有効とされる以上，自己信託の設定のみを無効とするのはおかしい。改説する。
17)　井上聡「自己信託の利用」ジュリ1520号24頁（2018）。
18)　民法における明文による規律は，判例法理（最判平成11・1・29民集53巻1号151頁）を承けるものである。ただし，その判例法理もそれを基にする民法の規律も，将来債権の譲渡を，公序良俗違反の制約以外には一切の制約なしに認めるものと理解すべきではない（道垣内弘人「将来債権の包括的譲渡の有効性と対抗要件」同『非典型担保法の課題』170～172頁（有斐閣，2015））。さらに，セミナー(1)・23～29頁参照。
19)　森田果「議決権拘束契約・議決権信託の効力」浜田道代＝岩原紳作編『会社法の争点』102頁（有斐閣，2009）。その効力についての議論も，同論文を参照。さらに，みずほ信託プロダクツ法務研究会編『新たな信託ソリューションと法務』82頁以下〔有吉尚哉〕（金融財政事情研究会，2022）。
20)　問題点も含め，山田裕子「事業承継目的の株式信託について」信研38号89頁以下（2013）参照。

明確で，期間も長期である等，株主の議決権を不当に制限する場合には，無効とされる[21]。

また，譲渡制限のある株式を当初信託財産に属する財産とする信託が設定されたときは，譲渡は譲渡当事者間では有効であると解されているので[22]，信託は有効に成立する。しかし，譲渡について会社の承認が得られない場合には，信託目的の達成不能として信託が終了すると解される（信託163条1号。→427頁）[23]。

(エ) 情　報　「情報」は信託財産に属する財産となり得るか。信託設定後，受託者が信託事務執行の過程で得た情報については，それを第三者に売却して利益をあげたならば，信託法16条1号の適用によって，得られた利益は信託財産に属する財産となるというべきであろうし，その利用が忠実義務違反（同30条）になるならば，損失てん補責任を負うことになる（同40条）。その意味で，信託財産に属する財産といえる。

これに対して，当初信託財産に属する財産が情報である場合はどうか。仕入れ・販売ルートに関する情報，製造のノウハウ等が問題になるといわれるが，排他的管理が可能であり，一般的に金銭的価値が認められるものであるならば，情報を当初信託財産に属する財産とする信託設定も可能であろう[24]。当該情報を委託者が利用することを事実上，排除できないときには，当該情報の委託者からの分離が十分でなく，信託の有効性にも疑問が生じるという考え方もあり得るが[25]，受託者が，委託者の情報利用

---

[21] 大阪高決昭和58・10・27高民集36巻3号250頁，大阪高決昭和60・4・16判タ561号159頁。さらに，加藤貴仁=辰巳郁「信託を利用した株主権の分離」法教462号110頁（2019）参照。

[22] 最判昭和48・6・15民集27巻6号700頁。

[23] 東京高判平成28・10・19判時2325号41頁。

[24] 松田和之「信託における情報の位置付け」信研37号3頁以下（2012），三枝健治「情報の信託『財産』性についての一考察」トラスト未来フォーラム編『信託の理念と活用』1頁以下（トラスト未来フォーラム，2015）参照。さらに，田中・48頁。畠山久志監修『デジタル化社会における新しい財産的価値と信託』330〜379頁〔後藤出，田中和明〕（商事法務，2022）。

[25] 大嶋正道ほか「情報の保全等に関する信託の活用可能性（試論）」SFJジャーナル20号27頁（2020）参照。

権と並存する情報利用権を有するにすぎないときも，当該情報利用権を信託財産に属する財産だと観念できるのであり，委託者の情報利用権の存在は信託の成立の支障にはならないというべきである。

　㋺　担保権　　民法369条は，「抵当権者は……自己の債権の弁済を受ける権利を有する」として，抵当権者が被担保債権の債権者と同一であることを原則としている。しかし，抵当権者が抵当権を実行して回収した金銭が被担保債権に係る債務の弁済に充当されるというスキームができあがっていれば，抵当権を債権者以外の者に帰属させても問題はなく，被担保債権が存在しない抵当権を認めることにはならない。実際，たとえば，シンジケートローンにおいて，多数の債権者が同一の債務者に共同で融資をしているとき，各債権者が個別に担保権を有しているよりも，代表者または第三者がすべての債権者のために担保権を有している方が，実行の際，便利であるし，また，担保権信託により受託者が担保権を有している場合には，被担保債権の譲渡があっても抵当権の移転は生じず，債権譲受人に受益権を譲渡すれば，抵当権の利益を得させることができることになる。さらに，受益権についての定めによって，債権者の権利を多様化することができ，柔軟な形態の融資が可能になるともされる。

　そこで，信託法3条1号・2号は，信託の設定において，「担保権の設定その他の財産の処分をする」ことを認め，被担保債権と切り離して，担保権を当初信託財産に属する財産にすることを認めている。**担保権信託**（**セキュリティ・トラスト**）とよばれる。

　信託は，受託者の利益を図ることだけを目的とすることはできないので（同2条1項。→48頁），このとき，被担保債権の債権者として受託者以外の者が存することが必要になる。したがって，「担保権の設定その他の財産の処分」を認めることは，債権者と担保権者の分離を認めることを意味している。そして，そのような分離が例外的に認められたのは，受益者が被担保債権の債権者であれば，担保権が被担保債権の回収のためのものであることには変化がないからである。したがって，信託行為において，受益者が被担保債権の債権者であることが確保されていなければ，担保権信託は有効に設定されたことにはならない。また，後発的に，被担保債権と

は別個に受益権を譲渡し，債権者と受益者を分離することも認められない[26]（同93条1項ただし書に該当し，受益権の譲渡が無効となる）。

以上の要件が満たされていれば，受託者を担保権者とする担保権を委託者が設定するというかたちで信託を設定することができる*。

また，ここにいう「担保権」には，抵当権だけでなく，質権や譲渡担保権も含まれうる[27]**。

＊　**直接設定方式と二段階設定方式**　本文に述べたように，受託者を担保権者とする担保権を委託者が設定するというかたちで信託を設定する方式を直接設定方式という[28]。信託法3条1号が直接にその有効性を認めているのは，この方式による担保権信託の設定である。しかし，担保権信託による債権者と担保権者の分離が認められるのは，担保権の実行によって得られる金銭が被担保債権に係る債務の弁済に充当されるというスキームになっているからであり，したがって，直接設定方式以外でも同様のスキームとなるのであれば，そのような担保権信託を認めてもよいはずである。そこで，一般に，委託者がまず担保権者となったうえで，当該担保権を受託者に対して移転するというかたちで信託を設定し，委託者＝債権者が受益者となるという方式，すなわち二段階設定方式による担保権信託も認められると解されている。

＊＊　**担保権信託と担保のための信託**　（i）担保のための信託は，担保権信託に限られない。理論的には，以下の3つに分かれる[29]。

① 受託者が信託財産に属する財産の完全な所有権（当該財産が債権であるときなどは，「所有権」ということは正確ではないが，ここでは当該財産の完全な権利という意味で用いる）を有しているが，受益権の内容が，信託財産全体には対応せず，担保目的となっている場合，

② 受益者は信託財産全体に対応した内容の受益権を有しているが，受託者が所有している権利が担保権である場合，

---

26) 山田誠一「セキュリティ・トラストの実体法上の問題」金融法務研究会編『担保法制をめぐる諸問題』42頁（金融法務研究会事務局，2006），藤原彰吾「セキュリティ・トラスト活用に向けての法的課題（上）」金法1795号37頁（2007），村松ほか・390頁，井上編・159〜160頁，新井・153〜154頁，田中・53頁など。

27) 譲渡担保の担保権信託も含め，担保権信託の活用方法について，谷笹孝史「セキュリティ・トラストに関する実務上の諸論点」NBL907号48頁以下（2009）。

28) 金融法委員会「『セキュリティ・トラスティの有効性に関する論点整理』の概要」金法1734号37頁（2005）。

29) 道垣内・問題状況101〜102頁。

③　当初の受益者である委託者から現在の受益者が受益権の譲渡を受けたが，その譲渡が担保目的である場合，あるいは，受益権を目的とする質権が設定された場合，
である。

(ii)　このうち，担保権信託は②であるが，委託者から受託者に対してされた財産処分が，真の所有権移転か，それとも譲渡担保の設定かという性質決定の問題が生じることがある[30]。

後者，すなわち譲渡担保の設定であれば，上記の②に該当する。受託者は，債権担保の目的を達するのに必要な範囲内においてのみ権利を取得しているのであり，信託財産は譲渡担保権となる。

前者（真の所有権移転）であるときは，受益権の内容が信託財産全体に対応しているかが問題になる。受益者の権利が債権担保の目的のものに限定されていれば，①に該当する。つまり，受託者に移転しているのが完全な所有権であっても，受益権の内容次第で担保のための信託であると性質決定されることになることに注意すべきである。

(iii)　②の担保権信託について，とくに議論とされているのは，α 担保権信託の設定にあたって債権者の同意が必要か，β 担保権実行により被担保債権はいつの時点で消滅するか，である。さらに，γ 受益者を，抽象的に「被担保債権の債権者」と規定せず，特定の者を受益者として挙げていたとき，被担保債権の譲渡があった場合にはどうなるか，δ 複数の受益者に優劣を付け，債権者間に優先劣後関係を作ることに支障はないか，ε 自己信託による担保権信託を認めることができるか，も問題になる。

(iv)　α について，信託の設定は委託者と受託者の間の信託契約によって可能であり，債権者（＝受益者）の同意が不要であることを前提として，β については，被担保債権は，担保権実行により金銭を得た受託者が，受益者たる債権者にそれを交付して初めて消滅するという見解がある[31]。そうしないと，債権者の知らないところで担保権信託が設定されているとき，債権者に不測の侵害を与えかねないからである。

これに対して，受託者が受領した時点で被担保債権が消滅するという見解もある[32]。信託法 55 条により，受託者は担保権の実行の申立てをし，売却代金の配当・弁済金の交付を受けることができるが，これは，受託者による弁済受

---

[30]　文献は多いが，後藤出「資産流動化取引における『真正売買』（上）・（下）」NBL 739 号 62 頁以下，740 号 76 頁以下（2002），小林秀之「資産流動化と倒産隔離」同編『資産流動化の仕組みと実務』18 頁以下（新日本法規，2002）など参照。

[31]　山田・前出注 26) 44~45 頁，寺本・192 頁注(2)。

[32]　青山善充「セキュリティ・トラストの民事手続法上の問題」金融法務研究会編『担保法制をめぐる諸問題』51 頁（金融法務研究会事務局，2006），永石ほか編・39 頁〔金澤浩志〕，田中・52 頁。

領の効果が実体法上も受益者に及ぶことを前提にしている，とする[33]。

後者の立場をとるときは，αにつき，債権者の同意が必要であるとの立場をとるべきであろうが[34]，そのような要件を課すための法文上の根拠は見いだしがたいので，常に後者の立場をとるのは妥当でない。直接設定方式と二段階設定方式とによって区別する必要がある。

まず，直接設定方式によるときは，αについては，一般的には同意は不要であり，βについては，受益者である債権者に受託者が金銭を交付して初めて被担保債権が消滅する，と解すべきであるが，債権者が同意をしているときには，受託者に弁済受領権限が付与されたと解される場合があるというべきである[35]。これに対して，二段階設定方式によるときは，信託設定時の担保目的財産所有者は信託設定の当事者でないので，その利益の保護を考える必要がある。担保権実行によって受託者が受領した金銭が債権者である受益者に交付されないリスクを担保権設定者が負担するのは妥当でない。他方，委託者は必然的に債権者であり（信託設定前には，担保権者と債権者は分離していない），債権者は信託設定の当事者であり，信託設定によって債権者から受託者に弁済受領権限が付与されたと解することができる。そこで，受託者が配当を受けた時点で，被担保債権に係る債務は消滅するというべきである。

もっとも，債権者から受託者に弁済受領権限が付与されたと解されるときでも，その後，被担保債権が譲渡されると，弁済受領委任の効力が消滅するのではないか，とも思われる。これについては，弁済受領委任の特約が譲渡される債権に内在的なものか否かが問題になり，内在的なものであると評価されれば，譲受人もそれに拘束されることになる[36]。そして，多くの場合，譲受人は担保権信託が設定されていることを知っており，そのような債権については，弁済受領委任の特約が内在していると考えて差し支えないと思われる。

(v) γについては，受益権が被担保債権に随伴して移転すると解すべきである[37]。ただし，受益権の譲渡が禁止または制限されているときには，信託は

---

[33] 小野傑「訴訟手続における受託者・信託財産・受益者の関係」東京大学法科大学院ローレビュー4号154～155頁（2009）。なお，小野傑「新信託法と弁護士実務」ジュリ1335号23頁（2007）は，受託者が信託財産の法定訴訟担当者であることも理由とするが，その理解自体に賛成できない（山本克己「新信託法における当事者適格論」論叢166巻5号2～5頁（2010）参照）。

[34] 村松ほか・389頁注(3)，井上編・159頁。

[35] 長谷川貞之『担保権信託の法理』16頁（勁草書房，2011）は，通常，受託者には代理受領権が与えられるとする。荒巻慶士「セキュリティ・トラスト」田中和明編『新類型の信託ハンドブック』37頁（日本加除出版，2017）も参照。

[36] 道垣内弘人「債権法改正とシンジケート・ローン取引」森下哲朗＝道垣内弘人編『シンジケート・ローンの法的課題』262～264頁（商事法務，2019）。

[37] 担保物権の随伴性に準じるという説明もできるが，個々の被担保債権の譲渡に随伴しない根抵当権の場合には，説明に窮することになる。端的に受益者に関

目的達成不能により終了すると解される（信託163条1号）。

(vi) δについて，複数の受益者の権利内容を異ならせ，受益者間に優劣関係を作ることの有効性には異論がなく，このことから，振替社債・株式や電子記録債権のように後順位担保権の設定が予定されていない財産についても，担保権信託を用いれば，事実上，後順位担保権を設定できると指摘されている[38]。

問題は，配当金の充当は民法489条・490条の規定に従って行われるという判例法理[39]との関係である。(iv)で述べたところを踏まえると，直接設定方式によるときは，担保権信託は，債務者または物上保証人である委託者が受託者に対し，債権者への弁済を委託している関係であり，その弁済の方法が信託行為で定められると考えるべきである。したがって，信託行為の定めに従って債務者との関係でも債務が消滅する。これに対して，二段階設定方式によるときは，担保権者のイニシアティブによる担保権管理にすぎず，債務者との関係では，法定充当の規定に従って債務が消滅すると解すべきである。

(vii) εについては，自己信託の設定について定める信託法3条3号は，「自己の有する一定の財産」という文言を用いており，新たに担保権を設定するかたちで信託を設定すること（直接設定方式）はできないようにも思われる[40]。しかし，すでに設定されている担保権は担保権者にとって「自己の有する一定の財産」であるから二段階設定方式は当然に可能であり，また，信託設定後においては，自己取引として，一定の要件のもとで，受託者の固有財産を目的とする担保権を「固有財産……に係る権利」として信託財産に帰属させることができる（同31条1項1号・2項）。そうであるならば，信託設定時の直接設定方式についてだけ自己信託による担保権信託の設定を禁止する理由はなく，設

する定め（被担保債権とされた債権の債権者が受益者となる）と理解すべきである。この問題については，阿部裕介「根抵当権と被担保債権の譲渡——セキュリティ・トラスト議論を機縁として」東京大学法科大学院ローレビュー3号2頁以下（2008）参照。

38) 長谷川・前出注35) 11頁。
39) 最判平成9・1・20民集51巻1号1頁。
40) 登記先例は，A信託の受託者が信託財産に属する財産として所有する土地に対し，同じく自己が受託者となっている別の信託（B信託）のために地上権を設定し，当該地上権をB信託の信託財産に帰属させるとする旨の登記をすることは認められないとしている。このような信託財産間の取引は自己信託であり，そして，信託法3条3号には，同条1号・2号と異なり，「担保権の設定その他の財産の処分」という文言がない，というのがその理由である（登研767号133頁（2012））。この論理からは，自己信託設定時に地上権や担保物権を設定的に処分することで当初信託財産に属する財産とすることも認められないことになる。信託財産間の取引を自己信託であると見ることは妥当でなく，本先例の結論および理由づけには賛成できないが（セミナー(1)・105～116頁参照），自己信託について他の類型との文言上の区別があることはたしかである。

定は可能というべきである[41]。自己信託の場合，設定にあたって処分行為はないから，信託契約または遺言による信託と文言上の差異が生じるのは当然であり，文言は決め手にならない。

　さらに，直接設定方式により自己信託で担保権信託を設定したときについては，抵当権者と所有者が一致することが許されるかという問題も生じる。甲抵当権の抵当権者が目的不動産の所有権を取得したとき，後順位抵当権が存在すれば，甲抵当権は消滅せず，所有者抵当の状況が生じるのであり（民 179 条 1 項ただし書），自己信託の場合も，所有者としての地位と抵当権者としての地位とは別個に考えることができよう。

　(カ)　物権の設定的処分等　　信託法 3 条 1 号・2 号は，「担保権の設定その他の財産の処分」という文言を用いて，信託契約・遺言によって受託者を担保権者とする担保権を設定することによる信託設定を認めている（→38 頁）。これとのバランス上，ある不動産につき，委託者を設定者，受託者を地上権者とする地上権を設定するという方法で信託を設定することも有効である[42]（信託宣言によって委託者＝受託者を権利者とする地上権を設定するというかたちで信託を設定することも認められる。単独所有にかかる財産につき，共有持分を設定するとともに信託宣言を行うことも可能であろう。→42 頁＊＊(vii)）。

　ある不動産につき，委託者を賃貸人，受託者を賃借人とする賃借権を設定するというかたちで信託を設定することも有効である[43]。同様に，知的財産権のライセンスなども，信託財産に属する財産として認めて差し支えがない。

　(キ)　委託者に対する将来債権等　　委託者に対する将来債権あるいは期限未到来の債権のみを当初信託財産に属する財産として信託を設定しうるか。

　信託契約による信託設定に関しては，委託者が義務を負うだけでは，

---

41)　井上聡「自己信託による事業信託と倒産手続」トラスト 60 編『事業信託の展望』65 頁注(1)（トラスト 60，2011）。

42)　四宮・138 頁。七戸克彦監修『条解不動産登記法』614 頁〔七戸克彦＝石谷毅〕（弘文堂，2013）は，用益権は契約によって設定されるから，という理由によって，これに反対する。しかし，その論理からすると，担保権の設定もできないはずであり，明文に反し，妥当でない。

43)　四宮・138 頁。

「財産の処分」に該当しないことから，少なくとも別の積極財産の譲渡がない場合には，その有効性を否定すべきである[*44]。もっとも，信託契約において，委託者が受託者に対して1億円の支払を約することによって，当初信託財産に属する財産としての1億円の拠出が予定されている信託が諾成的に設定されたと見るべき場合もあろう。ただし，そのときには，拠出の猶予期間は短期間であることが必要であり，長期の期限の利益が与えられているときには，諾成的な信託設定とは解しえないと思われる。さらに，このとき，受託者が委託者に対して有することになる債権は，理論的には信託財産に属する債権ではなく，委託者によるその債権に係る債務の弁済は，信託設定の履行行為である（→61頁）。遺言により将来債権のみを信託財産に属する財産として信託を設定しようとするときには，遺言において受託者への遺贈について，弁済期が将来のものとして定められていることになる。委託者以外の者が遺贈義務者になるが，このときも信託契約による信託設定の場合と同様に考えるべきである。また，自己信託の場合には，「財産の処分」は不要であるが，委託者が自己に対する債権を創設して，それを信託財産に属する財産とするのは，「自己の有する一定の財産」についての信託設定とはいえないので，信託法3条3号との関係で有効とは言い難い。

　委託者が受託者に対して1億円の債権を有しているとき，委託者が受託者に対して1億円の拠出を約するとともに，その債務を1億円の債権と相殺することによって信託を成立させることができるか。これは，受託者が固有財産で負っている債務と，信託財産に一定額を帰属させるという内容の委託者が負う債務とを相殺するものであるが，すでに述べたところから，相殺前には信託は成立していないと解される。そして，相殺によって生じるのは，受託者となる者が，自己の固有財産から1億円を出捐し，信託財産に属する財産にする義務を負う，という法律関係であるが，相殺後であっても，その段階ではまだ「財産の処分」はなく，信託が成立していると

44）　福田ほか・79〜80頁，井上編・6頁。例外的ではあるが，肯定するものとして，中田英幸「信託法3条における『その他の財産処分』の意義」水野紀子編『信託の理論と現代的展開』152〜156頁（商事法務，2014）。

はいえない。受託者の現実の出捐によって信託は成立するが，そのときは，自己の財産による信託設定となるので，自己信託の設定となると解される。そうすると，受託者と委託者が同一であることになる。しかし，当事者の意思に反する。結論としては，信託の成立は認められないというべきである。

以上は，単純な金銭債権を当初信託財産に属する財産とする場合であるが，委託者が発行する証券やその他の権利はどうか。

まず，当該権利が委託者に対する単純な金銭債権と本質的な差異のないものであるとき，すなわち，たとえば委託者の発行した約束手形のみを当初信託財産に属する財産とするときなどは，すでに述べたところと同様に解すべきである。電子記録債権についても同じである。これに対して，たとえば会社法上の新株予約権は，その行使により予約権者は株式を取得するのであり，発行会社による履行行為は観念されない（会社281条1項）。このような権利の設定は，委託者に対する将来の請求権を創設するというものではなく，「財産」の設定的移転行為になり，委託者が発行する新株予約権を受託者が直接に引き受けるかたちでの信託設定は可能であると解すべきである＊＊。

＊　種銭信託・信託社債など　　実際には，委託者が形式的に少額を拠出して信託を設定し（これを種銭信託ということがある），その後，信託事務執行として，第三者から借入れを行い，あるいは，社債を発行し，それを委託者に貸し出すかたちで運用し，委託者の資金調達を図る，ということもある。第三者が委託者に資金を貸し付けているということにすぎず，信託の特性を利用したスキームとはいえないが，形式的にはその有効性を否定することはできない。信託事務執行として，信託財産に償還原資が限定される社債を受託者が発行することは，実定法上も予定されている（会社則2条3項17号参照）[45]。

＊＊　信託型ライツプラン[46]　　信託型ライツプランとは，敵対的買収に対

---

[45]　藤瀬裕司「信託社債」小林秀之編『資産流動化・証券化の再構築』219頁（日本評論社，2010），三菱UFJ信託銀行編『信託の法務と実務〔6訂版〕』556頁以下（金融財政事情研究会，2015），後藤出「信託社債」田中和明編『新類型の信託ハンドブック』134頁以下（日本加除出版，2017）参照。

[46]　たとえば，石綿学「敵対的買収防衛策の法的枠組みの検討（上）〜（下）」商事1716号4頁以下，1717号38頁以下，1721号24頁以下（2004〜2005），石綿学

する防衛策として、会社が信託銀行に対して新株予約権を発行し、信託銀行が信託宣言によって当該新株予約権を信託財産に属する財産とする信託を設定し、信託財産に属する財産として管理したうえで、敵対的買収があったときに、買収者以外の株主（＝受益者）に新株予約権を交付し、行使させる、というものである。会社が、名目的な金銭を信託財産として信託銀行を受託者とする信託をあらかじめ設定し、当該信託の受託者に対して信託財産に帰属する権利として新株予約権を割り当てることもある。

　本文に述べたように、新株予約権の発行は、会社法上明示に認められている「財産」の設定的移転行為であり、自己信託のかたちや、いったん信託を成立させた後に受託者に対して新株予約権を発行するというかたちをとらなくても、信託は有効に成立しうると解してよい[47]。

2　信託目的の設定

(1)　「一定の目的」の必要性

信託においては、「一定の目的」、すなわち**信託目的**が定められなくてはならない。受託者がすべき行為は、この目的の達成のために必要な行為であり（信託2条5項、26条）、受託者の行為基準としての意味を有する。

「お金を増やして家を買いたい」という目的で株式投資信託を始めても、それはここにいう信託目的ではない。株式投資信託契約書には、受託者が、いかなる方法によって投資先を決定し、いかなる方法によって受益者にそれを交付するかが定められており、受託者の行動基準は、その条項によって定まる。この投資方法や受益者への交付方法の定めが、ここでいう信託目的となる。もっとも、「Aが90歳になるまでの間、安定した生活資金を交付する」という「目的」が信託契約に定められており、他方、信託財産の管理・投資方法については不明瞭な定めしかないときは、受託者がどのような投資をするかが、「Aが90歳になるまでの間、安定した生活資金を交付する」という「目的」に従って決まってくる。したがって、これが信託目的となる。Aが、80歳で、2億円の金銭という信託財産に属する財産があるのならば、無理な投資によって減少させることなく、定期預

　　ほか「日本型ライツ・プランの新展開（上）・（下）」商事1738号30頁以下、1739号91頁以下（2005）、堀裕＝髙木いづみ「信託型ライツプランの実例分析と総括的検討」金法1754号60頁以下（2005）参照。

47)　セミナー(1)・34頁。

金などで守っておくことが，受託者の行動基準となるのに対して，現時点での信託財産に属する財産で不足が生じるならば，場合によっては，ハイリスクでも，ハイリターンの投資を行うことが必要になる。また，ここにいう「受託者がどのような行動をとるべきか」という中には，信託財産をどのように管理・運用するかだけではなく，受益者にどのように利益を与えるかが含まれる。たとえば，「元本は維持するが，その年に上げた収益は，年末に受益者に金銭として給付する」とか，「月々20万円ずつ受益者に渡す」とかといった取り決めも，まさに受託者の行動を決定する基準になり，信託目的である。

(2) 「信託の目的」の機能

同時に注意すべきなのは，「信託の目的」という語は，信託法上，様々なところで使われており，これらが同一の意味かが問題になることである。

この点で，「信託の目的」という概念の機能として，①「受託者が信託事務を行う上での指針となり，その権限の外延を画する機能」と②「信託の存続可能性を判断する際の基準」としての機能とを挙げる見解がある[48]。また，会社やそれ以外の法人についても，法人の存在目的としての「目的 (Zweck)」とその目的を実現する具体的な手段としての「事業目的 (Gegenstand)」の区別に留意すべき旨が説かれる[49]。

たしかに，①の機能を有する「信託の目的」として，信託法2条5項，3条1号から3号，19条1項3号，同条3項3号，26条，28条2号・3号，31条2項4号，35条1項，同条2項，49条2項，103条1項1号，216条2項1号，232条1号，261条があり，また，②の機能を有する「信託の目的」として，信託法149条2項1号，同項2号，同条3項2号，150条1項，163条1号，165条1項がある（なお，「目的」という語が，明らかに「信託の目的」とは異なる意味で用いられている場合，たとえば，201条1項2号（質権の目的である受益権）は除いてある）。もっとも，信託法151条2項1号・2号，159条2項1号・2号は，いずれの機能とも解しうるのであり，完全に二分できるわけではない。

---

48) 能見・68頁。
49) 神作裕之「会社法総則・擬似外国会社」ジュリ1295号140頁（2005）。

さらに，信託法2条1項かっこ書，10条，166条1項1号にいわゆる「目的」は，「実現しよう，到達しようとして目指す事柄」という日常用語に近い意味で用いられている。②の機能を有するものとして挙げたものの多くも同様である。このことには，解釈論的に重要な意味がある（→49，51，427，435頁）。

いずれにせよ重要なのは，「信託の目的」は信託行為全体の解釈によって決まるものであり，たとえば，信託行為としての文書の，第2項に「本信託の目的」として書かれているところを指すものではない，ということである（→146頁＊＊，165頁）。

(3) 「専らその者の利益を図る目的」

信託目的は多種多様であるが，もっぱら受託者の利益を図る目的でなされる信託は，有効に成立しない（同2条1項）。信託とは，信託財産の独立性を，その中核とするものであり，その正当化根拠は，ある財産の権利帰属者である受託者が，自分の利益以外のためにそれを保有している点に求められる（→18頁）。そこで，権利帰属者である受託者の利益をもっぱら図る目的であれば，信託財産の独立性は正当化されず，信託の中核がもたらされないのである。

ところが，ここにいう「目的」の意義が問題になる。

信託法2条1項は，「一定の目的（専らその者の利益を図る目的を除く。同条において同じ。）」としているのだから，かっこ書の中における「目的」は，「一定の目的」というのと同一の概念のようにも思われる。しかし，「一定の目的」とは，上記のように信託の存続可能性を判断する基準ともなるが，主に受託者の行動を決定する基準となるものである。これに対して，ある信託が，もっぱら受託者の利益を図る目的でなされているか否かは，形式的に，受託者の行動を決定する基準としての「目的」が，自分自身の利益を図るようにされているか否かによってではなく，その信託によって，当事者が達成しようとした実質的な経済的効果に照らして判断されるべきことになる。

受託者が単独受益者であっても，それだけでは「専らその者の利益を図る目的」のものとは評価されない。同法163条2号は，信託の終了原因と

して，「受託者が受益権の全部を固有財産で有する状態が1年間継続したとき」と規定しており，これを裏からいえば，1年間は受託者が唯一の受益者でもよく，1年以内であれば，「専ら」ではないということになるからである[50]。しかし，あくまで1年以内での解消が予定されていることが必要である[51]。また，受益権の譲渡は予定されず，信託の存続期間が1年に限られるけれども，その全期間にわたって受託者自身の利益を図るための信託となっていれば，それは，「専らその者の利益を図る目的」のものと評価される。受託者を単独の受益者とする信託の期間を1年ごとに更新する仕組みになっていても同様である。

さらに，いくら第三者が受益者と指定されていても，それが形式的な存在にすぎず，実際には受託者自身が利益を得るという仕組みになっているとき，あるいは，99％の受益権が受託者によって保有され，1％だけが第三者に帰属しているといった場合も，同様に考えられる。

つまり，「専らその者の利益を図る目的」のものであるか否かは，その信託によって，当事者が達成しようとした実質的な経済的効果に照らして判断されるべきなのであり，ここでの「目的」は，「実現しよう，到達しようとして目指す事柄」という意味なのである[52]。

「専らその者の利益を図る目的」の信託は，信託法2条1項により，信託法にいう「信託」に該当しないものとされ，そもそも成立しない[53]。これに対し，設定後に，当該信託がもっぱら受託者の利益を図る目的のものとなったときは，その目的は達成すべき目的とは観念されず，同法163条1号の信託目的（有効なものであることが前提となる）の達成不能に該当し，

---

50) 新井監修・24頁注(56)〔岸本雄次郎〕は，信託の設定当初は，受託者が単独受益者となることは認められないとする。
51) 村松ほか・5頁注(4)は，「そのような状態の解消が予定されている限り」，受託者と受益者が当初から一致しても，もっぱら受託者の利益を図るものと評価する必要はない，とする。
52) 道垣内・55～57頁。
53) 沖野眞已「受託者の『忠実義務の任意規定化』の意味」野村豊弘古稀『民法の未来』462～463頁注(20)（商事法務，2014）は，信託法163条2号の脱法行為として無効とする。

当該信託は即時に終了する（同法8条との関係につき，→220頁＊）。

(4) 公序良俗による制限，脱法信託，訴訟信託

(ア) 公序良俗による制限　信託の目的は多種多様であるが，民法90条の制限があることは当然である[54]。

なお，委託者が受益者に対して賭博による債務を負っており，それを返済する手段として，金銭を委託者から受託者に移転して信託を設定し，その金銭を株式に投資して，毎年の利益を受益者に現金で交付する，という場合には，信託目的には問題がないが，いわゆる動機の不法となる。動機の不法性は，相手方がそれを知らない限り，法律行為の無効をもたらさないと解されているが，信託の場合，相手方とは，受託者ではなく，受益者だと解すべきである[55]。

(イ) 脱法信託　さらに，信託法9条は，法令によりある財産を享有することができない者が，その権利を有するのと同一の利益を受益者として享受することができない，としている。

たとえば，鉱業法17条本文は，「日本国民又は日本国法人でなければ，鉱業権者となることができない。」としているが，外国人・外国法人を受益者とし，鉱業権を信託財産とする信託を設定し，その受益権の内容を，事実上，鉱業権そのものを有するのと同じようなもの（「同一の利益」）としても，そのときの鉱業権者はあくまで受託者であるから，形式的には鉱業法17条違反にはならない。しかし，そのようなことが認められると，鉱業法の趣旨に反するから，信託法9条がこれを禁止するわけである[56]。

「同一の利益」にあたるか否かは，当該法令の趣旨や受益権の内容を考慮して決せられる。受託者が受益者からの指図に基づかず自らの裁量で鉱業権を利用して事業を行い，その利益を金銭で受益者に交付するというスキームにおいて，受益者が外国人・外国法人であることは，同条に反しな

---

[54] 公序良俗に反することを理由に信託設定を無効としたものとして，東京地判平成30・9・12金法2104号78頁がある。この判決については，後出注103)（→68頁）参照。

[55] 道垣内・58頁。

[56] 同様の例として，特許法25条などがあげられる。

い57)。エネルギー政策・安全政策にも関係するところの鉱業権の運用を外国人・外国法人に委ねてはならないというのが立法趣旨だからである。したがって，信託財産である鉱業権の運用につき，受益者が受託者に広範な指図権を有する場合には，受益者への交付が金銭で行われることになっていても，信託法 9 条違反となる＊。

　信託法 9 条は，権利能力の制限に関する強行規定を潜脱することを禁止するものとして説明されることが多い58)。しかし，会社法上，自己株式取得に厳格な制限があるとき，その株式を信託財産に属する財産とし，当該会社が受益者になることは本条違反となると説かれており59)，そうであるならば，権利能力の問題に限られないことになる。

　違反の効果について，信託が無効となると解するものもあるが60)，強行規定に反する法律行為の私法上の効力一般の議論61)に準じて，法規の目的との関係で考えるべきであろう。また，無効となるときも，問題となる受益者に限って，その受益権享受が否定されるにとどまり，信託全体が無効となるわけではないし，当該受益者についても，たとえば指図権が否定されるなど，一部無効とすれば足りる。ただし，上記の受益権享受の否定や一部無効によって信託をした目的を達成することができなくなれば，信託は終了する（同 163 条 1 号）。

　　＊　**閣僚信託**　　「国務大臣，副大臣及び大臣政務官規範」（平成 13 年閣議決定）には，「就任時に保有する株式，転換社債等の有価証券（私募ファンドを含む。）については，信託銀行等に信託することとし，在任期間中に契約の解約及び変更を行ってはならない」という規定がある。これは，その地位を利用して企業のインサイダー情報を得て，うまく株式等の売買をしたという疑惑を持たれないようにするための措置であり，国務大臣等が，その株式等の運用益を取得することはできるが，運用方法は指図できないようにしているのである。本文における鉱業権の例とは逆に，信託を利用することによって，「その権利

---

57)　井上・42 頁も参照。
58)　寺本・53 頁，新井・179 頁など。
59)　青木徹二『信託法論』59 頁（財政経済時報社，1926）。
60)　新井・179 頁。
61)　たとえば，大村敦志「『脱法行為』と強行規定の適用」同『契約法から消費者法へ』129 頁以下（東京大学出版会，1999）参照。

を有するのと同一の利益」を得られない状態をもたらすわけである。

(ウ) 訴訟信託[62]　信託は，訴訟行為をさせることを主たる目的としてすることができない（信託10条）。ある者が，自分の所有する不動産の所有権を第三者である受託者に移転し，自分を受益者とする信託を設定すると，当該受託者は当該不動産の所有者になるから，所有者として当該不動産に関する訴訟を行うことが可能になる。しかし，たとえば，隣地と紛争状態にある不動産について，その受託者に隣地所有者に対する訴訟をさせることを主目的として信託を設定することを認めると，弁護士代理の原則は潜脱される。

そこで，上記のような信託は禁止される。しかし，一定の範囲では任意的訴訟担当も認められており，この禁止規定をあまり広汎に適用することは妥当でない。まさに，「主たる目的」であるか否かの判断が重要であり，受益者と受託者との関係，信託設定から提訴までの時間的間隔など，総合的な判断[63]のうえ，他人の紛争への不当な介入（弁護士代理の原則の趣旨に反する場合を含むが，それに限らず，非弁活動一般も含まれうる）となる場合に限って，禁止される訴訟信託に該当すると解すべきである。

「訴訟行為」の意義について，訴訟の提起・遂行に限る見解[64]もあるが，判例は，訴訟の提起・遂行だけでなく，破産手続開始申立て・強制執行も含み，他方，会社更生手続における更生債権の届出を含まないとする[65]。判例における区別に合理性があるとは思えないところ，「主たる目的」の判断を厳格に行う限り，「訴訟行為」の意義は広くとらえることが妥当だと思われ，更生債権の届出を目的とする場合を含めてよい。

そして，以上のように解すると，禁止されるべき訴訟信託は，民法90

---

62)　制度趣旨の再検討を行う近時の論稿として，岡伸浩『信託法理の展開と法主体』118頁以下（有斐閣，2019）。
63)　最判昭和36・3・14民集15巻3号444頁，最判昭和44・3・27民集23巻3号601頁は，それぞれ取立のための債権譲渡・隠れた取立委任裏書を訴訟信託とするものだが，いずれも当該事案における「主たる目的」について論じている。
64)　井上編・9頁，井上・43頁。
65)　前者が，最判昭和36・3・14・前出注63)，後者が，最判昭和44・3・27・前出注63)。

条の適用によっても無効になることが多く，結局，信託法10条は公序則の具体化であると解される。

訴訟信託の禁止は，受託者による訴訟の提起等に対する相手方からの異議事由として問題になる。禁止されている訴訟信託に該当すれば，その異議が認められ，受託者による訴訟追行等が認められなくなるが，信託自体は当然に無効になるわけではない[66]。信託目的の達成不能として，信託が終了したり（信託163条1号），信託全体が民法90条違反として無効となったりすることもあろうが，特定の財産についてのみ，それに関する信託設定が民法90条違反として無効となることもある（一部無効）[67]。

3　信託設定意思：受託者の信託財産管理等の義務の設定

(1)　信託設定意思の必要性

信託法2条1項は，信託の定義において，受託者が「財産の管理又は処分及びその他の当該目的の達成のために必要な行為をすべきものとすること」としており，この要素が存在しなければ，信託法上の信託ではない。

さて，ある法律行為が，条文文言上の定義に合致すれば，当然に一定の効果が発生する場合がある。そして，旧信託法1条は，「本法ニ於テ信託ト称スルハ財産権ノ移転其ノ他ノ処分ヲ為シ他人ヲシテ一定ノ目的ニ従ヒ財産ノ管理又ハ処分ヲ為サシムルヲ謂フ」とのみ規定していたので，ある法律関係が上記の定義に合致すれば，それは「信託」と性質決定され，信託法の規律が適用されると解する余地があった[68]。現行信託法も，その2条1項は，「信託」の定義のかたちをとっている。しかしながら，同法3条は，信託の設定方法を限定し，そこにおいて，信託の定義にそった意思

---

66)　条解・63頁〔大村敦志〕。

67)　一部無効について，秋山朋治「訴訟信託と判定された信託の帰趨」みずほ信託銀行＝堀総合法律事務所編『詳解信託判例』98～99頁（金融財政事情研究会，2014）。

68)　大村敦志「遺言の解釈と信託」米倉明編『創立20周年記念・論文撰集』119頁（トラスト60, 2007）。もっとも，旧信託法のもとでの判例法理も，委託者の意思によって，財産権帰属者に，そこからの利益を得られない仕組みが設定されていることを重んじていたと解される。道垣内・問題状況69～72頁参照。

表示を要求している。そうすると，ある法律関係が「信託」であるとされるためには，委託者が信託を設定するという意思を有していることが必要となる。

(2) 信託設定意思の内容

それでは，信託を設定するという意思（**信託設定意思**）とは具体的にはどのようなものであろうか[69]。

すでに述べたように（→17頁），信託法は，信託財産について財産権そのものは帰属していないが，利益が帰属している者，すなわち受益者に対して物権的な救済を認めるための法律である。そのために，信託財産は，受託者に帰属している財産の中で別扱いされることになるが，このような効果を正当化するのは，受託者にとって信託財産があたかも自分に帰属していない状態にあるということである。もちろん，受託者は信託財産についての財産権帰属者である。したがって，たとえば信託財産が処分されるとき，その法律上の主体は受託者となる。しかし，受託者は純粋な財産権帰属者としては行動できず，そこからの利益は得られない。

このような状況を作出する意思が，信託の中核的効果を有する法律関係を創設する意思，すなわち信託設定意思であり，そのような意思が信託の設定にあたり，委託者に存することが必要である＊。

＊ **受働信託** 信託設定意思の問題にのみ関わるわけではないが，いわゆる受働信託の有効性について述べておく。受働信託とは，受託者が信託財産を積極的に管理・処分しないものをいう。

かつては，受働信託一般を無効とする学説もあったが，現在では，委託者や受益者の指示に従って受託者が管理・処分することになっている信託（狭義の受働信託）と，指図権者が信託財産について各種の行為をすることを受託者が単に認容する義務を負うにとどまるもの（名義信託）とに分けたうえ，前者においては，受託者に管理・処分権があるのだから，信託として有効であるとされる（信託業法上もその存在が予定されている。信託業2条3項1号）。これ

---

[69] 以下，道垣内・問題状況68～78頁。また，道垣内・問題状況335～336頁，条解・21～23頁〔道垣内弘人〕も参照。同旨と思われるのは，岡・前出注62）376頁以下。さらに，藤澤治奈「信託という性質決定に向けての覚書」立教77号349頁以下（2009），竹中悟人「信託契約の成立要件についての覚書」信託研究奨励金論集35号63頁以下（2014）。

に対して，後者については，信託として無効であるとする説，あるいは，そのままでは効力を認め得ず，指図権者と受託者とを共同受託者と見るべきである（そして，そう考えることによって有効とされる）とする説70)が有力である。

　しかし，名義信託についても，信託財産に属する財産が受託者に帰属している限り，指図権者には本来的には処分・管理権限はなく，その者の名で権限を行使するためには受託者からの委託が必要である。そして，委託の相手方が第三者であり，受託者がその者に対する監督権限等を有しているときは，信託財産に対して受託者のコントロールは及んでおり，有効な信託だと考えるべきである71)。ただし，受託者からの委託の相手方が，信託の委託者または受益者であるときには，信託財産が受託者に帰属しておらず，委託者にとどまり，あるいは，受益者に直接に移転していると評価でき，信託を仮装した通謀虚偽表示と解すべきことが多いと思われる72)。

(3)　受託者の義務設定

　受託者が純粋な財産権帰属者としては行動できず，そこからの利益は得られない状況は，受託者の義務の設定によってもたらされる。そのような状況が，適切な義務設定によって実効化されていないときは，信託設定意思の存在を認めることができない73)。以下では，いくつかの基本的な規律と，信託設定意思と当該規律との関係について述べておく。

　(ア)　善良な管理者の注意　　信託法29条2項本文は，受託者に，善良な管理者の注意をもって信託事務処理を行うべきことを定めているが，そ

---

70)　四宮・9頁（名義信託は無効），能見・42～44頁（名義信託も指図権者と受託者とを共同受託者と見て有効）。

71)　福田ほか・81～82頁。ただし，受託者からの委託の相手方が，信託委託者や受益者であるときも同様に解するようでもあり，その点には賛成できない。もっとも，大判昭和13・9・21民集17巻1854頁は，受益者に実質的な処分権があっても信託は有効であるとする。

72)　寺本・34～35頁注(8)は，通謀虚偽表示と評価されない場合には，信託を有効としてよいとする。

73)　佐久間は，最判平成14・1・17民集56巻1号20頁の事案では，受託者が信託財産に属する金銭を金融機関に預けなければならず，かつ，その預金の払戻しについて，目的に合致する用途でしか認められないという措置が講じられていたことを「実効化措置」とよび，同事案では実効化措置が存在していたので，信託の成立を認めたのは正当であるが，東京地判平成24・6・15判時2166号73頁の事案については，目的は設定されているが，信託財産に属する財産の目的外使用などの防止措置等が一切講じられておらず，信託の成立を認めるべきではない，としている（佐久間・13，21～22頁）。正当な分析である。

のただし書は，注意基準について信託行為の別段の定めを置くことを認めている（→183頁）。注意水準を下げたからといって，それだけでは，受託者が信託財産から利得することにはならないからである。もっとも，軽減された注意水準に沿った行動が行われなかった場合の損失てん補義務が完全に排除されていれば，委託者に信託設定意思はなく，そもそも信託ではないというべきである。受託者は信託財産から利益を得ても責任を問われず，結局，受託者が信託財産に属する財産を自由に扱えることになるからである。

　(ｲ)　利益相反行為の制限　　信託法31条は，受託者の利益相反行為を制限しているが，同条2項1号は，「信託行為に当該行為をすることを許容する旨の定めがあるとき」には，禁止されている利益相反行為をすることを許容している（→227頁）。利益相反行為制限の趣旨は，受託者が信託財産との取引から不当な利益を得ることのないようにしておくことにあり，たとえば，信託財産に属する財産のうち市場価格の明確なものについて受託者がそれを市場価格で購入することが認められても，信託の本質には反しないからである。したがって，信託行為による許容にも，この趣旨との関係で内在的制約がある。すなわち，何らの限定なく利益相反行為が可能な仕組みになっている場合には，受託者が自らの完全な所有物として，そこからの利益を受けうる仕組みになっているというべきであり，委託者に信託設定意思はなく，その法律関係は信託ではない（さらに，→249頁）。

　(ｳ)　分別管理義務　　信託法34条の定める分別管理義務（→203頁）については，以下のように考えるべきである。物権的救済を認めることを信託の中心的な意味と考えるときは，物権的救済が認められるために，当該財産の特定性が確保されていることが必要になる。同条1項ただし書は，「分別して管理する方法」について，信託行為における別段の定めを認めているが，物権的救済が認められない状況になるのを容認することは，信託の本質に反することになる。したがって，信託財産に属する財産の特定性が確保されない方法による管理が容認されている場合には，委託者に信託設定意思はなく，その法律関係は信託ではないというべきである[74]。

4 受託者の資格

　未成年者は受託者になれないとされている（信託7条）。受託者は信託事務執行を行う主体であり，その行為が法定代理人によって取り消される可能性があることは，信託事務処理に不都合であるという考えに基づく。

　もっとも，そうであるならば，成年被後見人および被保佐人も受託者になれないとすべきようにも思われ，実際，2019（令和元）年の改正前は，それらの者の受託者資格は否定されていた。しかし，成年被後見人などの資格制限を最小限度のものとすべきであるという考え方に基づき，制限は未成年者にとどめることとなった*・**。

　ただし，ある者が成年被後見人または被保佐人であることを知らないで，委託者がその者を受託者としたとき，委託者の錯誤を理由に，信託行為における受託者の指定が取り消されることはあり得る。

　旧信託法では，破産者も受託者となれないとされていた。しかし，破産手続が開始されたことは，必ずしも破産者の財産管理能力の不十分さを示すものではないし，破産者は破産財団に属する財産の管理処分権を失うにすぎないから，信託事務執行に支障はない。そこで，現行信託法では，破産者は受託者になり得ることとしている。会社の取締役の欠格事由から，破産者が除かれたことにも対応している（2005（平成17）年改正前商法254条ノ2第2号，会社法331条1項）。

　　＊　**成年被後見人等の取消権との関係**　成年被後見人または被保佐人が委託者とした信託契約やそれらの者による信託宣言は，本人・成年後見人・保佐人によって取り消し得るものである。また，それらの者が委託者の遺言により受託者となるべき者として指定されているとき，それらの者が信託の引受けの意思表示をしても，本人・成年後見人・保佐人は，その意思表示を取り消すことができる。成年被後見人または保佐人が受託者として行った法律行為も，民法9条・13条に従って，取消しの対象となる。信託事務執行によって負った債務について，受託者は，固有財産によっても責任を負うのであり（→118頁），

---

74)　大阪高判平成20・9・24判タ1290号284頁も，分別管理をさせる意思を重視している。藤池智則＝関口諒「預金の帰属と信託(1)」みずほ信託銀行＝堀総合法律事務所編『詳解信託判例』11～12頁（金融財政事情研究会，2014）は，分別管理の事実を重視する。さらに，田岡絵理子「『財産の管理・処分を託す』ということ」信託フォーラム6巻58頁以下（2016）も参照。

取消しが認められるのは当然である。受託者としての行為だからといって、異なった取扱いがされるわけではない。

**　遺言により信託を設定するにあたり、ある者を受託者として指定したが、委託者の死亡による信託の効力発生（信託4条2項）の前に、その者につき後見または保佐が開始されたときはどうか。信託法56条1項2号は、「受託者である個人が後見開始又は保佐開始の審判を受けたこと」を、受託者の任務の終了事由としている。これは、当事者意思（信託契約の場合は委託者と受託者との意思、遺言信託・自己信託の場合は委託者の意思）の推測に基づくが（したがって、信託行為における別段の定めが許される。同項ただし書）、信託の発効後の後見開始等について受託者の任務を終了させるという意思が推測されるのであれば、信託の発効前に同様の事由が生じたときも、同じ意思が推測されるべきである。したがって、同号が類推適用され、「受託者となるべき者として指定された者が信託の引受け……をすることができないとき」に該当する結果、裁判所が利害関係人の申立てにより受託者を選任することになると考えるべきである（同6条1項）。

第3節　信託設定の3つの方法

すでに述べたように、信託法3条は、信託の設定方法として、①信託契約による方法、②遺言による方法、③信託宣言による方法、の3種類のものを定めている。以下、順に検討する。

1　信託契約による信託設定

(1)　信託契約と信託の契約性

信託法3条1号は、**信託契約**による信託設定について規定する。わが国における信託のほとんどは、ここにいう信託契約によるものである。

ただし、信託が信託契約によって設定されるということと、信託が契約であることとは別問題である。抵当権は契約で設定されるが、契約ではない。問題は、そこから生じた法律関係の拘束力をどこに求めるか、であり、信託が信託契約で設定されるが故に当然には契約であることにはならない（逆に、契約でないことにもならない）[75]。

信託契約においては、必ずしも、「信託を設定する」という言葉を用い

ている必要はない。売買契約が,「売買」という言葉を用いている必要がないのと同様である。学説上異論はなく,旧法下において信託の成立を認めた最高裁判決の事案においても,当事者は「信託」という文言を用いていない[76]。もっとも,委託者が,信託を設定するという意思を有し(→53頁),それについて合意がされなければならない。

不要式の契約だが,信託業法25条・26条は,信託契約の締結にあたって,信託会社は,委託者に対し内容を説明し,書面を交付する義務を負うとしている。また,信託会社が行う信託契約であって金利,通貨の価格,金融商品市場における相場その他の指標に係る変動により信託の元本について損失が生じるおそれがある契約(特定信託契約)については,勧誘規制等に関して,金融商品取引法の条文が広く準用されている(信託業24条の2)。

(2) 諾成契約性

(ア) 旧信託法1条は,「本法ニ於テ信託ト称スルハ財産権ノ移転其ノ他ノ処分ヲ為シ他人ヲシテ一定ノ目的ニ従ヒ財産ノ管理又ハ処分ヲ為サシムルヲ謂フ」としており,この文言における「処分ヲ為シ」というところから,財産の処分があって初めて信託が成立するという見解も有力であった[77]。また,受託者への報酬を伴う場合には,諾成契約として信託は成立するが,受益者の受益の意思表示があるまでは,両当事者はいつでも撤回でき,報酬を伴わない場合は,贈与の規律に準じる(民550条)という見解もあった[78]。

---

75) 道垣内・問題状況350〜355頁。
76) 最判昭和29・11・16判時41号11頁,最判平成14・1・17・前出注73)。さらに,東京地判平成24・6・15・前出注73)も参照。なお,七戸克彦「信託法上の信託か,信託類似の他の法律関係か」法研82巻1号716頁以下(2009)は,平成14年最高裁判決の事案につき,あえて信託の成立を認める必要はなく,信託法の類推適用等によれば足りるとする。なお,同論文は,信託の成立を認めるにあたり,通常の法律行為解釈のあり方に例外を認めるべきではないとするが,これは当然のことである。
77) 青木・前出注59)93頁,田中實「信託行為の一考察」法研37巻2号6〜7頁(1964)など。
78) 四宮・96頁。

しかし，いったん自益信託として設定するものの，直後にその受益権を売却することが予定されているような場合（たとえば資金調達目的の信託），受益権購入者は当初の段階から決まっていることが通常である。そして，そのような者が安心して受益権の購入を約することができるようにするためには，当初信託財産に属する財産の引渡し以前から信託が有効に成立しているとすることが必要である。また，信託契約を要物契約とすると，受託者になることを約している場合でも，当初信託財産に属する財産の引渡し以前には，当該（予定されている）受託者は，受益者に対して忠実義務等を負わず，したがって，信託が設定されるという情報を用いて利益をあげることが妨げられないことになるが，それも妥当ではない。さらに，信託事務の執行のために様々な準備をしていた受託者の利益も問題となる[79]。

そこで，現行信託法では，信託契約の締結だけで信託は有効に成立することとされた。信託法3条1号の「処分をする旨」という文言はそのことを表している。そして，同法4条1項は，信託契約の締結によって信託の効力が発生することをより明確に規定している＊。

＊　**信託契約の無効・取消し**　信託契約が無効とされ，あるいは，取り消されたとき，当該契約が遡及的に無効であるとすると，それまでに受託者と取引をした債権者は信託財産に属する財産を引き当てにできなくなり，また，受託者は債権者に対して固有財産で責任を負い続けることになる。そこで，委任契約の解除につき遡及効を否定する民法652条の法意により，信託契約の無効・取消しについても遡及効を否定すべきであるとする見解がある[80]。

　たしかに，受託者が詐欺・強迫における被欺罔者・被強迫者であるときには，受託者を保護する必要があるが，錯誤においては，委託者と受託者の帰責性を衡量する必要があるし，公序良俗違反を理由とする無効の場合には，やはり遡及効を認めるべきである。受託者の保護については，債権者に対する弁済に要する費用（受託者が受ける利益を控除する必要はある）等について不法行為を理由とする損害賠償請求権を受託者が委託者に対して有する限りにおいて，当該請求権を被担保債権として信託財産に属する財産について留置権（民295条）を行使できると解することによって対処するのが適当であろう。

---

79)　寺本・42頁注(1)，村松ほか・8頁。さらに，セミナー(1)・6～10頁参照。
80)　山田希「信託行為の無効・取消しに関する一考察」トラスト60編『基礎法理からの信託分析』1頁以下（トラスト60，2013）。

(イ) 信託契約の成立そのものに停止条件等を定めることは可能である（民 127 条 1 項）。信託法 4 条 4 項は，信託の効力発生に停止条件または始期を付することを明示に認めているが，あえて明文の規定が置かれたのは，信託契約等の効力発生を前提として，信託の効力発生についてのみ停止条件または始期を付すること，たとえば委託者から受託者への財産の移転を停止条件としたり，移転時を始期としたりすることが可能であることを明らかにするためである[81]。

(3) 委託者の拠出義務

信託契約を諾成契約とすると，信託は成立しているが，当初信託財産に属する財産がいまだ委託者から受託者に移転されていない時期を観念しうることになる。そして，仮に委託者が移転を遅滞するときには，受託者は委託者に対して財産の引渡しを請求しなければならないと解するのが一般である[82]。しかし，これに対しては，信託は委託者ないし受益者のための制度であり，委託者は一般には移転義務までは負わないし，受託者には引渡請求権はないと考えるべきだとする見解もある[83]。

たしかに，信託契約を締結しても，なお実際に財産を移転するか否かの裁量権が委託者に残っている場合もあろう。結局，契約の解釈の問題に帰着するが，受益者は，信託行為に別段の定めがある場合を除き，当然に受益権を取得する（信託 88 条 1 項）のであり，設定時に他益信託となる場合には，この段階で，受託者は受益者に対して信託法上の義務を負うことになるのだから，受託者は受益者のために委託者に財産の移転を求める義務を負い[84]，また，委託者にも移転義務があるのが原則であると考えるべ

---

81) セミナー(1)・10〜16 頁。
82) 新井・125〜126 頁，渡辺宏之「研究・信託法(2)」信託 271 号 83 頁（2017）。
83) 能見善久「新しい信託法の理論的課題」ジュリ 1335 号 9〜10 頁（2007），セミナー(1)・5〜6 頁〔能見善久〕。この問題が，財産の物的管理関係をどこまで信託の中心的要素ととらえるかということと関係している旨を指摘するものとして，山下純司「受託者の信託設定時の権利義務」トラスト未来フォーラム編『信託の理論的深化を求めて』15〜16 頁（トラスト未来フォーラム，2017）。
84) 受託者の受益者に対する義務の問題として分析するものとして，山下純司「信託財産の引渡請求権」野村豊弘古稀『民法の未来』489 頁以下（商事法務，2014）。これに対して，引渡請求権が信託財産になっているとする見解として，

きである。自益信託の場合にも、理論的には、受託者は、あらかじめ定められた信託の本旨に従って行動すべきであり、信託契約締結後の委託者の意思に左右されるいわれはなく、それが原則となるが[85]、信託目的との関係で、受託者の受益者に対する義務がいまだ発生していないと解釈されるべき場合も多くなろう[86]。

また、委託者が不動産等の特定物の拠出を約しているときには、民法176条により、契約の成立と同時に所有権は受託者に移転するというべきである（もちろん、所有権の移転時期に関する特約は可能である）[87]。そして、このときにまで委託者の拠出義務を否定すると、委託者はいつでも信託契約を解除できるということになるが、それは解釈論として困難だと思われる。

2　遺言による信託設定

(1)　遺言信託

遺言によって財産の処分が可能なのは当然であり、信託法3条2号の定める方式は、それにプラスして、受託者を指定して、その者に「一定の目的に従い財産の管理又は処分及びその他の当該目的の達成のために必要な行為をすべき旨」を命じることが、遺言によってできるという点に意義がある。このときも、遺言において「信託」という文言が用いられている必要はない。遺言において、信託設定意思が表れていればよい[88]。

なお、このとき、委託者の相続人は、当該遺言に別段の定めがされていない限り、委託者たる地位を引き継がない（信託147条）。つまり、信託の設定された財産に関しては、相続人は権利を有しないのである（→411頁）。

このように遺言で設定される信託のことを**遺言信託**という（信託5条、6条、147条の見出しにおいて、この言葉が用いられている）。銀行実務では、「遺

　　セミナー(1)・29頁〔藤田友敬〕。
85)　山下・前出注84）493、513頁。
86)　神田＝折原・33～34頁も同方向にある。
87)　反対の考え方も含め、セミナー(1)・18～23頁参照。
88)　村松ほか・9頁は、「遺言によりすべき意思表示の要素は、信託契約と異なるところはない」とする。

言についての事前の相談から遺言書の作成，遺言書の保管，財産に関する遺言の執行」といった業務を遺言信託とよんできたが，そのような業務は，信託法にいう信託とは無関係である。

(2) 特定物

たとえば，遺言により，委託者S所有の甲不動産を信託財産に属する財産とし，Tを受託者とする信託を設定することは可能であるが，このとき，Tへの帰属がどのようなメカニズムによるのかが問題になる。

遺贈については，甲不動産の所有権は，遺言の効力発生とともに受遺者に移転するのであり，受遺者が遺贈を放棄したとき，遡及的に当該受遺者への権利帰属が否定されることになる（民986条)[89]。これに対して，遺言信託においては，受託者として指定された者が信託の引受けをし，または，裁判所による選任があって初めて受託者が確定する（→69頁）。

受託者が確定すれば，その時点で甲不動産の所有権はTに移転する。移転の対抗要件については，次のように考えられる。

まず，Tが，共同相続人の1人ではないときは，遺贈に関する判例法理が適用され，Tが第三者に対して甲不動産の所有権の自己への帰属を対抗するためには，対抗要件を具備することが必要である[90]。Tに対抗要件を得させる義務を負うのは，遺言執行者がいない場合には，遺贈のときと同様に委託者の相続人となる。たしかに，遺贈者としての地位がその相続人に承継されるのに対し，遺言信託においては，委託者の地位は相続人に承継されないのが原則である（信託147条）。しかし，それは，信託設定後，委託者の相続人と受益者の利益が類型的に対立するからであり（→411頁），受託者に対抗要件を具備させるという委託者の義務をその相続人に負わせても，地位承継を否定する規律の趣旨には反しない。委託者の相続人はTに対抗要件を具備させる義務を負うと解すべきである。

次に，Tが，委託者の共同相続人の1人であるときは，民法899条の2が適用される。このときも，Tに対抗要件を得させる義務を負うのは，遺言執行者がいない場合には，遺贈のときと同様に委託者の相続人となる。

---

[89] 大判大正5・11・8民録22輯2078頁。
[90] 最判昭和39・3・6民集18巻3号437頁。

以上は，当初信託財産に属する財産とされるのが動産や債権（ただし，民法899条の2第2項も適用される）のときも同様である。

受託者が確定するまでは，甲不動産の所有権は委託者の相続人に帰属するが，受託者の確定によって，当然にTへの権利移転が生じると解すべきである[91]。

当該特定物が委託者の財産として存在しないときには，信託は，少なくとも当該財産については効力を生じない。それ以外の財産を当初信託財産では信託目的が達成できないときは，当該信託は即時に終了することになる（同163条1号。→427頁）。

(3) 不特定物・金銭

遺言により，「1億円を当初信託財産としてTを受託者とする信託を設定する」というかたちで信託を設定することは可能か。通常，遺贈であれば，このとき，相続人が受贈者に対して1億円の金銭債務を負うことになる。委託者の死亡時の財産として，1億円以上の現金または預金が存在するときは，その中に信託財産に属する財産（1億円）が混入している状態だと観念でき，受託者がその引渡しを占有者に請求できると解すべきであろう。不特定物の場合も同様である。

これに対して，1億円を拠出するためには，不動産等を処分しなければならないときはどうか。たしかに，遺言信託においては，相続人は委託者の地位を承継しないのが原則である（信託147条）。しかし，それは，信託設定後，委託者の相続人と受益者との利害が類型的に対立するからであり（→411頁），相続人に信託設定時における拠出義務を負わせることは矛盾ではない。相続人は，不動産等を処分のうえ，1億円を受託者に交付する義務を負うと解すべきであろう。

それでは，委託者が有していた財産以上の額が，当初信託財産に属する財産として指定されていたときはどうか。生前に締結された信託契約における拠出義務未履行の場合とのバランスを考えると，相続人はいちおう拠

---

91) 以上につき，能見善久「財産承継的信託処分と遺留分減殺請求」トラスト未来フォーラム編『信託の理論的深化を求めて』128～129頁（トラスト未来フォーラム，2017）参照。

出の義務を負うと考えることもできる。しかし、遺産額を超える遺贈がされたときに、その履行のために遺言執行者が選任された場合を考えると、遺言執行者は遺産中から遺贈を履行すれば足り、相続人がそれを超える出捐を求められることはないというべきである。このこととの均衡からは、相続人に拠出の義務を負わせるとしても、委託者の有していた財産の価額を限度とすると考えるべきである[92]((5)に述べる遺留分侵害額請求の問題は別に生じる)。

(4) 遺言による権利の創設

遺言による信託の設定に関しても、「特定の者に対し財産の譲渡、担保権の設定その他の財産の処分をする旨」という文言が用いられている。したがって、遺言により抵当権や地上権を設定し、それを信託財産に属する財産にすることは可能であることになる（→43頁）。他方で、信託設定以外の場面では、遺言によって地上権等の用益物権を設定することは肯定する学説が多数であるのに対し[93]、抵当権の設定は許されないと明言する学説[94]もあり、そうすると、遺言によっては通常は許されない処分が、遺言による信託の設定においては認められることになってしまい、不均衡な事態になる[95]。

遺言信託において抵当権の設定的な処分が許されることが、明文上、否定できない以上、遺言による処分についての学説が再検討を促され、結論としては遺言によって抵当権を設定することが信託設定の局面以外でも認められるというべきであろう[96]。

---

92) 遺贈に関しては、遺贈義務者の義務は相続財産の価額を限度とするという説が有力である（中川善之助＝加藤永一編『新版注釈民法(28)〔補訂版〕』247頁〔阿部徹〕（有斐閣、2002）参照）。

93) 我妻栄（有泉亨補訂）『新訂物権法（民法講義Ⅱ）』347頁（岩波書店、1983）（地上権）、川島武宜＝川井健編『新版注釈民法(7)』871頁〔鈴木禄弥〕（地上権）、917頁〔高橋寿一〕（永小作権）、948頁〔中尾英俊〕（地役権）（有斐閣、2007）、小粥太郎編『新注釈民法(5)』710, 750, 768頁〔松尾弘〕など。

94) 中川善之助＝泉久雄『相続法〔第4版〕』492頁（有斐閣、2000）。もっとも肯定説も有力である（高橋眞『担保物権法〔第2版〕』91頁注(1)（成文堂、2010）など）。

95) 道垣内・問題状況357～358頁。

(5) 遺留分との関係

(ア) 遺言信託においてのみ問題となる事柄ではないが（相続開始以前の信託の設定をどのようにとらえるかの問題も存在する），信託設定と遺留分との関係も問題になる。信託の設定によって，遺留分侵害額請求を一律に免れるという効果が生じるものではないことには，ほぼ一致がある[96]。問題は，①信託が設定され，当初信託財産が受託者に対して処分されることを遺留分侵害行為であるととらえるか[98]，②信託設定そのものは問題とせず，受益者の受益権取得を遺留分侵害行為ととらえるか[99]，あるいは，③その双方が一体となって遺留分侵害行為となると考えるか[100]，にあり，2018（平成30）年の民法（相続関係）改正前の遺留分減殺請求権という制度のもとで，さかんに議論された。

(イ) 委託者が生前に株式投資信託に投資をするかたちで自益信託を設定

---

96) 沖野眞已「信託法と相続法」水野紀子編『相続法の立法的課題』37～44頁（有斐閣，2016）。最近の興味深い検討として，直井義典「遺言による質権の設定について」筑波ロー・ジャーナル20号149頁以下（2016）。

97) もっとも，生前信託に関しては，生命保険契約が遺留分減殺請求の対象とならないとした最判平成14・11・5民集56巻8号2069頁と同様に，遺留分侵害の問題は生じないと解する余地があることを説く見解もある（西希代子「遺留分制度の再検討(1)」法協123巻9号1706頁（2006）。ただし，同「信託と遺留分制度」新報127巻3＝4号434頁（2021）は，結論として，遺留分制度の規律が及ぶ，とする）。

98) 川淳一「受益者死亡を理由とする受益者連続型遺贈」野村豊弘＝床谷文雄編『遺言自由の原則と遺言の解釈』28頁（商事法務，2008），横山美夏「信託から，所有について考える」信研36号74頁（2011），能見・前出注91）133頁，角紀代恵「信託と遺留分」法時89巻11号72頁（2017）。四宮・160頁も，減殺請求の相手方を受託者・受益者の双方とするものではあるが，受託者への処分を減殺するものであり，①の見解であるといってよい。

99) 飯田富雄「遺言信託に関する考察」信託20号16頁（1954），道垣内・問題状況406～410頁。同旨のものとして，佐久間・174頁以下，沖野眞已「信託契約と遺留分」岡孝古稀『比較民法学の将来像』542～543頁（勁草書房，2020），西・前出注97）（信託と遺留分制度）434頁。

100) 三枝健治「遺言信託における遺留分減殺請求」早法87巻1号51～55頁（2011）。加藤祐司「後継ぎ遺贈型の受益者連続信託と遺産分割及び遺留分減殺請求」松原正明＝道垣内弘人編『家事事件の理論と実務2』11頁以下（勁草書房，2016）もこの見解であろう。

したときには，当該信託の受益権が相続財産となる。そして，相続財産の価額の決定において受益権の価額を基準にして算定したうえ，他者の遺留分を侵害するかたちで受益権を相続し，または，その遺贈・贈与を受けた者は，遺留分侵害額請求の相手方とされることになる。ここでは，受益権の取得が遺留分侵害を生じさせているとされるのであり，信託設定自体が問題とされるわけではない。そして，このことは，信託が遺言によって設定された場合も変化がないはずである。より理論的に言えば，信託の設定は，当初信託財産を受益権に変換するという面と，その受益権を特定の者に与えるという面があるが，遺留分侵害行為となる無償行為は後者のみであり，財産の性質を変換するという行為は遺留分制度によっては制限されていないということである[101]。

また，①であると見ると，改正法下では，遺留分侵害額について，受託者が金銭的な支払義務を負う（民1046条1項）。これについて受託者が固有財産で負担する理由はなく（信託法21条1項9号に該当すると考えるほかはあるまい），したがって，受託者はその支払を信託財産に属する財産をもって行うこと，または，固有財産に属する財産をもって行ったうえで，信託財産から償還を受けることができる（信託48条1項）。しかし，そうすると，他者の遺留分を侵害しないかたちで受益権を取得した者が存在するときも，信託設定全体が影響を受けることになり，これは，信託法が，詐害信託の規律において，善意の受益者を害さないように，悪意の受益者に対する受益権の移転請求を基本としていること（→144頁）と一貫しない。したがって，①は採用できず，同様に③も妥当でない。

以上から，②の考え方をとるべきであり，相続財産の価額は，信託財産に属する財産ではなく，受益権の価額を基準として算定され，受益権取得によって他者の遺留分を侵害した受益者は，金銭的な支払義務を遺留分権利者に対して負うことになると考えるべきである[102]＊。

---

101) 沖野・前出注99) 550～551頁。
102) なお，遺留分減殺請求についてであるが，その権利行使の前提として，相続人が受託者に情報開示を求めることの必要性を説くものとして，岩藤美智子「委託者の相続人に対する受託者の情報開示義務」岡法61巻2号177頁以下（2011）。

ただし，目的信託においては，受益権の取得のかたちで遺留分を侵害している者が具体的に定まっていない。したがって，受託者に対し遺留分侵害額請求を行い，受託者は，その支払を信託財産に属する財産をもって行うこと，または，固有財産に属する財産をもって行ったうえで，信託財産から償還を受けることができる。このときも，当該目的信託の存続期間において現時点では不特定の者に給付される利益を現在化し，その価額を基準に遺留分侵害の有無が決せられるべきである。理論的には，次のように説明することができる。すなわち，目的信託においては，給付受領権が，具体的な給付権者が定まるまで信託財産中に存在しており，それが分配されると考えることができ，したがって，その段階では信託財産に給付受領権が混同の例外として帰属し，その帰属者は受託者であるから，受託者が遺留分を侵害している状態にあると評価できるのである。

　　＊　受益権を取得した者が，他者の遺留分を侵害していないときでも，受託者として利益を得ている者（たとえば，信託報酬が多額の場合や，信託財産に属する不動産を管理のためという名目で実質的には利用できるときなど）や，帰属権利者（→442頁）として利益を得ている者が存在する場合には，それらの者は受益権の取得以外のかたちで利益を得ることによって他者の遺留分を侵害していると評価できる[103]。

　(ウ)　受益権を受益者に取得させることが贈与なのか遺贈なのかも問題になる（侵害額負担の順序に関係する。民1047条）。あらかじめ信託が設定され，被相続人の死亡を原因として，ある者が受益権を取得する場合（遺言代用信託。→321頁）には死因贈与であり，遺言により信託が設定される場合に

---

103)　東京地判平成30・9・12・前出注54）は，共同相続人の一人が，受託者として，信託財産に属する不動産の無償利用権などを有するとともに，各共同相続人が遺留分割合に従った受益権を取得したが，それらの受益権が経済的利益の分配を想定していないという事案につき，「遺留分制度を潜脱する意図で信託制度を利用したものであって，公序良俗に反して無効である」とする。たしかに，2018（平成30）年の民法（相続関係）改正前の遺留分減殺請求の制度のもとでは，受託者である共同相続人の無償利用権取得を否定するためには，信託設定自体を減殺するか，信託設定を無効とするしか方法はなかったかもしれないが，改正後の遺留分侵害額請求制度のもとでは，受託者が利益を得ているのだから，受託者に対して侵害額の支払を請求できるというべきであろう。

は遺贈となると解すべきであろう[104]。

(6) 遺言信託の効力発生

遺言信託は，当該遺言の効力の発生によってその効力を生ずる（信託4条2項，民985条）。つまり，指定された者が引受けの意思表示をしていない，あるいは，拒絶している，さらには，そもそも遺言中では受託者が指定されていないために受託者が定まっていない段階でも，信託は成立する。そう考えないと，当初信託財産に属するものとして定められた財産が通常の相続のルールに従って相続人に帰属してしまうところ，そのような結果は避けなければならないからである。

(7) 遺言信託における信託の引受けの催告

遺言信託が設定される際，遺言において，受託者となるべき者が指定されていても，その者が受託者になるためには，その者の承諾が必要になる。したがって，委託者の死亡によって遺言が効力を生じ，信託の効力が生じても，指定を受けた者の諾否が不明確なままになり，受益者等の権利が不安定なものとなるおそれがある。そこで，遺言によって信託が設定されている場合には，利害関係人は，受託者として指定されている者に対して，引受けの諾否を確答すべき旨を催告することができるとされている（信託5条1項）。

催告のできる「利害関係人」は，遺言者の相続人，遺言執行者，受益者等とされる[105]。また，受益者の利益を図る者として，信託管理人・信託監督人・受益者代理人も当然に催告権を有する。これに対して，受益者に対する債権者は，特定遺贈の放棄が遡及効を持つことに照らし（民986条2項），信託の執行を促すか否かについての債務者（受益者）の判断には容喙できず，「利害関係人」には含まれないというべきである[106]。なお，受

---

104) 星田寛「いわゆる福祉型信託のすすめ」新井誠編『新信託法の基礎と運用』187～188頁（日本評論社，2007）。さらに，撤回可能性を考慮する必要性を説くものとして，岩藤美智子「遺言代用信託についての遺留分に関する規律のあり方」信研41号37～39頁（2016），受益者変更権の有無を重視するものとして，信託を活用した中小企業の事業承継円滑化に関する研究会「中間整理」(2008年)。

105) 寺本・49頁。

益者の有する催告権は，受益者の利益を図るために重要な権利であり，信託行為の定めによって制限することはできない（信託92条2号）。

催告に対する確答は，委託者の相続人に対してするのが原則である＊（信託5条2項。民1008条も参照）。複数の相続人が現に存するときは，その1人について確答をすれば足りる[107]。ただし，委託者の相続人が現に存在しないときについては，「受益者（二人以上の受益者が現に存する場合にあってはその一人，信託管理人が現に存する場合にあっては信託管理人）」に対してする（信託5条3項）。最も明確な利害関係を有する者に対してする，という趣旨である。

受託者となるべき者として指定されている者が，利害関係人からの催告に対して，催告において定められた相当の期間内に確答をしないときは，引受けをしなかったものとされる（同条2項）。「確答をしないときは，就職を承諾したものとみなす」とされている遺言執行者に関する規律（民1008条）とは，逆になっている。この違いは，遺言執行者への就任は，一種の公的意味を含んだ義務的なものなのに対し，遺言信託の受託者への就任はそうとはいえない，ということから説明されるが[108]，そもそも遺言執行者についての民法1008条の規律が立法論的に妥当かは疑問である。

> ＊　**事前の承諾の意義**　受託者となるべき者として指定されている者が引受けをすることは，義務ではない。多くの場合，受託者として指定される者に対して，遺言前の段階で，受託者となることを依頼し，その者がそれを承諾していると考えられるが，遺言信託の受託者となるべき者は，遺言において指定されなければならないのであり，受託者となるべき者と遺言者との間に契約が遺言とは別個に存在しても，受託者への就任の効力が直接に生じるわけではない。理論的には，上記の承諾には効力はないと考えることもできるが，実際上の便宜を考えると，当該契約の債権者（委託者）の地位は，相続によって委託者の相続人に引き継がれ，受託者となるべき者として指定された者（債務者）は，引受けの義務を負うと解すべきであろう。

106）　遺言執行者の就職の催告権を有する「利害関係人」（民1008条）には，相続人の債権者も含まれるとする説が有力だが（中川＝加藤編・前出注92）319頁〔泉久雄〕），相続放棄が詐害行為取消しの対象とならないという判例法理（最判昭和49・9・20民集28巻6号1202頁）との関係からも賛成できない。

107）　寺本・49頁注(2)。

108）　田中・34頁。なお，中川＝加藤編・前出注92）320頁〔泉久雄〕参照。

ただし，上記のような契約があっても，その後，遺言において，受託者となるべき者として別の者が指定されているときには，あらかじめの引受けの契約は（債権者の責めに帰すべき）履行不能となる。

(8) 遺言信託における裁判所による受託者の選任

遺言に受託者の指定に関する定めがないとき，および，受託者となるべき者として指定された者が信託の引受けをせず，またはそれができないときは，利害関係人の申立てにより，裁判所が受託者を選任する（信託6条1項・2項）。ここで，「信託の引受け……をすることができないとき」とは，受託者となるべき者として指定された者につき遺言の効力が生じる前に任務終了事由が生じたとき（同56条1項。→58頁＊＊）や受託者の資格要件（同7条）を欠くときが考えられよう[109]。

「利害関係人」の範囲は，引受けの催告ができる者と同じである。ただし，即時抗告の主体は，「受益者又は既に存する受託者」に限られる（同6条3項）。申立人の範囲と即時抗告ができる者の範囲を異ならせることは他所にも見られるが（同62条6項，123条7項，131条7項，166条4項），利害関係のとくに大きな者，という趣旨であろう。ここで，「既に存する受託者」とは，複数人が受託者となるべき者として指定されているときに，すでに引受けをした受託者のことである。

また，受益者の有する選任申立権は，受益者の利益を図るために重要な権利であり，信託行為の定めによって制限することはできない（同92条1号）。

なお，旧信託法49条3項は，裁判所に対する選任請求権を遺言によって排除することを認めていたが，この排除の意思表示は，受託者となるべき者として指定されている者が引き受けない場合には，遺言者は別の者を受託者とする信託の成立をもはや欲しないという意思を示すものと理解されてきた。同項は削除されたが，それは遺言の解釈の一般法理で対応可能だからであり，具体的な規律を変更するものではない。

---

[109] 新井・211頁は，受託者に資格要件が欠けるときは，信託法6条1項が類推適用されるというが，類推ではなく，端的に適用されると考えてよいと思われる。

3 信託宣言による信託設定

(1) 理論的根拠

信託法3条3号は，信託宣言の方法による自己信託の設定を認めている。委託者自身が，自分の有している一定の財産について，「以後，この財産を信託財産として別扱いする」と宣言することによって信託を設定する，という方法である。この宣言のことを**信託宣言**といい，それによってできあがる信託のことを，自分で自分に信託をするという意味で，**自己信託**という（なお，自己信託という名称は，信託法本体には見られない。信託法附則2項の条文見出し，信託業50条の2，登録免許税法別表第1にある）。

自己信託が認められる理論的な根拠は次のように考えられる[110]。

委託者と受託者とが別人であるときに，委託者から受託者へと財産移転が行われ，信託が設定されたとき，その後，受託者は，信託の定めに従って当該財産を管理・処分して，受益者に対して定められた給付を行うことになる。ここからわかるのは，信託が設定された後は，受託者と受益者とがいれば十分だということである。もっとも，受託者が義務を負っているとき，その義務の履行を受託者に求めていく者が必要になるので，その点に関して委託者の役割も重要だと思われるかもしれない。しかし，旧信託法の下でも委託者の履行請求権は明示には認められていなかったし，さらに現行信託法は，旧信託法によって委託者に与えられていた権利を縮小した（→405頁）。そうすると，やはり委託者は必須の登場人物とはいえない。信託のポイントは，受託者に帰属している財産のうち，一定のものが信託財産として特別扱いされるところに存するのであり（→17頁），その財産が，受託者以外から移転されてきたものであることや，受託者が委託者と異なる者であることは必須ではないのである＊。

＊ **自己信託か否かが問題となる場合** （i）二重信託　年金信託等において，1人の受託者が受託している複数の信託の信託財産（ベビーファンド）に属する財産につき，それをまとめて，1つの信託財産（マザーファンド）として運用をすることがある。このとき，当該受託者が，各信託の信託財産に属する財産を原資として，さらに信託を設定していると見ると，各ベビーファンド

---

110) 道垣内・38頁。

の信託財産に属する財産は当該受託者の所有財産であるから，受託者所有財産による信託の設定であり，自己信託に該当するのではないか，という問題がある。

　この点で，上記の手法を，（信託法上，規定を欠いているが）信託の垂直的分割であり，ベビーファンドの信託財産を分割し，マザーファンドに投資対象の債券等を，ベビーファンドにマザーファンドである信託の受益権を，それぞれ帰せしめるものであり，信託の設定ではない，とする見解がある[111]。また，実質的には合同運用を行っているにすぎないこと，マザーファンドが既存の信託であるときにベビーファンドの信託財産をもってマザーファンドの信託受益権に投資することは自己取引のルールに従えば可能であり，それは信託の設定ではないところ，マザーファンドを設定するとともに，その受益権を取得することも同様に考え得ることなど，いくつかの観点から，信託法の定める自己信託とは異なるものとする見解もある[112]。後者に従うべきであろう。

　(ii)　複数当事者の場合　①A・Bが委託者となり，A・Bが受託者となる場合，②A・Bが委託者となり，A・B・Cが受託者となる場合，③A・Bが委託者となり，Aのみが受託者となる場合，これらが自己信託に該当するかが議論されている。この問題につき，①，②は自己信託となるが，③は信託契約によって信託が設定されるという見解がある[113]。この見解は，財産拠出者の全員が受託者となるか否かで判断しようとするものである。しかし，むしろ，執行免脱を防ぐために，差押えの後に，それ以前から自己信託がされていたと偽装することを防ぐ必要があるか，詐害信託の扱いについて特別の規律を適用すべきか，という観点から判断されるべきであろう。そうすると，③についても，Aによって財産が拠出される部分については，自己信託であると見ることも可能だと思われる。

(2)　実務上のニーズ

　しかし，この方法が認められた理由は，そのような理論的なところではなく，むしろ，自己信託に実務上のニーズがあるとされたところにある[114]。

　資産流動化においては，受け皿となる特別目的会社（SPC）がケイマン

---

111)　神田秀樹「平成18年信託法と商事信託——理論的観点から」信研35号21頁（2010）。また，田中・41～45頁。さらに，田中和明「合同運用に関する実務上の問題点」トラスト未来フォーラム編『商事信託法の現代的課題』33頁以下（トラスト未来フォーラム，2021）も参照。
112)　セミナー(1)・92～100頁参照。
113)　村松ほか・10頁注(2)。登記先例として，平成30・12・18付民二第759号回答，平成30・12・18付民二第760号通知・登記情報692号57頁。
114)　寺本・44～45頁注(11)，村松ほか・10～12頁，井上・163～164頁。

諸島等に設立され，この特別目的会社の株式全部がまず信託会社に譲渡される。そして，その信託会社はその株式を当初信託財産に属する財産として信託宣言によって自らを受託者とする信託（自己信託）を設定し，当該信託の目的（株主権も何も行使しないで，ただ株式を保有するという目的）に従ってその株式を保有する。これと同じようなスキームを，日本国内で可能にするためには，信託宣言による信託設定，つまり自己信託の制度が必要だと主張されたわけである[115]。

また，ある会社が，特定の事業部門について資金調達を図るために，トラッキング・ストック（特定の事業部門や子会社の業績に株価を連動させて，利益配当を行う株式のこと）を発行しようとすると，その部門を自社内部にとどめたうえで，その部門に関連する資産を別扱いすることが必要となる。このようなときに，自己信託を使えると便利であるとも指摘された。

さらに，障がいを抱える子の親などが，自分の財産を子に贈与しようとするとき，子に財産管理能力がないので，自己信託によって，財産を確保しつつ，管理は親などがそのまま行うという需要がある，会社が，特定のプロジェクトから得られる収益を引き当てに資金調達をしようとするとき，そのプロジェクトに必要な資産を当初信託財産に属する財産として自己信託をすることができれば，分社化による従業員の転籍・出向という問題やノウハウの外部流出の危険等を避けながら資金調達ができる，会社が自社の債権等を流動化して資金調達をするとき，それらの債権等を当初信託財産に属する財産として自己信託を設定すれば，費用を節約できるとともに，債権者が変更しないので，債務者にも負担をかけない，あるいは，債権回収代理人（サービサー会社）が回収した債権の弁済金につき自己信託を行うことによって，債権者への回収金引渡債務を債権回収代理人の信用リスク（サービサー・リスク）から切り離すことができる，といった理由ないし利用例も説かれている[116]。

---

[115] 田中和明「受益者の定めのない信託を利用した日本版チャリタブル・トラスト」新井誠ほか編『信託法制の展望』370頁以下（日本評論社，2011）参照。

[116] 金融法委員会「サービサー・リスクの回避策としての自己信託活用の可能性」金法1843号24頁以下（2008），宮澤秀臣「コミングリングリスクを回避す

(3) 執行免脱への配慮

　信託宣言にあたっては，公正証書その他の書面または電磁的記録によって，一定の事項を記載・記録したものによってすることが求められている（信託3条3号）。ここで，電磁的記録とは，「磁気ディスクその他これに準ずる方法により一定の情報を確実に記録しておくことができる物をもって調製するファイルに情報を記録したもの」のことである（信託則25条）。

　信託宣言の方法による自己信託の設定が認められることに実務上のニーズがあるとしても，それを認めることについては慎重論もあった。とくに問題とされたのは，差押え逃れ（執行免脱）に利用されるのではないか，ということである[117]。

　そこで，まず，差押えの後に，以前から自己信託がされていたと偽装することを防ぐために，宣言自体を，「公正証書その他の書面又は電磁的記録」によってすることが要求された＊。もっとも，公正証書（電磁的公正証書を含む）によったときは，日付を遡らせるといった偽造はできないから，当該公正証書の作成時に信託の効力を発生させてよいが（信託4条3項1号），「その他の書面又は電磁的記録」によるときは，なお日付等の偽造のおそれがある。そこで，信託法4条3項2号は，公正証書以外の書面または電磁的記録によって自己信託が設定される場合には，「受益者となるべき者として指定された第三者（当該第三者が二人以上ある場合にあっては，その一人）に対する確定日付のある証書による当該信託がされた旨及びその内容の通知」があったときに初めて，信託が効力を発するとした[118]（こ

　　る手段としての自己信託」小林秀之編『資産流動化・証券化の再構築』174頁以下（日本評論社，2010）参照。
117）　懸念を表明する見解として，「シンポジウム・信託法改正の基本問題」私法47号58～59頁〔青山善充発言〕（1985）が包括的に問題点を明らかにしている。さらに，道垣内・問題状況362～369頁参照。
118）　なお，この点で，「その他の書面又は電磁的記録」による場合の規律につき，「受益者となるべき者として指定された第三者が受益権を取得したことを認識し，受益者が受託者（兼委託者）を監督することが現実に期待できる状態に至ったと評価し得る時点において，当該自己信託の発生を認めることとすればよいとの考え」が背景にあるとする説明もある（寺本・46頁注(16)）。しかし，同じことは，公正証書等で信託宣言がされた場合についてもいえるから，理由にならないよう

の場合の効力発生時期は，通知の到達時であり，確定日付の日付ではない。債権譲渡の対抗要件についての解釈と区別する必要はない）。また，そのような書面は，「当該目的，当該財産の特定に必要な事項その他の法務省令で定める事項を記載し又は記録したもの」でなければならない（同3条3号）。内容や信託財産についての偽装を防ぐためである**。具体的な内容としては，「信託をする財産を特定するために必要な事項」のほか，委託者＝受託者の氏名（名称）・住所，受益者の定め，その他の信託条項などが要求される（信託則3条）。

　次に，委託者＝受託者の資産状況が悪化した後に，信託が設定されることへの対処がされた。もっとも，この対処が必要なのは，信託宣言による信託設定の場合に限られず，信託法11条1項は，債権者詐害的な信託設定がされた場合，委託者に対する債権者がその取消しを裁判所に請求することを認めている。しかし，信託宣言の方法により設定された信託の受託者が委託者のままであるときは，その信託が設定される前に生じた債権の債権者は，取消しを経ないまま，信託財産を差し押さえうることにし，債権者の利便性を高めたのである（信託23条2項）（→139頁）。また，受益者の定めのない信託（目的信託）（→334頁）については，信託宣言による設定は認められない（同258条1項）。目的信託においては，通常の信託であれば受益者が有する受託者に対する監督権限を委託者に付与することによって，受託者による信託事務の処理が適正にされることを確保しようとしているところ（同260条1項），自己信託においては，委託者と受託者が同一人であるため，このような措置によることができないから[119]，という理由が主たるものであるが，それに加え，差押え不能財産の創出を防ぐ目的もある。つまり，目的信託以外では，受益者に対する債権者は受益権を差し押さえることが可能であるから，信託財産に属する財産が，受託者の固有財産責任負担債務の債権者や受益者に対する債権者の差押えを免れることになっても，なお，差押え可能な財産は存在する。しかるに，目的信託が設定されると受益権の差押えは考えられないため，一般的に差押え可能

　　　に思われる。
　　119）　寺本・451頁。

な財産は存在しなくなる。このような効果が，委託者が自己の財産について信託の設定を宣言するだけで生じることは，妥当でないと考えられるのである[120]。

さらに，自己信託が，「公正証書等以外の書面又は電磁的記録によってされる場合」については，設定時には，受託者が全部の受益権を有することは認められない[121]。現行信託法は，受託者が受益権の全部を固有財産で有する状態になることも，1年の限度で許容している（同163条2号）。自己信託についても，これは同様であるが[122]，「その他の書面又は電磁的記録」によるときには，設定された時点を偽装する危険があるところ，それを防止するために，「受益者となるべき者として指定された第三者」に対する確定日付のある証書による通知があった時に初めて，信託が効力を発するとされている（同4条3項2号）。しかるに，受託者のみが受益者であると，この通知が観念できないから，信託が効力を発しないままとなる。その結果，設定時において，受託者のみが受益者であることは認められないことになるのである。

＊　**黙示の信託宣言の可能性**　ある者が，他者の利益のために財産を保有しているが，信託契約の締結はされていないとする。この場合でも，権利者の救済のために信託の成立を擬制することが，英米法においては一定の要件のもとで認められている。そして，日本法においても，自己信託が明文によって認められたことによって，救済法理としての信託が認められる余地が拡大されたと評する見解[123]がある。しかし，自己信託の設定は，公正証書その他の書面または電磁的記録によって，一定の事項を記載・記録したものによってすることが求められている。救済のための自己信託の認定は実質的判断に基づく救済だから，要式の不具備を問題とするのは妥当ではないとして，公正証書等によっていなくても自己信託の成立を認めようとする見解もあるが[124]，解釈論としてはかなり困難である[125]。黙示の自己信託は認められないというべきである。

---

[120] 道垣内・200頁。
[121] 寺本・46頁注(16)。
[122] 立法論的批判として，新井・148～150頁。
[123] 根田正樹ほか編『信託の法務・税務・会計』23～24頁〔天野佳洋〕（学陽書房，2007）。
[124] 小野＝深山編・18頁注(5)〔小野傑〕。
[125] 道垣内弘人ほか「パネルディスカッション・新しい信託法と実務」ジュリ

＊＊　その後の変動　　実は，設定時における信託財産を明らかにしても，その内容はその後，信託事務の執行により変動していく。したがって，当初信託財産に属する財産を公正証書等に記載・記録させることに公示の意味はない。しかし，記載・記録のない財産については，受託者は，公正証書の作成等の後に信託事務執行の過程で取得したことを証明しなければならず（→151頁。対抗要件の具備が必要なものについては，公正証書の作成等の後に対抗要件が具備されることが必要である），偽装を避ける効果は一定程度あると思われる。

　なお，自己信託について信託の変更（→413頁）がされる場合について，要式性は不要であるという見解[126]がある一方で，追加信託など委託者の固有財産が減少する行為がされる場合には要式性が必要であるという見解[127]もある。しかし，追加信託は信託の変更ではなく，新たな自己信託の設定であるから，委託者の固有財産が減少しなくても，当然に要式性が必要である（→421頁＊）。信託財産に変動を生じさせない信託の変更についてのみ，要式性が不要であると解すべきである。

(4)　信託宣言の法的性格

　信託宣言の法的性格として，「相手方のない単独行為」か，「相手方のある単独行為」（ここで相手方とは受益者）に類するものか，が論じられる[128]。設定時において，委託者兼受託者と受益者とが一致することを許容する以上，「相手方のない単独行為」と考えるべきであろう[129]。

　　　1322号33頁〔沖野眞已発言〕（2006）参照。
　126)　村松ほか・14頁。
　127)　田中・39頁。
　128)　寺本・43頁注(6)。
　129)　村松ほか・10頁注(1)。

■第3章　信託財産と受託者による取引のメカニズム

第1節　受託者による信託事務処理

1　受託者の行為

(1)　受託者の行為の区別

信託契約や遺言（受託者が引受けをしたとき）によって信託が設定されたときには，定められた受託者は，「一定の目的に従い財産の管理又は処分及びその他の当該目的の達成のために必要な行為」をすることを合意し，または，引き受けたのであり，また，自己信託の場合には，委託者自身が，受託者として，「一定の目的に従い……一定の財産の管理又は処分及びその他の当該目的の達成のために必要な行為」をすることを宣言している。したがって，当該合意・引受け・宣言を根拠に，「受託者は，信託の本旨に従い，信託事務を処理しなければならない」（信託29条1項）ことになる。

上記の条文の文言のうち，「信託の本旨に従い」については，受託者の義務の問題として後に論じることとし（→180頁），まず，「信託事務を処理する」ということはどういうことなのか，を考えておく。ここには，**受託者の地位の二面性**[1]が関係してくる。

株式会社の代表者は，会社のために取引を行うが，株式会社には法人格があり，代表者は株式会社の代理人として行動し，代表者Aが「X社代表取締役A」として銀行から借入れをすると，債務者はX社になる。Aになるわけではない。

これに対して，信託財産には法人格がない。したがって，甲信託の受託者Tが銀行から借入れをすると，甲信託の受託者として甲信託のために

---

1)　道垣内・問題状況437〜439, 456〜464頁参照。

行動していても，債務者はTになる。貸し手である銀行は，債務者がTなのであるから，Tに対する債務名義を取得し，Tの固有財産に属する財産を差し押さえることができる。甲信託には法人格がないから，債務者にはなれないのである。甲信託が債権者になれないことも同様である＊。

しかしながら，その借入れが信託事務処理としてされているときには，後に述べるように，借り入れた金銭は信託財産に属する財産になるし，貸し手である銀行は，Tの固有財産に属する財産とともに，信託財産に属する財産も差し押さえ得ることになる。また，Tは，その借入金の返済を信託財産に属する財産をもって行うことができるし，固有財産に属する財産によって返済を行ったときは，信託財産からその償還を受けることができる。つまり，そのプラス・マイナスが信託財産に帰属することになるのである。

ところが，Tは，自らの必要のために自らのために借入れをすることもある。このときは，借り入れた金銭はTの固有財産に属し，その引き当てになるのはTの固有財産のみである。

そこで，どのようにしてその2つを区別するかが問題となる。Tが行為したときに，そのプラス・マイナス，つまり，その効果が信託財産に帰属するのは，どのような場合なのか，ということである。

> ＊ **過払い金が生じている貸金債権が信託財産である場合**　近時，委託者が有する貸金債権を受託者に移転し，信託財産に属する債権とした上で，借主から返還された金銭の交付を受けるという内容の受益権を第三者に販売するという債権流動化スキームにおいて，移転された債権について利息制限法に反する利息が約定されていたために，過払い金が生じたとき，債務者に対して受託者が過払い金返還債務を負うか，という問題がしばしば争われる。もちろん，信託が設定される前にすでに生じていた過払い金返還債務は委託者が負い続けるのであり，受託者に返還義務はないが，信託設定後に生じた過払い金返還債務は，受託者が負う。信託財産に法人格はないし，受益者は債権者ではない。受益者が受託者に対して不当利得返還債務を負うことは格別，債務者に対して過払い金返還債務を負うのは，債権者である受託者である[2]。

---

2) 道垣内・問題状況158～165頁。なお，道垣内弘人「集合債権譲渡担保と過払い金返還義務の帰属」同『非典型担保法の課題』212頁以下（有斐閣，2015）も参照。

(2) 信託のためにする意思

　まず，Tの行為の効果が信託財産に帰属するためには，Tがそのような意思を有していたことが必要である。**信託のためにする意思**である。ここにいう「ために」というのは，「効果を帰属させる意思をもって」という意味であり，「利益を図る目的で」ということではない。損失を加える目的であっても，信託財産に効果を帰属させる意思があれば，これに含まれる。受託者として権限範囲内のTの行為であっても，Tが，それを自らのために行う場合には，その行為の効果はTの固有財産に帰属する。信託法32条4項は，それを前提としている（→91頁）。

　この意思の存否は，Tの法律行為についての解釈問題である。しかし，信託財産に属する不動産を第三者に売却した場合などは，信託財産に属する財産自体を対象とする法律行為を行っているわけだから，受託者は信託財産に効果を帰属させる意思を有していたと考えられる。たしかに，その行為の効果をTの固有財産に帰属させることも，理論的には考えられないではないが（Tが，信託財産からその不動産を取得して，買主に移転する債務を負う契約を観念する），一般的にはそれは素直な解釈ではない。同法21条1項6号イ二重かっこ部分が，「信託財産に属する財産について権利を設定し又は移転する行為」から生じた権利に係る債務は，取消しがされない限り，信託財産責任負担債務であるとしているのも，そのような行為が信託財産に効果の帰属するものであることを前提としている。つまり，「信託のためにする意思」が実際に問題となるのは，行為の性質上，信託財産にも帰属させうるし，固有財産にも帰属させうる（あるいは，Tが複数の信託の受託者であるときには，いずれの信託の信託財産にも帰属させうる）場合，いわゆる「中性の事務」の場合のみである。

(3) 受託者の権限範囲

　㋐　Tの意思の存在のみでは，Tの行為の効果を信託財産に帰属させることの正当性は確保されない。たとえば，信託行為において，信託財産に属する金銭は国債に投資せよとされているのに，受託者が「信託のためにする意思」をもってハイリスクの社債を購入したとき，その効果が当然に信託財産に帰属するというのは妥当でない。Tの行為の効果を信託財

産に正当に帰属させるためには，その行為がTの受託者としての権限内のものであることが求められる。

　そして，受託者の権限につき，信託法26条は，まず，本文で，その範囲を，「信託財産に属する財産の管理又は処分及びその他の信託の目的の達成のために必要な行為をする権限」とするとし，ただし書で，信託行為によって権限の制限ができるとしている。

　同条本文の解釈につき，受託者には，「信託財産の管理・処分権限」が認められるとともに，それに加えて，「その他の信託の目的の達成のために必要な行為をする権限」が認められると解する見解もある[3]。しかし，「信託財産の管理・処分権限」についても信託行為によって制限しうることは，ただし書の文言から明らかであるところ，信託行為による制限は信託目的の達成のためにされるものであるから，明示の制限がない場合でも，信託目的の達成のために不要な行為をする権限が認められていると信託行為を解釈することは不自然である。さらには，後に述べるように，受託者の権限外行為の場合でも，相手方が，その行為を受託者の権限内にあると信じ，かつ，信じたことに重過失がない限り，受益者はその行為を取り消すことができず，相手方が保護されることになっている（同27条1項・2項）。しかるに，受託者が，信託財産の管理・処分ではあるが，信託目的の達成のために不要な行為をしたとき，それを受託者の権限の範囲内の行為であるとし，不要な行為であることについて悪意または重過失の相手方を保護する必要はない。したがって，受託者には，「信託財産の管理・処分」についても，「信託の目的の達成のために必要な行為をする権限」だけがあると考えるべきである[4]。

---

3) 寺本・103頁，村松ほか・74頁。このような見解が，信託法27条が権限外行為につき無効とせず，取り消し得るものとしていることと合わせて，同法26条が「受託者の権限の範囲」と題していても，受託者は完全権を有し，その制約に対する違背は，無権限行為となるわけではなく，義務違反しかもたらさない，という理解に結びついていることについて，佐久間毅「受託者の『権限』の意味と権限違反行為の効果」信研34号41頁以下（2009)，条解・142〜143頁〔佐久間毅〕参照。

4) 道垣内・問題状況464〜473頁，条解・143頁〔佐久間毅〕。

(イ) もっとも,「信託の目的の達成のために必要」か否かは，行為の性質から抽象的に判断されるのであり，実際上，必要であったか否かで判断されるわけではない[5]。たとえば，信託財産に属する財産にドル建ての債券が存在すると誤信して，受託者が，ドル相場の変動に対処するためのヘッジ取引として，信託のためにする意思をもって一定の債券を購入したとする。これは，客観的には「信託の目的の達成のために必要」でない行為かもしれない。しかし，債券の購入が受託者の権限に含まれている限り，権限内の行為である。同様に，信託財産に属する不動産につき，相場よりも低い価格で第三者に売却しても，それだけでは，その行為は権限外行為にはならない。受託者が善良な管理者の注意を怠って行った取引が，受託者の権限外になるわけではないのである。

しかし，受託者が，信託の目的達成のために必要でない行為を，信託財産に効果を帰属させる意思をもって，あえて行ったときは(たとえば，信託財産に損害を加える目的を有して，または，自己または第三者の利益を図ってした行為)，行為の抽象的な性質からは，その行為が受託者の権限内のものであっても，受託者の権限外行為だと考えるべきである。代理においても，そのような場合，民法107条によって，相手方が，代理人の企図するところにつき悪意または有過失であれば，代理行為の効果は本人には及ばないとされている[6]。このこととのバランスからしても，受託者の企図すると

---

5) たとえば，信用金庫の支店長の権限に関して，最判昭和54・5・1判時931号112頁は，「当該行為につき，その行為の性質・種類等を勘案し，客観的・抽象的に観察して決すべきものである」としている（さらに，最判昭和32・3・5民集11巻3号395頁も参照）。このうち，「客観的」とする部分は，権限濫用と区別するために，行為者の主観を問わないという趣旨であるが，本文に述べるように，受託者については，権限濫用に該当する場合も，権限外行為だと考えるべきであるから，「抽象的に観察し」という箇所のみが妥当することになる。

6) 民法107条は，「代理人が自己又は第三者の利益を図る目的で」としており，本人に損害を加える目的のみを有し，図利目的がない場合については，適用されないようにも思われる。しかし，同条の元となった判例法理は，代理人の背任的行為に相手方が加担したような場合について民法93条1項ただし書の類推によって本人への効果帰属を否定しようというものであり（道垣内弘人「代理に関わる類推適用など(1)」法教298号30頁 (2005))，それと同様に，本人に対して損害を加える目的のみを有し，図利目的がない場合についても，民法107条が適用

ころにつき悪意または重過失の相手方を保護する必要はなく（→86頁＊参照），信託法27条1項・2項によって取り消されうると解すべきである[7][8]。

(4) 3つの場合

信託のためにする意思の存否と，権限の内外を基準に考えると，右の図のような区分が生じる。そして，bについては，受託者の行為は当然に信託財産に

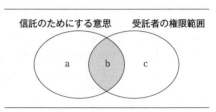

帰属する。問題は，信託のためにする意思をもって権限外行為をしたときの扱い（図のa），信託のためにする意思を有しないで権限内の行為をしたときの扱い（図のc）である＊。

＊ **信託のためにする意思のない行為** 　信託のためにする意思のない権限外行為は，受託者個人に帰するものである。それを信託のためにされた行為であると信じた相手方の保護は図られていない。また，信託のためにする意思のない行為が，権限内のものであっても，その効果を信託財産に帰属させるか否かは，後に述べるように（→91頁），受益者の判断に委ねられているのであり，相手方の保護はない[9]。しかるに，たとえば，以前，Tが信託のためにした取引の相手方であった者が，再び同様の取引をTと行い，その際，信託のためにされていると信じ，信託財産に属する財産も自らの債権の引き当てになると考えていたときに，相手方が保護に値しないか，は一応問題になりそうである[10]。しかし，Tも自己のために一定の行為をするのは当然であるから，これまでの取引が信託のためにされたものであったという事実は相手方の信頼の基礎として不十分である。受託者の意思に反して，また，受益者の不利益のもとに，当該行為の効果を信託財産に帰せしめることは妥当でない（相殺に関し

されると解釈すべきである。

7) なお，代理に関する，民法107条の類推も考えられるが，そうすると，相手方は善意・無過失であることが要求され，一般の権限外行為（相手方が，悪意または重過失でなければ取り消されない）とのバランスを失する。信託法27条1項・2項の適用のみを考えるべきであろう。
8) 以上につき，道垣内・問題状況464〜475頁，佐久間・61〜83頁参照。
9) 岩藤美智子「受託者の権限と取消」金判1261号47頁（2007），道垣内・115頁，新井監修・100頁〔行澤一人〕。
10) 佐久間・57頁，および，条解・141〜142頁〔佐久間毅〕は相手方保護の方向を示すが，「信託のためにする意思」の存否の解釈問題でもあろう。

ては，受託者の固有財産を引き当てにする債権と信託財産に属する債権との相殺につき，相手方の信頼を保護するが（信託22条1項ただし書2号），相殺という簡易な決済方法に対する相手方の期待はとくに保護に値すると考えられた故の例外である）。

2 権限外行為の扱い

(1) 相手方保護の必要性

受託者が，その権限外の行為を信託のためにする意思で行ったときについて（図のa），信託財産にはその行為の効果が帰属しないという単純な規律をとることも考えられる。せいぜい信託財産に属する特定の財産を処分するといった行為についてのみ処分の相手方の保護を考えればよいのであり，原則として，債務はすべて受託者の固有財産に帰属するというわけである。実際，旧信託法はそのような規律であると理解されていた[11]。

しかし，それでは，相手方の保護に不十分であると考えられるようになった。たとえば，信託のためにする意思をもって，受託者が借入れを行ったとき，相手方が受託者の行為をその権限内の行為だと誤信していて，信託財産に属する財産から弁済を受けうると考えていたとすると，その信頼は保護に値する，というわけである。

そこで，信託法27条は，「**受託者の権限違反行為の取消し**」と題し，相手方の主観的態様に応じて，受益者に受託者の行為についての取消権を与えることにした。2つに分けて考えられる。

(2) 受託者の固有財産に効果を帰属させうるタイプの行為がされた場合の規律

いわゆる中性の事務である（たとえば，金銭の借入れ）。このときは，信託法27条1項が適用され，受託者が信託のためにする意思を有していたことを相手方が知っていたか否かで分けて規律されている。

相手方が受託者の意思を知らなかった場合には，受託者の行為は，信託財産にその効果が帰属せず，受託者の固有財産に帰属するものとなる。相手方も，個人としての受託者と契約をしているつもりであり，信託財産を

---

11) 四宮・251〜252頁。さらに，道垣内・問題状況147〜157頁参照。

当てにしてはいなかったわけだから，それで問題はない。信託法21条1項6号イかっこ書も，「当該行為の相手方が，当該行為の当時，当該行為が信託財産のためにされたものであることを知らなかったもの」から生じた権利は，信託財産責任負担債務（→122頁）にならないとしている。つまり，信託財産を引き当てにできないのである。

　これに対して，相手方が受託者の意思を知っていた場合（信託27条1項1号）には，相手方は，受託者の権限違反を知らなければ，信託財産が自らの債権の引き当てになると信頼することになる。そこで，相手方の保護が図られなければならず，受託者の行為は信託財産にその効果が帰属するものとして，いちおう有効と扱うが，受託者の行為が権限外のものであったことについて相手方が悪意または重過失＊であれば（同項2号），受益者は，受託者の行為を取り消すことができるとされている（同条1項柱書）。

> 　＊　**善意・無重過失という要件の妥当性**　　相手方に善意・無過失を要求しないのは，信託財産に属する財産は受託者に帰属しており，それに基づく権限の行使だから，表見代理よりも相手方の保護要件を緩和すべきであるという判断に基づくとされる[12]。しかし，権限違反行為は，信託財産に属する財産を直接に目的とする取引以外についてもありうるから，必ずしも説得的ではない。むしろ，受託者の権限範囲が「信託の目的の達成のために必要な行為」に限定されることを前提としたうえ，それに該当するか否かの解釈が相手方にとっては容易でないため，とくに保護範囲を拡大したととらえるべきであろう[13]。

(3)　**信託財産に属する財産を直接に目的とする取引がされた場合の規律**
　たとえば，信託財産に属する特定の不動産を第三者に売却したときのように，信託財産に属する財産を直接に目的とする取引がされたときである。このとき，受託者は，その行為の効果が必然的に信託財産に帰属する法律行為をしているのであり，相手方も当該不動産についての権利を取得する意思を有しているわけだから，自分の権利実現のために受託者の固有財産だけが引き当てになっていると考える可能性はない。信託法27条1項1号の要件は当然に充足される。信託財産に属する財産を目的物とする賃貸借契約の締結も同様である。そこで，その行為が受託者の権限外のもので

---

[12]　村松ほか・78頁注(5)。
[13]　佐久間・66〜67頁。

あったことについて相手方が悪意または重過失であれば（同項2号），受益者は，受託者の行為を取り消すことができる。形式的には，第1号の要件の充足も必要だが，当然に充足されるのである[14]。

ところが，後に述べるように，信託財産に属する財産であることを第三者に対抗するためには，対抗要件の具備が必要な種類の財産もある（→145頁）。そして，そのような財産について信託財産に属する財産であることの対抗要件が具備されていなければ，相手方は当該財産が信託財産に属する財産であることとは無関係な立場にいられるわけであるから，受託者の権限違反について相手方が悪意または重過失であっても，受益者が当該財産の売買契約などを取り消せないのは当然である。そこで，「第14条の信託の登記又は登録をすることができるもの」については，信託法27条2項が適用され，「当該行為の当時，当該信託財産に属する財産について第14条の信託の登記又は登録がされていたこと」が取消しの要件とされている（同27条2項1号）。なお，このように理解すると，信託財産に属する財産であることの対抗要件が別の法律で規定されている財産（→150頁）についても，その趣旨は当てはまり，同法27条2項が適用されるというべきである。

ただし，信託の登記・登録があっても，当該財産の処分行為を受益者が取り消すためには，なお同項2号の要件，つまり相手方の悪意または重過失が要求される。ある不動産が信託財産に属する財産であるからといって，その処分が受託者の権限の範囲を超えるものであるとは限らず，登記・登録等があるだけでは，相手方が，その処分が受託者の権限内のものであると信じる可能性が十分にあるからである。

(4) 取消権の行使とその効果

(ア) 信託法27条1項・2項による取消権は，受益者（信託管理人がいるときは，信託管理人（同125条1項）。→387頁）が行使する*。複数の受益者がいる場合には，各受益者は単独で取消権を行使しうる（同27条3項，92

---

[14] 道垣内・113頁，条解・148頁〔佐久間毅〕。反対，村松ほか・79〜80頁。しかし，信託法21条1項6号の前提とするところに反していると思われる（→81，123頁）。

条5号,105条1項)。受益者の取消権は,受益者の利益を守るために重要な権利であり,信託行為の定めによって制限することはできない(同92条柱書・5号。なお,受益証券発行信託について,同213条1項1号。→358頁)。また,信託行為にその旨の定めがあれば,委託者も取消権を行使できる(同145条2項2号)。

> **＊ 取り消さない,あるいは,追認するという選択** 取り消し得るときでも,あえて取り消さないことが受益者に有利なこともある。当該権限外行為によって信託に利益が生じているときはもちろんであるが,損失が生じているときでも,たとえば信託財産から逸出した財産の取戻しが困難であるときには,取り消さなければ,その対価として取得された財産は信託財産に属する財産となるので(信託16条1号),受託者(あるいは,さらに相手方)に対して,金銭による損失てん補を請求していくよりも効果的な救済を受け得ることがある[15]。このとき,取消しをしないという選択(あるいは,追認するという選択)は,この意味で,受益者が救済を受けるための1つの選択であり,受託者の行為の正当性を追認することを意味しない[16]。したがって,対価が信託財産へ帰属するだけでは損失がてん補できないときに,受託者が権限外行為をしたことが善管注意執行義務違反であれば,なお受託者に損失てん補を求め得るし(同40条1項。→252頁),場合によっては相手方に不法行為による損害賠償を請求できる。

(イ) 取消しの意思表示を誰に対してすべきかについては規定がなく,旧信託法に関しては,受託者および相手方とする見解が有力であった[17]。取り消されるべき法律行為の当事者が双方であるという理由によるが,権限外の行為をした受託者に対する意思表示をあえて求める必要はない。相手方に対してすれば足りると解すべきである[18]。

(ウ) 取消しの要件の立証責任は,信託法27条1項1号の要件を除き(同項の要件の充足が否定されるときは,そもそも取消しの必要がない。→85頁),取消権者にある[19]。権限外行為も一応は有効とすることの帰結である。

---

15) 道垣内弘人『信託法理と私法体系』183頁(有斐閣,1996),道垣内・問題状況417〜419頁。また,村松ほか・45頁注(2),条解・87〜88頁〔角紀代恵〕。
16) 佐伯仁志=道垣内弘人『刑法と民法の対話』269〜271頁〔道垣内弘人発言〕(有斐閣,2001)。
17) 四宮・255頁など。
18) 佐久間・前出注3) 49頁,条解・151頁〔佐久間毅〕。
19) 寺本・108頁注(5)。佐久間・前出注3) 42頁の分析も参照。

㈣ 取消権は、受益者（信託管理人がいるときは、信託管理人。同125条）が、取消原因の存在を知った時から3か月間行使しないとき、または、行為の時から1年を経過したときは消滅する（同27条4項）。法律関係を早期に確定しようとする趣旨だが、権限違反の受託者および悪意・重過失の相手方のために早期確定の必要性があるとは思えない（転得者が存在する場合は別）。少なくとも、その期間内に取消権を行使すればよく（つまり、返還請求をすべきとき、その請求まで期間内にする必要はない）、また、場合によっては、上記の期間が経過した後であっても、受益者は相手方に不法行為責任を追及できると解すべきである。

受益者が複数のとき、取消権は各受益者が単独で行使できる権利だから、上記の期間制限も受益者ごとに適用される。

㈤ 取消しの効果は、民法の一般原則による（民121条）。取消しをした者だけでなく、他の受益者のためにも取消しの効力が生じる（信託27条3項）。

取消しの結果、当該行為の効果は、信託財産にはもちろん、受託者の固有財産にも帰属しないことになる。受託者の固有財産に帰属するという解決も考えられないではないが、相手方は受託者の権限違反につき悪意または重過失なのであり、行為の性格を変化させてまで保護する必要はないからである[20]。

また、相手方からの転得者の保護も、一般原則に委ねられる（民192条、177条、94条2項類推）。取消し前に現れた善意の転得者には取消しを対抗できないという見解[21]もあるが、一般の取消しの場合に比較し、転得者をとくに保護すべき理由はない。

取り消すべき行為の追認は可能であるが、むしろ各受益者による取消権の放棄と考えるべきであろう。ただし、追認ないし取消権放棄は、それによって、受託者の行為が正当と認められ、義務違反が治癒されるわけではない（→88頁＊）。受託者の解任事由にはなりうるし（→294頁）、信託財産に損失があるときは、受託者に対して、そのてん補を請求できる（→

---

20) 寺本・107～108頁注(4)。
21) 佐久間・前出注3) 50頁、佐久間・76頁。

252頁)。

3 信託のためにする意思のない行為の扱い

(1) 競合行為の禁止

　受託者が，権限内の行為を，信託のためにする意思を有しないで行ったときは（84頁の図におけるc），受託者の固有財産にその効果が帰属する。相手方が，その行為は受託者が信託のためにする意思で行ったものだと信じたとしても，原則として保護されない（→81, 84頁*）。例外的に保護されるのは，相殺の期待を有していたときであり，そのことは後に説明する（→155頁）。

　しかし，ここでは，受益者の保護の問題が生じる。たとえば，信託の事務処理として，土地を購入しなければならない状況にある受託者Tが，手頃な土地を探していたところ，適当な売地が見つかったとする。このとき，すぐに転売しても利益があがると考えた受託者が，自分のためにする意思でその土地を購入した。これをそのまま認めると，受託者がきちんと信託事務処理をし，信託のためにする意思で当該土地を購入していれば，信託財産の価値の増加というかたちで得られたはずの利益を，受益者は受託者の固有財産に横取りされたことになってしまう。

　そこで，信託法32条は，第1項で，「受託者は，受託者として有する権限に基づいて信託事務の処理としてすることができる行為であってこれをしないことが受益者の利益に反するものについては，これを固有財産又は受託者の利害関係人の計算でしてはならない。」と一般的な禁止（**競合行為の禁止**）を定めている。ここで，「受託者の利害関係人の計算で」とは，受託者の名義をもって，受託者の子や配偶者に利益を帰せしめる行為をすることを指す。後に述べるように，介入権の行使によっては契約当事者が変わらないことが前提となっており，そのため，第1項の解釈においても，受託者の名義以外による行為は介入権の対象から排除しなければならないからである（競合行為禁止の範囲，受託者の責任などにつき，詳しくは，→238頁）。

(2) 介　入　権

(ア)　禁止された競合行為をすることは受託者の義務違反となる。しかし，その救済手段が受託者に対する損失てん補請求・原状回復請求（信託40条）に限られるならば，受益者は，受託者に対する他の債権者と競合することになる。また，「受託者として有する権限に基づいて信託事務の処理としてすることができる行為であってこれをしないことが受益者の利益に反するもの」については，本来，受託者は信託のためにすべきものであったのであり，あるべき状態にする権利を受益者に与えておかしくない。

そこで，信託法32条4項本文は，競合行為がされたとき，受益者は，当該行為は信託財産のためにされたものとみなすことができる，としている。受益者の有するこの権利を**介入権**という。受益者は，(1)で述べた事例におけるT個人による土地購入について，信託のためにされたものに，その性格を変えることができるのである。

そして，受益者に介入権の行使の機会を保障するため，禁止された競合行為をした受託者は，当該行為についての重要な事実を受益者に通知しなければならない（同32条3項）（信託行為に別段の定めがあれば，それによる（同項ただし書））。ただし，通知がされていなくても介入権の行使ができるのは当然である。

(イ)　もっとも，介入権の行使によって，第三者の権利を害することはできないとされる（同条4項ただし書）。このことの意味はわかりにくいが，次のように理解すべきである。

たとえば，受託者が，固有財産または利害関係人の計算で，第三者を売主とする土地の売買契約を締結し，これが，禁止される競合行為に該当するものであったとする。介入権が行使されても，相手方である売主にとっては，契約の他方当事者が変化するわけではない。自らする給付（土地）が信託財産に帰属することになるとともに，T個人との契約の場合には，自らの債権（売買代金債権）の引き当てとなるのはTの固有財産だけであったところ，それが信託財産にも拡大するという利益を得られる，というだけである（なお，限定責任信託において介入権が行使されたときは，信託法219条の要件を満たさないので，責任限定の効果が生じず（→171頁），やはり責任

財産の拡大が起きる)。つまり,相手方としては利益を得るだけであり,すべき行為に変化が生じるのは,受託者なのである。また,双方履行後であれば,相手方には何らの影響も生じない＊。

このように,相手方の地位に,引き当てにできる財産の拡大という以外の変化が生じないからこそ,介入権の行使が許される。したがって,逆に,介入権の行使の効果はそのようなものにとどまり,相手方に対する意思表示の内容を変更する効果は持ち得ない。このことを信託法32条4項ただし書が定めていると理解すべきである。

さらに,ここにいう「第三者」には,競合行為となる契約の相手方だけでなく,当該相手方から給付された目的物の転得者を含むと解されるところ,そのような転得者の地位は,介入権の行使によって何ら影響を受けることはない。このことも信託法32条4項ただし書が定めていると解される。当該転得者は,競合行為につき介入権が行使されるか否かはわからないのであり,その主観的態様とは無関係に保護されなければ妥当ではないのである(民法545条1項ただし書の「第三者」と同様に解される)[22]。

> ＊ **会社法における介入権の廃止との関係** 2005(平成17)年の会社法制定まで,商法264条には,取締役の競合行為につき介入権の制度が定められていたが,会社法制定とともに廃止された。判例・通説は,この介入権の行使の効果を債権的なものにとどめ,取締役はその行為の経済的な効果を会社に帰属させる義務を負うにとどまると理解していたため,損害賠償請求と実質的には変わらないものとなっていたからである。この理解は,介入権の行使によって,取引当事者を取締役個人から会社に変更することは,相手方の意思に反して,その利益を害しかねないから妥当でない,という判断に基づいていた。
>
> これに対して,信託において介入権が行使されても,本文に述べたように,相手方に不利益は生じない。このことが,会社法における介入権の廃止にもかかわらず,信託法上,介入権が認められた理由となっている[23]。

(ウ) この意思表示は,受益者から受託者に対してされる。上記のように,相手方の地位にマイナスの変化は生じないからである。

介入権は,単独受益者権ではなく,複数の受益者がいるとき,その行使

---

22) 道垣内・問題状況481〜483頁。競合行為の相手方からの転得者に関する理解は,本書初版・87頁には存在せず,今回の改訂に際して追加した。
23) 道垣内・問題状況480〜481頁。

にあたっては，すべての受益者の一致が必要なのが原則（例外として，多数決での決定等，信託行為に別段の定めを置くことはできる。→373頁）である（信託105条1項，92条）。禁止された競合行為といえども，それを信託財産に帰属させるべきか否かの判断は分かれうるし，各受益権の内容に応じて，利害関係も対立しうるからである。

　受益者の介入権自体を信託行為の定めによって排除することはできるか。一方，信託法32条4項は，信託行為に別段の定めを置くことができる旨の規定を置いておらず，排除できないようにも読めるが，他方，同法92条は，信託行為の定めによって制限することができない受益者の権利として，介入権をあげていない。競合行為の禁止範囲と同様，信託事務執行の機動性を考慮して決定すべき事項であり，たとえば受託者の損害賠償責任にとどめるといった定めも可能だと解すべきである[24]。

　(エ)　介入権は，当該行為の時から1年を経過したときは消滅する（同32条5項）。介入権が行使されるまでは，当該行為の効果が受託者の固有財産に帰属していることを前提に，固有財産についても，信託財産についても，別の行為が積み重ねられることになるところ，その前提を覆すことになるのは妥当でないからである。

　(オ)　介入権の行使の効果は，受託者が競合行為を固有財産の計算でした場合と受託者の利害関係人の計算でした場合に分けて考える必要がある。

　固有財産の計算でした場合は，相手方の債務が未履行であれば，その請求権が信託財産に帰属することになり，また，給付される物は信託財産に属する。すでに給付されているときには，給付時には受託者の固有財産に属した当該給付目的が，介入権行使の結果，信託財産に属することとなる。他方，受託者側の債務は，信託財産責任負担債務（→122頁）となる。また，受託者は，固有財産からすでに債務を履行していれば，信託財産からその費用等の償還を受けることができる（同48条1項。→278頁）。

　これに対して，受託者の利害関係人の計算でした場合も，相手方の債務が未履行であれば，上記と同様になる（利害関係人の計算でされていても，契

---

24)　田中・222頁。反対説として，村松ほか・104頁注(6)。

約当事者は受託者である)。受託者側の債務についても同様である。しかし，相手方の債務が既履行で，給付目的物がすでに受託者から当該利害関係人に移転しているときには（民646条），介入権の行使によって，当該給付目的物が当該利害関係人から受託者へと再度移転し，信託財産に帰属することになる。当該利害関係人の保護が問題になりそうだが，ここにいう「受託者の利害関係人」は，受託者と利害関係を一にする者であると解され（→226頁），したがって，保護は不要と考えるべきであろう。

　相手方からの給付目的物が，さらに転得者に移転されたときはどうか。転得者が影響を受けないことは，すでに述べたとおりであるが（→92頁），受託者からの転得者に対する，たとえば売買代金債権が未だ消滅していないときは，介入権の行使により，信託財産に属する財産になる。また，受託者がすでに代金を受領しているときにも，当該代金額は信託財産に属する財産に属する金銭となる。しかし，受託者の利害関係人に移転した給付目的物が，さらに転得者に移転されたときには，それはあくまで当該利害関係人と転得者との間の契約によって行われたものであるから，介入権が行使されても，それには何らの影響も及ぼさないというべきである。

　(カ)　権限違反行為の取消権の場合と同様に（→88頁＊），介入権が行使されたからといって，受託者の行為が正当と認められ，その義務違反（同32条1項）が治癒されるわけではない。受託者の解任事由にはなりうるし（→294頁），介入権の行使では回復できない損害があるときは，受託者に対して，その損害の賠償を請求できる（→252頁。ただし，その際には，受託者が固有財産または受託者の利害関係人の利益を図る意思を有する必要があると解すべきことについて，→242頁＊(iii))。

4　受託者が複数の場合

(1)　複数受託者の場合の財産の帰属

　(ア)　ここまで，受託者が1人であることを前提としてきたが，複数の受託者が**共同受託者**＊,＊＊となる場合もある。

　この場合，信託財産は，共同受託者の合有とされる（信託79条）。同様の規定は旧信託法にも存在していたが，そこでは，合有であることによっ

て，信託財産の管理につき，複数の受託者に合手的行動が要求されるという面が強調されてきた[25]。ところが，後に見るように，新信託法は，受託者の過半数によって事務処理が決定されるとともに，決定された事項について，各受託者が単独で執行できることを原則とした（同80条1項・3項）。そうすると，あえて合有と規定することに理由が問われることになる。

＊ 共同受託と類似の類型との区別　　（i）かねて**複数受託**といわれてきた類型がある。たとえば年金信託のように，委託者の拠出する資金につき，複数の者がそれを分割して受領し，それぞれ受託者となって，独立して運用し，受益債権に係る債務を履行する，というものである。このときは，1つの信託に複数の受託者が存在するわけではなく，複数の信託が存在すると理解される。これに対して，職務分掌がされている場合でも，1つの信託について複数の受託者が存在するときは共同受託である（信託80条4項）。そこで，限界的な事例では，複数の受託者が存在するとき，信託が1つで職務が分掌されているのか，信託自体が複数なのかが問題になり，微妙な判断が必要となる。

さらに，信託財産の運用等につき，受託者に指図する権限を有する者（**指図権者**。→187頁＊）が存在する場合がある。指図権者は受託者ではなく，共同受託に該当しないことが原則であるが，指図権者も（受託者として信託行為に明記されている）受託者も，信託に関連して委託者から一定の職務を委ねられているわけだから，複数の受託者が存在すると考えるべき場合もあるという指摘もある。

（ii）まず，1つの信託か複数の信託かの判断について，旧信託法についての学説として，職務分掌により合手的行動義務が排除されている場合を，共同受託の概念から外す見解も唱えられていた[26]。しかし，すでに述べたように，現行信託法は，職務分掌の定めがある場合を共同受託の1つとしたうえで，あえて「各受託者は，他の受託者を代理する権限を有する」（信託80条5項）としているので，そのような見解はもはや採りえない。

また，複数の受託者が存在する場合に，それらの受託者間に相互監視義務（その具体的内容・意義について，→182頁＊＊）が存在するか否かを考え，その存在を，共同受託であるか否かの基準とする見解も有力である[27]。相互監視義務は共同受託者間であるからこそ生じると考えると，この見解はトートロジーの感もあるが，相互監視義務が信託行為の定めによってまったく否定されている場合には，各受託者の扱う信託財産の独立性が強く，それが，信託の

---

25) 四宮・241〜242頁，田中實＝山田昭（雨宮孝子補訂）『信託法〔改訂版〕』87〜88頁（学陽書房，1998）。

26) 原靖「共同受託者の合手的行動義務と責任」信研17号3頁以下（1993），道垣内・問題状況215〜216頁。

27) 寺本・232〜233頁注，新井監修・269〜270頁〔鈴木正具＝伊東正朗〕。

複数性を認定する事情として働くのはたしかであろう。

同じような考慮は，たとえば指図権者を共同受託者と見るべきか，という問題にも当てはまる。つまり，指図権者が，受託者の指示をまったく受けず，また，受託者も指図権者を監督する義務を負わないような場合には，指図権者の独立性が強いが故に，受託者と共同関係にはなく，また，信託財産の帰属がないのだから，受託者でもないと考えることになろう。

(iii) 信託行為の定めあるいは信託の変更によって，後発的に受託者が追加されることもありうる（後発的共同受託）。次の2つの類型があるとされる[28]。

第1は，追加された受託者が既存のすべての受託者との間で共同受託者の関係に立つというものであり，信託設定の当時は単独受託であったところ，その後に受託者を追加して共同受託とし，または，信託設定の当時から共同受託であったとき，その後に受託者を追加し，共同受託者の数を増加させることが考えられる。

第2は，すでに複数の受託者が存在するとき，そのうちの特定の受託者に割り当てられている職分についてのみ受託者を追加し，共同受託とするものである。

いずれも有効である。

＊＊　**信託財産の合同運用**　　関連して，複数の信託の信託財産，あるいは，信託財産と受託者の固有財産が一体として運用される場合について述べておく。このような合同運用が認められるか否かは，もっぱら当該運用方法の合理性に依存する。規模の利益により，効率的な運用に資すると受託者が善良な管理者の注意をもって判断して行うのであれば，有効である（信託業法施行規則33条2項2号も，これが有効であることを前提とする）。合同運用されている財産は，少なくとも種類ごとには一体であり，識別不能であるから（→109頁），個々の財産について，その持分が各信託の信託財産（および固有財産）に属することになる（信託18条）。

問題は，後に述べる分別管理義務（→203頁），対抗要件（→145頁），報告義務・帳簿作成義務（→207頁），受託者の損失てん補責任等（→252頁），信託の変更（→413頁）などについて生じる[29]。

まず，分別管理義務については，合同運用財産が，他の財産と区別でき，その共有持分が明らかになっていれば，尽くされているといえる。対抗要件については，信託財産であることの対抗要件が具備されていれば，他の信託の信託財産に属する財産との区別は，帳簿上の区別で，第三者に対抗できる（→150頁＊(i)）。ただし，信託財産に属する財産であることにつき登記・登録が対抗要件として要求されている財産が固有財産と合同運用され，信託財産に属する

---

28)　道垣内・問題状況207～208頁。
29)　全体的に，神田秀樹「平成18年信託法と商事信託——理論的観点から」信研35号16～20頁（2010）。

ことの登記・登録が欠けているときは，逆に固有財産として公示されていることになるから，共有持分権が信託財産に属することを第三者に対抗できないというべきである。報告義務・帳簿作成義務については，合同運用財産の全体に及ぶ（なお，同 38 条 2 項各号の類推適用が説かれる[30]が，たんに適用であろう）。全体についての持分が当該受益者の信託の信託財産となっているからである。受託者の損失てん補責任等については，各信託の受益者は全体についての損失てん補・原状回復を請求できるというべきである。受託者がてん補または原状回復した財産は，再び合同運用財産となり，その持分しか各信託に帰属しないからである。なお，信託の変更については後に述べる（→418 頁＊＊）。

(イ) 合有とされることの意味は，一般に，各合有者の権利に共同目的のために一定の制約が加わることであるといわれる。たしかに，組合財産や遺産については，民法に定められている規律内容が不十分なため，それを合有であると性質決定し，合有であることから一定の効果を導くことに意味が認められる。しかし，信託法においては，その具体的な制約は，信託法 80 条以下に定められており，合有の帰結として何らかの効果を導く必要性に乏しい。

たしかに，合有とすることによって，その内容が説明しやすくなる規律は存在する。たとえば，共同受託者の 1 人の信託事務処理によって第三者に対して負担した債務については，他の受託者も，少なくとも信託財産限りでは連帯債務を負う（同 83 条 1 項）。これは，信託財産に属する財産の第三者への交付が債務内容となるとき，それが合有であれば，他の受託者が連帯債務を負わなければ，その履行が不可能になるからであり，その財産が合有であることが連帯債務を課すという規律の前提になっている，と説明することができる。しかし，1 人の受託者が行為をするとき，当該行為者は他の受託者を代理する権限を有するのであるから（同 80 条 5 項），ある受託者の債務負担行為は他の受託者の行為でもあると性質決定される。したがって，とくに信託財産の合有を語らなくても，他の受託者が連帯債務を負うことは説明が可能である。合有とすることは，法技術的に必須ではないように思われる。

---

30) 田中和明「平成 18 年信託法と商事信託──実務的観点から」信研 35 号 9 頁 (2010)，神田・前出注 29) 19 頁。

(ウ) それでは，共同受託の場合に，信託財産をそのうち1人の単独所有にするとか，複数の受託者が信託財産の一部をそれぞれ単独所有にするとかといった形態をとるなど，合有以外の所有形態にできるだろうか。

この点では，信託財産に属する財産に対する強制執行や信託財産破産の場面において複雑な法律問題を生じかねないため合有としているのであり，別段の定めを許さない，と説かれることが多い[31]。しかしながら，第三者に対しては共同受託者の全員が連帯債務を負い，また，後に述べるように（→102頁），信託法81条が法定訴訟担当の規定であると解されるため，職務分掌の定めがあるときには，第三者である債権者は当該職務を分掌している受託者に対して債務名義を得れば，少なくとも信託財産に属する財産については（同83条2項本文），他の受託者を執行債務者とする強制執行が可能である。当該財産が他の受託者の単独所有であったとしても，それが信託財産に属する財産であることには変わりがないのだから，同じである。

解釈論としては，別段の定めを許さないという見解が素直だとは思われるが，さほど重視することはできないと思われる。

(2) 信託事務の処理

(ア) 旧信託法24条2項前段は，信託行為の別段の定めを許容するものの，信託事務処理についての意思決定もその執行も全員一致で行うことを求めていた（合手的行動義務）。相互監視の下，慎重な行為がなされることが共同受託者を選任した趣旨に適合的である，という理由であろうが，全員一致を求めることは効率的な事務処理を阻害するおそれがあること，また，対内的な決定（対内的な職務執行）と決定された職務の執行（誰がどのようにして行うか）（対外的な職務執行）とを同一の規律にする必然性がないことが指摘されていた。

そこで，現行信託法は，職務分掌に関する定めの有無に応じて，次のような規律を置いている*。

　　＊　他の受託者への委託　職務分掌に関する定めの有無にかかわらず，各受

---

31) 寺本・233頁注(1)，村松ほか・167頁注(3)，新井・221頁。

託者は，信託事務の処理についての決定を，他の受託者に委託できないのが原則である（信託82条）。信託行為において複数の受託者を置くときには，それらの者の協力，分掌，相互監視などにより，適正かつ効率的に信託事務が決定・処理されることについて委託者の期待が存在するのが通常であるところ，各受託者が他の受託者に信託事務の決定を委託してしまうことは，その趣旨に反し，委託者の意思に反する。したがって，原則としては許容されないが，信託行為に別段の定めがある場合は他の受託者への委託が許されるとされている。また，やむを得ない事由がある場合にも認められるし，「常務に属する」信託事務の処理についての決定については委託が可能である。

　注意すべきなのは，信託事務処理についての第三者委託に関する信託法28条と異なり，同82条は，「信託事務……の処理についての決定」の委託とされていることである。これは，決定がされれば，他の受託者は，委託を受けなくても単独での執行権限を有するからである（同80条3項）。

　「やむを得ない事由」か否かは，信託目的に照らして判断される（同28条3号参照）。たとえば，ある受託者が入院したという場合でも，当然にこれに該当すると解すべきではない。信託目的に照らすとき，相互監視のために受託者の数を確保しておくことが重要であるならば，入院した受託者が他の受託者へ決定を委託することは認められない。代理人を選任する，第三者に委託する，辞任し，別の者を受託者とするなど，他の方法を考えなくてはならない。これに対して，委託者の信頼する3人の友人を受託者にした場合を考えると，第三者がそこに加わることを避けるべき場合もあり，入院は「やむを得ない事由」に該当するであろう。

　「常務に属する」信託事務の処理についての決定について委託が可能なのは，事務処理の円滑な決定を困難にしないためである（組合に関する民法670条5項や，持分会社に関する会社法590条3項にも同趣旨の規定がある）。機械的に行いうる事務上の決定に限られるわけではないが，あまり拡大して考えると，信託法82条の趣旨に反する。日常的な反復性・判断の裁量度合い・信託財産に与える影響を考慮して，範囲を考えるほかはあるまい。

　(イ)　まず，職務分掌に関する定めがないときは，受託者の頭数の過半数によって決定するのが原則である（信託80条1項）（信託財産は合有であり，各受託者の持分はないので，持分の過半数という規律はあり得ない）。しかし，決定を慎重にするために全員一致の定めを置くこと，逆に，ある特定の受託者の判断に委ねるなどの信託行為の定めは有効である（同条6項）。内部的な問題にすぎないからである。

　以上に対して，保存行為については，各受託者が単独で決することができる（同条2項）。共有に関する民法252条5項（2021（令和3）年改正前同

条ただし書）と同趣旨である。したがって，信託財産に属する財産の修理，信託財産に属する債権の消滅時効の完成猶予のための催告などは，当然に保存行為に該当する。また，民法252条5項にいう保存行為については，現在では，共有者全員の利益になる行為が広く含まれると解されるようになっており[32]，そこでの解釈と同様に，信託財産に属する財産についての妨害排除請求や第三者の登記の抹消請求などもこれに含まれると解すべきである。もっとも，保存行為であっても必ず過半数での決定を要するとするなど，信託行為に別段の定めを置くことはできる（信託80条6項）。

(ウ) 共同受託者の過半数または信託行為の定めにより決定された信託事務処理や保存行為については，各受託者が単独で執行することができる（信託80条3項）。ここでいう信託事務処理が，たとえば，受益者からの帳簿閲覧請求に応じて，帳簿を開示するというものであるときは，執行権限さえ与えられていれば足りる。しかしながら，信託財産に効果を帰属させるタイプの法律行為をするためには，信託財産が共同受託者の合有になっていることから，単独での執行が他の受託者の行為にもならなければならない。そこで，信託法80条5項は，対内的に有効に決定された信託事務処理の執行が，信託財産のためにする行為であるときについて，各受託者に他の受託者を代理する権限*を与えている。

ただし，慎重を期するため，実際に共同受託者が連名で行為をしなければならない旨を定めることはできる（同条6項）。

(エ) 職務分掌に関する定めがあるときは，その定めに従い，分掌している事務につき単独で決定し，執行する（信託80条4項）。信託事務処理について決定の機会がある職務を一定の者に分掌させているときには，決定も含めて分掌させていると考えられるからである。

信託財産に効果を帰属させるために，単独執行をする受託者には他の受託者を代理する権限が与えられること，実際に共同受託者が連名で行為をしなければならない旨を定め得ることは，職務分掌に関する定めがないときと同様である（同条5項・6項）。

---

[32] 佐久間毅『民法の基礎2物権〔第2版〕』200頁（有斐閣，2019）参照。

* **代理に関する問題**　(i) 各受託者の権利行使は代理権行使の意味を有するため，まず，民法99条・100条の原則通り顕名が必要ではないかが問題になる。職務分掌の定めに基づいて単独で執行するときには顕名は不要だが，その定めがないときは顕名が必要であり，顕名のないときは，信託財産は責任財産とならない，という見解もある[33]。しかし，単独受託者の場合には，当該受託者が信託財産のためにする意思さえ有していれば，その行為の効果は，相手方の認識いかんにかかわらず，信託財産に帰属すること（→81頁），さらに，代理における顕名は，代理人の財産は責任財産とならず，本人の財産が責任財産となることを示す意味（つまり相手方保護）をもつところ，他の受託者を本人とする代理権に基づいて受託者が信託事務を執行するときには，顕名の有無にかかわらず，少なくとも当該受託者の固有財産および信託財産は責任財産になるのであり（信託83条。→103頁），顕名によって守られる利益が存在しないこと[34]に鑑みれば，顕名は不要であると解すべきである[35]。

(ii) また，たとえば，過半数による決定がないのに，職務分掌の定めがあると誤信し，共同受託者のうちの1人と取引をした相手方を，表見代理規定の適用によって保護するという考え方もありうる[36]。過半数による決定がされていると誤信した場合も考えられる。

しかしながら，いずれの場合も，当該行為をした受託者が無権限の行為をしたことには変わりがない。そして，権限違反行為については信託法27条が適用されるというのが信託法の構造であるから，表見代理規定の適用はないと考えるべきである[37]。

もっとも，株式会社の代表取締役の行為については，内部的な意思決定過程の瑕疵があるときについて，原則として有効な行為とするのが判例[38]である（相手方がその瑕疵の存在につき悪意または有過失のときに限って無効となる）。しかし，代表取締役は，会社を代表し，「株式会社の業務に関する一切の裁判上又は裁判外の行為をする権限を有する」（会社349条4項）から，意思決定過程は内部的なものであり，代表取締役の行為は権限の濫用であると考えられるのに対し，各受託者は，「前二項の規定による信託事務の処理についての決定に基づく信託財産のためにする行為については，……他の受託者を代理する権限を有する」（信託80条5項）にすぎないのであるから，「前二項の規定による信託事務の処理についての決定」に基づかない場合には，権限そのものが存在しないというべきである。

---

33) 寺本・237~238頁注(2)，238頁注(5)。
34) セミナー(2)・391~394頁参照。
35) 道垣内・問題状況231頁。
36) 新井監修・273頁注(15)〔鈴木正具＝伊東正朗〕参照。
37) セミナー(2)・394~396頁。
38) 最判昭和40・9・22民集19巻6号1656頁，最判平成21・4・17民集63巻4号535頁。

(オ)　職務分掌の定めがないかたちで共同受託がされているとき，信託財産に関する訴訟は，固有必要的共同訴訟であり，全受託者の名前においてでないと訴えること，または，訴えられることができない[39]。信託財産は合有だからである。これに対して，信託事務処理にあたって第三者に対し債務を負担したときは，各共同受託者が連帯債務者になるのであるから（信託83条1項。→103頁），連帯債務者の1人として，1人の受託者を単独で被告にできる。

　職務分掌がされている場合，自己の分掌する職務については，当該受託者が単独で原告になり得るとするのが自然である。また，相手方は，自己の取引相手である受託者以外に共同受託者がいることは当然には知り得ないから，自らの取引の相手方である受託者のみを被告として訴訟を提起し，そこで得られた債務名義をもとに信託財産に属する財産に対して執行し得ないとすると，不測の損害を被りうる。そこで，信託法81条は，職務分掌の定めがある場合，信託財産に関する訴えについて，各受託者は自己の分掌する職務に関し他の受託者の訴訟担当者（法定訴訟担当）になることを定めている[40]。

　したがって，職務分掌をしている受託者に対する債務名義を取得すれば，他の受託者にもその効力は及び，当該受託者を執行債務者として信託財産に属する財産に対して強制執行をすることができる。もっとも，信託財産に属する不動産について合有の登記がされているときは，合有登記に受託者として記載されている他の受託者について承継執行文の付与を受ける必要がある。

　(カ)　第三者の意思表示は，共同受託者の1人に対してすれば足りる（信託80条7項）。共同受託者間に相互連絡が存在するのが通常であることに鑑み，第三者の便宜が優先されるのである。このとき，意思表示を受けた受託者は，必要に応じて他の受託者に当該意思表示を伝達する義務を負う。

　この効果については，信託行為に別段の定めをすることは許されない。

---

39)　新堂幸司『新民事訴訟法〔第6版〕』782頁（弘文堂，2019）。

40)　この点で，代理構成という実体法的な規律と乖離があるとされる（山本克己「新信託法における当事者適格論」論叢166巻5号7頁（2010））。

第三者には，信託行為の定めを確認する義務はないからである。もっとも，信託事務執行としての契約締結の相手方との間で，たとえば，「解除の意思表示をするにあたっては，指定された受託者にしなければならない」といった合意をすることは当然に可能である。

また，受益者は信託行為の定めを確認しうる地位にあるから，受益者の意思表示については，信託行為に別段の定めがあるときは，その定めるところによる（同条7項ただし書）。

(3) 債務の負担

(ア) 旧信託法25条は，「信託行為ニ因リ受益者ニ対シテ負担スル債務」および「信託事務ノ処理ニ付負担スル債務」について共同受託者の連帯責任を定めていたところ，その具体的範囲については議論が分かれ，①受益債権に係る債務，②受益者に対する損害賠償債務，③信託事務処理によって第三者に対して負担する債務，が問題とされていた[41]。しかし，これらの債務はかなり性格が異なるものであり，同一の規律に服させることは困難であった。

そこで，現行信託法は，次のような規律を置いている。

まず，損失てん補等の責任（信託40条）については別途定めることとし（同85条），また，受益債権に係る債務については，信託法100条（さらに，同21条2項1号）が物的有限責任を定めており，共同受託者が固有財産をもって責任を負うことにならないので規律から除外する。

そのうえで，職務分掌の定めがない場合においては，信託事務を処理するにあたって各受託者が第三者に対し負担した債務について，他の受託者が連帯債務を負うことを定めた（同83条1項）。各共同受託者は，信託事務の処理を共同で決定し，相互の代理権を通じて共同で行っているのだからである[42]。

これに対して，職務分掌の定めがある場合には，他の受託者は，信託財産に属する財産のみをもってこれを履行する責任を負うことを原則とした（同条2項本文）。ただし，債権を有する第三者が，その債務の負担の原因

---

41) 四宮・204〜205頁参照。
42) 寺本・243頁。

である行為の当時，①当該行為が信託事務処理としてされていたことを知っていたこと，②受託者が2人以上ある信託であることを知っていたこと，③職務の分掌に関する定めの存在につき善意・無過失であったこと，を立証できたときには，第1項に戻り，他の受託者は全額について連帯債務を負うことになる（同条2項ただし書）。①または②がなければ，他の受託者の固有財産も自己の債権の引き当てになっているとの信頼を第三者が有することはありえないし，③がなければ，職務分掌の定めの効果（つまり第2項本文の効果）に拘束されないという当該第三者の信頼は保護に値しない。これに対して，①から③のすべての要件が満たされたときは，職務分掌のない共同信託における信託事務執行であると信頼した第三者を保護する必要が認められるわけである。

　㈠　信託法83条1項・2項にいう，「信託事務を処理するに当たって」各受託者が第三者に対し負担した債務の典型例は，適法な信託事務執行によって第三者と契約し，その契約から発生した信託財産責任負担債務である。「信託事務の処理について生じた権利」（信託21条1項9号）に係る債務も，これに該当するであろう。しかし，それ以外に，たとえば，①「受託者が信託事務を処理するについてした不法行為によって生じた権利」（同項8号）に係る債務，②受託者の権限違反行為から生じた権利であり，その権限違反行為が取り消し得ない，または，それを取り消さない場合の権利（同項6号。さらには7号）に係る債務が，これに含まれるかが問題になる。

　信託事務を執行した受託者以外の受託者が，信託法83条1項・2項によって連帯債務を負う根拠を，信託事務を執行した受託者は他の受託者を代理する権限を有しており（同80条5項），単独で執行された場合も他の受託者も契約当事者になることに求めると，①，すなわち，不法行為による債務については上記のような関係がないので，原則として，信託事務を処理するにあたって各受託者が負担した債務には含まれないことになりそうである[43]。しかしながら，ある特定の受託者のみが債務者であるとす

43）　新井監修・278頁〔鈴木正具＝伊東正朗〕。

ると，債権者である第三者は当該特定の受託者に対する債務名義しか取得できず，合有財産である信託財産に対する執行はできないことになってしまい，当該債務が信託財産責任負担債務であることに反する。このことは，②についても当てはまる。そうすると，①，②の債務双方について，他の受託者も連帯債務を負うと解さざるを得ない。その根拠は，形式的には，それが信託財産責任負担債務であることに求められる。

ただし，職務分掌の定めがないときであっても，他の受託者が，その固有財産にも及ぶ責任を負うことは必然的ではない。1人の受託者による行為については，共同受託者の固有財産も引き当てとなるという信頼を第三者が必然的に有するわけではなく，したがって，職務分掌の定めがある場合に準じて，信託法83条2項本文を類推すべき場合がある（とりわけ，職務分掌の定めがないときの1人の受託者の行為にあたっても，他の受託者について顕名する必要はないという解釈論をとるときには（→101頁＊(i)），上記の信頼は生じないことが多く，同項を類推すべきであるという解釈論の必要性が増す）。

そこで，この観点から検討すると，まず，②について，信託法85条1項は，同法40条の責任につき，当該行為をした各受託者のみを連帯債務者としているのであり，他の受託者の行為を監視する義務の違反もない受託者には，同法83条2項本文を類推して，固有財産に及ぶ責任を負わせないとすることが，信託法全体の整合的な解釈に資する。①も同様だが，債務不履行責任と競合するような取引的不法行為から生じる損害賠償債務については，信託法83条2項本文の類推が否定されるべきである。

第2節　管理・処分等による信託財産の変動

1　信託財産の変動原因

受託者は，信託目的によって提示される行為基準に従って，信託財産に属する財産について管理・処分等をすることになる。そうなると，信託財産に属する財産は，その姿を変える。不動産が金銭に変わることもあれば，金銭が動産に変わることもある。

そして，受託者が，信託のためにする意思を有して，その権限内で行為をし，ある財産を取得したのであれば，それが信託財産に属することになるのは，当然である。しかし，それ以外にも変動が生じる場合がある。これらは，どのように変動し，それは，どのような理由に基づくのか，という視点から，次の8つに分けるのが妥当である。すなわち――，

① 受託者が，信託のためにする意思を有して，その権限内で行為をし，取得した財産，
② 受託者が，信託のためにする意思を有して，その権限に反した行為をし，取得した財産，
③ 受託者が，信託のためにする意思を有さないで，その権限内に属する行為をし，取得した財産，
④ 信託財産に属する財産の滅失・損傷等の事由により受託者が取得した財産，
⑤ 信託財産に属する財産との添付が生じた財産，
⑥ 限定責任信託において給付可能額を超えた給付を受けた受益者，または，給付の結果として欠損額が生じた場合の受益者が，受託者に支払った金銭，および，受益証券発行限定責任信託において会計監査人が損失てん補責任の履行として受託者に支払った金銭，
⑦ 受託者が損失てん補責任または原状回復責任の履行としてした給付，
⑧ 信託行為において信託財産に属すべきものと定められた財産，

である。

このうち，①から③は，受託者の取引行為によるものであり，まとめて2で扱う。次に，④，⑤について，それぞれ3，4で検討し，⑥，⑦は，ともに信託財産に対する給付であり，まとめて5で説明する。最後に，6で，⑧について説明する。

2 受託者の取引による変動（①～③）

(1) ①として述べたところ，すなわち，受託者が，信託のためにする意思を有して，その権限内で行為をし，取得した財産については，当然に信託財産に属する財産となる。これは，権限と意思の作用であるが，贈与を

受ける場合を除き，新しい財産の取得のためには対価としての信託財産に属する財産の処分が必要となるため，多くの場合，後に述べる信託法16条1号によるともいえる。

②の権限違反行為により取得した財産についても，信託法は，受託者と相手方との取引行為を受益者が取り消した場合（信託27条1項・2項）を除き，当該行為を有効としているので（→85頁），①と同様になる。

これに対して，信託のためにする意思なくされた行為により取得された財産，つまり③は，介入権（同32条4項）が行使されない限り，受託者の行為の効果は受託者の固有財産に帰属するのであり（→84頁＊，91頁），取得された財産は信託財産に属する財産にはならない。介入権が行使された場合は，①と同様になる。

(2) また，たとえば，信託財産に属する財産を売却し，相手方に対する売買代金債権がまだ存在しているときは，当該債権が信託財産に属することになる。受託者が支払を受ければ，その金銭が信託財産に属することになる。

3 信託財産に属する財産の滅失・損傷等（④）

(1) 受託者は，受益者の1人として利益を受けることを除き，信託財産からの利益を得られない（信託8条。→219頁）。信託財産に属する財産はたしかに受託者に帰属しているが，受託者の財産の中で別扱いされているわけである。しかるに，信託財産に属する財産が滅失・損傷し，第三者に対し賠償請求権等を有することとなった場合，その請求権あるいは給付が受託者の固有財産に帰属することになると，受託者は不当な利益を受けることになる。

そこで，信託法16条1号は，信託財産に属する財産の滅失，損傷，その他の事由により受託者が得た財産は信託財産に属するとしている。「その他の事由」とは，たとえば，収用による補償金が考えられる。また，**4**に述べる添付等の規定により発生した償金請求権も同様である。

(2) 第三者に対する債権の段階で，当該債権が信託財産に属するとなることは，**2**(2)と同じである。

4 信託財産に属する財産との添付・混同・識別不能（⑤）

(1) 総　説

信託財産に属する財産につき，添付（付合，混和，加工）や混同が生じたときには，当該財産も，受託者を共通とする他の信託の信託財産も，受託者の固有財産に属する財産も，すべてが受託者に帰属する財産ではあるが，それぞれが別の所有者に属するかのように扱われる。信託財産に属する財産については，受託者は純粋な利益帰属権者ではないので，利益の帰属する者（受益者）との利害関係を規律するために，各別の所有者に属する場合と同様に扱う必要があるからである＊。

> ＊　**同一所有者に属する物の間の添付・混同など**　もっとも，同一の所有者に属する財産であるのに，各別の所有者に属するかのように扱われることは，信託の場合に限られない。たとえば，一方の物に抵当権等，他者の権利が存しているときには，添付後の持分についての抵当権の存続を考える必要があり（民247条参照）。このことは，同一所有者に属する物同士に添付が生じたときも同じである[44]。そうなると，信託財産に属する財産だから，というよりも，受益者が当該財産について物権的な権利を有しているから，と説明するほうが妥当であろう。

(2) 付合・加工

信託財産に属する財産と固有財産・他の信託の信託財産に属する財産との間で，付合・加工があった場合には，それぞれの財産が各別の所有者に属するものとみなして，民法242条から248条まで（245条については，(3)で説明する）の規定が適用される（信託17条）。添付の結果，全体が信託財産に属するとされた財産についてはもちろん，共有持分が生じた場合も，当該共有持分が信託財産に属することになる（同16条2号）。全体が固有財産・他の信託の信託財産に属するに至ったときは，償金請求権が信託財産に属する（同条1号）。

なお，添付に関する民法の規定は，当事者間に所有権帰属に関する合意のない場合に適用されると解されており，この合意の存否および内容は，添付の原因となった契約の趣旨によって決まる。信託財産に属する財産と

---

44)　安永正昭『講義物権・担保物権法〔第4版〕』170頁（有斐閣，2021）。

固有財産に属する財産との間の添付についても同様に解されるのであり，たとえば，受託者が信託事務の執行として固有財産に属する財産を信託財産に属する財産に付合させた場合などには，信託行為の趣旨に従って，付合に関する規定は排除され，全体が信託財産に属する財産となると解すべきことが多いであろう。逆に，すべてが受託者の固有財産となり，信託財産に償金請求権が帰属するという信託行為の定めも，許容されよう。

(3) 混和と識別不能

(ア) 民法245条は，「所有者を異にする物が混和して識別することができなくなった場合について」，付合の規定が準用されるとしている。この規定は，付合・加工の規定と同様に，信託財産に属する財産と固有財産・他の信託の信託財産に属する財産との間においても，それぞれの財産が各別の所有者に属するものとみなして適用される（信託17条）。しかし，信託法18条は，付合・混和・加工の場合を除いたうえで（同条1項かっこ書），識別不能に至った場合について規律を置き，各財産の共有持分が信託財産と固有財産・他の信託の信託財産に帰属するとしている。そうすると，信託法18条にいう識別不能は，混和とは区別される概念であることになる。

混和について，主従が区別できるときには，混和物全体の所有権を主たる動産の所有者に帰属させるのは，本来ならば，混和物を構成する一物ごとに所有権の帰属を考え，各所有者に分割すべきところ，識別不能のためそれができないからである。これに対して，混和物が同質の物で構成されているときには，各所有者への分割は割合的に行えばよいのであり，混和物を構成する一物ごとについて，いずれの所有であるかを決める必要はない。そうすると，各別の所有者に属する同種の物が混蔵されている状況の下で識別不能の状態になったときには，全体に対する共有持分を観念すれば十分である。民法上の混和の立法趣旨が該当しない場面なのである。

そこで，信託法では，「混和」と区別された概念としての「識別不能」を，同種の財産が混在し，個々の物の帰属が不明になった場合として観念し，その際には，個々の物（全体が一物となっていない場合）または全体（一物となった場合）に対する共有持分が，信託財産と固有財産（あるいは他の信託財産）に属することとされていると理解できる（信託18条1項前段・3

項)。したがって，他方で，「混和」とは，所有者を異にする異種の財産が混在し，識別不能となった場合であることになる[45]。

同様の考え方は，民法上も，とくに，金銭については説かれてきたことであるが[46]，民法上の混和一般について妥当するであろう（なお，混合寄託に関する民法 665 条の 2 参照）。

(イ) 混合物の共有持分割合は，識別不能となった時点の各財産の価格の割合に応じるが，不明であるときは等しいものと推定される（信託 18 条 1 項後段・2 項）。識別不能になった後に変動が生じれば，その変動は当然に考慮される（共有財産の運用の結果にすぎない）。割合の一部が不明であるときは（たとえば，3 割以上が固有財産であることがはっきりしている），不明の部分のみに平等の推定がされる[47]。信託財産と固有財産または他の信託財産に属する同種の財産を物理的には区分せず，しかし，割合を明らかにして管理しているときは，当然にその割合による共有になるのであり，信託法 18 条 1 項後段・2 項の規律は，現在の割合が不明であるときに適用される。

---

45) 以上と同旨と思われるものとして，新井・364〜366 頁。なお，「混和」は社会経済上一物となった場合であり，信託法上の「識別不能」は一物とはなっていない場合だという理解もあるが（寺本・79 頁注(1)），一物となることは，民法 245 条の文言上は混和の要件とはなっていない。一物とならない場合の所有権の帰属について，民法上，規定が欠けていると理解することもできるが（山田誠一「民法からみた新しい信託法」ひろば 60 巻 5 号 13 頁（2007）），本文のように解し，規定の欠缺を生じさせないほうが妥当だと思われる（同種・同等の物が混合した場合につき，民法上の「混和」ではなく，識別不能の処理をすることを提唱する見解として，他に，岸本雄次郎『信託制度と預り資産の倒産隔離』167〜172 頁（日本評論社，2007），林康司「事業信託と動産取引」「信託と倒産」実務研究会編『信託と倒産』112 頁（商事法務，2008），永石ほか編・272〜274 頁〔下田顕寛〕。なお，近時の研究として，岸本雄次郎「混和と添付以外の識別不能との異同及び動産の共有持分」立命 348 号 175 頁以下（2013））。

46) 四宮和夫「物権的価値返還請求権について」同『四宮和夫民法論集』118 頁注(11)（弘文堂，1990）。

47) 永石ほか編・275 頁以下〔森倫洋＝豊永晋輔〕が，この問題を詳しく検討する。なお，寺本振透編『解説新信託法』41 頁注(23)（弘文堂，2007）の挙げる例は妥当でない。

(4)　「共有財産」の分割

(ア)　まず，ある財産につき，その共有持分が信託財産と受託者の固有財産とに属する状態となった場合である。

このような状態になるのは，信託法17条・18条が適用される場合に限らない。たとえば，受託者が，ある不動産について，その共有持分を固有財産に属する財産として有するとき，同一不動産の別の共有持分を信託財産に属する財産として取得するに至ることもありうる。それらの共有持分はともに受託者に帰属しているが，共有物分割に準じて，当該財産の分割ができる（信託19条1項・2項）。

(a)　分割についてイニシアティブをとる主体として想定されているのは，受託者および受益者（信託管理人が現に存する場合には，信託管理人）であるが（信託19条2項参照），分割権限の制約は可能か，また，受託者による分割に受託者としての善良な管理者の注意による判断などが要求されるか，が問題となる。

受託者がイニシアティブをとる分割は，受託者が固有財産について有する権利の実現であり，信託事務執行とは異なる。したがって，たとえば，受益者と受託者間で別の合意によって分割を制約することは民法256条の要件を満たす限り可能であろうが，債権的効果しか有しないし，また，信託行為の定めによって，その権限を制約することはできないと解すべきである。信託法19条2項による裁判所に対する分割請求についても，受託者としての義務に基づく制約は予定されていない。

これに対して，受益者の分割権限は信託行為によって制約されうる。信託財産の管理方法に関する問題だからである。たとえば，ある一定の信託財産につき，受託者の固有財産と共有のかたちで管理し，分割は許されないという定めも可能である（同条1項1号の問題ではない）。

(b)　分割の方法については，

①　まず，信託行為の定めが適用される（信託19条1項1号）。典型的には，適切な第三者への売却をしたうえでの金銭による分割などが考えられよう。また，識別不能の場合は，数量により分割することが基本になる（民法665条の2第2項の法理による）。

② 受託者および受益者（信託管理人が現に存する場合には，信託管理人）の協議によることもできる（信託19条1項2号）。

③ さらに，「分割をすることが信託の目的の達成のために合理的に必要と認められる場合であって，受益者の利益を害しないことが明らかであるとき，又は当該分割の信託財産に与える影響，当該分割の目的及び態様，受託者の受益者との実質的な利害関係の状況その他の事情に照らして正当な理由があるときは，受託者が決する方法」で分割を行うこともできる（信託19条1項3号）。

④ 協議が調わないときや，①や③による分割ができないときには，受託者および受益者（信託管理人）は，裁判所に対し，分割の請求ができる（信託19条2項）。民法258条1項と同様である。また，信託法には明文の規定がないが，民法258条2項に準じ，裁判所は分割のために競売を命じることもできると解される。

(c) 信託法19条2項は，裁判所に対する分割請求について，同条1項「第2号の協議が調わないときその他同項各号に掲げる方法による分割をすることができないとき」とし，④を劣位に置く一方，①から③の方法については優先劣後関係を明らかにしていない。しかし，①から④の方法の相互関係については，次のように考えるべきである。

すでに述べたように，受託者がイニシアティブをとる分割は，受託者が固有財産について有する権利の実現であり，信託事務執行ではないから，信託行為の定めによって，その権利を制約することはできない。したがって，①にいう信託行為の定めがあっても，受託者はその定めに従って分割する義務を負わない。

受益者（信託財産の利益を実現する地位にある）と受託者が協議により分割する際，つまり，②の方法によるとき，その協議においては，受託者は自らの利益を主張して，受益者との間で交渉すれば足りるのであり，受益者のために自己の利益を犠牲にする必要はなく，協議が成立するように努力する義務もない。受託者について一般的忠実義務（→247頁）は抽象的には課されるが，ここでは，受益者が協議の主体であるから，一般的な詐欺・強迫・暴利行為などの規律によるべきであり，原則として，一般的忠

実義務違反は問題にならないと解される。また，①にいう信託行為の定めがあっても，受託者はその定めに従って分割する義務を負わないと解する以上，信託行為の定めの有無にかかわらず，②の方法による分割は可能だと解される。

　以上に対して，③の方法は，受託者の固有財産についての権利実現を容易にするためではなく，信託事務の円滑な執行のためのものである。そして，「合理的に必要と認められる」ことの肯否や「正当な理由」の存否は，その観点から判断される。本来，受託者が分割することは利益相反行為であるから原則として認められないが（同31条1項1号），利益相反行為一般と同一の基準で例外が認められるわけである（同条2項4号参照）。ただし，受託者に分割権限が認められていることが前提であり，受託者の権限には信託行為によって制限を加えることができるので（同26条ただし書），③の方法による受託者の分割については信託行為によって禁止または制限をすることができる。信託行為において分割方法が定められているとき，それが他の方法による分割を受託者に禁じる趣旨であれば，権限が否定されることになろう。また，受託者は固有財産の利益を犠牲にして，信託財産の利益を図る必要があるわけではないから，信託財産の利益の観点から見て「正当な理由」があったとしても，分割を行う義務を負うわけではない。

　以上まとめると，受託者は，①から③の方法によって分割をすることも可能であるが，それらの方法を試みる必要はなく，直接に④の方法によることもできるというべきである。

　(d)　それでは，受益者がイニシアティブをとるときはどうか。

　①および③の方法をとることについて受託者にその義務がない以上，受益者が，それらの方法をとることを受託者に請求することはできない。そうすると，②の協議によることはできるものの，それを成立させるよう努力する義務は受益者にも受託者にもなく，したがって，直接に④の方法によることもできるというべきである。

　ただし，すでに述べたように，受益者の分割権限は信託行為によって制限されうる。

　(イ)　次に，ある財産につき，その共有持分が1つの信託財産と他の信託

財産に属する状態となった場合である。

　この場合も，まず，各信託の信託行為において定めた方法による（信託19条3項1号）。信託行為の定めの有無にかかわらず，協議による分割もできるが，その主体は各信託の受益者（信託管理人）となる（同項2号）。裁判所に対する分割の申立ても同様である（同条4項）。受託者は2つの信託間で利益相反関係に立つからである（同31条1項2号参照）。ただし，各信託について，(ｱ)(b)③と同様の基準で合理性や正当な理由があるときは，受託者が決する方法で分割しうる（同19条3項3号。ここで「各信託の受託者」となっているのは，同一人を指す。受託者が複数であるときについては(ｴ)参照）。

　なお，各信託の信託行為において定めた方法によりうるのは，信託行為間に牴触がない場合に限られる。また受益者の分割権限は信託行為によって制約されうるが，一方の信託において権限の制約があっても，他方の信託の受益者は，それには拘束されない。

　分割についての各方法の関係は，(ｱ)(c)に述べたところに準じる。ただし，受託者は，各信託についてその利益を図る義務を負っているから，一定の方法で分割することが各信託にとって利益となり，合理性や正当な理由といった要件を満たしているときは，受託者にはその方法によって分割する義務があると解すべきである。

　(ｳ)　(ｱ)，(ｲ)に共通して，受託者が決する方法で分割を行う場合には，利益相反の状況に該当するので，信託法31条3項に準じて受益者に重要な事実を通知すべきである，との見解[48]がある。しかし，分割は，信託事務執行の過程で通常生じうるものであり，また，たとえば自己取引は第三者との取引にすることを選べば回避できるのに対し，受託者が持分権者である限り分割の当事者が受託者となるのは不可避であるから，通知は要しないというべきである（付合，混和，識別不能が生じたとき，受託者が信託財産を保管する義務に違反していると評価される場合があるのは，別問題である）。

　(ｴ)　なお，複数の受託者がいるとき，信託法84条は，「その共有持分が

---

[48]　井上編・18頁。

信託財産と固有財産とに属する場合」の分割協議・裁判所への分割請求について（同19条1項2号・2項），その共有持分が固有財産に属さない受託者の関与を排除している。これは，分割協議・裁判所への分割請求が，受託者の固有財産についての権利行使であることを示している。これに対して，信託法19条1項3号による「受託者が決する方法」による分割は，信託事務の執行であるから，信託法80条の適用があり，他の受託者が関与することになる（ただし，「実質的な利害関係の状況」は，「固有財産に共有持分が属する受託者」と受益者との間について判断される。また，後述の「その共有持分が信託財産と他の信託の信託財産とに属する場合」では，「各信託財産の共有持分が属する受託者」と受益者との間の判断になる。同84条）。

「その共有持分が信託財産と他の信託の信託財産とに属する場合」で，一方または双方の信託について複数の受託者がいるときについて，信託法19条3項3号の「各信託の受託者が決する方法」は，同法84条によって，「各信託の受託者の協議による方法」とされている。たとえば，甲信託につき T_1 と T_2 が受託者であり，乙信託につき T_1 が受託者であるときには，受託者による分割方法の決定は観念できず，必然的に，受託者間の協議によることになるからである。もっとも，双方とも T_1 と T_2 が受託者であるときは，結局，共同受託者 T_1・T_2 による決定となる（その決定方法は，同80条による。→99頁）。

　(ｵ)　以上の要件を満たさないときは，分割の効果が生じない[49]。
　(5)　混　　　同
　混同についても，信託財産・受託者を共通とする他の信託の信託財産・受託者の固有財産に属する財産のそれぞれが別の所有者に属するように扱われる。
　まず，同一物についての所有権と他の物権が信託財産と固有財産または他の信託財産とにそれぞれ帰属しても，混同による消滅は生じない（信託20条1項。つまり民法179条1項本文が適用されない）。所有権以外の物権とこれを目的とする他の権利が信託財産と固有財産または他の信託の信託財産

---

49)　井上編・18頁。

とにそれぞれ帰属した場合も同様である（信託20条2項。つまり民法179条2項前段が適用されない）。

次に，債権の混同についても同じように考えることができる。

受託者が信託財産に属する債権の債務者となっても（たとえば，債務者の死亡により受託者が当該債務を相続したとき），受託者が固有財産から信託財産に対して履行義務を負うだけであり，混同による消滅は生じない。ただし，信託財産に属する債権が信託財産責任負担債務になったときは，当該債務は信託財産から支払われ，弁済の結果は信託財産に帰属するものとなるので，債務を観念しても意味はなく，混同により消滅する（信託20条3項1号）。固有財産または他の信託財産に属する債権の債務者が受託者となったときも，それが信託財産責任負担債務になったのであれば，受託者は当該債務を信託財産に属する財産により弁済し，その結果が固有財産または他の信託の信託財産に帰属するのであるから，混同による消滅は生じない（同項3号）。

受託者が信託財産責任負担債務に係る債権の債権者となっても（たとえば，受託者が債権譲渡を受けたとき），当該債権が受託者の固有財産に帰属しているときは，受託者は信託財産から固有財産に対する給付を受けることができるので，混同による消滅は生じない。これに対して，当該債権が信託財産に帰属すると，給付は信託財産に帰属することになるので，存続させる意味はなく，混同により消滅する（同項2号）。

受託者を債務者とする債権が受託者に帰属したときに，その債権が信託財産に帰属すれば，受託者からの給付は信託財産に帰属することになるから，当該債権につき混同による消滅は生じない。しかし，その債権に係る債務が信託財産責任負担債務であれば，当該債務は信託財産から履行されるので，債権を観念しても意味はなく（信託財産からの給付を信託財産に帰属させることになる），混同により消滅する（同項4号）。

5　信託財産に対する給付（⑥，⑦）

(1)　限定責任信託において給付可能額を超えた給付を受けた受益者，または，給付の結果として欠損額が生じた場合の受益者が受託者に支払った

金銭（信託226条3項，228条3項。→173頁），および，受益証券発行限定責任信託において会計監査人が損失てん補責任の履行として受託者に支払った金銭（同254条2項。→363頁）も信託財産に帰属する（同16条2号）。これらの給付は信託財産に対してされているものであるから，当然である。かたちのうえでは受託者に対してされるものであるが，受け取った金銭を固有財産から信託財産に移転するという受託者の行為を観念することを要せず，当然に信託財産になる。このことを明らかにするために明文が置かれている。

未払の段階では，給付を求める債権が信託財産に帰属することは，3(2)と同じである。

(2) 信託法40条1項による受託者の責任の履行は，受託者の固有財産に属する財産を信託財産に属する財産とするという行為であり（→264頁），給付された物が信託財産となるのは当然である。同様に，限定責任信託において給付可能額を超えた給付を受益者に対して行った場合，または，受益者への給付の結果として欠損額が生じた場合に受託者が負うてん補義務の履行として給付された金銭（同226条3項，228条3項。→173頁）も，信託財産に帰属する（同16条2号）。

6 信託行為において信託財産に属すべきものと定められた財産 (⑧)

信託法16条柱書は，「信託行為において信託財産に属すべきものと定められた財産」は信託財産に属する，としている。

卒然と読むと，信託行為において定められていれば，それだけで様々な財産が信託財産となりそうだが，それは妥当でなく，基本的には当初信託財産を意味していると考えるべきであろう（追加信託については，→421頁*)。

さらに，添付について，信託行為で別段の定めができることも，この文言によって正当化される。

第3節　信託財産の独立性

1　序　説

　信託財産は受託者に帰属しているが，受託者の固有財産とは別扱いされる。これを**信託財産の独立性**という。信託財産の独立性は，すでに述べた添付等の規律（→108頁）においても見られていたが，最も特徴的に現れるのは，受託者に対する債権者との関係においてである。

　なお，自己信託を除いて，委託者は，信託設定時に当初信託財産に属すべき財産を受託者に対して処分している。そうすると，委託者に対する債権者が信託財産に属する財産を差し押さえ得ないのは当然であり，これは信託財産の独立性の問題ではない。当該財産が債務者（＝委託者）に帰属していないというだけである。しかし，委託者からの財産の離脱が，委託者に対する債権者に不当な損害を被らせることもあり，そのような結果をもたらさないための規律も必要となる。これも本節で扱うことにする。

　また，自己信託においては委託者から受託者への処分はないので，委託者に対する債権者が引き当てにできる財産としての性格を失わせるためには，委託者の固有財産からの分離が明確にされる必要がある。この点はすでに述べたが（→74頁），委託者に対する債権者に不当な損害を被らせないよう，さらに特別な扱いがされる。後に述べることにする。

2　受託者に対する債権者との関係

(1)　受託者に対する2種の債権者

　すでに述べたように（→21頁），信託財産には法人格はないので，信託事務執行によって債務を負うことになったときも，その債務者は受託者である。債権者は，受託者の固有財産を引き当てにできる（その例外が限定責任信託（→163頁）である。また，受益債権については，→363頁）。

　しかし，ここで着目する信託を甲信託とよぶと，甲信託の信託事務執行等で負った債務については，最終的に受託者が自らの固有財産で負担しなくてよい。受託者は，甲信託の信託財産に属する財産を用いて，それを弁

済することもできるし，固有財産から弁済したときは，甲信託の信託財産から償還を受けることができる（信託48条。→278頁）。逆に，そのような債務に係る債権者は，甲信託の信託財産を引き当てにできる。

これに対して，受託者が，甲信託とは無関係に負担した債務は，もちろん固有財産から弁済することになり，その負担は固有財産に帰する。そのような債務の債権者は甲信託の信託財産を引き当てにできない。受託者は，自らの利益には用いることのできない財産として甲信託の信託財産を保有しているのであり，その財産についての利益は受益者に帰属しているのである。また，受託者が甲信託の受託者であるとともに，乙信託についても受託者になっているとき，乙信託の信託事務執行等により負った債務は，甲信託の受益者から見れば，無関係の債務である。そのような債務について，受託者の固有財産および乙信託の信託財産は引き当てとなるが，その弁済のために甲信託の信託財産に属する財産が用いられるのは不当である。

このように見てくると，受託者に対する債権者には2種の債権者が存在することがわかる。甲信託の信託財産を引き当てとする債務の債権者と，引き当てにしない債務の債権者である。ここでは，後者の種類の債権者との関係から見ていくことにする。

(2) 受託者に対する債権者：その1（甲信託の信託財産を引き当てとしない債権の債権者）

(ア) 信託法23条1項は，「信託財産責任負担債務に係る債権（信託財産に属する財産について生じた権利を含む。次項において同じ。）に基づく場合を除き」，信託財産に属する財産に対しては，強制執行，仮差押え，仮処分もしくは担保権の実行もしくは競売，または国税滞納処分ができない，と規定している。

信託財産責任負担債務の具体的内容については後に述べるが（→122頁），それ以外の債務とは，受託者が自らの固有財産または他の信託（乙信託）の信託財産（厳密には，その一方または双方）で負担する債務である。このような債務の債権者は，（甲信託の）信託財産に属する財産を引き当てにできない。

なお，同項かっこ書の「信託財産に属する財産について生じた権利」と

は，信託財産に属する財産について設定された抵当権など，第三者に対抗できる権利のことである。これは受託者にも対抗できるから，実行が可能である。

(イ) 信託法23条1項に違反してされた強制執行等に対しては，受託者または受益者が異議を主張できる[50]（同23条5項。第三者異議の訴えに関する民事執行法38条・民事保全法45条が準用される）（国税滞納処分に対しては，不服申立て（国税通則法75条）。信託23条6項）。

異議事由があるとき受託者が異議を主張することは，信託目的の達成のための行為であり，信託事務執行である。受託者は異議を主張する義務を負う（信託29条1項）。受託者が異議に係る訴えを提起したときは，信託事務執行であるから，その費用を信託財産から支出することができ，また，固有財産から支出したときは信託財産から費用の償還を受けうる（同48条）。

これに対して，受益者は，自らの利益のために異議を主張するにすぎないから，異議を主張する義務を負わない。また，受益者が複数存在するとき，それぞれの受益者に自らの利益を守ることが認められるべきであるから，この異議権は単独で行使でき，信託行為の定めによって制限することができない（同92条3号）。

(ウ) 異議を申し立てた受益者は，それにより直接に自らの受益権を確保するわけではない。信託財産の保全によって間接的に利益を受けるにとどまる。また，他に受益者がいたり，帰属権利者がいたりすると，その者にも利益を与えていることになるし，信託財産責任負担債務の債権者のためにも責任財産を保全していることになる。そこで，会社法852条（株主代表訴訟）の場合に準じ，次のような規律が置かれている。

まず，異議に係る訴えを提起した受益者が勝訴（一部勝訴を含む）した場合には，実際に要した額を上限として，支出した費用（事実関係の調査費用，通信費等）と弁護士等に支払う報酬額のうち相当と認められる範囲を，受

---

[50] 信託財産に属する財産として登記されている不動産の差押えをめぐる問題につき，鷹野旭「信託財産に属する不動産を目的とする競売事件」竹田光広編『民事執行実務の論点』398頁以下（商事法務，2017）。

託者に請求し，信託財産から支弁させることができる（信託24条1項）。

　次に，受益者が敗訴した場合も，受益者が悪意（受託者には異議を主張する義務があるのだから，適切な訴訟追行をすることを受益者の責任にはできない。したがって，「悪意」とは，異議に理由がないことを知っているときと解すべきである[51]）であるときを除き，これによって生じた損害を賠償する義務を負わない（同24条2項）。ただし，受益者敗訴の理由が，差押え等を行った債権者は信託財産責任負担債務の債権者である，というものであるときに限られる。つまり，異議に係る訴えの提起によって，信託財産責任負担債務の弁済が遅れ，信託財産に損失（遅延損害金の支払等）が生じても，その損失は，受益者が信託財産を適切に保全しようとした結果として発生したものであるから，当該受益者は，過失があっても，悪意でない限り，賠償義務を負わないということである。これに対して，差押え等の対象となった財産が信託財産に属する財産ではない，という理由で受益者が敗訴したときは，信託財産には損失は生じないが，受託者は，自らが固有財産（他の信託（乙信託）の信託財産を含む）で負う債務の弁済が遅れることによって損害を被りうる。このような損害について受益者の賠償義務が免除されるべき理由はなく，受託者は，民法709条に基づいて，訴えを提起した受益者に損害賠償を請求できる。つまり，信託法24条2項にいう「これによって生じた損害」とは，「これによって信託財産に生じた損害」と解すべきことになる（→215頁）＊。

　勝訴した受益者が償還を受ける費用には，訴訟費用を含まない（信託24条1項かっこ書）。訴訟費用は，民事訴訟法61条以下の規律に従うからである。

　　＊　この規律は，会社法852条2項に従うものだが，そこでは，「当該株式会社等に対し，これによって生じた損害を賠償する義務を負わない。」とされており，そこで問題となる損害が「当該株式会社等」に生じたものであることは明らかである。これに対して，信託法24条2項が「受託者に対し」と規定することによっては，「これによって生じた損害」から，固有財産や他の信託財産に生じた損害を当然には排除することができない。解釈論で対応することに

51）　会社法852条2項にいう「悪意」の解釈については，岩原紳作編『会社法コンメンタール19』621頁〔伊藤靖史〕（商事法務，2021）参照。

なるが，本来は，「信託財産に生じた損害」と明記すべきであったと思われる。

㈢　受託者が破産手続開始決定・再生手続開始決定・更生手続開始決定を受けたときも，信託財産に属する財産は，破産財団・再生債務者財産・更生会社財産に含まれない（信託25条1項・4項・7項）（受託者につき倒産手続が開始したときの規律について，→291頁）。また，受託者が死亡したときは，信託財産は法人とされ（同74条1項），信託財産に属する財産は受託者の相続財産には含まれない（受託者の死亡については後に扱う。→297頁）。

いずれも，信託財産の独立性の現れである。

(3)　受託者に対する債権者：その2（甲信託の信託財産を引き当てとする債権の債権者）

㈠　信託事務執行等で負った債務については，受託者は，信託財産を用いて，それを弁済することもできるし，固有財産から弁済したときは，信託財産から償還を受けることができる（信託48条。→278頁）。そして，その債権者は，信託財産に対して差押え等ができる。このように，受託者が信託財産に属する財産をもって履行する責任を負う債務を，**信託財産責任負担債務**という（同2条9項）。

以上を債権者の側から見ると，甲信託の信託財産責任負担債務の債権者は，甲信託の信託財産に属する財産に対し差押え等ができるということになる（同23条1項）。

信託財産責任負担債務は，信託法21条1項に第1号から第9号として列挙されている。①受託者の信託事務執行にともなって発生した債務，②受益権に関連する債務，③ある財産が信託財産に属する財産になる前に当該財産について生じた権利，の3つの類型に分けることができる。

㈡　受託者の信託事務執行にともなって発生した債務　まず，第1の類型は，受託者の信託事務執行にともなって発生した債務である。

(a)　信託財産のためにした行為であって受託者の権限に属するものによって生じた権利に係る債務（信託21条1項5号）については当然である。また，信託財産のためにした行為であって受託者の権限外の行為であっても，すでに述べたように，信託法27条1項・2項に基づいて取消しが行

われない限り，有効な信託事務執行として扱われることになる（→85頁）。そこで，両項に基づく取消しができない権限外行為（同21条1項6号イ），および，取消しはできるが取り消されていない行為（同号ロ）によって生じた権利に係る債務は，信託財産責任負担債務となる（前受託者の任務終了後，新受託者の就任までに前受託者によってされた権限外行為についても同様。同75条4項，21条1項6号イかっこ書（第1））。

信託法21条1項6号イのかっこ書（第2）において，「当該行為の相手方が，当該行為の当時，当該行為が信託財産のためにされたものであることを知らなかったもの」が除かれているのは，その場合には，権限外行為は信託財産に帰属しないからである（→85頁）。その中で，さらに，「信託財産に属する財産について権利を設定し又は移転する行為」が除かれ，原則に戻っているのは，そのような行為については，受託者は，その行為の効果を，信託財産に属する当該財産に帰属させる法律行為をしているのであり，相手方も当該財産についての権利を取得する意思を有しているから，自分の権利実現のための引き当てとなる財産から信託財産に属する財産が除かれていると考える可能性はなく，保護の必要性が認められるからである（→86頁）。

同様に，利益相反行為の制限に反した行為で第三者との間で行う行為については，信託法31条7項に基づいて取消しが行われない限り，有効な信託事務執行として扱われることになる（→236頁）。そこで，同項に基づく取消しができない権限外行為，および，取消しはできるが取り消されていない行為によって生じた権利に係る債務は，信託財産責任負担債務となる（同21条1項7号）。

ただし，権限外行為・利益相反行為制限とも，ある財産に権利を設定し，または，移転する行為について取消しができない理由が，当該財産について対抗要件が具備されていないために，それが信託財産に属することを相手方に対抗できないためであるときは（同27条2項1号参照），相手方は当該財産が信託財産に属する財産ではないものとして行為できるのであり，そこから生じる債権に係る債務をあえて信託財産責任負担債務とする必要はないと考えることもできそうである。しかし，対抗要件の欠缺があって

も，第三者の側は，その欠缺を主張せず，実体的権利関係を承認することができるのだから，当該債権に係る債務が信託財産責任負担債務であることも主張できるというべきである（次に述べる債務不履行責任等について意味をもつ）。

　信託財産責任負担債務を発生させる契約についての債務不履行責任等に係る債務も，信託法21条1項5号・6号にいう「生じた権利」に係る債務に含まれる。賃貸されている不動産を信託事務執行として取得したとき，または，信託財産に属する不動産を賃貸したときの敷金返還債務も，これに該当する[52]。

　(b) 利益相反行為の制限に反するため無効とされる行為に基づいて受託者が取得した財産について，受託者がさらに第三者に対する処分等をした場合，当該第三者が利益相反行為制限違反につき悪意または重過失のときに限って，受益者がそれを取り消し得るものとされているが（信託31条6項。→234頁），取消しができない行為，および，取消しはできるが取り消されていない行為によって生じた権利は，信託財産責任負担債務とされる（同21条1項7号）＊。

　　＊　もっとも，ここには細かな解釈問題がある。利益相反行為制限に反するため無効とされる行為には，次の3つがある。すなわち，①甲信託の信託財産に属する財産を受託者の固有財産に帰属させる行為，②受託者の固有財産に属する財産を甲信託の信託財産に帰属させる行為，③甲信託の信託財産に属する財産を他の乙信託の信託財産に帰属させる行為，である。しかるに，それらの行為は一定の要件を満たさない限り無効であるから（信託31条4項），受託者が，その財産をさらに第三者に対して処分等をする行為は，①においては，甲信託の信託財産に属する財産の無権限処分（固有財産に属する財産として処分している）となり，それが取り消されない場合には，当該処分等の契約から生じた当該第三者の債権に係る債務は甲信託の信託財産責任負担債務となる。③においても同様である（受託者が甲信託の信託財産に属する財産を乙信託の信託財産に属する財産として処分していることになる）。これに対して，②では，当

---

52) 中田英幸「賃貸不動産の信託と敷金契約の承継」トラスト60編『新信託法の理論分析』58頁（トラスト60, 2010）は，信託事務執行として賃貸不動産を取得したときについて，敷金返還債務は信託法21条1項5号にいう権利に係る債務ではなく，同項2号または9号に該当するとしている。しかし，妥当とは思えない。

該財産を信託財産に帰属させるための行為は無効なのだから，受託者の処分等の行為は固有財産の処分行為にすぎないものであり，その行為から生じる債務が信託財産責任負担債務となる理由はない。信託法21条1項7号に該当しないと解すべきである。

(c)「受託者が信託事務を処理するについてした不法行為によって生じた権利」（信託21条1項8号）に係る債務も，信託財産責任負担債務となる。

受託者が不法行為に基づいて債務を負担したとき，その行為は，受託者としての権限内の行為ではないはずであり，また，信託財産にその効果を帰属させる意思をもって不法行為をすることは想定しにくいように思われる。そうであるならば，不法行為による債務は，すべて受託者の固有財産によって負担すべき債務であり，信託財産責任負担債務にはならない，という規律も考えられる[53]。

しかしながら，いわゆる取引的不法行為による損害賠償債務のように，債務不履行責任か不法行為責任かが微妙なものもあり，不法行為だからといって，受託者の取引行為ではないと言い切れない場合もあること，さらには，受託者の固有財産の資力が十分でないとき，そのリスクは，当該不法行為が「信託事務を処理するについてした」ものである限り，信託事務処理から生じる利益を取得し得る受益者に，信託財産の減少というかたちで負担させるのが公平であることから，信託財産責任負担債務とされたのである。

「信託事務を処理するについてした」という文言の解釈に関しては，上記のように，信託財産責任負担債務とされる理由に報償責任的な要素があることに鑑みると，使用者責任（民715条）についての解釈が参考にされるべきである。ただし，受託者が不法行為をしないよう監督する義務は受益者にはない。したがって，もっぱら職務関連性を基準にして判断されるべきである*, **。

＊　限定責任信託との関係　もっとも，そのような不法行為によって発生する権利は，「信託事務の処理について生じた権利」（信託21条1項9号）とも

---

53) このような可能性も含め，能見善久「信託と不法行為」瀬川信久ほか編『民事責任法のフロンティア』189頁以下（有斐閣，2019）参照。

いいうる。ところが，限定責任信託（→163頁）においては，信託財産責任負担債務の引き当てとなる財産が信託財産に限られるところ，「受託者が信託事務を処理するについてした不法行為によって生じた権利」（同項8号）については，そのような責任財産限定の効果は生じないこととなっている（同217条1項かっこ書）。そこで，不法行為による損害賠償請求権が第8号と第9号のいずれに該当するかは，重要な問題になる。

まず，限定責任信託における責任財産限定の効果は，相手方への明示などによって生じるのであり，不法行為責任を限定する効果も生じるとすることは当然ではない[54]。被害者において受託者の故意または過失が立証できれば，受託者は民法709条に基づく責任を負うのであり，そのとき，受託者の固有財産での責任を否定すべき理由はない。したがって，第8号に該当すると考えるべきである。

問題は，故意・過失を要件としない不法行為責任であり，土地工作物の所有者責任（民717条1項ただし書）については，「受託者が信託事務を処理するについてした不法行為によって生じた権利」に係る債務に該当しないという見解もある[55]。しかし，無過失責任は，危険性が高く，被害者を保護する必要性が大きいものについて認められているのであり，限定責任信託においても，その必要性は変わらない。したがって，「受託者が信託事務を処理するについてした不法行為によって生じた権利」に係る債務に該当するというべきである[56]。そのうえで，次（＊＊）に述べる求償関係に基づき内部的な処理がされれば足りる[57]。

---

54) 樋口範雄『アメリカ信託法ノートⅡ』285〜286頁（弘文堂，2003）。

55) 土地工作物責任の所有者責任につき，寺本・87頁，村松ほか・355〜356頁，神田＝折原・239頁。また，製造物責任も含めて該当性を否定するものとして，中田直茂「限定責任信託の受託者の負う不法行為責任」金法1828号38頁以下（2008），新井監修・532〜534頁〔中田直茂〕があるが，受託者が，免責事由のない「製造者等」に該当するとき，責任を限定する理由はない。より広く該当性を肯定するものとして，藤岡祐治「限定責任信託における受託者の第三者に対する責任」東京大学法科大学院ローレビュー7巻61〜64頁（2012）。また，渡辺宏之「研究・信託法(3)」信託274号56頁（2018）は，土地工作物責任との関係で「所有者」と見るべきなのは，自益信託や委託者の支配が強い信託においては委託者であるとする。

56) 橋本佳幸「信託における不法行為責任」信研41号41頁以下（2016）は，工作物責任，使用者責任，自動車損害賠償保障法上の責任（自賠3条），製造物責任（製造物3条），土壌汚染対策法上の責任（土壌汚染7条）について，事実的支配を根拠とする責任と解したうえで，いずれも信託法21条1項8号に該当するとする。条解・873〜884頁〔加毛明〕も参照。

57) 秋山靖浩「受託者が土地工作物の所有者として責任を負う場合に関する一考察」トラスト60編『基礎法理からの信託分析』72頁以下（トラスト60，2013）

また、土地工作物につき所有者の責任が認められる場合、所有者は無過失とは限らない。該当性を否定する見解には、受託者の故意・過失を被害者が立証したときを例外として位置づけるものもあるが、被害者は、所有者が限定責任信託の受託者であり、かつ、加害行為がその職務に関連性があるものであることを知りうる構造にはなっておらず（信託財産に属する財産を差し押さえたとき、初めて問題が顕在化する）、例外的な処理が有効に機能するとは考えにくい。

＊＊　**求償関係**　　不法行為による損害賠償債務等が信託財産責任負担債務となっても、その最終的負担が信託財産に帰するとは限らない。信託財産から支出されたとき、受託者に求償できる場合もある。その肯否および範囲は使用者責任に準じて考えていくべきであり[58]、受託者に故意・過失があるからといって、つねに全額の求償が認められるべきではない。逆に、受託者の固有財産から支出されたときも、信託財産から償還を受け得る場合もある。使用者責任における、いわゆる逆求償と同様に考えていくべきである。

ただし、その性質は、使用者責任の場合とは異なり、連帯債務者間の求償ではない。受託者の信託事務執行につき懈怠があったのならば、受託者は損失てん補責任を負い（信託40条1項1号）、逆に、受託者の任務懈怠がなければ、受託者の固有財産から支出されたとき、受託者は信託財産から費用の償還を受け得ることになるのである（同48条1項）。

(d)　さらに、信託法21条1項9号は、「第5号から前号までに掲げるもののほか、信託事務の処理について生じた権利」に係る債務も、信託財産責任負担債務としている。ある意味、包括条項となっており、第5号から第8号までに掲げられたものは、第9号の具体化ともいえるが、信託財産を保有することによって生じる固定資産税などは、これに該当する（なお、取引により生じる消費税・法人税（法税2条29の2号、4条の6〜4条の8）などは、第5号に該当するというべきであろう）。

(ウ)　**受益権に関連する債務**　　信託財産責任負担債務の第2の類型は、受益権に関連する債務である。

(a)　まず、信託法21条1項1号の受益債権は、信託財産から給付を受ける債権（同2条7項）であり、信託財産責任負担債務であるのは当然である。その債務者は受託者であるが、受託者は、信託財産に属する財産を

参照。
58)　たとえば、窪田充見『不法行為法〔第2版〕』222〜225頁（有斐閣、2018）参照。

もってのみ履行責任を負う（→364頁。同21条2項1号，100条）。

(b) 次に，信託変更において損害を受けるおそれのある受益者が有する受益権取得請求権（信託103条。→380頁）に係る債務である（同21条1項4号）。受益権取得請求権は，信託の変更に反対する受益者に投資の回収手段を確保するための手段であり，信託財産に係る権利の現在化による実現だからである。受託者は，信託財産に属する財産をもってのみ履行責任を負う（同104条12項）。

(エ) ある財産が信託財産に属する財産になる前に当該財産について生じた権利　第3の類型は，ある財産が信託財産に属する財産になる前に当該財産について生じた権利である。

(a) まず，「信託財産に属する財産について信託前の原因によって生じた権利」も信託財産責任負担債務とされる（信託21条1項2号）。この例として，信託財産とされた不動産に信託設定時より前に設定されていた抵当権があげられるが[59]，これは妥当でない[60]。信託の設定のために当該財産が委託者から受託者に移転されても抵当権が存続するのは，抵当権者が登記されている抵当権の存在を受託者に対抗できるからであり（逆に，登記がなければ対抗できない），また，抵当権が存在していたからといって受託者が債務を負うわけではない。抵当権の負担の付いた不動産が信託財産に属する財産となっているのである（→32頁）。例としては，むしろ，ある不動産が信託財産に属する財産になる前に当該不動産について第三者対抗要件を備えた賃貸借が存在する場合をあげるべきである。このときは，受託者は賃貸人として債務を負うことになり（民605条の2第1項），その債務は信託財産責任負担債務である。

(b) 次に，「信託前に生じた委託者に対する債権であって，当該債権に係る債務を信託財産責任負担債務とする旨の信託行為の定めがあるもの」（信託21条1項3号）である。もっとも，信託行為に定めがあれば，それだけで信託財産責任負担債務となるわけではなく，信託行為により債務引受

---

59)　寺本・84頁，村松ほか・56頁，福田ほか・151頁。旧法下の見解として，四宮・183頁。
60)　条解・117頁〔加毛明〕。

の義務が受託者に課されているとき，その義務を受託者が履行すれば信託財産責任負担債務となるというだけである。債権者の同意または承諾も必要である（民470条2項・3項後段，472条2項・3項）。

3　委託者に対する債権者との関係：詐害信託の取消し等

(1)　原　　則

(ア)　信託契約により信託を設定する際＊には，委託者は，当初信託財産となるべき財産を受託者に対して処分するのであるから，当該財産は委託者の責任財産から逸出し，委託者に対する債権者は，それに対して強制執行等ができなくなる。信託宣言により自己信託を設定する際にも，当初信託財産となるべき財産を有する者が，当該財産につき，以後，自分の利益のために保有するのではなく，受託者として受益者の利益のために別扱いする旨を宣言するのであるから，基本的には同様である。そして，信託設定後は，信託財産は委託者とは離れたかたちで運用されていくのであり，信託財産に属する財産は委託者の責任財産とはならない＊＊。

委託者につき倒産手続が開始したときも同様である。たしかに，信託法163条8号は，委託者が，破産手続・再生手続・更生手続の開始決定を受けた場合に，双方未履行双務契約として信託契約が解除される場合があり得ることを認めている。しかし，委託者と受託者との間で，信託契約が双務契約と観念されること自体が考えにくく（詳しくは，→432頁），原則として，委託者についての倒産手続開始は信託に影響を及ぼさない。

＊　**遺言信託**　遺言信託については，前提として，遺言による処分一般が詐害行為取消権の対象となるか，という問題がある。遺言時，遺言の効力発生時，受贈者の受益時がそれぞれ異なり，詐害行為取消権について用意された条文では適切な規律がもたらされず，また，被相続人に対する債権者の保護は，民法の構造上，財産分離（民941条）に委ねられているとも解しうるからである。結論としては，遺言による処分は詐害行為取消権の対象にならず，そのことから，遺言信託については詐害信託取消しの問題も生じないと解すべきだと思われる[61]。そして，特定物が当初信託財産になっている場合も，少なくとも，

---

61)　本書初版・121頁では，遺言による処分は詐害行為取消権の対象にならないとのみ記述したが，学説上は，単純に肯定説が説かれることが多い。岩藤美智子

財産分離との関係では，いったんは相続財産となったうえで受託者に移転すると考え，相続債権者は，財産分離を用いることによって，当該当初信託財産に対する受託者（さらに，それを通じた受益者）の権利に優先すると解すべきであろう。委託者＝受益者の死亡時に信託が終了し，特定の者が帰属権利者となる定めがあるときも，同様に解されよう[62]。

＊＊　もっとも，自益信託において，委託者から財産が十分に分離されていない場合に，委託者に対する債権者が，当該財産から債権回収ができないのはおかしい。委託者には，実質的所有者だと評価できるほどの権利が帰属しているはずであるから（だからこそ分離が不十分だと評価される），その権利の代位行使や差押えを認めるべきである[63]。具体的には，委託者に対する債権者は，委託者の有する受益権を差し押さえることができるとともに，委託者が信託の終了権限を有し，かつ，信託終了時に残余財産の交付請求権を有するときには，当該残余財産交付請求権を差し押さえ，その取立権の行使として信託の終了権限を行使することができる[64]（→18 頁）。

(イ)　このように，信託が設定されると，当初信託財産に属する財産は，委託者の責任財産から逸出する。しかし，そうなると，委託者に対する債権者の利益が害されるおそれがある。そこで，民法上の詐害行為取消権（民 424 条以下）と同様に，信託法においても**詐害信託**につき取消権が規定されている。

ところで，民法上の詐害行為の取消しについては，詐害行為によって利益を受けた者または転得者の保護のために，それらの者が詐害事実につき悪意のときにのみ，取消しが認められることになっている。これと同様に考えると，信託設定に際して，委託者が，その債権者を害するかたちで当

「遺言による処分を対象とする詐害行為取消しについて」岡法 68 巻 3 = 4 号 582 頁以下（2019）が，否定説について考えられる理由を鋭く分析し，検討したうえ，結論として肯定説を提示している。しかし，同論文は肯定説をとるために，たとえば，遺贈による責任財産からの逸出が遺言者の死亡時であることを根拠にして，被保全債権や詐害意思の存否の判断時期を遺言者の死亡時とするが，それでは，遺言の撤回をしなかったことを詐害行為と考えることになり，適切とはいえないように思われる。なお否定説を維持したい。

62)　田中和明編『詳解民事信託』207 頁（日本加除出版，2018）も参照。
63)　能見・39 頁。
64)　保険契約の解約返戻金請求権を差し押さえた債権者が，その取立権の行使として，保険契約を解約できるとするものとして，最判平成 11・9・9 民集 53 巻 7 号 1173 頁。

初信託財産となるべき財産の処分を行ったとき，その処分の相手方は受託者であるから（自己信託の場合には，自らが受託者となって，観念上，自らが処分の相手方となる），受託者の保護を考える必要があるようにも思われる。しかし，受託者は，受益者の利益のために信託財産を保有するのであり，受託者としては信託の利益を享受できないのだから（信託8条），その利益に配慮する必要はない（もっとも，一定の保護は必要である。→138頁）。そこで，詐害信託の取消しにおいては，「受託者が債権者を害することを知っていたか否か」は問題とされないことになっている（信託11条1項本文）。

これに対して，信託における利益の帰属主体である受益者および受益権の転得者の保護は必要になる。さらに，当初信託財産に属する財産を受託者から譲り受けた者や，受益者からの受益債権の履行として受益者に給付された財産を転得した者の保護の問題も生じる。

これらに留意しながら適切な規律を定めるため，詐害信託については，信託の取消しのほか，各受益者との関係で，すでに受けた給付や将来的な地位の剥奪といった制度が置かれている。以下，詐害信託の取消し（(2)），自己信託についての特例（(3)），悪意の受益者との関係での取消し等（(4)）の順序で検討していく。さらに，(5)で詐害信託の否認等について触れる。

(2) 受託者を被告とする詐害信託の取消し

まず，受託者を被告とした信託の設定を取り消す（その意味について，→134頁）ことが認められる場合である[65]。信託法11条1項が規定する。

(ｱ) 取消しの要件

(a) 債権者側の要件　　被保全債権が詐害行為前に発生している必要があること，金銭債権でなくても，究極的には損害賠償債権に変じるものであるから，被保全債権となり得ること（ただし，特定物債権者は目的物自体を自己の債権の弁済に充当できないこと）などは，民法上の詐害行為取消権と同様である[66]。

---

[65]　本書初版・122，132頁では，信託法11条1項が規定する取消しのみを信託の設定の取消しとする理解を示していた。しかし，この理解は妥当でなく，同条4項に基づく取消しも信託の設定の取消しであると解すべきである（(4)。→143頁＊）。訂正する。

(b) 債務者側の要件　(i) 客観的要件として，債権者を害することが必要である。その判断も民法上の詐害行為取消権と同様であるが[67]，委託者が受益者となる場合には，無資力の判断において，委託者が取得する受益権の価値を，信託設定のために処分された財産の価値から控除しなければならない[68]。そう解さないと，委託者が，たんに預金類似の投資信託を行っただけで，詐害信託となり得ることになり，妥当ではない。信託による資産流動化スキームにおいて，委託者が受益権を取得し，それを即時に売却したときも同様である[69]（以上については，民法424条の2の趣旨も考慮する必要がある）。

　また，委託者が債務超過にあるとき，その資産を弁護士に譲渡し，弁護士を受託者とし，総債権者を受益者とする信託を設定し，その弁護士に債権者への配当を任せるというスキームのように，受益者が総債権者となる信託の設定は，「その債権者を害すること」にはならない。もっとも，一部の債権者が排除されるような場合には，排除された債権者を害することになる[70]（ただし，特定の債権者に対する担保供与の意味を有する信託設定については，民法424条の3の趣旨が妥当する）。

　(ii) 主観的要件として，「委託者がその債権者を害することを知って」信託を設定したことが要求される。民法上の詐害行為取消権についても，たとえば，子どもの教育費の支払については，この要件の充足が否定されており[71]，信託においても，障がい者である子のための信託などでは，主観的要件の充足が否定されるべきである。

　民法上の詐害行為取消権については，2017（平成29）年改正により，こ

---

66)　潮見佳男『債権総論（プラクティス民法）〔第5版補訂〕』223〜230頁（信山社，2020），中田裕康『債権総論〔第4版〕』285〜289頁（岩波書店，2020）など参照。
67)　潮見・前出注66) 230〜250頁，中田・前出注66) 289〜297頁参照。
68)　道垣内・62〜63頁，福田ほか・120頁。
69)　井上聡「金融取引実務が信託に期待するもの」信研30号69頁（2005）。
70)　道垣内・62〜63頁。
71)　早川眞一郎「詐害行為取消権からみた債務者の行為規範」野村豊弘ほか『倒産手続と民事実体法（別冊NBL60号）』233頁以下（2000）参照。

れらの問題は民法424条の2および424条の3の解釈により処理されるが（とりわけ隠匿等の意思および通謀の有無），信託法についても同様の解釈が求められる。

　(c) 受益者の要件　　すでに述べたように（→131頁），詐害信託の設定においては，受託者はその立場では利益を得るものではなく，取消権の成否の判断において，「受託者が債権者を害することを知っていたか否か」は考慮されない（信託11条1項本文）。利益帰属権者である受益者の主観的態様が考慮されるべきことになる。

　しかし，信託は，多数の受益者のために設定されることもあり，その際，ある受益者が「債権者を害することを知っていた」からといって，取消しによって信託の枠組みが全体として壊されることになると，善意の受益者に不当な損害を加えることになる。そこで，受益者が現に存する場合においては（受益者が現に存しないときは，受益者となるべき者は確定的な利益を得ていないので，取消しにあたって，受益者の主観的要件は顧慮されない），取消しは，受益者およびすでに受益権を譲渡した旧受益者（転々譲渡があったときは，すべての譲渡人）の全部が，受益者としての指定を受けたことを知った時，または，受益権を譲り受けた時において，債権者を害することを知っていたときに限られるとされている（同項ただし書）。すでに受益権を他者に譲渡した，すべての旧受益者の悪意が要求されているのは，仮に譲受人が悪意であるときに取消しが可能であるならば，善意の受益者も悪意者には受益権を事実上譲渡できなくなり，譲渡の相手方が限定されてしまうことになってしまうが（信託の設定が取り消されてしまうのであれば，譲受人は受益権の譲渡を受けない），それは，善意の受益者には損害を加えないようにするという趣旨に反するからである。そして，取消債権者が，全部の者が悪意であることの立証責任を負う＊。

　ただし，そうすると，善意の受益者を1人でも関与させればよく，取消権を無力化することはたやすいことになる。そこで，取消しを「不当に免れる目的で，債権者を害することを知らない者（……）を無償（無償と同視すべき有償を含む。……）で受益者として指定し，又は善意者に対し無償で受益権を譲り渡し」たときは，その者については，上記の規律におけ

る善意の受益者とはされないこととしている（同条7項・8項）。無償の受益者は，不当な目的の存在を知らない場合にも，要保護性がないとされているのである。

＊　民法改正に伴う改正　2017（平成29）年の民法（債権関係）の改正に伴う整備法によって，まず，民法424条1項の改正に合わせ，「受託者が債権者を害すべき事実を知っていたか否か」という文言が，「受託者が債権者を害することを知っていたか否か」に改正された。

次に，信託設定後に受益権を譲り受けた者がいるときにつき，改正前民法では，譲渡人の主観的態様は顧慮せず，譲受人の善意・悪意のみを問題としていたが，民法改正において，転得者に対する詐害行為取消しに際しては，直接に財産の処分を受けた者のほか，当該財産が譲渡されたときの譲受人のすべての者が悪意であることを要求するようになったので（民424条の5），それに合わせ，「当該受益者の中に受益権を譲り受けた者がある場合にあっては，当該受益者及びその前に受益権を譲り渡した全ての者」の悪意を要求すべく，信託法も改正された。

さらに，改正前信託法11条1項ただし書は，受益者が善意であるときは「この限りでない」と規定し，善意の立証責任が被告である受託者にあるとしていたが，民法改正に伴う整備法によって，取消しが認められる場合を，悪意であるときに「限る」とし，悪意の立証責任が取消債権者にあるという文言にされた。受益者は信託行為の当事者ではないから，民法上の詐害行為取消しに関する転得者についての規律の改正に合わせるものである（民424条の5）。

(イ)　取消しの対象と被告

取消しの対象については，信託契約全体なのか，当初信託財産の移転行為なのかについて争いがある。たとえば売買契約が目的物である財産権の移転（と対価の支払）をほぼすべての内容としているのに対し，信託契約は，当初信託財産となるべき財産の移転（信託宣言による性質の変更を含む）に加え（「財産権変動」部分），受託者が「一定の目的（……）に従い財産の管理又は処分及びその他の当該目的の達成のために必要な行為」（信託2条1項）をすること（「委任」的部分）が契約内容となっている[72]。しかるに，当初信託財産に属する財産を委託者の責任財産に復帰させるために必要なのは，処分行為の取消しのみである。債権の保全に必要な範囲内での権利

---

72)　信託契約を，「財産権変動」部分と「委任」的部分に分けて考察するのは，四宮・94頁。

行使のみを認めるためには,「委任」的部分の取消しは認めず,「財産権変動」部分のみが取消しの対象となると解すべきである[73]。

　被告となるのは受託者である。当初信託財産に属する財産の返還を求めるものだからである。民法上の詐害行為取消しについては,債務者(＝詐害行為主体)に対して訴訟告知がされることになっており(民424条の7第2項),これが,取消しの効果を債務者にも及ぼすことの正当化根拠となっている(同425条)。しかるに,詐害信託の取消しについては,委託者に対する訴訟告知は定められていない(取消しの効果をいかに考えるべきかに関係する)。

　なお,詐害信託取消権の行使は,債権者が詐害信託の設定を知った時から2年間で時効によって消滅する。設定時から10年を経過したときも同様である(詐害信託取消権は,民法424条3項に規定する詐害行為取消請求を行うものだから(信託11条1項),民法426条が当然に適用される)。

　(ウ)　取消しの効果

　民法上の詐害行為取消権においては,取消債権者の債権額が,詐害行為の目的である財産の価格に満たず,かつ,その財産が可分であるときは,被保全債権額の範囲でのみ取り消すことができるが(一部取消し),その財産が不可分であるときは(不動産など),詐害行為の全部を取り消すことができる(民424条の8)[74]。詐害信託取消権についても同様である。

　当該財産の処分が取り消されると,当該財産は取消権者との関係では信託財産に属する財産ではなくなる。その効果は,訴訟当事者である取消債権者と受託者の間でのみ生じ,債務者(＝委託者)には及ばない(民法上の詐害行為取消権と異なり,訴訟当事者でない債務者に効力を拡大する規定(民425条)は存しない)。

　取消しの目的物が不動産の場合には,その登記名義が,受託者から委託者に戻り,その後,債権者が当該不動産に対して強制執行をすることにな

---

73)　道垣内・問題状況393～396頁。この点に関する議論として,セミナー(1)・119～123頁。

74)　抵当権の付着した不動産が目的物であるときについても,民法上の詐害行為取消しと同様の判例法理(中田・前出注66) 318頁参照)が妥当する。

る。金銭や動産の場合には，取消債権者は，自らへの引渡しを請求でき，金銭の場合には，取消債権者が事実上，優先弁済を受けることができる。以上も民法上の詐害行為取消権と同じである。

取消しの目的物が，すでに受託者の手元にないときには，受託者は価額償還の責任を負う（民424条の6第1項後段）＊。しかし，民法上の詐害行為取消しの場合と異なり，詐害信託の取消しにおいては，受託者は，自らの主観的態様にかかわらず取消しの相手方となる。したがって，価額償還責任を負うとしても，信託財産に属する財産をもってのみその履行の責任を負うと解すべきである（解釈上，信託法21条2項3号に該当する）。たとえば，受託者が受益者に対して受益債権に係る債務の履行として給付を行うことによって信託財産が減少したときを考えると，当該受益者が悪意である限り，債権者は，当該受益者に対して給付の返還を求めることができるのであり（同11条4項。→142頁），このことも，価額償還責任が信託財産の範囲に限られることの理由になる。

委託者による処分行為が取り消されても，信託は当然には終了しない。残余財産で信託目的の達成が可能であれば，信託は継続する。これに対して，残余財産がなく，あるいは，残余財産では信託目的の達成が不可能になったときには，信託法163条1号により信託は終了する（→427頁)[75]。信託の変更により目的達成が可能であるときは，信託法149条または150条に従って，信託の変更が行われる（→413頁)[76]。

なお，民法上の詐害行為取消権については，2017（平成29）年の民法（債権関係）改正により，取消しの効果が債務者に及ぶようになったことを前提に，詐害行為受益者の反対給付返還請求権等が明文で定められた（民425条の2，425条の3）が，詐害信託の取消しの効果は，すでに述べたように債務者（＝委託者）には及ばないので（→135頁），これらの明文規定

---

[75] 小野＝深山編・24頁注(2)〔小野傑〕。その結果，受益者も影響を受けることになるが，これをもって，取消しの効果が受益者に及ぶ（八田卓也「詐害信託の取消における『相対効』原則修正の可能性」新信託法研究会編『信託と民事手続法の交錯』7頁（トラスト未来フォーラム，2016））と評する必要はないと思われる。

[76] 道垣内・問題状況399〜400頁。

につき類推等を行うことは妥当でない。しかし，民法上の詐害行為取消権の効果が債務者には及ばないと解されていた時点でも，財産の返還義務を負った被告は，復帰した財産によって債務者の債務が弁済されると，債務者に対して，不当利得返還請求権を有するとする見解が有力であった[77]。とりわけ有償で受益権を取得した（信託）受益者の保護を考えると，このような改正前の民法上の見解に従い，債務者（＝委託者）に対する不当利得返還請求権が信託財産に帰属すると考えるべきである。

＊ **当初信託財産に属する財産の転得者との関係**　当初信託財産に属する財産につき受託者からの転得者（受益債権の給付として取得した者を除く）が存在する場合，取消債権者が転得者に対して当該財産の返還を求めて訴えを提起し，それが認められても，設定された信託自体は影響を受けない。したがって，受益者に善意の者が存在していても，取消しを認めることに差し支えないのであり，このときは，民法424条の5による詐害行為取消しの問題として処理すべきであろう（信託法上，独自の規定はない）。そして，詐害信託の取消しに関して受託者の善意・悪意を問わないという規律（信託11条1項）の趣旨は，ここにも当てはまるから，少なくとも，受託者が善意であることは，取消権行使の支障にならず，このことは民法424条の5のもとでも変わらないと考えるべきである。

当初信託財産に属する財産が特定の受益者に給付された後に，受益者から当該財産を転得した者が登場した場合も，当該転得者に対して，民法上の詐害行為取消権を行使できるが，信託法11条4項に基づき当該受益者を被告にして詐害信託の取消請求ができるときに限られる（民424条の5）[78]。

取消権を行使された転得者は，復帰した財産によって債務者の債務が弁済されると，債務者に対して，不当利得返還請求権を有する。

(エ) 信託財産責任負担債務に係る債権の債権者の保護

(a) 詐害信託の取消しがされても，それまでの間に受託者が負担した信託財産責任負担債務は，あくまで受託者が債務者として負担したものであり，受託者がその債務を負い続ける。しかし，受託者が信託行為の定めに従って信託事務を執行していたところ，そこで負った債務の引き当てとな

---

[77] 中田裕康『債権総論〔第3版〕』270～271頁（岩波書店，2013）参照。

[78] 受託者からの転得者について，寺本・62頁注(8)，道垣内・問題状況396～399頁。受益者からの転得者について，松尾弘「信託法理における債権者取消権制度の展開」米倉明編『信託法の新展開』98頁（商事法務，2008），条解・68頁〔大村敦志〕。双方について，小野＝深山編・22頁〔小野傑〕。

るべき信託財産は詐害信託の取消しにより委託者に復帰し，ただ債務負担のみが残ることになるのは酷である。また，限定責任信託の場合には，受託者は，信託財産責任負担債務のほとんどにつき固有財産では責任を負わないが（信託217条1項。→164頁），他方で，信託財産責任負担債務に係る債権を取得した債権者は，信託財産を自らの債権の引き当てとして期待していたのであり，それが自らと関係しない事由によって減少することは不当である。

そこで，詐害信託の取消しがされたときには，信託財産責任負担債務に係る債権の債権者は，債権取得時に詐害行為につき善意であれば*，受託者から委託者に移転した財産の価額を限度として，委託者に対してその履行を請求できるとされている（同11条2項）。受託者から委託者に移転する財産が金銭であり，取消債権者が自己への支払を求めることによって，事実上の優先弁済を受けることになったときも，同様である。信託財産責任負担債務が引き当てにできたはずの財産で，委託者の債務が弁済されたことになるからである。

もっとも，限定責任信託でない限り，信託財産責任負担債務に係る債権の債権者は，詐害行為につき悪意であっても，債務者である受託者に対して弁済を請求できる。そこで，受託者が固有財産から信託財産責任負担債務を弁済する事態が生じる。しかるに，詐害信託の取消しがなければ，受託者は信託財産から費用償還を受けられたのであり（同48条1項。→278頁），詐害信託の取消しがあっても，取消しによって受託者から委託者に移転した財産の価額分については，委託者に対して償還を請求できなければおかしい。そこで，信託法11条3項は，その費用償還請求権（さらに，信託事務処理により被った損害の賠償請求権および信託財産からの信託報酬請求権）を金銭債権とみなすことにしている。そして，その金銭債権が信託法21条1項9号（「信託事務の処理について生じた権利」）に該当すると考え，信託財産責任負担債務の債権者として，受託者に，同11条2項による保護を与えている。なお，このとき，同項の文言にもかかわらず，詐害行為についての受託者の善意・悪意を問わないと解すべきである。受託者は，悪意であっても信託事務執行義務を負うからである。

これらの債権者・受託者の権利は，委託者に対する他の債権者に優先する権利ではない。したがって，委託者が債務超過の場合には，全額の支払は受け得ないことになる。しかし，受託者が委託者と共謀して詐害信託を設定したような場合には，委託者の債権者は，受託者に不法行為責任を追及することができるときがあろう[79]。

> ＊ **善意の意義** 善意とは，当該信託が詐害信託であることを知らないことである。債権者が，自らの取得した債権が信託財産責任負担債務に係る債権であることを知らないときは，信託財産に属する財産を自己の債権の引き当てになる財産として期待していないので，信託法11条2項による保護を与える必要がないようにも思われるが，信託財産責任負担債務に係る債権を有する債権者は，実際の期待の有無にかかわらず，客観的に，信託財産責任負担債務に係る債権の債権者であれば，信託財産に属する財産に対して強制執行等ができる（同23条1項）。したがって，自らの債権が信託財産責任負担債務に係る債権であることを知らなくても，信託法11条2項による保護を受けるというべきである[80]。

(b) なお，以上の債権者・受託者の権利は，委託者に復帰した財産に関してのものであり，詐害信託の取消しの後にも信託財産として残っている財産から弁済を受け，償還を受けられることは当然である。

(3) 自己信託についての特例

このように詐害信託については取消権により委託者に対する債権者の保護が図られているが，自己信託については，さらに特則が置かれている。すなわち，自己信託がされた場合，委託者兼受託者に対して信託設定前に生じた債権を有する者は，詐害信託の取消しを経ることなく，信託財産に属する財産に対し，強制執行，仮差押え，仮処分もしくは担保権の実行もしくは競売または国税滞納処分をすることができる（信託23条2項本文）。これは，自己信託について，債権者詐害の可能性が懸念されたことから

---

79) 寺本・62頁注(2)。
80) 本書初版・129頁では，当該信託が詐害信託であることを知っていても，自らの債権が信託財産責任負担債務に係る債権であることを知らなかったときは，善意に該当するとしたが，改説する。この場合，信託財産責任負担債務に係る債権であることを知っていたとしても，詐害信託の信託財産に属する財産から弁済を受ける期待は生じないのであり（詐害信託の取消しにより，当該財産が委託者に復帰することを覚悟すべきである），本文にあげた場合とは異なる。

(→75頁)，その対策として導入された規律であるが，自己信託においては信託財産に属する財産が，信託設定後も委託者に帰属しているから，委託者に対する債権者がそのまま当該財産に対し強制執行等ができるとすることに手続上の支障がないことが，この特則の規律を支えている。

ただし，自己信託が客観的に委託者の債権者を害すること，および，委託者が詐害意思をもって自己信託を行ったことについては，委託者に対する債権者が立証しなければならない。また，詐害信託の取消しの場合（→133頁）と同じく，差押えを維持できるのは，受益者が現に存しないとき，および，受益者が現に存するが，受益者およびすでに受益権を譲渡した旧受益者（転々譲渡があったときはすべての譲渡人）の全部が，受益者としての指定を受けたことを知った時または受益権を譲り受けた時に，債権者を詐害することを知っていたときに限られる（同23条2項・3項）。この要件を満たしていることも，債権者が立証しなければならない。つまり，委託者に対する債権者の差押えに対して，受託者または受益者が，差押えの対象となっている財産が信託財産に属する財産である旨を主張し，差押えに対して異議を述べると（同条5項），それに対して，差押債権者は，債権者詐害の客観要件および委託者の詐害意思の存在，受益者が現に存しないこと，または，すでに受益権を譲渡した者も含め，すべての受益者が債権者詐害の客観的要件につき悪意であることを立証しなければ，差押えを維持できないのである*。

なお，差押えを「不当に免れる目的で，債権者を害すべき事実を知らない者（……）を無償（無償と同視すべき有償を含む。……）で受益者として指定し，又は善意者に対し無償で受益権を譲り渡し」たときは，その者については，善意者とはみなされない（同条3項。11条7項・8項。→133頁）。

以上からすると，委託者に対する債権者による差押えが認められる場合は少ない[81]。しかし，一定の場合には，詐害信託の取消しという経路を

---

81) 民法改正に伴う信託法改正前の規律についても，委託者に対する債権者による差押えが認められる場合は少ない，と評するものとして，米倉明「自己信託」米倉明編『信託法の新展開』1頁以下（商事法務，2008）。

通らなくても，差押え等が認められることにして，委託者に対する債権者の詐害に対する懸念につき配慮をしているわけである。

また，自己信託について，信託財産に属する財産の差押えに関して，以上のような特別な規律が適用されるのは，信託の設定から2年間が経過するまでであり（同23条4項）。その後は，通常の規律が適用され，信託財産に属する財産を差し押さえるためには，詐害信託の取消し（同11条1項）を経由する必要がある。設定から時間が経過すると，自己信託固有の債権者詐害に対する懸念に対処するだけの正当化根拠を欠くに至るからである。

> **＊ 悪意の立証責任等についての改正（その1）** 自己信託の信託財産に属する財産の差押えが認められる場合についても，詐害行為となる給付の転得者についての規律に関する民法改正に合わせ，悪意の立証責任が取消債権者にあるという改正，および，受益者の中に受益権を譲り受けた者がある場合にあっては，当該受益者およびその前に受益権を譲り渡したすべての者の悪意を要求する改正がされたこと，および，その理由については，詐害信託の取消しについてと同様である（→134頁＊）。しかし，このような改正が，自己信託については委託者に対する債権者に便法を与えようとした趣旨に適合的かは，かなり疑問である[82]。

(4) 悪意の受益者との関係での詐害信託の取消し等

(ｱ) 以上のように，すでに受益権を譲渡した者も含め，複数の受益者のうちに善意者が1人でもいれば，委託者に対する債権者は，受託者を相手取って詐害信託の取消しをすることはできず，また，自己信託の場合に信託財産に属する財産につき差押え等ができない。しかし，悪意の受益者は保護に値しない。そこで，受益者が受託者から信託財産に属する財産の給付を受けているとき，つまり，受益者として受益債権の履行を受け，利益を取得した受益者がいるときについて，信託法11条4項は，委託者に対する債権者は，当該受益者を相手取って，詐害信託を取り消す訴えを提起できることとしている。ただし，当該受益者が受益者としての指定を受けた時または受益権を譲り受けた時において詐害行為について悪意であるこ

---

[82] 条解・120頁〔加毛明〕は，解釈論としても受託者（＝委託者）の側に立証責任を課す方向を示す。

とが必要とされる。また，悪意の受益者であっても，その者が受益権を譲り受けた者であるときは，受益権を譲渡した旧受益者（転々譲渡であったときは，すべての譲渡人）がすべて悪意であることが必要である（その趣旨は，詐害信託の取消しの場合と同じ。→133頁）。これらの悪意の立証責任は，取消債権者にある（以上，同項ただし書）。また，一定の場合，受益者の悪意が擬制されることも，詐害信託の取消しの場合と同様である（同条7項・8項）。

取消しの対象は，信託法11条1項と同じく，委託者から受託者に対する当初信託財産に属する財産の移転行為である。そして，取消しの効果として，取消債権者と取消しの相手方である受益者との間で当初信託財産は委託者へと復帰し，その結果として，受益者に対して給付された財産の委託者への返還（移転）を求めることができることになる。当初信託財産に属する財産が受益者に直接に給付されたときは当然だが，その運用結果が給付されたときも，それは当初信託財産に由来する財産であり，上記の要件を満たす受益者に，そこからの利益を得させるのは妥当でないから，このような効果が認められると解される*。

取消権の行使にあたっては，上記の要件を満たした受益者のみを相手方とすることができ，それ以外の受益者が存在しても，この権利は妨げられない。取消しによって具体的に生じるのは，受益者の得た利益の返還であり，他の受益者に影響を及ぼさないからである。受益者を相手方とする取消権は，受託者を相手方とする取消権を行使したときも行使可能であり，自己信託においても行使可能である（→137頁*と比較せよ）。

なお，委託者に返還された財産によって委託者の債務が弁済されると，取消しを受けた受益者は，委託者に対して不当利得返還請求権を有することになる（→137頁）。したがって，受託者を相手方とする取消権は，受益者を相手方とする取消権とは別個に行使できるし，また，給付を受けた財産が，すでに当該受益者の手元にないときには，当該受益者は価額償還の責任を負う（受託者の価額償還責任のように信託財産の限度に責任が制限されるわけではない。→136頁）。

なお，この取消しは「民法第424条第3項に規定する詐害行為取消請

求」であるから（信託11条4項本文），民法426条が当然に適用され，債権者が詐害信託の設定を知った時から2年間で時効によって消滅する。設定時から10年を経過したときも同様である。

　また，財産の給付を受けた悪意の受益者からの転得者に対しては，委託者に対する債権者は，民法上の詐害行為取消権を行使できるというべきである[83]（→137頁＊）。

　　＊　本書初版では，信託法11条4項に基づく取消権につき，受益債権に係る債務の履行としての給付を取り消すものであると説明した[84]。しかし，そうすると，給付を受けた財産や価額償還金が受託者に復帰するだけであり，委託者に対する債権者が，その財産を自らの債権の引き当てにできるようになる効果は生じないことになる。これは取消権の目的に反する。また，同項は，「民法第424条第3項に規定する詐害行為取消請求をすることができる」としているところ，民法424条3項は，債務者の行為の取消しを請求するものであり，そのような文言にも反するものとなる[85]。もっとも，信託法11条4項の取消権を民法424条の5が定める転得者に対する詐害行為取消権（このとき，取消しの対象は，転得者に対する処分行為ではなく，債務者から受益者に対する処分行為である）と同様のものだと理解すると，転得者に対する詐害行為取消権の解釈に合わせ，信託法11条4項においても，受益者が当初信託財産に属する財産について直接に給付を受けた場合に取消しが限定されそうだが，信託財産に属する財産が受託者により運用されるという信託の特性を考えると，そのような限定は妥当でない（同項の文言上も「信託財産に属する財産の給付」とされており，当初信託財産に属する財産という限定はない）。

　以上から，当初信託財産に属する財産が受益者に直接に給付されたときはもちろん，その運用結果が給付されたときも，その給付財産は当初信託財産に由来するものであるから[86]，一定の要件を満たした受益者には，その財産による利益を吐き出させることができ，当初信託財産とは異なる財産が給付対象である場合も，受益者を相手方として委託者から受託者に対する当初信託財産に属する財産の移転行為を取り消し，給付された財産の委託者への返還を求める

---

83)　寺本・62頁注(8)。
84)　本書初版・132頁。
85)　沖野眞已「詐害信託の取消し等における信託受益者の地位」能見善久ほか編『信託法制の新時代』78頁（弘文堂，2017）。
86)　山田誠一「詐害信託の取消しについて」トラスト未来フォーラム編『信託及び財産管理運用制度における受託者及び管理者の責務及び権限』55頁（トラスト未来フォーラム，2016），八田卓也「詐害信託の取消効の主観的範囲についての一考察」信託研究奨励金論集42号190頁（2021）。

ことができると解すべきである。政説する。

(イ) しかし，すでに給付されたものの返還を求めるだけでは不十分である。悪意の受益者は，委託者に対する債権者との関係では，その後の給付を受けることの正当性も有しないはずである。そこで，信託法11条5項は，債権者は，悪意の受益者に対し，当該受益者を被告として，その受益権を委託者に譲り渡すことを訴えをもって請求できるとしている。委託者が受益者となることによって，信託の利益は委託者に帰属し，委託者に対する債権者は，受益債権の履行として給付されたもの，あるいは，受益債権そのものを差し押さえ得ることになる。

受益者の悪意判断の時期が受益者としての指定を受けた時または受益権を譲り受けた時であること，悪意の立証責任は債権者にあること，一定の場合，受益者の悪意が擬制されることは，詐害信託の取消しの場合や給付の取消しの場合と同様である（以上，同条5項・4項ただし書，7項・8項）。また，一定の場合，受益者の悪意が擬制されることも，詐害信託の取消しの場合と同様である（同条7項・8項）。

受益権の譲渡にあたって，受益者はその対価を請求することはできない。しかし，受益権に基づく給付から債権者が弁済を受けたときには，譲渡人（＝元受益者）は委託者に対して不当利得返還請求権を行使しうる（→137頁）。

以上の各受益者に対する権利の行使は，民法上の詐害行為取消請求ではないが，民法426条が準用され，期間の制限を受ける（信託11条6項）。

(5) 詐害信託の否認等

委託者につき破産手続等が開始した場合，詐害信託の取消しと同様の要件で，当初信託財産の移転を否認することができる（信託12条1項・3項・5項）。また，管財人等は，悪意の受益者に対しては，受益権を破産財団・再生債務者財産・更生会社財産に受益権を返還すべきことを訴えをもって請求できる（同条2項・4項・5項）。

第4節　信託財産に属する財産であることの第三者への対抗

1　公示の必要性

(1)　「登記又は登録をしなければ権利の得喪及び変更を第三者に対抗することができない財産」

すでに幾度も述べたように，信託財産に属する財産は，それが受託者に帰属している財産であるにもかかわらず，受託者個人に対する債権者はそれを差し押さえることができないし，受託者が破産手続開始決定を受けても，破産財団に組み込まれない（→292頁＊）。しかるに，一般に，ある財産がある特定の人のために特別扱いされるときには，そのことが公示されている必要がある。そこで，信託法14条も，「登記又は登録をしなければ権利の得喪及び変更を第三者に対抗することができない財産については，信託の登記又は登録をしなければ，当該財産が信託財産に属することを第三者に対抗することができない。」としている。

しかし，同条で登記または登録による公示が要求されているのは，「登記又は登録をしなければ権利の得喪及び変更を第三者に対抗することができない財産」だけである。具体的には，不動産のほか，船舶，航空機，自動車（軽自動車等を除く），特許権[87]などである。

不動産所有権が信託財産であるときに即していえば，「委託者，受託者及び受益者の氏名又は名称及び住所」，「信託の目的」，「信託財産の管理方法」，「信託の終了の事由」，「その他の信託の条項」などが登記される（不登97条1項）＊,＊＊。実際には，申請人がこのような内容が書いてある書面を登記官に提出し，それが登記官作成の信託目録として整えられ，公示の

---

[87]　厳密にいえば，特許権などでは，移転の登録がない限り，移転の効力が発生しないのであり（特許98条1項1号），登録を対抗要件とするものではない。しかし，登録がない限り，信託財産であるという主張ができないという点では同じである（寺本編・前出注47）32頁）。もっとも，たんなる対抗要件の欠缺と異なり，第三者からも当該財産が信託財産であることを主張し得ないという違いがある。

機能を果たすことになる（同条3項）。船舶登記令35条1項は，不動産登記法を準用する。また，航空機登録令49条，自動車登録令61条なども同様の規定を置く。

＊　不動産の権利の移転と信託の対抗要件　　信託の設定にあたって，委託者から受託者に権利が移転したり，受託者のために権利が設定されたりするときには，信託の登記の申請は，移転登記等と同時に申請しなければならない（不登98条1項）。ただし，移転登記等と信託登記とは観念的には区別され，後者は受託者が単独で申請する（同条2項）。自己信託の場合に，委託者のすでに有する権利を当初信託財産に属する財産とするときは，前者の登記がないわけだから，後者の登記（権利の変更の登記）のみを委託者兼受託者が単独で申請することになる（同条3項）。自己を地上権者や抵当権者とする権利を設定するとともに，それを当初信託財産に属する財産として信託宣言により信託を設定することは認められるべきであるが（→43頁），不動産登記法98条3項は，権利の変更の登記のみを定めており，直接の条文はない。同項の類推によるほかはあるまい。

＊＊　信託登記の意義　　登記実務においては，不動産登記法97条1項各号の内容は，信託登記の登記事項であり，法により公示が要求されている情報なのだから，正確性が求められるとともに，後続する登記申請を受け付けるかどうかを定める基準となるのであり，そのような目的に適した内容とすることが求められる，と解されているようである。具体的には，①信託財産に属する不動産が信託行為に反して処分されたときには，当該不動産につき，処分の相手方に対する移転登記の申請は却下される[88]。②その前提として，信託財産の属する不動産についての処分権限が受託者に認められるときには，その旨が信託行為に明示に定められるとともに，その内容が信託登記の登記事項として登記されなければならず，そのような登記がないときは移転登記申請が却下される[89]。③登記された信託目的に違反する処分については，登記申請が却下される[90]。

しかし，信託財産に属する不動産が，受託者の権限違反によって処分されたときも，それを取り消すか否かは受益者の判断によるのであり（取り消さない，あるいは，追認するという選択もありうる。→88頁＊），取り消されるまでは

---

[88] 昭和43・4・12民事甲第664号民事局長回答・登記関係先例集追加編Ⅳ 1342頁，質疑応答〔7097〕・登研508号173頁（信託条項に「受託者は受益者の承諾を得て管理処分をする」旨が記載されているときは，所有権移転登記の申請には，受益者の承諾書の添付を要する）。

[89] 横山亘「照会事例から見る信託の登記実務(8)」登記情報711号14～15頁（2021）。

[90] 横山亘『信託に関する登記〔最新第2版〕』619頁（テイハン，2016）。

処分は有効である（信託27条2項）[91]。また，信託の登記ができる財産についても，処分の相手方が悪意または重過失であることを受益者が証明できなければ取消しができないところ，移転登記の申請が却下されるとすると，処分の相手方が自らの善意かつ無重過失を立証して，処分が有効であることの確認を求めなければならないことになり，信託法の規律に反することになる。以上から，①および②は，明らかに妥当でない。また，③は，信託の目的は，機能ごとに多義的にとらえられ，信託行為全体の解釈によって定まるものであるにもかかわらず（→48頁），登記された文言のみを基準に移転登記申請等の受否を判断することは不適切である（→165頁）。

(2) 問題となる財産

(ア) 地上権については，民法177条が適用され，不動産登記法の定めに従って登記をしなければ，その権利の得喪および変更を第三者に対抗できない。しかし，建物の所有を目的とする地上権については，借地借家法が適用され（借地借家2条1号），地上権者がその土地の上に登記されている建物を所有するときは，地上権そのものについて登記がなくても，地上権を第三者に対抗できる（同10条1項）。これを踏まえ，上記の方法で地上権が第三者対抗力を有する場合には，当該地上権について信託の登記がなくても，当該地上権が信託財産に属することを第三者に対抗できる，とする見解もある[92]。

しかし，借地借家法による対抗力具備の場合，借地上に地上権者が登記されている建物を所有しなくてはならず，それが信託財産に属することを第三者に対抗するためには，当該建物について信託の登記が必要である。それが欠けているとき，地上権についてのみ信託財産に属することを第三者に対抗できるというのは妥当でない。地上建物について信託の登記があるときに限り，その効力が地上権に及ぶことによって，地上権が信託財産に属することを第三者に対抗できる，と解すべきであろう。

以上に対し，地上権の登記が具備されているときには，その登記について信託の登記がされなければ，第三者に対抗できない。

(イ) 賃借権についても同様に，借地借家法による対抗力の具備の場合に

---

91) 能見・29頁。
92) 村松ほか・33頁注(3)。

は，当該賃借権そのものに信託の登記がなくても，当該賃借権が信託財産に属することを第三者に対抗できるが，建物所有を目的とする土地賃借権は，建物について信託の登記が必要である。また，賃借権の対抗力の具備が登記によるときは（民605条），その登記について信託の登記がされなければ，第三者に対抗できないというべきである。

(ウ) 動産や金銭債権についても，「動産及び債権の譲渡の対抗要件に関する民法の特例等に関する法律」による登記制度がある。しかし，これは，民法上の対抗要件制度のかわりに，登記を可能にするものにすぎず，したがって，動産・金銭債権は「登記又は登録をしなければ権利の得喪及び変更を第三者に対抗することができない財産」には該当しない。登記が行われているときも，同法上，登記原因を「信託設定による譲渡」とすることは，当該動産や金銭債権が信託財産に属する財産であることの公示ではなく[93]，当該動産・債権が信託財産に属する財産であることは，信託の登記なくして第三者に対抗することができる。

(エ) 著作権については，その移転（信託設定のために委託者から受託者への移転も含む）については，登録しなければ第三者に対抗することができない，とされている（著作77条1号，著作令36条）。しかしながら，著作者は著作により当然に著作権を取得するのであり（著作17条2項），当該著作権は登録なくして第三者に対抗できる。したがって，著作権は「登記又は登録をしなければ権利の得喪及び変更を第三者に対抗することができない財産」であるわけではなく，受託者が，信託事務執行の過程で著作権を取得したときは，当該著作権が信託財産に属することは，登録なく第三者に対抗できる[94]。

(オ) 抵当権は，民法177条が適用され，「登記又は登録をしなければ権利の得喪及び変更を第三者に対抗することができない財産」である。しかしながら，抵当権の随伴性から，被担保債権について，それが信託財産に属する財産であることを第三者に対抗できれば，抵当権についても，信託の登記なく，それが信託財産に属する財産であることを第三者に対抗でき

---

93) セミナー(1)・220～221頁。
94) セミナー(1)・224～226頁。

るというべきである。抵当権について，それが信託財産に属する財産ではないことを信頼した第三者が，被担保債権と切り離されたかたちでの保護を受ける仕組みにはなっていないのである＊95)。

もっとも，抵当権が，その設定登記等の付記登記として信託の登記をすることのできる財産であることはたしかである。したがって，信託の登記がされていないときに，受託者がその権限を踰越して抵当権の処分を行ったときには，信託法 27 条 2 項 1 号の要件を満たさないのであり，処分の相手方の主観的態様にかかわらず，受益者はその処分を取り消し得ない96)。

また，被担保債権と切り離して，抵当権のみを信託財産に帰属させるときには（担保権信託。→38頁），被担保債権自体は信託財産に属する財産ではないので，抵当権について信託の登記が必要になる。

＊　根抵当権の場合　担保権が根抵当権の場合，被担保債権が信託の設定のために委託者から受託者に譲渡されると，当該根抵当権の被担保債権から離脱するのが原則である（民 398 条の 7 第 1 項）。しかし，同時に根抵当権の譲渡（同 398 条の 12）を行い，被担保債権範囲基準の変更（同 398 条の 4）がされたときは，結局，信託財産に属する債権を担保する根抵当権となり，根抵当権自体については信託の登記がなくても，それが信託財産に属する財産であることを第三者に対抗できるというべきである97)。

また，被担保債権の範囲に，受託者の固有財産に属する債権と信託財産に属する債権とが含まれているときも，根抵当権自体については信託の登記は不要である98)。

もっとも，根抵当権については，被担保債権と切り離した譲渡が認められているため（同 398 条の 12・398 条の 13），当該根抵当権が信託財産に属することを譲受人に対抗するため（正確には，根抵当権についての当該処分が受託者の権限違反行為に該当する場合に，それを受益者が取り消すため。信託 27 条

---

95)　道垣内弘人「抵当権の設定と登記」同『典型担保法の諸相』159 頁以下（有斐閣，2013）。田中・245 頁も参照。
96)　江頭憲治郎編『会社法コンメンタール16』424 頁〔道垣内弘人〕（商事法務，2010）。
97)　自己信託を利用して随伴性の問題を解決しようとするものとして，福田政之＝村治能宗「自己信託を利用した譲渡禁止特約付債権等の証券化・流動化の実務と法的諸問題」SFJ ジャーナル 8 巻 20 頁以下（2014）。
98)　セミナー(2)・178 頁〔道垣内弘人〕。

2項1号参照。→87頁）には，信託の登記が必要となりそうである。ところが，被担保債権に受託者の固有財産に属する債権と信託財産に属する債権とが含まれていること，または，複数の信託の信託財産に属する債権があわせて被担保債権となっていることがあり，このとき，その割合は変動しうるものであるから，根抵当権について実態を反映した信託の登記は不可能である。そうであるならば，根抵当権一般につき，被担保債権が信託財産であることが立証できる限り，信託法27条2項1号の要件は満たされていると扱われ（ただし，同項2号の要件の充足は困難であろう），また，分別管理義務は履行されているといわざるを得ないように思われる。

(3) 他の法律による対抗要件

第三者に対抗できるか否かが，別の法律で規定されている場合＊もある。具体的には，株券不発行株式（会社154条の2），証券不発行新株予約権（同272条の2），証券不発行社債（同695条の2），振替社債（社債株式振替75条），振替国債（同100条），受益証券発行信託の振替受益権（同127条の18），振替株式（同142条），振替新株予約権付社債（同207条），温室効果ガスの排出算定割当量（地球温暖化対策の推進に関する法律52条），さらには，信託法にも，受益証券発行信託の不発行受益権（信託206条）といった例がある。

＊ **他の信託の信託財産に属する財産との区別，固有財産に属する財産との区別，共同受託，質権設定** （ⅰ）別の法律による対抗要件制度においては，信託財産に属する財産である旨の登録はされるが，信託目録は存在しないため，受託者が複数の信託についての受託者であるときは，いずれの信託の信託財産に属する財産であるかは公示されない（たとえば，社債，株式等の振替に関する法律施行令8条）。このとき，まず，固有財産に属さない財産であることは，登録により第三者に対抗できると解すべきである。そして，複数の信託が存在するとき，その信託財産間において，受託者は，その計算を明らかにすることを分別管理義務（→203頁）の履行として求められるものの（信託34条1項3号，信託則4条），特定の信託の信託財産であることは，格別の対抗要件なく第三者に対抗できるというべきである[99]。実際には，ある信託の信託財産責任負担債務に係る債権の債権者がそれを差し押さえたり，ある信託について信

---

99) 村松ほか・34頁本文および注(5)，111頁。さらに，振替株式等について固有財産に属するものと信託財産に属するものを混蔵して本人保有口に記載していても，後者の分につき信託財産に属することを第三者に対抗できる可能性を探るものとして，小出篤「有価証券のペーパーレス化と分別管理・対抗要件」ジュリ1450号37頁以下（2013）。

託財産破産が生じたりしたときに問題となる。

　(ii)　また，共同受託者が存在するとき，信託財産は合有となるが（信託79条），そのうち1人の受託者の名義によって信託の対抗要件が具備されていても，受託者の固有財産のみに対する債権者に対しては，それが信託財産に属することを対抗できる。固有財産に属する財産であるという信頼は生じないからである[100]。

　(iii)　振替株式等が信託財産に属する財産として保有されているとき，保有者の口座にはその旨の記載・記録がされうる。ところが，振替株式等に質権が設定されると，質権者の口座の質権欄に当該振替株式等は記載・記録されることになり，その口座では質権設定者が当該振替株式等を信託財産に属する財産として保有している旨の記載・記録が消失する。このときは，対抗要件を具備する方法がないのだから，質権の設定された振替株式等は「信託財産に属する旨の記載又は記録をしなければ，当該財産が信託財産に属することを第三者に対抗することができない」（信託則4条1項）財産ではなく，記載・記録がなくても，当該振替株式等が信託財産に属することを第三者に対抗できると考えるべきである[101]。

2　登記・登録が不要な財産

　以上の財産を除き，信託財産に属する財産であることは，格別の対抗要件を具備することなく，第三者に対抗することができる。動産，金銭債権，現物の有価証券，さらには金銭についても，信託財産に属する財産であることの公示は要求されていない。その財産が信託財産に属する財産であることが証明できれば，そのことを第三者にも主張できることになる[102]。

　しかし，同種の動産が複数あり，それが識別不能であるために，個々の物あるいは全体に対する共有持分が信託財産に帰属しているとき（→109頁），個々の動産の差押えを排除できるか，さらには，受託者のもとにある金銭のうち，たとえば，100万円が信託財産に属するものであることが明らかであるとき，金銭に対する差押えはどのように扱われるか，は別途問題となる。

　結論としては，格別の対抗要件は不要であっても，受託者に対する債権

---

100)　道垣内・問題状況231頁。
101)　セミナー(2)・198〜200頁。
102)　そのような規律の正当化根拠について検討するものとして，道垣内・問題状況370〜386頁。

者(信託財産責任負担債務に係る債権者以外の債権者)の差押えを排除できる等の効果を生じさせるためには,受託者の固有財産と物理的に区別できる状態で保管していなければならないと解すべきである(→205頁)。ただし,物理的に区別できる一団の財産が,すべて信託財産である必要はない。当該一団の財産について受託者の固有財産との共有割合が明らかになっていればそれで足りる。たとえば,現金が様々な場所に散在し,ただ,全部のうちで100万円分が信託財産であることがわかっているだけでは足りないが,物理的な一団を形成している金銭があるとき,その一団における信託財産の割合が明らかであれば,当該割合が信託財産に属していることを第三者に対抗できる[103]。信託法34条1項2号ロは,金銭等につき,受託者は,「その計算を明らかにする方法」で信託財産に属する財産を分別管理すれば足りるとされているが,これは,信託財産の独立性を確保する要件のレベルを帳簿上の特定にまで下げるものではなく,あくまで分別管理義務の内容に関する規定だと解すべきである[104](分別管理義務と信託財産に属する財産であることの対抗の問題との関係については,→204頁)。

　受託者の固有財産たる金銭と信託財産たる金銭とが1つの預金債権とされていても,その割合が明らかであればよい*[105]。1つの債権であり,物理的な一団を形成しているからである。

　　＊　**信託口口座の開設**[106]　とりわけ,信託銀行・信託会社以外が受託者となる信託(たとえば,高齢者のための財産管理や財産承継を目的とする信託に,多くの例がある)では,受託者が,信託財産を固有財産と分離して管理するために,金融機関に対し,「委託者○○受託者△△信託口」といった名称の預金口座を開設することを求めることがあり,いくつかの金融機関はそれに応じている。しかし,受託者に対する債権者が当該預金債権を差し押さえたとき,請求債権が信託財産責任負担債務に係る債権であるか否かは明らかにならないので,執行裁判所が差押え自体を認めないとすることはできない(受益者による

---

103) 道垣内・問題状況426〜434頁。
104) 井上聡「金銭の分別管理による責任財産からの分離」伊藤眞ほか編『担保・執行・倒産の現在』261頁(有斐閣,2014)。
105) 道垣内・問題状況434〜435頁。
106) これまでの議論をわかりやすく整理するものとして,渋谷陽一郎「『信託口』口座の危機⁉」金法2156号22頁以下(2021)参照。

第三者異議の訴え提起を待つことになる）。また、そのような名称の口座であれば、その預金債権が信託財産に属する財産であることが確定するわけでもない。受託者にとっての管理の便宜以上の効果は認められない。

第5節　とくに相殺をめぐって

1　問題の現れ方

信託財産の独立性が現れる重要な規律として、一定の相殺が禁止されるということがある。たとえば、受託者 T に対して T の固有財産のみを引き当てにする債権 f_1 を有している者 G に対して、T もまた債権 f_2 を有しているが、その債権は信託財産に属しているという例を考える（図1）。このとき、G が f_1 と f_2 の債権を相殺できるとすると、G は、f_2 という信託財産に属する債権を消滅させることによって、T の固有財産のみを引き当てとする債権 f_1 を回収することになる。これは、G が、信託財産に属する財産を差し押さえること等ができない地位にあったこと（信託23条1項。→119頁）に矛盾する。そこで、このような相殺は禁止されなければならない。ところが、G が、f_1 を取得する際に、f_2 との間での相殺を合理的に期待していたとすると、その期待を保護しなくてよいのかという問題が生じる。

また、この例で、T から相殺したとすると、T は、信託財産に属する債権 f_2 を消滅させることによって、自らの債務を支払ったことになる。信託財産に属する財産を自らの利益のために利用したことになり、これが許されるのか、という問題が生じる。

以下、第三者からの相殺、受託者からの相殺の順で検討していく。

2　第三者からの相殺

(1) 原　則

まず、G からの相殺については、信託法22条1項本文が、3つの場合を規定している。

① Gの債権がTの固有財産のみを引き当てとする場合（「受託者が固有財産……に属する財産のみをもって履行する責任を負う債務」）（図1），

② Gの債権がTの固有財産と甲信託の信託財産を引き当てとする場合（「受託者が固有財産又は他の信託の信託財産……に属する財産のみをもって履行する責任を負う債務」）（図2），

③ Gの債権が甲信託の信託財産のみを引き当てとする場合（「受託者が……他の信託の信託財産……に属する財産のみをもって履行する責任を負う債務」）（図3），

である。

①において，Gからの相殺が原則として禁止されるべきことは，すでに説明した。

②においては，Gの債権の引き当ては，Tの固有財産と甲信託の信託財産に属する財産であるはずなのに，Gからの相殺を認めると，乙信託の信託財産に属する財産から債権を回収できることになり，乙信託の受益者の利益を損なう。したがって，相殺は禁止される。

③の状況は，甲信託が限定責任信託（→163頁）のときや，Tが，Gと取引をする際に，その債権の引き当てとできる財産を甲信託の信託財産に限定するという特約（責任財産限定特約）を締結したときに生じる。そうすると，Gは甲信託の信託財産に属する財産からしかf_1を回収する権利を有しないのであり，乙信託の信託財産にGに対する債権f_2が属していたとしても，Gは，f_1とf_2とを相殺することができない。そのような

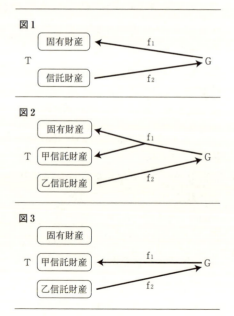

相殺を認めると、Gは、乙信託の信託財産に属する財産から債権を回収できることになり、乙信託の受益者の利益を損なうことになる。

ここで、「相殺できない」というのは、相殺の意思表示をしても効力が生じない、という意味であり、したがって、相殺の意思表示がされても、2つの債権はそのまま存在していることになる。

(2) 第三者の保護

しかし、相殺に対する第三者の期待を保護すべき場合もある。そこで、信託法22条1項ただし書は、Gが、「当該債権を取得した時又は当該信託財産に属する債権に係る債務を負担した時のいずれか遅い時において」、「当該信託財産に属する債権が固有財産等に属するものでないことを知らず、かつ、知らなかったことにつき過失がなかった場合」（同ただし書1号）、および、「当該固有財産等責任負担債務が信託財産責任負担債務でないことを知らず、かつ、知らなかったことにつき過失がなかった場合」（同ただし書2号）にはGからの相殺を認めることとしている。ここでいう、「固有財産等」とは、「固有財産又は他の信託の信託財産」のことを意味し、「固有財産等責任負担債務」とは、受託者が固有財産または他の信託の信託財産のみをもって履行する責任を負う債務をいう（同22条1項本文）。結局、TとGとの間でf_1とf_2が相対立する状態になった時点で、Gが、f_1が引き当てにしている財産と、f_2が属する財産とが違うものであることを知らないで、また、知らなかったことに過失がなかった場合（善意・無過失）には、Gには相殺の期待があり、それは保護に値するから、相殺ができることにしようというわけである＊（図4）。

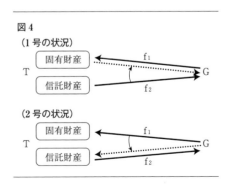

条文の文言上は、無過失とされているが、第三者に自らの取引の相手方の行為が信託事務執行か否かを確認する義務はないから＊＊、義務違反としての過失というよりも、相殺の期待を

有する正当事由があるか,という問題である[107]。

　＊　一般に,信託法においては,相手方は,自分が受託者と取引をすることによって取得する債権が信託財産責任負担債務に係る債権であると誤信しても,そのことは保護に値しない規律になっている(→84頁＊,90頁)。しかるに,相殺の期待については,自分の債権が信託財産責任負担債務に係る債権であると誤信し,相殺の期待を形成したときには保護される仕組みがとられている(信託22条1項ただし書2号)。この点は,金融機関が,貸付債権と預金債権を相殺する予定で,預金者ではない第三者を預金者本人と誤信して貸付けを行ったとき,その誤信が貸付け時に相当な注意を尽くしたのに生じたものである場合には,民法478条により,その後の相殺を認めるという判例法理[108]の適用にすぎないとも説明される[109]。しかし,当該判例法理は,預金担保貸付や保険契約者貸付など,一定の定型的取引について認められているものであり[110],この説明は当該判例法理の過度な一般化のように思われる。あくまで例外としての保護であり,解釈論としては,第三者の無過失の認定は厳格にすべきであろう。

　＊＊　信託法22条1項本文では禁止されている相殺について,それが認められるという期待を抱かせないように,債権者が自働債権を取得する場合や受託者が受働債権を取得する場合に,受託者は相手方に対し,その帰属について説明する義務を負うか,が問題になる。受託者の善管注意執行義務の問題だが,後に述べる受託者の承認が可能なような場合には,相殺の期待を抱かせても支障はないので,説明する必要はないし,相殺が問題となる可能性が低いときには説明の必要はない。説明する義務があるとしても,かなり限界的な事例に限定されよう。

(3)　受託者による承認

(ｱ)　例外の2つめは,Tが,Gからの相殺を承認した場合で,かつ,承認の要件が満たされている場合である(信託22条2項)。承認されると,あたかも,信託財産に属する財産(Gに対する債権)を受託者の固有財産または他の信託の信託財産に帰属させたかのような状態になるので,承認の要件は,利益相反行為に関する信託法31条2項に規定したところに従う(解釈論は,→230頁)。もっとも,同項3号が適用される余地はない。

---

107)　セミナー(1)・280～281頁参照。また,井上編・110頁も参照。
108)　最判昭和59・2・23民集38巻3号445頁など。
109)　寺本・95頁,村松ほか・61頁注(2)。
110)　中田・前出注66) 403頁参照。

(イ) Gの債権f_1が，Tの固有財産のみを引き当てにするものであるとき，これが，信託財産に属する債権f_2と相殺されると，Tは，信託財産に対して固有財産から償還する義務が生じる。このことは，Tに償還能力が十分にあるときは，相殺を認めても信託財産は害されないということを意味する。そこで，固有財産に関するTの信用力が十分であるときは，相殺を認めることが信託法31条2項4号の要件を満たすと評価されようし，受益者が同意を与えることも考えられる（同項2号）。信託財産に実質的な不利益は生じないというわけである。

また，Tからの償還は，Tの有する一定の財産の性質を固有財産に属するものから信託財産に属するものに変えるだけであり，Gから債権を現実に回収するよりも，相殺を承認する方がコストを低減させることができ，信託財産に有利になることもある。

(ウ) 第31条2項1号については，若干問題がある。同号は，「信託行為に当該行為をすることを許容する旨の定めがあるとき」とするが，第22条2項は，「第31条第2項各号に掲げる場合において，受託者が前項の相殺を承認したとき」としているので，信託行為に相殺を許容する定めがあっても，なお受託者の承認という行為が必要であることは明らかである。そして，受託者は，その承認を善管注意執行義務に基づいて行わなければならないところ，その義務に合致しているか否かの判断は，第31条2項4号の要件を充足するか否かの判断と異なるものとは思えない。そして，同号の定める要件が充足されていれば，信託行為の定めがなくても承認は適法である。そうすると，信託行為の定めの有無は承認の適法性判断に影響しないことになりそうであるが，それは解釈論として妥当ではない。

結論としては，受託者の承認の適法性を判断する際，一定の状況における承認につき信託行為にそれを認める定めのある場合には，承認の適法性を争う側が受託者の善管注意執行義務違反を立証しなければならないのに対し，承認が第31条2項4号によるときは，受託者の側で同号の要件が充足されていることを立証しなければならないと解すべきであろう。

(エ) 要件が満たされていないのに，受託者が第三者からの相殺を承認したときには，有効な承認とはならず，相殺は効力を生じないことになりそ

うである。しかし，相殺の承認は，利益相反行為のうち，第三者の利害が関係する類型の行為であり，単純に無効とするのは妥当でない。承認はいちおう有効としたうえで，信託法31条7項を類推し，その承認が要件を満たしていないことについて相手方が悪意または重過失の場合に，受託者による承認行為を受益者が取り消し得ると解すべきであろう。

そして，この取消権を保障するために，同条3項を類推し，受託者は，承認をしたことについて重要な事実を受益者に通知しなければならないと解すべきである。

(オ) 承認がされたとき，相殺の効力は，相殺適状のときに遡って生じる（民506条2項）。ただし，その前に，受働債権の差押えがあったり，譲渡があり対抗要件が具備されたりしたときには，民法116条ただし書の法理に照らし，差押えや譲渡が優先する[111]。

(4) 受託者保護のための相殺禁止

相殺に関しては，さらに，

④ Gの債権が信託財産のみを引き当てとし，Tが固有財産に属する債権を有する場合（図5）

が考えられる。

Gの債権f_1が信託財産のみを引き当てにするというのは，Gの債権がTによる信託事務処理によって生じ，かつ，その信託が後に述べる限定責任信託（→163頁）のときや，GとTとの間でf_1の引き当てとなる財産を信託財産に限定するという責任財産限定特約を締結しているときである。これらの場合は，Tは，f_1について，固有財産による責任は負わない。にもかかわらず，Tの固有財産に属するGに対する債権f_2と，f_1とがGにより相殺されてしまうと，Tは，結局，固有財産に属する財産によるf_1の弁済を強いられることになるわけであり，Tの固有財産が守られるという趣

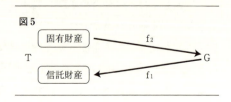

図5

---

[111] 最判平成9・6・5民集51巻5号2053頁（譲渡禁止特約のある債権の譲渡の債務者による追認の例）。寺本・94頁注(1)，村松ほか・62〜63頁。

旨に反する。そこで、信託法22条3項本文は、信託財産に属する財産のみをもって受託者が履行責任を負う債務に係る債権を有する者は、当該債権をもって受託者の固有財産に属する債権に係る債務と相殺をすることができない、としている。

このときもGが相殺を期待していれば、その保護が問題になる。そのとき、まず、f_1 が信託財産のみを引き当てにすることについては、Gが正当に誤信することはなく、仮に事実として誤信したとしても、それは保護に値しない。責任財産限定特約が締結されたときには、当然、Gにはわかっていることであるし、限定責任信託の場合にも、取引の相手方にその旨を明示しなければならないからである（同219条）。これに対して、f_2 については、それが信託財産に属する債権だと、Gが誤信することも考えられる。そこで、信託法22条3項ただし書は、「当該信託財産責任負担債務に係る債権を有する者が、当該債権を取得した時又は当該固有財産に属する債権に係る債務を負担した時のいずれか遅い時において、当該固有財産に属する債権が信託財産に属するものでないことを知らず、かつ、知らなかったことにつき過失がなかった場合」には相殺が認められるとしている。善意無過失は、(2)と同様に（→155頁）、相殺の期待を有するに正当な事由がある、という判断になる。

また、④の場合、相殺が認められないのは、責任制限がされているTの保護のためであるから、Tが相殺を承認すれば、当然に相殺は認められ、その承認に制約はない（同22条4項）。

3 受託者からの相殺

(1) 利益相反行為としての規律

ここまで4つの場合に分けて相殺禁止について説明したが、そのうち①と②において相殺が禁止されるのは、信託財産（甲と乙とがあるときは、乙信託の信託財産）を減少させることによって固有財産（および甲信託の信託財産）の負う債務を減少させ、受益者に損害を被らせるおそれがあるからであった。もちろん、②の場合を含め、受託者は、自己の債務につき信託財産（②では乙信託の信託財産）に属する財産をもって弁済したことになるか

ら，信託財産に対して，固有財産から償還する義務を負う（性質的には，不当利得返還債務）（②では，甲信託の信託財産に属する財産でそれを償還してもよく，また，固有財産から償還したときは，甲信託の信託財産に対し費用償還請求（信託48条1項。→278頁）ができる）。しかし，固有財産（さらには，②では甲信託財産）の資力が十分でないときには，受益者（②では，乙信託の受益者）が損害を被る。そうであるならば，このような相殺は，受託者から行うことも禁じられなければならない。ところが，信託法には，受託者からの相殺を直接に禁止する条文はない。

　これは，受託者の義務の問題として処理しているからである。

　後に詳しく述べるが（→219頁），信託法30条は，受託者に一般的な忠実義務を課し，続く第31条は，その具体化の1つとして，受託者による利益相反行為の禁止を定めている。そして，同条1項4号は，「第三者との間において信託財産のためにする行為であって受託者又はその利害関係人と受益者との利益が相反することとなるもの」を受託者はしてはならないとしている。①や②の場面で，受託者から相殺をすることは，これに該当することになる。

　もっとも，受託者が相殺の意思表示をしたとき，相殺の効力が生じないわけではない。この点が，第三者からの相殺と大きく違う点である。相殺自体は一応有効とされ，ただ，受託者からの相殺が利益相反行為として禁止されたものであることにつき相手方Gが悪意または重過失である場合に限って，受益者がその相殺を取り消しうることになっている（信託31条7項）。

　Gが悪意・重過失でないときとは，Gが，その相殺は認められるものだと大きな過失なく誤解しているときであり，そのときに取消しができない結果，相殺が認められることになるのは，Gからの相殺についても類似した定めがあったことに対応している。ただ，Tの義務違反を理由として，Tのした行為の効力が否定されるわけだから，Gの要保護性はGからの相殺の場合よりも高い。そこで，取り消されるまでは有効となっているのである[112]。

　さらに，Gの立場を安定させるために，この取消しは，受益者が取消原

因の存在を知ってから3か月以内，相殺の意思表示がされたときから1年以内にされなければ，もはやできなくなるとされている（信託31条7項後段による27条4項の準用）。

(2) 利益相反行為禁止の例外

具体的には，「信託行為に当該行為をすることを許容する旨の定めがあるとき」，明示の禁止の定めがない場合で，「受託者が当該行為について重要な事実を開示して受益者の承認を得たとき」のほか，「受託者が当該行為をすることが信託の目的の達成のために合理的に必要と認められる場合であって，受益者の利益を害しないことが明らかであるとき，又は当該行為の信託財産に与える影響，当該行為の目的及び態様，受託者の受益者との実質的な利害関係の状況その他の事情に照らして正当な理由があるとき」は，上記の例外として，受託者からの相殺が認められる（信託31条2項1号・2号・4号）。受益者の承認は，承認なしに相殺がされた後であっても可能である（同条5項）。

実は，受託者Tからの相殺については，それを積極的に認めるべき場合が多い。相殺がされる場面の多くは，相手方Gの資産状況が悪化し，任意の履行が望めなくなったときであるところ，信託財産に属している不良債権f_2と，GがTの固有財産のみに対して有している債権f_1とが相殺されると，Tは，自分の債務が消滅した額の分を信託財産に償還しなければならないが，これは，信託財産の側から見ると，不良債権f_2がTに対する償還請求権に置き換わることを意味し，Tの資産状況が健全ならば，受益者の利益になるのである（図6）。そこで，Tの倒産といったリス

---

112) もっとも，この点では，禁止される利益相反行為にあたる取引が行われるときは，通常，相手方も契約締結行為という積極的な行為をしているのであり，その信頼を保護する必要があるが，受託者からの相殺の局面では，受託者の意思表示を受け入れるだけであるから，それだけでは積極的な信頼が生じているとはいえず，相殺を有効であると信じ，それを前提に担保を解放するなどの行為をして，はじめて相手方が保護されるというべきではないか，という指摘もある（藤田友敬「信託債権の相殺：コメント」能見善久編『信託の実務と理論』202～203頁（有斐閣，2009））。正当な指摘であるが，解釈論としてはいささか困難であるように思われる。

クが少ない場合には（たとえば，信託銀行が受託者である場合），信託行為の中に，あらかじめTからの相殺を認める旨を明記することが考えられる。また，明記されていなくても，実際に相

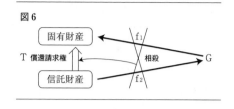

図6

殺がされたときは，受益者は積極的に承認するであろうし，「受託者が当該行為をすることが信託の目的の達成のために合理的に必要と認められる場合であって，受益者の利益を害しないことが明らかであるとき，又は当該行為の信託財産に与える影響，当該行為の目的及び態様，受託者の受益者との実質的な利害関係の状況その他の事情に照らして正当な理由があるとき」に該当するとも考えられる。これに対して，受託者の資力が十分でないときには，正当な理由があるとはいえず，禁止される利益相反行為として規律されることになる[113]。

(3) 複数の信託財産にまたがる相殺

以上に対して，**図3**（→154頁）の場合に，受託者から相殺を行っても，「受託者又はその利害関係人と受益者との利益が相反することとなる」わけではない。乙信託の信託財産に属する債権によって甲信託財産に属する債務を弁済しているのである。そこで，これについては，受託者の負う善良な管理者の注意をもってする信託財産執行義務に違反するか否かだけが問題となるとする見解もある[114]。しかし，信託財産間の利益衝突であるから，受託者からの相殺が甲・乙両信託の一方を合理的な理由（信託31条2項4号の趣旨に照らして判断される。→248頁）なく有利に扱うものであるときは，一般的忠実義務違反になると解すべきである[115]（→250頁）。

---

[113] なお，結果として償還がされなかった場合には忠実義務違反となるという見解（若干，不明確だが，福井修「信託債権の相殺」能見善久編『信託の実務と理論』194頁（有斐閣，2009））もあるが，相殺の後に受託者の資力が悪化したような後発的な事情で，忠実義務違反か否かが変化するわけではなかろう。

[114] 村松ほか・65頁。

[115] 本書初版・150頁では，信託法31条1項2号に該当し，原則として無効で

(4) そ の 他

受託者からの相殺に関しては，競合行為が問題になり，また，受託者が受益者に対して有する債権と受益債権との相殺についても議論がある。しかし，これらは信託財産の独立性の問題とは異なるので，後述する（→245, 251頁）。

第6節　限定責任信託

1　総　　説

(1) 限定責任信託の必要性

すでに述べたように，受託者が，信託事務処理において債務を負担したとき，受託者は信託財産に属する財産を用いてその債務を弁済することができるし，固有財産に属する財産を用いて弁済したときは，その分について信託財産から補償を受けることができる（信託48条。→278頁）。しかし，信託財産が十分でなく，それを用いることも，補償を受けることもできないときには，結局，受託者が負担することになる。

この結果を避けるために，これまでの実務でも，信託事務の処理にあたって第三者に対して債務を負うときに，債権者との間で，責任財産限定特約[116]を締結することがあった（同21条2項4号参照）。しかし，債権者との間で，この合意が常に調達できるわけではないし，その都度，特約を締結するのは面倒でもある。

しかるに，株式会社において，取引先に対して債務を負ったとき，その債務の引き当てとなるのは会社財産だけであり，取締役は個人財産によって債務を弁済する責任を負うわけではない。そして，実務において存在する種々の信託の中には，会社類似の1つの組織のようなかたちで運用されている場合も存在し，そうなると，ある種の限定のもとにおいては，個々的に責任財産限定特約を結ばなくても，責任財産限定が生じるようにして

あると解したが，改説する。
116)　佐藤勤『信託法概論』125〜128頁（経済法令研究会，2009）参照。

もよいのではないか，あたかも法人のような効果が認められる信託があってもよいのではないか，ということになる。

そこで，現行信託法では，**限定責任信託**という新たな類型の信託を認めることにした。「受託者が当該信託のすべての信託財産責任負担債務について信託財産に属する財産のみをもってその履行の責任を負う信託」(同2条12項) である。なお，投資信託および貸付信託については，限定責任信託に関する規定の適用が除外されている（投信8条3項・52条2項，貸付信託法3条4項）[117]。

(2) 効果のポイント

ある信託が限定責任信託とされたときのポイントとなる効果は，信託法217条に規定されている。つまり，「限定責任信託においては，信託財産責任負担債務（第21条第1項第8号に掲げる権利に係る債務を除く。）に係る債権に基づいて固有財産に属する財産に対し強制執行，仮差押え，仮処分若しくは担保権の実行若しくは競売又は国税滞納処分をすることはできない」のであり，それに反する強制執行等については，受託者は異議を主張しうる（第三者異議，国税滞納処分についての不服申立て。→120頁），ということである（さらに，同21条2項2号）。

「第21条第1項第8号に掲げる権利」とは，「受託者が信託事務を処理するについてした不法行為によって生じた権利」のことであり，受託者がした不法行為の責任については，固有財産をも引き当てにして受託者は責任を負うことになる（どのような不法行為によって生じた債権がこれに該当するかについては，→125頁＊）。

(3) 規律の特色

債権者の権利を制限するわけであるから，債権者に，その引き当てになるのは信託財産だけであることがわかるようにしておく必要がある。また，信託財産に属する財産をむやみに受益者に分配して，債権者に対しては支払不能となるのでは困る。債権者は，信託財産の状況について，通常の信託（つまり，受託者の固有財産も引き当てにできる場合）に比べ，より大きな

---

117) 立法趣旨および批判を含め，条解・865頁〔加毛明〕参照。

利害関係を有することになる。

　そこで，信託法は，これらについて細かな規定を置いている。

　それらの規律は，実は，会社法が株式会社について置いている規律と同様のものである。債権者が一定の財産しか引き当てにできないという点では，限定責任信託と株式会社とは同じだからである。

　なお，受益証券発行信託が限定責任信託であるときについては，特則があり，別に述べる（→362頁）。

2　限定責任信託の設定

(1)　設　　定

　信託契約によって設定できることは明らかであるが，遺言や信託宣言で設定することも妨げられる理由はない（信託法258条1項と216条1項を比較せよ）。

(2)　信託行為において定めるべき事項

　(ア)　限定責任信託となるためには，まず信託行為においてその旨の定めが必要である。そして，その上で，登記が必要であり，この登記がなければ限定責任信託としての効果は発生しない（信託216条，232条）。

　そして，上記の信託行為において，定めることが必須となっている事項がいくつか存する。

　(イ)　まず，限定責任信託の目的を定めるべきことが要求されている（信託216条2項1号）。ここにいう信託の目的が，信託法2条1項にいう「一定の目的」と同義であるならば，信託の設定において，それが定められることが必要なのは当然である。しかし，その目的は，受託者が信託事務を行う上での指針となり，その権限の外延を画するものであり，信託行為全体の解釈によって定まるものである（→48頁）。しかるに，信託法232条1号は，定められた目的を登記事項としており，一定の文言で明確なかたちで規定された「目的」を要求していると思われる。立法論として疑問である*とともに，そうであるならば，そこにいう「目的」は，信託法2条1項と異なり，形式的に，「資産の増殖」などと規定しておけば足りることになる。受託者の行動指針ともならず，無内容のものとなる。

＊　**会社の「目的」との関係**　　信託法の規律は，会社法27条1号が，定款記載事項として「目的」を要求し，同法911条3項1号が，「目的」を登記事項としていることに対応している。しかし，株式会社において「目的」の定め・登記が要求されるのは，法人の能力が，目的の範囲内に限定されることと関係している（民34条）。団体は当然には法人格を有せず，「目的」の範囲内のみで法人格を有するから，定款に「目的」が記載され，登記されることが必要なのである。これに対して，限定責任信託は法人格を有せず，法人格者である受託者が行為の主体となる。したがって，能力の範囲を画する「目的」は必要なく，会社法の規定に準じる必要はなかったといえる。

　(ウ)　次に，限定責任信託の名称を定める必要がある（信託216条2項2号）。限定責任信託は法人格を有しないから，ここでいう名称は取引主体としての名称ではない。しかし，受託者は，責任が信託財産に限定されることを相手方に示すために，限定責任信託の受託者として取引をするときには，その旨を相手方に示さなければならず，これを怠ると責任限定の効果を享受できない（同219条）。そして，このとき，相手方に示すためには，限定責任信託に名称があった方が便利である。その登記が要求されるのも（同232条2号），相手方に対する公示の機能を強化するためである（ただし，登記があるだけでは，責任限定の効果は生じない。あくまで，相手方に限定責任信託の受託者としての取引であることを示す必要がある）。

　このような公示機能の強化のために，名称中には，「限定責任信託」という文字を用いなければならない（同218条1項）。そして，①何人も，限定責任信託でないものについて，限定責任信託と誤認されるおそれのある文字を用いることは禁止され（同条2項），②不正の目的で，他の限定責任信託であると誤認されるおそれのある名称・商号を使用してはならない（同条3項）。また，③②に違反する行為で信託に係る事業の利益に対する侵害があり，または，そのおそれがあるときは，受託者は，侵害者に対して侵害の停止・予防を請求できる（同条4項）。

　②，③は，そこでいう「他の限定責任信託」が高い信用力を有しているとき，取引の相手方が当該他の限定責任信託の信託財産が責任財産になっていると誤認することによって不測の損害を被ることを防止するとともに，当該他の限定責任信託の信用が毀損されることを防ごうとするものである。

これに対して、①に関して、責任限定の効果もないのに、限定責任信託であると表示することは、責任財産の限定があるかのような表示をしていることにほかならず、取引の相手方の警戒心を引き起こすだけで、一般には受託者にとって有利になる行為ではない。「限定責任信託」という名称の持つ公示力、つまり、「限定責任信託」という名称の付されている信託の受託者としての行為である、と示すだけで、責任限定の具体的内容を表示することになるという状況を確保するための規律であると考えるべきであろう。

なお、「不正の目的」は、故意により、行為主体を誤解させ、自己に有利な結果を得ようとすることを意味する。使用者と誤認客体である限定責任信託との間に競争関係があることは必要ではない。

㈡ 信託行為には、「委託者及び受託者の氏名又は名称及び住所」を定めなければならない（信託216条2項3号）。

信託契約によって信託が設定されるときには当然に満たされるし（強いていえば、住所の記載が必須となる）、自己信託の場合には、設定において要求される書面の要件として一般的に課されるところである（信託則3条。→76頁）。

遺言によって設定されるときは、受託者となるべき者の指定があっても、その者が引き受けない場合もあるし、そもそも指定に関する定めがない場合もある。しかし、そのようなときも、裁判所によって受託者が選任されたなら（信託6条）、後発的に、要件を満たすと考えてよかろう。

登記については、受託者の氏名または名称および住所のみが要求される（同232条3号）。債権者としては委託者に何らかの請求ができるわけではないから、委託者の情報は公示の必要性が乏しい。

㈢ 限定責任信託の主たる信託事務の処理を行うべき場所（事務処理地）の定めも要求される（信託216条2項4号）。これは、管轄登記所を定めるために必要である（同238条1項）。

㈣ さらに、「信託財産に属する財産の管理又は処分の方法」について定めることが求められる（信託216条2項5号）。これは登記事項とされていない。

管理・処分の方法は，信託目的によって定まるものであり（→46頁），限定責任信託であるからといって，明示に定めなければならない趣旨は明らかでない。概括的な定めで足りるし，定めがなくても，管理・処分の基準となる「目的」が信託行為全体から判断され得るのであれば，それでよいというべきである。

㈯　その他法務省令で定める事項（信託216条2項6号）は，具体的には，信託事務年度である（信託則24条）。後に述べるように，限定責任信託においては，計算書類の作成などの義務が，通常の場合より強化されており，そこにおける基準となるものである（会社における事業年度に相当する）。登記事項とはされていないが，計算書類等の閲覧を通じ，債権者などにも明らかにされる。

(3)　登　　記

㈠　限定責任信託においては，登記が効力発生要件とされており（信託216条1項），信託行為から2週間以内に登記がされなければならないとされる＊（同232条本文）。2週間という期間は会社法911条に従ったものだが，会社法上も期間を定める必要性の有無について議論が多い[118]。信託法上は，登記の申請権者が受託者とされているので，委託者の意思を実現するために速やかな登記の義務を受託者に課すのが妥当だから，と解すべきことになろう。

登記の申請は，すでに述べたように，受託者によってされる（信託239条1項）。登記事項は，すでに述べた限定責任信託の目的，限定責任信託の名称，受託者の氏名・名称および住所，限定責任信託の事務処理地（同232条1号〜4号）のほか，信託の終了についての信託行為の定め（定めがあるときに限る。同163条9号参照）（同232条6号）である。

＊　**登記期間と信託の効力**　信託法216条1項は，「登記をすることによって，限定責任信託としての効力を生ずる」としており，この文言からすると，登記がされる前でも通常の信託としての効力は生じていると解される[119]（同4

---

[118]　森本滋＝山本克己編『会社法コンメンタール20』225〜239頁〔松井秀征〕（商事法務，2016）参照。

[119]　村松ほか・354頁注(4)。

条。→59, 69, 75頁)。したがって，受託者は，登記前でも善管注意執行義務を負うのであり，登記の申請もその具体的義務内容の１つとなると解される。また，登記期間を徒過した後であっても，その後の登記によって限定責任信託としての効力が生じると解される。会社法上も同様に解されているが，同法は登記の懈怠につき過料に処せられるべきことを定めている（会社976条1号）。信託法には，このような規律もない。

(イ) 登記事項の変更があったとき（信託233条），信託が終了し，または，限定責任信託であることの定めが変更されたとき（同235条），受託者が清算受託者になり，または，新たに清算受託者が選任されたとき（同236条），清算が結了したとき（同237条）も，それぞれ２週間以内に登記をしなければならない（なお，同235条（信託終了のとき）・236条・237条の登記は，清算受託者によってされる（同239条１項））。また，受託者の任務が終了したときで，信託財産管理者・信託財産法人管理人が選任されたときも，その氏名・名称，住所が登記される（同232条5号。さらに，同239条2項）。

(ウ) 実際の登記手続については，添付書面等につき，信託法240条から246条に規定があるほか，商業登記法が適宜準用される（信託247条。さらに，限定責任信託登記規則）。

(エ) 登記は，すでに述べたように，限定責任信託の効力発生要件であるが，この登記は，登記の後でなければ登記事項を善意の第三者に対抗できない，という効力（消極的公示力。信託220条1項前段）と，登記の後であれば，たんなる善意者には対抗できるようになる（ただ，正当な事由によって登記内容を知らなかった第三者に対抗できない），という効力（積極的公示力。同項後段）を有する。さらに，故意・過失によって不実の登記をした者は，不実であることを善意の第三者に対抗できない，とされる（同条2項）。会社法908条に従うものだが，信託においてその適用事例があるとは思えない＊。

＊ **会社法との関係** 会社については，代表権限を有する者の退任につき登記のないうちに，元代表者が会社の代表者として第三者と取引行為をしたときなどが問題とされるが，それは，元代表者Ａが，「Ｂ社の代表者として，Ｂ社を当事者（＝債務者）とする契約を締結する」という意思表示をするからである。これに対して，限定責任信託においては，受託者Ｃは，「Ｃを当事者（＝債務者）とする契約を締結するが，その債務の引き当ては，Ｃを受託者とする

限定責任信託の信託財産に属する財産に限られる」という意思表示をすることになる。しかるに、当該限定責任信託の信託財産に属する財産が、すでに新受託者Dに移転されていれば、Cの意思表示は、「Cを当事者（＝債務者）とする契約を締結するが、その債務の引き当ては、（実際にはDに属している）限定責任信託の信託財産に属する財産となる」というものとなり、そこで相手方の保護が問題となりうるのは、Cが未だ受託者であることについての信頼ではなく、個々の財産の帰属についての信頼であることになる。しかし、個々の財産の帰属につき、新受託者Dと相手方とのいずれが保護されるかは、対抗要件によって定まる。たとえば、当該限定責任信託の信託財産に属する土地につき、その所有権の登記がすでにDに移転されていれば、Cを債務者とする債権の債権者Eは、これを差し押さえ得ない。逆に、Cに登記名義があるうちに、Eがこれを差し押さえれば、民法177条により、Eの差押えは有効となる余地がある（もっとも、Eは、信託財産責任負担債務の債権者とはなり得ず、他方、当該不動産は信託財産に属する財産であることをEに対抗できるから、差押えは認められないと考えることもできる）。

　代表権限を行使し、会社に効果を帰属させる会社の場合と、代理権限の行使ではない信託の場合とでは、根本的に異なるのである。

(4) 信託の変更による定めの廃止

　限定責任信託の定めがある信託であっても、その後、信託の変更（信託149条。→413頁）によって、その定めを廃止することができる。このとき限定責任信託であることを終了する旨の登記がされた後は、通常の信託となる（同221条）。ただし、信託の変更自体は、たとえば委託者・受託者・受益者の合意によって効力が生じるのだから、変更の登記の前であっても、変更後に生じた信託財産責任負担債務に係る債権の債権者は、受託者の固有財産に対する権利行使の制限（同217条1項）を受けないと解される。その意味で、登記は、変更の効力発生要件ではない[120]。

　信託の変更前に生じていた信託財産責任負担債務に係る債権の債権者は、限定責任信託の定めの廃止後も、受託者の固有財産に対する権利行使ができるようになるわけではない[121]。信託財産に属する財産のみを自らの債権の引き当てとして期待していた債権者に、利益を与える理由はないからである。

---

120)　本書初版・158頁では登記を効力発生要件としたが、改説する。
121)　条解・896頁〔加毛明〕。

これに対して，通常の信託を限定責任信託とすることについては信託法上，とくに条文はない。責任限定の効力は，信託の変更によって，信託行為を変更した後の債権者についてのみ生じ，既存の債権者に不利益となるわけではないから，否定するまでのことはないと思われる[122]。

3 受託者の行為と債権者の保護

(1) 総　説

限定責任信託では，信託財産責任負担債務の債権者は，原則として，信託財産に属する財産しか，自らの債権の引き当てにできず，受託者の固有財産に属する財産から債権を回収することができない。債権者の権利をこのように制限するためには，債権者にそれを知らしめるとともに，引き当てとなる信託財産の健全性を確保する必要がある。

(2) 相手方に対する明示

受託者は，限定責任信託の受託者として取引をするとき，その旨を相手方に示さなければ，相手方に対して，その責任が信託財産に属する財産に限られることを主張できない（信託219条）。つまり，固有財産に属する財産を差し押さえられても，異議を述べ得ないのである。債権者の権利を限定するためには，債権者がそのことを債権取得当時に知っていることが必要とされるからである。

一般には，「甲限定責任信託の受託者としての取引である」と明示すれば，そのもたらす効果までを説明する必要はない。ただし，相手方の属性にもよる。

また，信託財産責任負担債務となる租税債権（→127頁）の債権者，および，信託事務処理について生じた（同21条1項9号）と評価される不法行為債権であり，その債務が信託法21条1項8号に該当しないものについての債権者（そのような者の存在を認める見解をとる場合に限る。→125頁＊）との関係では，上記の明示がなくても，限定責任の効果が生じる。そのような債権者は「取引の相手方」ではないから，信託法219条は適用されな

---

[122]　新井監修・525頁〔中田直茂〕。

い。

(3) 会計帳簿等の作成と閲覧等

通常の信託においても，受託者には計算書類を作成し，受益者からの閲覧等の請求に応じる義務が規定されているが（信託37条，38条。→207頁），限定責任信託においては，書類作成義務はより厳格な内容となっている。

まず，受託者は，限定責任信託の効力が生じた後，速やかに，当該限定責任信託に関する貸借対照表を作成しなければならない（同222条3項）。出発点を明確にする趣旨であり，この書類は，信託の清算の結了まで（あるいは，作成から10年経過した後に，受益者に当該書類等またはその写しを提供するまで）保管しなければならない（同222条8項）。

次に，通常の信託では，受託者には「信託財産に係る帳簿」の作成義務があり（同37条1項），仕訳帳，総勘定元帳などからなる厳格な意味での会計帳簿の作成義務は課されていない（→208頁）。これに対して，限定信託の受託者には，会計帳簿の作成義務が課される（同222条2項。その具体的な内容は，信託計算規則6条〜11条）。

また，通常の信託では，受託者には，「財産状況開示資料」の作成義務があり（信託37条2項，信託計算規則4条3項），その内容は「信託財産に属する財産及び信託財産責任負担債務の概況を明らかにするもの」（同条4項）とされているが（→210頁），限定責任信託では，「信託概況報告」（その内容は，同23条）および「これらの附属明細書」（同12条2項）とされ，より詳細な資料の作成が求められている。そして，作成時期も，通常の信託では，「毎年1回，一定の時期」とされているが（信託37条2項），限定責任信託では，「信託事務年度の経過後，3月以内」（信託計算規則12条3項）と明確化されている。

(4) 受益者に対する給付の制限

(ア) すでに述べたように，債権者の保護のためには，受益者にむやみに給付をして，信託財産を不当に減少させることを受託者に禁止しなければならない。そこで，まず，信託法225条は，受益者に対する信託財産に係る給付は，その給付可能額を超えてすることはできない，としている。ここにいう給付可能額については，信託計算規則24条1項が定めており，

受益者への給付がされる日の前信託事務年度の末日における純資産額（資産マイナス負債）から，受益者への給付がされる年度において，すでに受益者や債権者にした給付の帳簿価額の総額を差し引き，さらに，100万円（信託行為においてこれより大きな額を定めている場合，または，信託留保金の算定について定められた方法によれば100万円より大きくなる場合には，その額）を差し引いた額である。

　減法（引き算）の被減数は，本来，受益者への給付時点の純資産額であるべきだが，算定にはコストを要するので，貸借対照表等の作成が行われているはずの（信託222条4項）前信託年度末の額にされている[123]。100万円を控除するのは，その限度で余裕を見るということだが，信託の規模などに応じて増額の必要が存することもあるので，より多額にする方向での別段の定めを認めている（信託計算規則24条1項1号かっこ書）。

　(ｲ)　これに違反して給付がされたときで，受託者がその職務を行うについて注意を怠らなかったことを証明できない場合には，受託者は，その給付の帳簿価額に相当する金銭を信託財産にてん補する責任を負う（信託226条1項1号）。帳簿価額は，現物で給付がされたときだけ問題になるが，金銭での給付を受ける受益者と現物で給付を受ける受益者とがいるときの公平を考慮すると，給付時に評価替えをしたうえでの簿価と考えるべきである[124]。また，給付を受けた受益者も，自己の受けた給付額について受託者への支払義務を負う（同項2号）（支払った金銭は，信託財産に帰属する（同条3項））*。

　受託者や当該給付を受けた受益者が負う義務は給付可能額を超えた部分のてん補・支払ではなく，現実の給付額のてん補・支払である（そう解さないと，同条4項ただし書の意味が不明になる）。その意味で，債権者に対して最低限必要とされる保護を超過する是正がされていることになるが[125]，

---

123)　村松ほか・366頁。なお，貸借対照表等は，信託事務年度の経過後3か月以内に作成すればよいが（信託計算規則12条3項），それ以前に受益者に給付をしようとするときは，給付までに作成することが求められることになる（同・367頁注(28)参照）。

124)　会社法462条についても同様に解されているが，これには，金銭分配請求権（同455条）における基準との関係もある。信託では，その問題はない。

給付可能額を超過した給付の決定が，給付可能額限度までは給付する，という決定を意味しているとは限らないので，再度の決定が必要だという趣旨であろう。

　受託者と当該給付を受けた受益者とは，連帯して義務を負う（受益者については，各受益者が現に受けた給付の限度で連帯）（同226条1項）。一方が全部または一部の履行をすれば，それに応じて，他方は義務を免れる（同条2項。かなり複雑な書き方になっているのは，複数の受益者がいる場合を含めているからである）。もっとも，連帯債務者間の内部分担は別の問題である。不当に利得しているのは当該給付を受けた受益者なのだから，受益者が全部の負担を負うのが原則であり，受託者は原則として当該受益者に対して求償権を有する。ただし，自らが受けた給付が給付可能額を超えることについて善意の受益者は，受託者からの求償に応じる義務を負わない（同227条1項）。受益者に給付限度額を把握せよというのは酷であり，他方，受託者が義務を負うのは，その職務を行うについて注意を怠った場合であるから，公平上，求償を認めないのが妥当だからである。

　受益者への請求は受託者も可能であるが，当該給付を受けた受益者以外の受益者は，受託者・当該給付を受けた受益者に義務の履行を請求できる。信託法226条に請求権者は書かれていないが，同条6項で，受益者が訴えのために支弁した費用等に関する同法45条（その趣旨は，→215頁）が準用されているので，以上のように解される。また，信託債権者（信託財産責任負担債務に係る債権であって，受益債権以外のものを有する債権者。同21条2項2号・4号）は，当該給付を受けた受益者に対し，自らの債権額の範囲で，給付額の支払を請求できる（同227条2項）。これは，法的性質としては債権者代位権の行使であり，債権者は自己への支払を請求できる（なお，民法423条の2，423条の3参照）。理屈の上では，信託債権者は，受託者が当該受益者に対して有する支払請求権も代位行使しうるが[126]，念のために規定を置いているわけである。したがって，民法423条の債権者代位権の

---

125) 神田秀樹『会社法〔第24版〕』340頁（弘文堂，2022）（株主への違法配当に関して）。
126) 村松ほか・369頁。

第 6 節　限定責任信託　175

行使と同様の要件具備が必要になる[127]。

　　＊　受託者に任務懈怠がないとき，受託者がてん補責任を負わないのは当然だとしても，当該給付を受けた受益者の支払義務も否定されるのか。株式会社における違法配当に関する責任を規定する会社法 462 条は，業務執行者等に職務懈怠がないとき，それらの者の義務については否定するが（同条 2 項），「当該行為により金銭等の交付を受けた者」の責任は免除されないことになっている（同条 1 項本文）。しかるに，信託法 226 条 1 項ただし書は，この 2 つの義務主体を区別しておらず，当該受益者の支払義務も否定されるかのようだが，そう解するのは結論として妥当であるまい。しかし，単純に肯定すると，当該受益者が自らの受けた給付額が給付可能額を超えることについて善意であっても，その返還義務が現存利益に限られないこととなり，民法 703 条の規律と不均衡になる。受託者に任務懈怠がないとき，当該受益者は信託法 226 条 1 項の責任は負わないが，民法 703 条・704 条により不当利得返還義務を負うと解すべきである（当該給付は無効であるという考えを前提にすることになる[128]）。

　(ウ)　給付時点では制限違反ではなかったときでも，給付をした信託事務年度の終了後，貸借対照表を作成したところ，負債額が信託財産額を上回っていたということもある。これは結果論として仕方がない場合もあるが，受託者が適切な注意を払っていれば給付時点でわかったであろうときは（財産評価が下落状況にあるので，給付を控えておくべきであった），受託者に責任を負わせるべきだと考えられる。そこで，信託法 228 条 1 項 1 号は，受託者がその職務を行うについて注意を怠らなかったことを証明できない場合には，欠損額（負債額マイナス資産額）と給付額のうち少ないほうの額について，信託財産に対するてん補の責任を受託者に課している。受益者も，同様の責任を負う（同項 2 号）。具体的な規律内容は，給付可能額を超えた給付があった場合と同様である（同条 2 項・3 項・5 項・6 項）。

---

127)　会社法上の同等の制度については，特則により簡易な方法を定めた趣旨から，代位債権者の債権の弁済期が到来していることは要しないことに争いがないといわれている（森本滋＝弥永真生編『会社法コンメンタール 11』222 頁〔黒沼悦郎〕（商事法務，2010））。おそらく，会社への返還を求めうるとしていた 2005（平成 17）年改正前商法 290 条 2 項についての解釈論を承継しているのであろうが，債権者が自らへの支払を求めうるときに，弁済期未到来でもよいとは解し得ない。
128)　会社法上，違法配当等が無効か否かは争いがある。たとえば，森本＝弥永編・前出注 127) 196〜200 頁〔黒沼悦郎〕参照。

(エ) 受益者は一般に受託者の損失てん補責任を免除できるが（信託42条1号），給付可能額を超えた給付があった場合の受託者および受益者の義務は免除できないのが原則である。債権者の保護のための責任について受益者が免除するのは不当だからである。しかし，給付可能額の範囲内では，受託者の責任・給付を受けた受益者の責任を総受益者の同意により免除できる（同226条4項）。債権者は給付可能額までは受益者に給付されることを覚悟すべき地位にいたからである。

欠損額についての責任は総受益者の同意があれば免除できる（同228条4項）。給付可能額を超える給付がされたわけではないので，債権者保護が少し弱まるわけである。

(オ) 受託者は，一般に任務懈怠で信託財産の損失が生じたときに，そのてん補責任を負う（信託40条）。ここまで説明してきた責任は，その特則となっており，信託法226条等の責任が生じるとき，あえて同法40条の責任を論じる必要はない。しかし，法人である受託者の役員の責任は生じうる（同41条）。

また，受託者の責任の期間制限については，信託法43条が準用される。これに対して，給付を受けた受益者の責任については，不当利得返還義務についての消滅時効により消滅する（民166条1項）。

(5) 受託者の第三者に対する責任

(ア) 限定責任信託における債権者の保護の方策として，さらに，受託者が信託事務を行うについて悪意または重過失があったときは，第三者に生じた損害を賠償する責任を負うことが定められている（信託224条1項）。また，貸借対照表，損益計算書，信託概況報告およびそれらの附属明細書（同条2項1号にいう「貸借対照表等」について，同222条8項参照）の重要な事項についての虚偽記載・記録，虚偽の登記，虚偽の公告については，受託者は注意を怠らなかったことを証明しない限り，それにより第三者に生じた損害について，受託者が損害賠償責任を負う（同224条2項）。このような書類による情報開示の重要性に鑑み，軽過失でも責任を負うとされ，さらには過失の立証責任が転換されているのである。

この責任は受託者の固有財産について負う責任である[129]。

(イ)　会社法429条にも，株式会社の取締役の責任につき同様の条文があり（他に，会社597条，一般法人117条・198条），立法趣旨，責任の性質，損害の範囲，第三者の範囲などについて議論が多い[130]。

信託法224条1項に対応する会社法429条1項の責任につき，判例[131]は，悪意・重過失は取締役としての任務懈怠について存在すればよく，第三者に対する加害について故意・過失を要しない点に一般の不法行為責任との違いを求めている。同様に解すべきであろう。

具体的な損害については，放漫な信託事務執行等により信託財産破産に至った場合に信託債権者が被る損害（間接損害），返済見込みのない金銭の借入・代金支払の見込みのない購入によって，契約相手方が被る損害（直接損害）などが考えられている。前者の間接損害については，受託者の損失てん補等の責任（信託40条）も成立するが，損害項目が異なり，受託者は二重払いの可能性がある。悪意・重過失の受託者に対する制裁機能となっている（ただし，信託債権者への損害賠償によって，当該債権者の債権の価額の全部が支払われたときは，受託者は当該債権者の権利に代位できる（民422条））。

なお，虚偽登記などについての責任は，それに依拠して，受託者と取引関係に入った第三者を保護するものである。

(ウ)　会社法に関しては，株主が同法429条1項にいう「第三者」に該当するかどうかが問題になっているが，信託における受益者に関しては，信託法40条に基づいて受託者の責任を追及することのみを認めるべきであろう[132]。会社法上も株主は含まれないとするのが多数説である。

---

129)　条解・916頁〔加毛明〕の分析参照。
130)　岩原紳作編『会社法コンメンタール9』339～419頁〔吉原和志〕（商事法務，2014）参照。また，同条の存在意義に対する疑問については，とくに，田中亘『会社法〔第3版〕』369～371頁（東京大学出版会，2021）参照。
131)　最判昭和44・11・26民集23巻11号2150頁。
132)　条解・919頁〔加毛明〕は，会社法の有力説に合わせ，受益者の一部が受託者を兼ねているときや，一部の受益者と受託者とに強い結びつきがあるときなど，信託法40条による救済が実効的でない場合には，信託法224条1項の「第三者」に受益者を含めるべきであるとする。

(6) 限定責任信託の清算

　清算の場面における債権者の地位についても，通常の信託の場合と異なる規律が置かれている。これについては後に述べる（→448頁）。

■ 第4章 受託者の義務と責任

第1節 受託者の信託事務処理義務と第三者への委託

1 信託事務処理義務
(1) 受託者の義務の源泉

受託者は,「信託の本旨に従い,信託事務を処理しなければならない」という義務を負う(信託29条1項)*。その義務の源泉は,信託の設定方法によって異なる(→29頁)。信託契約による場合は合意(同3条1号)に,遺言による場合は受託者となるべき者による引受け(同5条)に,信託宣言による場合は単独行為としての義務負担行為(同3条3号)に,それぞれ存することになる。

具体的な義務内容は,信託行為の解釈によって決まる。したがって,委託者の意思によることになりそうだが,受託者の義務を考えるにあたっては,信託宣言による場合を除き,受託者になることを引き受けた者の意思が重要になる。義務の源泉が受託者を一方の当事者とする合意・受託者による引受けに存するからである。もっとも,実際の解釈における委託者の意思および受託者の意思の位置づけや意義の軽重は,信託の類型によって異なりうる。この点で,信託類型として,①財産処分モデル,②契約モデル,③制度モデルを措定したうえ(→26頁),②は通常の契約と同じく,委託者と受託者の合意内容の解釈が求められるのに対し,①では委託者の意思が重要であり,また,③では,第三者である受益者の権利が重要になるので,信託条項の客観的解釈が求められる,との指摘がある。賛成すべきであろう[1]。

    * **受託時の義務**   受託者となるべき者は,委託者と信託契約を締結すると

---

1) 条解・167~170頁〔沖野眞已〕。

き，あるいは，委託者が遺言を作成するにあたって受託者への就任に同意するときに（→70頁＊），信託行為の内容の妥当性や当初信託財産の適格性などについて，委託者に助言する義務を負うか。受託者となるべき者が専門家であるときには，そのような助言義務が発生することはあり得る。しかし，信託法上の義務ではない[2]（なお，信託業法上，信託契約締結時に受託者に対して課される義務について，→59頁）。

(2) 信託の本旨

「信託の本旨に従い」とは，個々の具体的な信託行為の内容とは別の，抽象的な「信託理念」（「およそ信託たるもの」）を措定しているようにも読めるが，「・当・該・信・託・によって達成しようとした目的」であり，個々の信託ごとに当該信託の信託行為の解釈によって具体的な内容は決定される。「信託の本旨」という言葉が用いられたのは，信託行為の文言の形式的な解釈によるのではなく，当該信託が設定された目的を達成するように信託事務を処理する義務を負う，ということを強調したためにすぎないと理解される[3]。民法644条における「委任の本旨」についても，個々の委任契約と離れた基準としては理解されていない[4]。

(3) 善良な管理者の注意

(ア) 受託者は，信託事務を処理するにあたって，善良な管理者の注意をもって，これをしなければならない（信託29条2項）。

しばしば「善管注意義務」といわれるが，「注意を払う」という行為義務が存在するわけではない。「善良な管理者の注意」という概念が，信託事務執行にあたって行われるべき具体的な行為内容を決定する基準として作用するのである[5]。信託法29条1項によって，信託の本旨に従って行為義務内容が定まり，当該行為義務の履行にあたっての注意水準が同条2項によって定まるということもできそうであるが，行為義務の具体的内容は，そこで求められる注意水準によって定まるのであり，やはり，「善良

---

[2] 江頭憲治郎編『会社法コンメンタール16』421頁〔道垣内弘人〕（商事法務，2010）。

[3] 能見・68頁，寺本・112頁。

[4] 起草過程も含め，大塚智見「委任者の指図と受任者の権限」法協134巻10号1871〜1914頁，12号2427〜2429頁（2017）参照。

[5] 道垣内弘人「善管注意義務をめぐって」法教305号39頁（2006）。

な管理者の注意」という概念は，具体的な行為内容を決定する基準であるというべきであろう。そこで，本書では，善良な管理者の注意をもってする信託事務執行義務のことを，**善管注意執行義務**とよぶ（これまでも，すでに何回か用いた）。

　(イ)　善良な管理者の注意という注意水準は，個々の債務者の具体的な能力と切り離して，客観的義務内容を定めるものであり，民法上，債務不履行・不法行為を通じた原則的な注意水準である（たとえば，親権者の注意水準については，特則によって軽減されている（民 827 条））。したがって，他の種類の義務者に比較して，受託者の義務内容のレベルが当然に高いわけではない[6]。ポイントは，客観的な基準であって，主観的基準ではないということであり，客観的な基準を定めるために，どのような「善良な管理者」を想定するかは，専門家に資産運用を委ねているのか，死亡にあたり親友に遺児のための資産管理を委ねているのかで，異なってくる。当該信託の目的に鑑みて決定される。

　したがって，善良な管理者の注意という基準によって決定される具体的な行為義務は，信託ごとに異なる[7]。信託財産の管理義務を負うことはたしかだが，そのときも，どのような態様で管理すべきかは，信託の目的との関係で定まる*,**。

　また，理論的には，善良な管理者の注意をもってする信託事務執行義務に含まれるものであっても，公平義務（信託 33 条。→201 頁），分別管理義務（同 34 条。→203 頁），信託事務の委託における第三者についての選任・監督義務（同 35 条。→197 頁），報告義務（同 36 条。→207 頁），帳簿等の作成・報告等の義務（同 37 条。→207 頁）のように，特別の規定が置かれているものもある。

　　＊　**善管注意執行義務と ESG 投資**[8]　　信託事務執行として受託者が株式等

---

6)　道垣内・前出注 5) 42 頁。
7)　裁判例について，条解・174～177 頁〔沖野眞已〕参照。
8)　伊藤正晴「受託者責任を満たすには ESG 要因の考慮が必須か」大和総研調査季報 2017 年秋季号 (28 号) 14 頁以下 (2017)，石嵜政信「ESG 投資と運用機関の受託者責任」信託フォーラム 13 号 89 頁以下 (2020)，山本俊之ほか「ESG 投

に投資を行うときも，もちろん善管注意執行義務を負う。その具体的内容は，信託行為の定めや信託目的によって異なるが（たとえば，日本国籍の会社の株式のみに投資をすることが定められることもあり得るし，法人である委託者の競合会社の株式に投資をしないことが定められることもあり得る），原則的には，最大の利益を上げることができるようにすべく善良な管理者の注意を尽くすことが求められる。ところが，近時，機関投資家は，投資という行動を通じて社会の持続可能性を高めることに貢献するように社会的責任投資（Socially Responsible Investment; SRI）をする責任を負うのであり，その具体化として，ESG（環境（environmental），社会（social），ガバナンス（governance））という評価基準を判断に組み込んだ投資（ESG 投資）がされるべきことが説かれるに至っている。

しかるに，この評価基準を組み込むことが，最大の利益を上げようとする投資行動と矛盾するときが問題になる。つまり，環境に配慮していない会社の株式に投資することが利益を上げることにつながる場合に，受託者が ESG 投資を行い，当該会社への投資を避け，上げられるはずであった利益を上げられなかったとき，善管注意執行義務違反と評価されるのか，ということである。逆に，ESG 要因を考慮しないことが受託者の義務違反になるという考え方もあり得る。

委託者の黙示の意思として，投資パフォーマンスが多少低下しても ESG 投資を望んでいると信託行為が解釈されるときもあろうし，社会的に ESG 投資が求められる性格を有する受託者をあえて選任している場合には，ESG 投資による投資パフォーマンスの低下が容認されていると解釈されるときもあろう。また，投資パフォーマンスに対する委託者の利益が存在しないとき，ESG 投資が受益者の意思に合致すると解されるときもある。さらには，ESG を考慮することにより，投資パフォーマンスがわずかに低下することは一般的に容認されていると考えるべきこともある。

しかし，ESG を評価基準に組み込むべきであると，いくら受託者が考えていても，それにより投資パフォーマンスを犠牲にしてよいとは当然には評価されないというべきである。

＊＊　共同受託者間の相互監視義務[9]　　受託者が複数の場合（→94 頁），各受託者が相互監視義務を負うか，ということが問題にされるが，議論にあたっては，具体的義務内容から明らかにする必要がある。複数の受託者が全員一致

資の視点・手法と日本法における受託者責任」NBL 1189 号 21 頁以下（2021），後藤元「ESG と信託」信託 286 号 6 頁以下（2021）など。

[9] 学説および相互監視義務の具体的内容に関するアメリカ法も含め，松元暢子「信託に関する権限を有する者（受託者・指図権者）が複数存在する場合の責任の検討」神田秀樹＝資本市場研究会編『企業法制の将来展望・2019 年度版』295 頁以下（公益財団法人資本市場研究会，2018）参照。

または多数決に基づいて信託事務を執行すべき場合には，当該信託事務執行について他の受託者の行為を監視することは考えられない。このときは，他の受託者が上記の意思決定ルールに反して行為をしたとき，または，しようとしているときに，損失てん補責任等を追及し（信託85条2項。→252頁），あるいは，受託者の行為を差し止める（同条4項。→274頁）といった権限を適切に行使することが相互監視義務の内容となる。これに対して，共同受託者間の職務分掌の定めがあるときは，ある受託者が分掌している当該職務の範囲を超えて行為をし，または，しようとしているとき，および，当該職務範囲で義務違反行為を行い，または，行おうとしているとき，損失てん補責任等を追及し，あるいは，受託者の行為を差し止めるといった権限を適切に行使することが相互監視義務の内容となる。これらの権限行使は，善管注意執行義務の内容を構成し，当該権限行使のために具体的にどこまでの調査等を行うかは，信託の目的との関係で定まる。たとえば，コストの低減のため，他の受託者が分掌している職務範囲については積極的な調査等を行わず，ただ実際に損失等が生じたことを現認したときに限り，損失てん補責任等の追及をすればよい，という場合もある。また，たとえば信託行為の定めにより，その権限行使にあたって払うべき注意の水準を下げることができる（ただし，以下の(ウ)および(エ)で述べるような制限はある）。

(ウ)　信託法29条2項は，ただし書において，「信託行為に別段の定めがあるときは，その定めるところによる注意」をもって信託事務執行をすることを求めている（その許容される根拠について，→55頁）（なお，受益証券発行信託については注意義務水準の軽減はできない。→358頁）。具体的には，「自己の物と同一の注意で足りる」とする信託行為の定めが考えられる。もっとも，その定めには合理性が要求される。私人が友人のために受託者となるといった例では，「自己の物と同一の注意で足りる」とすることも許容されるが，信託という制度が他者の利益のために受託者が財産の管理等を行うものである以上，その実体を消失させてしまうような特約，たとえば，「何らの注意も要しない」とすることは許されない[10]。

また，受託者につき，善良な管理者の注意を定める信託業法28条2項には，ただし書はなく，信託行為の定めによる軽減は認められないことになっている[11]。信託業法は，特約の私法上の効力を定めるものではない

---

10)　寺本・113頁注(3)，村松ほか・91頁注(4)，道垣内・135頁，樋口範雄『アメリカ信託法ノートⅡ』73頁（弘文堂，2003）条解・181頁〔沖野眞已〕，岡伸浩『信託法理の展開と法主体』65頁（有斐閣，2019）。

が，信託業法が適用される信託においては，信託行為は受託者側によって作成される場合が多く，委託者としては，受託者が信託業法を遵守していることを前提として，信託契約を締結していると思われるので，注意水準の軽減特約がある場合には，委託者が錯誤に陥っていたとして，一部取消しが認められることもあろう。

　㈒　注意水準の軽減と異なるのは，受託者の権限の縮減，受託者の行為義務の具体化，軽過失免責である。以下，順に検討する。

　(a)　受託者の権限の縮減　　善良な管理者の注意による信託事務執行は，信託行為によって受託者に与えられた権限を行使するにあたり求められるのであり，受託者の権限範囲でしか問題にならない。さらに，信託の本旨に従って信託事務を執行するにあたっては，受託者は，信託行為に定められた指示に従わなければならない。

　したがって，たとえば，受託者が投資をするにあたって，特定の投資顧問業者の投資判断に従って投資をするように指示されているのであれば，受託者には自ら投資判断をする権限はなく[12]，投資判断にあたって善良な管理者の注意は問題にならない。逆に，特定の投資顧問業者の投資判断に従う義務を負うことになる。

　信託法上，受託者がその信託事務を信託行為で指名された第三者に委ねた場合でも，当該第三者が不適切等であることを知ったときには，受益者への通知，第三者への委託の解除等の措置をとらなければならないとされている（信託35条3項）。このことからすると，受託者自らが行わない事務についても，受託者はなお一定の義務を負うのではないか，とも思われるかもしれない。しかし，第三者への委託についての信託法の規律は，あくまで信託行為によって受託者の信託事務とされた内容の第三者への委託に関わるものである。自らの信託事務についての第三者による執行だから

---

11)　小出卓哉『逐条解説・信託業法』143頁（清文社，2008）。
12)　これに対して，能見善久「『企業年金の受託者責任』についてのコメント」能見善久編『信託の実務と理論』13〜14頁（有斐閣，2009）は，指図権者の指図に従うという義務が受託者に課されているだけであり，指図とは異なるかたちで信託財産に属する財産を処分しても，権限外行為にはならない，とする。同旨，渡辺宏之「研究・信託法(5)」信託280号42頁（2019）。

こそ，受託者は，一定の義務を負うのである。これに対し，上記の例における投資顧問業者のような**指図権者***の定めは，その定めによって運用判断権限は受託者に帰属しないことになっているのであり，そもそも自らがすべき義務ではない。したがって，当然には同様の規律は妥当しない[13]。

　もっとも，民法上の委任契約に関連して，受任者に対する委任者の指示が不適当である場合には，指示の変更あるいは指示に従わないことの許諾を求めるべきだといわれている[14]。このことからすると，信託報酬（→288頁）の定め方や指図権者を定めた経緯などを考慮する必要はあるものの，一般には，指図権者に明白な義務違反があることを現実に知っているときには，委託者（指図権者との委任契約における委任者）に対してその旨を通知すべき義務等が，受託者に認められるであろう[15][16]。

---

13) 中田直茂「指図権と信託」新井誠ほか編『信託法制の展望』455頁（日本評論社，2011）も参照。
14) 我妻栄『債権各論中巻2（民法講義 V_3）』671頁（岩波書店，1962）。
15) 中田直茂「指図者を利用した場合の受託者責任（下）」金法1860号45頁（2009），道垣内・問題状況239～241頁。木村仁「信託法の規定の半強行法性」椿寿夫編『民法における強行法・任意法』323頁（日本評論社，2015）は，「知り，または知るべきであった」ときには責任を負うとする。また，佐藤勤「指図権者等が関与する信託における受託者等の権限および義務」南山38巻2号55頁（2014）は，受託者は指図権者を監督する義務を負うとし，田中・209頁は，必要な措置をとる義務があるとする。さらに，有吉尚哉「年金特定信託における信託銀行の責任とAIJ事件を踏まえた信託業規制の見直しの動向」NBL990号59頁注(17)（2012）は，指図内容が受益者にとって著しく不利益であることが明らかであるときは，受託者は指図を拒絶する義務を負うことがある，とする。さらに，松元・前出注9) 参照。
16) 厚生年金基金の資産運用に関して，厚生年金基金Xと投資顧問業者と投資一任契約が締結され，受託者である信託銀行Yはただ運用財産の管理のみを行うという仕組みになっていたところ，投資顧問業者Aの指示が不適切であったことについて，YがXに助言をしなかったことが，受託者としての義務に反するものだとして争われた事案がある。東京地判平成27・7・3（LEX/DB 25530845，2015WLJPCA07038004）は，「基金は，自らの責任と権限において，その資産の運用方法と運用受託機関を決定すべき立場にあり，基金が，その資産の運用方法として投資一任業者との年金投資一任契約を選択し，信託銀行との間で，信託銀行が投資一任業者の指図のみに基づいて信託財産を運用することを内容とする年金特定信託契約を締結したときは，信託銀行は，投資一任業者の運用指図に従うべき立場にあるのであって，投資一任業者の運用方法の適否について

また，複数の受託者が選任され，職務分掌の定めがあるときには（→100頁），各受託者の権限は縮減されていることになるが，信託行為の解釈として，各受託者は善良な管理者の注意をもってする信託事務執行義務の内容として，他の受託者に対する監視義務を負うこともありうる（→182頁＊＊）。

(b) 受託者の行為義務の具体化　具体的な義務内容が，信託行為に定められることがある。たとえば，「借入権限の行使にあたっては，2つの都市銀行と交渉をしたうえで，より低い金利で借入れをせよ」という信託行為の定めである。これは，費用対効果を考えて義務内容を限定しているものであり，このとき，受託者はより多くの銀行と交渉をする必要はない。もっとも，3つの銀行と交渉をしたとき，権限違反行為となり，3つめの銀行との交渉に要した費用につき受託者が費用償還を請求できないか，は別問題である。原則として，その費用の償還は請求できないが，3つめの銀行と交渉することが，善良な管理者の注意による合理的な判断に基づくものといえる場合には，償還請求が可能な場合もあろう[17]。

(c) 軽過失免責の定め　会社法においては，取締役につき，法令および定款の定めに従う義務が明示され（会社355条），その違反自体は客観的に判断されるが，その責任を追及するためには，違反について故意または過失を必要とするのが判例[18]である。このような構造のもとでは，軽過失免責特約にも存在意義はある。

しかし，善良な管理者の注意を基準にして行為義務内容を定めるとき，たとえば法令遵守については，法令違反がないことについて，善良な管理

監視や基金への助言をする責務を負う立場にはな」く，Yに「任務懈怠があるといえるのは，YらがXその信託事務を処理するに当たり，Aの運用が明らかに不当で原告に重大な損失が生ずる危険性が高いことを認識していたか又は容易に認識し得た一方，委託者であるXにおいてはそのことを認識し得なかったのに，YらがXにそのことを告げなかったというような例外的な事情が認められる場合に限られるというべきである」とし，いずれもYの責任を否定している（控訴審である東京高判平成28・1・21（LEX/DB25542150, 2016WLJPCA01216003）も同旨）。妥当であろう。

17) セミナー(2)・14〜17頁参照。
18) 最判昭和51・3・23金判503号14頁。

者の注意を標準にして求められる確認を受託者として行えば，そもそも義務違反が存在しないというべきである。会社法においては，とりわけ法令遵守義務という客観的に違反の有無が定まる事項につき定めたために，過失を別個の要件として考える必要が生じているが，信託法の下では，法令遵守義務は，善良な管理者として法令に反しないように確認をするという行為義務に解消されるのであり，義務違反と過失とを分けて考える必要はない。

そうすると，軽過失免責特約とは，結局，低下したレベルでの確認義務のみを課すという特約に他ならず，(b)に吸収されることになる。

＊　**指図権者**　(i)　信託行為によって，一定の事項につき受託者が裁量権限を有さず，特定の者からの指示に従うべき旨が定められることがある。このような指示を行う者を**指図権者**という。場合によっては，株式投資などの運用を指図権者が直接行うタイプのものもあり，このときについては，受託者と共同受託関係にあるという見解[19]，指図権者に対して受託者から代理権が授与されているとみるべきだとする見解[20]がある。とくに議論されているのは，指図に基づいて，あくまで受託者が信託事務を執行するタイプであり，以下これについて説明する。また，指図権者が委託者や受益者[21]のこともあるし，第三者のこともある。前二者の場合には受働信託との関係が問題になる（→54頁＊）。

(ii)　指図権者との関係で受託者が負う義務については本文で述べたが，指図権者がいかなる義務を誰に対して負うか，が問題である。この点では，まず，指図権者が誰であるかで異なることが指摘されている。

指図権者が単独受益者であるときは，自分の利益のために指図権を行使するのであり，指図権者としての義務を観念する必要はない[22]。委託者であるときは，信託を自由にデザインするというだけであり，指図のあり方も自由であるとも思われるが，委託者が単独受益者である場合を除き，受益者との関係では適切な指図をすることを引き受けていると解されるから，第三者が指図権者である場合と同一に解してよい[23]。そして，第三者（複数受益者の1人であ

---

19)　能見・42頁。
20)　福井修「職務分担型の信託における責任」富大経済論集58巻1号35頁（2012）。
21)　能見・前出注12) 14頁は，受益者に与えることはできないとする。
22)　木村仁「指図権者等が関与する信託の法的諸問題」関学64巻3号112頁（2013）。
23)　木村・前出注22) 113頁。ただし，尽くすべき注意の水準は軽減されるとす

る場合を含む）が，委託者からの委任を受けて指図権者となっているときは，委託者に対して委任契約上の債務を負うことはもちろん，受益者に対しても，受託者と同様の善管注意執行義務・忠実義務を負うとする見解が有力である[24]（なお，信託業法65条は，指図権者に受益者のために忠実に指図をする義務を課し，同法66条は，若干の具体的な行為準則を定めている）。そして，その違反については，信託法40条（複数の指図権者がいる場合や受託者にも義務違反がある場合には，同法85条）の類推が説かれる[25]。以上のように解する根拠としては，指図権者が第三者であるときは，委託者と指図権者との間の契約を第三者のためにする契約と考え，指図権者が委託者であるときは，一方的債務負担行為であるととらえることになろう（なお，指図権者が費用償還義務を負う可能性について，→287頁＊）。

(オ) 受託者が，ある行為をするに際して，受益者と協議し，その同意を得ていたときはどうか＊。信託法42条は，受益者は受託者の損失てん補責任等を免除できることを規定するが，これは事後的な免除である（→270頁）。

とりわけ，受益者が専門的な知見を欠くままに，受託者に対して同意をしたからといって，受託者の責任が解除されることにはならない。受託者は信託行為によって適切な事務執行を委ねられているのであって，受益者の同意があっても，善良な管理者の注意をしているか否かの判断において，そのことが考慮されることがあるにとどまるというべきである。

＊ **同意権者** 受託者が一定の行為をする際，特定の者の同意を得るべきことが信託行為に定められることがある。**同意権者**である。共同受託者に類似するが，同意権者は受託者の行為に対して拒否権を有するだけであり，一定の行為をしようとする判断は受託者がするのであるから，共同受託者とはいえない。そして，特定の事務執行にあたり，同意権者の同意があったからといって受託者が責任を免れるわけではない[26]。また，同意権者が同意しないことが不適切であるとき，受託者は同意なしに行為できるという見解もあるが，行為できるということを超えて，行為しなければならないとすると，受託者に不当な判

る。
24) 中田・前出注15）42頁，佐藤勤「現代型信託にかかる信託関係者の責任」新井誠ほか編『信託法制の展望』249頁以下（日本評論社，2011），佐藤・前出注15）52頁。
25) 須田力哉「指図を伴う信託事務処理に関する法的考察」信研34号23頁（2009），木村・前出注22）111頁。松元・前出注9）327頁も同旨。
26) 中田・前出注15）46頁，木村・前出注22）118〜119，138〜139頁。

断リスクを課すことになり、妥当ではない。同意権者に明白な義務違反があることを受託者が現実に知っているときに限って、善管注意執行義務の一環として、委託者に対する通知義務があるにとどまると解すべきであろう。

2 第三者への委託

(1) 第三者委託の可能範囲の拡大

受託者は委託者に自らが信頼されて信託事務を委ねられたのだから、その信頼に応えるべく、・自・ら・がその事務を処理しなければならない、とも考えられる。民法104条はそのような考え方をとっており、旧信託法26条1項も同様であった。つまり、自己執行義務が課されていたわけである。

しかしながら、現在では、専門分野は種々に分かれ、それぞれに専門家が存在する状況になっている。受託者にされた者が、外国株式市場における投資から不動産投資、さらには、土地信託におけるビル建設まで自分でできるわけではなく、適切な専門家に頼むことこそ、かえって受益者の利益を図ることになる。また、代理においては、代理人は当該代理人を選任した本人の利益を図るという構造にあるのに対し、信託では、制度の構造上の原則は、受託者を選任した委託者は受益者とは別であり、受託者は受益者の利益を図るのだから、任意代理についての民法104条と同様の規律にする必然性はない[27]。

そこで、信託法28条は、信託行為に第三者委託が可能である旨の定めがある場合や、やむを得ない場合はもちろん、定めがない場合にも、「信託事務の処理を第三者に委託することが信託の目的に照らして相当であると認められるとき」には、受託者は信託事務を第三者に委託することができるものとし、第三者委託が可能な範囲を拡大した。

しかし、その認められる範囲、委託の場合の法律関係など、問題は残っている。

(2) 第三者委託の範囲

まず、どのような場合を、信託事務処理が第三者に委託されている、ととらえるべきか。すなわち、旧信託法の下でも、学説上は、受託者の手足

---

[27] 佐久間・97頁。

として使用される者（講学上の「真の意味の履行補助者」）を用いることが許されるのはもちろん，独立的な裁量的判断に基づいて事務を執行する者以外の者[28]，さらには，弁護士，弁理士，会計士，宅建業者などの専門家を用いることも当然に許されると解されていた[29]。そして，このような解釈は新信託法の下でも妥当し，たとえば，土地信託において，ビルを建築するといった事柄は，そもそも「信託事務」の範囲に入らず，適切な建築業者に依頼することが受託者のすべき信託事務内容であり，建築業者への依頼は，信託法28条にいう「第三者に委託すること」には該当しない，また，法律問題についての弁護士への依頼も同様である，と主張されている[30]。

他方で，信託法28条2号は，広く，「信託事務の処理を第三者に委託することが信託の目的に照らして相当であると認められるとき」には信託事務を第三者に委託することができるとしているのだから，旧法下と異なり，あえて「信託事務の処理を第三者に委託すること」の意味を狭く解する必要はなく，受託者である会社の従業員のような狭義の履行補助者はともかく，専門的な事務を委託する場合（弁護士・会計士など）も，機械的な事務を委託する場合（信託財産に属する財産の運送についての運送業者）も，委託を受けた者は原則としてすべて「第三者」にあたるとする見解もある[31]。

建設業者への委託や弁護士への委託の場合には，それらの者に委託することが，「信託の目的に照らして相当である」と思われるので，信託法上は結論の差異が生じるわけではない*。しかし，明示の定めがなくても，信託行為の解釈として，「第三者に委託すること」が受託者のすべき信託事務内容となっており，委託を受けた者がすべき行為が信託事務とはなっていないと考えるべき場合はあるように思われる[32]。

---

[28] 四宮・237頁，新井・293頁，川北清道「自己執行義務と代人使用について」信研13号18頁（1989）など。
[29] 四宮・236～237頁など。
[30] セミナー(2)・33頁以下。
[31] 寺本・110頁注(4)，村松ほか・82頁注(1)。
[32] 山下純司「信託事務の第三者委託について」能見善久ほか編『信託法制の新時代』120～121頁（弘文堂，2017）は，受託者のすべき信託事務内容の第三者

また，たとえば海外の有価証券運用を行う場合，そもそも受託者自身が当該有価証券の保管を行うことは想定されておらず，「海外のカストディアンが保護預りをする証券への投資」がされていると解すべきであると指摘されている[33]。賛成すべきである。

＊ **信託業法における規律** （ⅰ） 信託業法22条は，信託業法が受託者に適用される場合につき，「信託業務」の一部を第三者に委託することができるための要件を，信託法よりも厳しいものとしている。具体的には，「信託業務の一部を委託すること及びその信託業務の委託先（委託先が確定していない場合は，委託先の選定に係る基準及び手続）が信託行為において明らかにされていること」，「委託先が委託された信託業務を的確に遂行することができる者であること」が必要であるとしており（同条1項1号・2号），委託を受けた者について，忠実義務・善管注意執行義務・分別管理義務・利益相反行為避止義務を課している（同条2項による同法28条・29条の準用）。

もっとも，このような規制については，「信託財産の保存行為に係る業務」，「信託財産の性質を変えない範囲内において，その利用又は改良を目的とする業務」，「前二号のいずれにも該当しない業務であって，受益者の保護に支障を生ずることがないと認められるものとして内閣府令で定めるもの」という例外が認められている（同22条3項）。

そして，ここにいう「内閣府令で定めるもの」として，信託業法施行規則29条は，「信託行為に信託会社が委託者又は受益者（これらの者から指図の権限の委託を受けた者を含む。）のみの指図により信託財産の処分その他の信託の目的の達成のために必要な行為に係る業務を行う旨の定めがある場合における当該業務」（1号），「信託行為に信託業務の委託先が信託会社（信託会社から指図の権限の委託を受けた者を含む。）のみの指図により委託された信託財産の処分その他の信託の目的の達成のために必要な行為に係る業務を行う旨の定めがある場合における当該業務」（2号），「信託会社が行う業務の遂行にとって補助的な機能を有する行為」（3号）を規定している。

（ⅱ） さらに，金融庁の「信託会社等に関する総合的な監督指針」（以下は，令和3年7月改正のものによる）3-4-5は，信託業法22条3項1号・2号の「信託財産の保存行為に係る業務」，「信託財産の性質を変えない範囲において，その利用又は改良を目的とする業務」，および，信託業法施行規則29条について，その具体的な運用指針を明らかにしている。

それによれば，まず，「信託財産の保存行為に係る業務」とは，「信託財産の

への委託とそれ以外を区別する意義を否定する。たしかに，信託法上は区別の必要性に乏しいが，信託業法の適用との関係でなお意義が認められる。
33) 福井修「信託におけるカストディアン」道垣内弘人ほか編『信託取引と民法法理』211頁（有斐閣，2003）。

現状を維持するために必要な一切の行為」であり，たとえば，「未登記不動産等について登記等を行う行為」，「配当，利息の受取り等財産権からの予定された収益を収受する行為」等がこれに該当する。

次に，「信託財産の性質を変えない範囲内において，その利用又は改良を目的とする業務」とは，「物や権利の性質を変更しない範囲で，収益を図る行為（利用行為）又は利用価値若しくは交換価値を増加させる行為（改良行為）」であり，たとえば，「信託財産の管理又は処分により生じた金銭を普通預貯金により管理する行為」や「財産権から担保権という負担を除去する行為」がこれに該当するとされる。

さらに，信託業法施行規則29条1号・2号にいう「指図」の内容は，「信託財産の管理又は処分の方法を受託者又は委託先の裁量を生じないように特定する必要がある」とし，同条3号の「補助的な機能を有する行為」とは，「『定型的なサービス提供者がそのサービスを提供する行為』，『単純な事務を処理する行為』，『弁護士・会計士等が専門家として提供する行為』のように，信託会社から委託を受けた業務が，信託の目的，信託会社が行う業務の内容等に照らして，信託事務処理の手段である行為を補助するに過ぎないもの」であるとされ，たとえば，「運送会社が信託財産を運搬する行為」，「証券会社が有価証券を補助的に売買する行為」，「不動産会社が不動産を補助的に処分する行為」，「弁護士が訴訟の委託を受ける行為」がその例としてあげられる。

(ⅲ) 概して，例外となるのはかなり狭い範囲である[34]。そうすると，信託会社は広い範囲で信託業法22条の要件の遵守が求められることになる。しかし，それでは信託業務の機動性が損なわれ，実態にも適合的でないとして，一定の範囲の行為を，そもそも第三者への委託という概念から排除しようという主張がされることになるのである。

(3) 第三者委託の法律関係[35]

委託を受けた第三者がする行為は，直接に信託事務執行になるわけではない。当該第三者はあくまで受託者との間の契約に基づいて一定の事務を引き受けているのであり，当該第三者の行為は，受託者との契約に基づく行為にすぎない。たとえば，当該第三者が，受託者からの委託に基づいて，

---

34) その背後には，広く第三者委託を認めることが，信託業務に対する免許制の潜脱につながることへの懸念があることを指摘するものとして，福井修「他人を使用した場合の責任」新井誠ほか編『信託法制の展望』241頁（日本評論社，2011）。

35) 精緻な分析として，佐久間毅「受託者の第三者委託『権限』」関西信託研究会編『信託及び資産の管理運用制度における受託者及び管理者の法的地位』39頁以下（トラスト60, 2014）参照。

ある物を調達したとき，当該第三者が当該物の所有権を取得したからといって，当該物がその時点で信託財産に属するわけではない。当該第三者が，受託者との契約に基づいて，当該物の所有権を受託者に移転した時点で，当該物は信託財産に属するのである。また，当該第三者が，受託者からの委託に基づいて，信託財産に属する特定の財産を売却し，売買代金債権を取得したとする。もちろん，当該第三者が受託者から代理権を授与されており，その代理行為として売買契約をしたのであれば，売買代金債権は受託者に帰属し，信託財産に属する財産となる。しかし，当該第三者が委託販売契約によって売主となって売買代金債権を取得し，回収金を受託者に引き渡す義務を負っているのであれば，受託者に帰属し，信託財産に属することになるのは，受託者が当該第三者に対して有する回収金引渡請求権であり，売買代金債権ではない。

(4) 「第三者」の範囲

委託可能な「第三者」には，委託者や受益者，さらには共同受託者の1人を含むか。

共同受託者への委託については，信託法82条に規律があり，「信託行為に別段の定めがある場合又はやむを得ない事由がある場合」に限定される。複数の受託者を選任した趣旨に反するおそれが存するからである。

委託者や受益者に対する委託については，それらの者が，当該信託事務にたまたま適合的な能力を有していることはあり得るし，受益者が多数存在する信託においては，受益者の1人に対して委託がされても，委託を受けた者が受益者であることが受託者にわからない場合もあろう。また，たとえば債権の流動化を目的とする信託において，委託者がサービサーとして債権の回収を行う事例はしばしば見られる。さらに，委託者に対する委託においては，実質的には，委託対象事務の権限が委託者に留保されていると見るべき場合もある。一律に禁止するのではなく，信託の有効要件との関係で評価すべきである（→18頁）。

信託行為の定めによって委託する場合でも，信託事務内容のすべてを第三者に委託することは認められないという見解があり[36]，結論としては妥当である。しかし，第三者委託や信託行為の定めの有効性の問題として

ではなく，信託の有効要件との関係で評価すべきであろう。つまり，受託者が，一定の目的に従い財産の管理または処分その他の当該信託の目的に必要な行為をすることになっていないと評価されれば，信託の有効性は否定される（信託法2条1項の信託の定義に合致しない）。ただし，受託者が，それぞれの信託事務を様々な第三者に委託し，その委託契約を通じた管理をしているときには，信託の有効性は否定されない。

(5) 適法な第三者委託のための要件

(ア) 信託行為における定め　(a) 信託行為において，「第三者に委託する旨又は委託することができる旨の定めがあるとき」には，委託が認められる（信託28条1号）。ある意味で当然であるが，「第三者に委託する旨」の定めがあるときは，「第三者に委託すること」が信託行為によって受託者に委ねられた信託事務であり，受託者が遂行義務を負っている信託事務を第三者に委託したと評価すべきでない場合もある（→189頁）。

(b) 信託行為に定めがなく，あるいは，信託行為に信託事務の処理を第三者に委託してはならない旨の定めがあるときに，委託者や受益者の個々的な承諾があれば，第三者委託が認められるであろうか。

信託法28条2号の問題として，委託者や受益者の承諾が，「信託の目的に照らして相当である」か否かの判断に一定の影響を及ぼすことはあり得る。しかし，第三者への委託は，受託者の信託事務執行であり，善良な管理者の注意をもってしなければならないのであるから（同29条2項），委託者や受益者の承諾のみで相当性が肯定されることにはならない。また，信託行為で委託が禁じられているときについては，信託の変更（同149条1項。→413頁）の問題としてとらえるべきである。

(イ)「信託の目的に照らして相当であると認められるとき」　信託行為に第三者委託に関する定めがない場合においても，「信託事務の処理を第三者に委託することが信託の目的に照らして相当であると認められるとき」には，信託事務を第三者に委託することができる（信託28条2号）。相当か否かは，当該信託の目的に照らして判断されるのであるから，受託

---

36) 新井・292頁。

者自らが信託事務を執行することを当該信託が重視しているのであれば，相当性は否定されることになる。しかし，一般的には，能力・費用・時間等を総合考慮して，第三者に委託した方が，より的確に，あるいは，より効率的に事務執行ができる場合には，相当性が肯定されることになる[37]。

逆に，信託目的に照らして，第三者へ委託することが相当であるにもかかわらず，能力の低い受託者・より費用のかかる受託者が，第三者委託をせず，自分で信託事務を執行したときには，善良な管理者の注意に反した信託事務執行となり得る（同29条2項）。

(ウ)「信託の目的に照らしてやむを得ない事由があると認められるとき」
「やむを得ない事由」の有無も「信託の目的に照らして」判断される（信託28条3号）[38]。つまり，受託者が病気になった場合や，受託者が有しない特殊な能力が必要となった場合に，信託事務執行を一時的に停止し，または，信託を終了することが信託目的に合致しているのか，それとも，信託目的との関係で，第三者委託をしてでも継続することが求められるのか，という判断が必要になる（→427頁）。さらに，受託者が執行できない事態が継続すると思われる場合には，第三者委託ではなく，辞任によって対処すべき場合もある（同57条。→293頁）。正当性が認められる例としては，たとえば，「受託者が一定の免許を有していたので，信託事務としてある種の取引を行うことができていたが，一時的に免許を喪失した。しかし，その取引を継続することが妥当である」といったものが考えられる。

なお，旧法下では，「已ムコトヲ得サル事由アル場合」であっても第三者委託ができないとする特約の有効性について議論があったが[39]，「やむを得ない事由」の有無も「信託の目的に照らして」判断されることを前提とするならば，当該特約は，そのような事態になると信託が終了することを予定しているものと考えるべきである。

---

37) 寺本・109~110頁注(3)。なお，新井・295頁は，受託者より低い能力しか有しない他人に委託することは，信託法35条1項に反するとするが，そこにいう能力は，費用・時間等を加味した効率性だと考えるべきである。
38) 道垣内・138頁。
39) 川北・前出注28) 23頁，上山泰「『代人』使用の法的問題点」信託178号54頁（1994）参照。

㈡ 「第三者に委託すること」が受託者のすべき信託事務となっているときはもちろん，受託者が履行義務を負っている「信託事務」を「第三者に委託する」ときであっても，「第三者に委託する」という行為は信託事務執行である[40]。そして，その委託を行う権限が，一定の要件のもとで，受託者に認められていると理解される。

したがって，信託法28条の要件を満たさないときは，第三者委託は受託者の権限違反行為となり，同法27条に従って，受益者は委託を取り消すことができそうである（→85頁）。しかしながら，同法28条2号および3号の要件は，いずれも評価的な判断を要するものであるから，その要件を充足するか否かは形式的な判断では決まらない。しかるに，ある行為が受託者の権限の範囲内であるか否かは，当該行為の性質から抽象的に判断されるものである（→83頁）。そうすると，第三者への委託は，行為の性質から抽象的に判断する限り，同条の要件を満たしていないときでも，受託者の権限外行為とはならないというべきである[41]。したがって，受益者がそれを取り消すことは認められない。たんに，受託者の善管注意執行義務違反となる。したがって，当該第三者の有する報酬債権は信託財産責任負担債務となる（信託21条1項5号）[42]。

また，要件充足に関する判断も信託事務の執行であり，受託者は，善良な管理者の注意をもって，その判断をしなければならないが（同29条2項），その注意を尽くしている限り，結果として，判断に誤りがあったからといって，受託者が責任を問われるわけではない。

適法要件を満たしていないことを知りながら，あるいは，善良な管理者の注意を欠いていたため，要件充足に関する判断を誤った場合は，第三者に委託することが，善管注意執行義務違反となり，その結果，信託財産に損失等が生じたときは，受託者は損失てん補責任等を負う。委託と損失等の発生との間の因果関係の立証について特則があるが（同40条2項），後に説明する（→259頁）。

---

40) 山下・前出注32）113頁。
41) 本書初版・178頁では権限外行為であるとしたが，改説する。
42) 佐久間・107頁。

3 第三者委託の場合の受託者・第三者の責任

(1) 受託者による選任の場合：責任限定の根拠

(ア) 第三者に信託事務執行が委託される場合，当該第三者を受託者自らが選任する場合と，信託行為によって第三者が指名されていたり，委託者や受益者に指名権が与えられていたりする場合がある。

まず，前者の当該第三者を受託者自らが選任する場合を考える。

このとき，第三者委託を広く認めるが，当該第三者の債務不履行については受託者が全面的に責任を負う，という制度もあり得る。しかし，信託法35条1項・2項は，適法な第三者委託については，受託者は当該第三者の選任・監督についてのみ責任を負うとしている[43]。分業化の進んだ現代社会において受託者が負っているのは，適切な判断のもとに第三者を適宜用いながら，善良な管理者の注意のもとで信託事務の執行をするという義務であるという理由である（→189頁）[44]。もちろん，信託行為の定めによって，当該第三者の行為のすべてについて受託者が責任を負うなど，より重い責任を定めることは可能である。

(イ) 選任・監督義務の内容

(a) 受託者は，信託の目的に照らして適切な者に委託しなければならない（信託35条1項）。その義務内容は，2つに分かれる。

第1に，委託先の選任である。善良な管理者の注意をもってすれば足りるのであり，逆に，余分な時間と費用をかけると，善良な管理者の注意に反することになる。

第2に，委託契約の内容の適切性の確保である。たとえば，不当に高額

---

[43] 委託を受けた第三者の債務不履行により信託財産に損失等が発生したときで，その損失等の額が，当該第三者の負う損害賠償責任額を上回るときには，受託者はその差額について責任を負う，という見解もあるが（岸本雄次郎「自己執行義務と第三者への委託」金判1261号53〜54頁（2007），新井・297頁），妥当でない。受託者が，信託法40条によって責任を負うのは任務懈怠があったときのみであり，適法な第三者委託がされ，選任・監督義務を尽くしている限り，受託者が責任を負うことはない。

[44] この点で，山本敬三「受託者の自己執行義務と責任の範囲」道垣内弘人ほか編『信託取引と民法法理』135〜136頁（有斐閣，2003）参照。

な報酬が必要となるような委託をしてはならず、また、委託先の責任を不当に軽減するような条項がある契約をしてはならない。もちろん、責任制限があってはならないということではなく、対価と重要性に鑑みて、適切な内容にしなければならないということである。

　受託者が、選任について負う義務の内容を決する注意水準は、信託法29条2項で定まる。同項ただし書による別段の定めの効力が認められるためには、合理性が必要になることは、すでに説明した（→183頁）。

　(b)　受託者は、委託後も、当該第三者に対し、信託の目的達成のために必要かつ適切な監督を行わなければならない（信託35条2項）。具体的な行為義務は、選任義務について述べたところに準じる。不相当な時間と費用をかけて、監督をすることは求められない。善良な管理者の注意をもってすれば足りる。

　(2)　信託行為において指名されている場合、または、委託者または受益者の指名に従う旨の定めがある場合

　(ア)　「信託行為において指名された第三者」（信託35条3項1号）または「信託行為において受託者が委託者又は受益者の指名に従い信託事務の処理を第三者に委託する旨の定めがある場合において、当該定めに従い指名された第三者」（同項2号）に信託事務の処理を委託したときは、受託者は当該第三者について選任・監督の義務を負わない（同項柱書）。当該第三者は受託者によって選任されたものではないからである（したがって、一定の条件に該当する者の中から受託者が選ぶ、といったように、指名に関する条件を定めたにすぎない場合には、信託法35条3項に該当しない[45]）。

　(イ)　しかし、受託者が選任した者ではない、という理由は、選任にあたっての義務を免れさせるには十分であるが、選任後については、信託事務が円滑に遂行されていくことを確保する義務が受託者に課されていると考えることができる。そこで、信託法35条3項ただし書は、信託行為において指名された第三者に委託した場合等であっても、当該第三者が不適任もしくは不誠実であること、または、当該第三者による事務の処理が不適

---

45)　村松ほか・85頁注(6)。

切であることを知ったときは，受託者は，その旨を受益者に対して通知したり，当該第三者への委託の解除その他の必要な措置をとったりしなければならない，と規定している。ここで，「知ったとき」とは，文言からすると，現実に知ったときに限るようである[46]。これに対して，受託者の善管注意執行義務に鑑みると，適切な監督をしていれば不適任・不誠実・不適切を発見できたときには，同ただし書の義務違反であり，信託法29条2項に基づいて責任を負うという見解も強い[47]。

　結論としては，一律に決定できるような問題ではないように思われる。すなわち，委託先たる第三者を指名するという信託行為の趣旨が，一定の事務については当該第三者に委ね，受託者に関与させない，というものであるときもある。そのようなときには，受託者は監督義務を負わず，不適任・不誠実・不適切を現実に知ったときにのみ，受益者に対する通知等の義務を負うと解すべきであろう。これに対して，監督が当然に期待されている場合もあるのは，たしかである。信託法35条4項にいう特約の存在認定を柔軟にすることによって対処するのが妥当であると思われる。なお，受益証券発行信託においては，同条3項ただし書に定める受託者の義務を軽減することができない（同212条2項。→358頁）。

　(ウ)　上述したように，受託者に信託法の諸規定によるよりも重い義務を課す旨を信託行為に定めることはできる（同35条4項）。

　逆に，委託先たる第三者の監督は，たとえば委託者が行うこととし，受託者には通知義務等も課さないという信託行為の定めも可能である。

　(3)　委託された第三者の責任

　委託先たる第三者の責任は，受託者との間の契約に基づく。当該第三者は受益者に対して直接には義務を負わない。このことは次のような理由から妥当である。

---

[46]　2017（平成29）年改正前民法105条2項については，そのような解釈が通常であった（於保不二雄編『注釈民法(4)』64頁〔太田武男〕（有斐閣，1967）参照）。

[47]　大山和寿「信託事務処理の委託先が指名されている場合における受託者の責任」米倉明編『信託法の新展開』197～200頁（商事法務，2008），新井監修・154頁〔木村仁〕，渡辺・前出注12）39頁。

受託者から委託を受けた第三者は，自らの職務が受託者の信託事務の一部を執行することであることを知らない場合もあれば，知っていても，その職務の性質上，当該第三者の職務が独立的であると評すべき場合もある。さらには，当該第三者は受託者との契約に基づいて受託者に対して責任を負っているのであり，受託者から受け取る対価との関係で，責任制限がされている場合もある。このとき，当該第三者が，その制限以上の責任を負うことは不当である。そして，当該第三者が受益者に対して直接に責任を負わなくても，受託者が当該第三者に対して有する損害賠償請求権等が信託財産に帰属するのだから，受益者の保護を図ることができる[48]＊。

＊　**信託業法による規律**　信託業法23条1項は，「信託会社は，信託業務の委託先が委託を受けて行う業務につき受益者に加えた損害を賠償する責めに任ずる。ただし，信託会社が委託先の選任につき相当の注意をし，かつ，委託先が委託を受けて行う業務につき受益者に加えた損害の発生の防止に努めたときは，この限りでない。」と規定している。これは，信託法とは，立証責任を逆転したものである。

同条2項は，「信託行為において指名された第三者」（1号），「信託行為において信託会社が委託者の指名に従い信託業務を第三者に委託する旨の定めがある場合において，当該定めに従い指名された第三者」（2号），「信託行為において信託会社が受益者の指名に従い信託業務を第三者に委託する旨の定めがある場合において，当該定めに従い指名された第三者」（3号）に委託をした場合には，上記の責任は課されないとしている。ただし，第1号・第2号については，「株式の所有関係又は人的関係において，委託者と密接な関係を有する者として政令で定める者に該当し，かつ，受託者と密接な関係を有する者として政令で定める者に該当しない者」に委託したときに限られる。第3号と合わせて考えると，委託者側に属する第三者や受益者が指名した第三者の行為については，受託者は原則として責任を負わないが，当該第三者が受託者側に属する場合には，なお責任を負う，ということになる。

もっとも，受託者が上記の責任を負わない場合でも，委託先が不適任もしくは不誠実であること，または，当該委託先が委託された信託業務を的確に遂行していないことを知りながら，受益者に対する通知・委託契約の解除等の適切な措置をとらなかったときには，同条1項の責任を負う（同条2項ただし書）。

さらに，委託先にも，忠実義務・善管注意執行義務・分別管理義務・利益相反行為避止義務を課している（同法22条2項による同法28条・29条の準用）（→191頁＊参照）。ただし，委託先が，自らが委託を受けた業務が信託法上の

---

48)　寺本・142〜143頁。

第三者委託に該当することを知らない場合もあり，これらの義務規定について，私法上の効力をそのまま是認することはできない。

第2節　公平義務

1　同一信託の受益者間の公平

(1) 原　　則

(ア)　受益者が2人以上ある信託においては，受託者は，受益者のために公平にその職務を行わなければならない（信託33条）。**公平義務**という。

これは，同等のものは同等に扱わなければならないというだけであり，たとえば，信託行為において，受益者B_1には毎月10万円を交付し，受益者B_2には毎月5万円を交付する，とされていたときに，それに従うべきは当然である。

問題は，異種の受益者間の利益が対立する場合はどうすべきかである。たとえば，受益者の中に優先受益権を有する者と，劣後受益権を有する者とが存在し，信託行為において，前者に1000万円を交付して，残りがあれば後者に給付する，とされているところ，現在，1100万円相当の信託財産があるとする。このままでは劣後受益者には100万円しか給付されないが，優先受益者には1000万円満額が確保されている。そこで，優先受益者の利益を考えれば，危険な投資をせず，1100万円を維持するのがよいことになるが，劣後受益者の利益を考えると，ハイリスク・ハイリターンの投資を試みるべきであるとも考えられる。

難問であるが，受託者としては，いずれにせよ信託財産を最大にすべく行動し，その際には，各受益者にどのように配分されるかは原則として考慮しなくてよいと思われる[49]。例外となるのは，当該信託の目的に照らすとき，たとえば上記の事例であると，劣後受益者にも最低でも200万円の給付を維持することが求められるといった場合，逆に，優先受益者には

---

49)　道垣内・143頁，新井監修・140頁〔木村仁〕。アメリカ信託法におけるトータル・リターン・アプローチに対応する（樋口・前出注10) 172〜173頁参照）。

ぜひとも1000万円を給付することが求められるといった場合である。このときには、その趣旨に従った運用が求められることになる。

(イ) 信託行為に定めがあればそれに従う。信託法33条が、とくに信託行為に別段の定めがある場合について言及していないのは、受益者の権利内容が信託行為によって定まるのは当然だからである。

また、同じく信託行為において、たとえば、複数の受益者のうちで生活資金の不足している者に与えるといった定めがされ、その判断権限が受託者に委ねられているとき（**裁量信託**。→317頁＊）においては、受託者が、信託目的に従って、善良な管理者の注意をもって、その判断を行うべきことになる。信託行為によって第三者を指定し、その者に受益者への給付内容を決定させるという仕組みも有効である。

(2) 性　　質

公平義務の履行は、複数の受益者の一部に不当な利益を与えるという問題にとどまらず、当該信託の目的を考慮しつつ、善良な管理者の注意をもってする判断の性格を有する。したがって、後に述べる、複数信託間の公平を図る義務と異なり、善管注意執行義務の1つだと考えるべきである[50]。

2　複数の信託間の公平

信託法33条の定める公平義務は、同一の信託における受益者間の公平を規定する。これに対して、同一の者が複数の信託の受託者となっているとき、その間についても受託者は公平に信託事務処理を行う必要がある。一方の損失の下、他方に利益を与えることをしてはならない。

このような不当な差別的取扱いの禁止は、後に述べる利益相反行為の制限についても見られるところであり（信託31条1項2号）、忠実義務の問題として整理されている。したがって、後に述べることにする（→250頁）。

---

50) 理由付けは異なるが、寺本・135頁注(1)、村松ほか・106頁注(2)。また、旧法下の学説であるが、四宮・248頁。反対説として、たとえば、中野正俊「信託受託者の公平義務」遠藤浩傘寿『現代民法学の理論と課題』652～653頁（第一法規、2002）。

第3節　分別管理義務

1　総　　説
(1)　信託法の規律

　受託者は，信託財産に属する財産につき，自らが利益帰属権者として行動することはできず，受益者の利益のために，それについて管理・処分等をすることになる。そのため，信託法34条は，受託者は，信託財産に属する財産につき，固有財産に属する財産や他の信託の信託財産に属する財産と，分別して管理しなければならない，としている。**分別管理義務**という（なお，合同運用の場合につき，→96頁＊＊）。

　具体的な分別管理の方法は，後に述べるように，一定の範囲で信託行為によって別の定めをすることができるが，4つに分けて規定されている。
① ④に定める財産を除き[51]，信託法14条の登記または登録をすることができる財産，つまり，「登記又は登録をしなければ権利の得喪及び変更を第三者に対抗することができない財産」については，当該信託の登記または登録をする方法（信託34条1項1号），
② ①および④に定める財産を除き，金銭以外の動産については，信託財産に属する財産と固有財産および他の信託の信託財産に属する財産とを外形上区別することができる状態で保管する方法（同項2号イ），
③ ①，②，④に定める財産以外の財産については，その計算を明らかにする方法（同号ロ），
④ 法務省令で定める財産については，法務省令で定める方法（同項3号），

である。

　①は不動産のほか，船舶，航空機，自動車などである（→145頁）。信託法206条1項および他の法律（たとえば，振替社債（社債株式振替75条））に

---

51)　ただし，④について，そこでいう法務省令である信託法施行規則4条が，信託「法14条の信託の登記又は登録をすることができる財産」を「法務省令で定める財産」から全体として除外しているから，現時点では，例外は存在しない。

よって，信託財産に属することの第三者対抗要件として，「記載又は記録」の制度を定めているものがあるが（→150頁），これらは，①ではなく，④に該当するとされている（信託則4条1項）。そして，これらについての分別管理義務の履行は，「信託財産に属する旨の記載又は記録をするとともに，その計算を明らかにする方法」による（同条2項）。

②は一般の動産であり，③は，債権，現物の有価証券，金銭ということになる。

(2) 趣　　旨

(ア) 分別管理義務が課されるのには，2つの理由がある。

第1は，当該財産が信託財産に属する財産であることを第三者に対抗するためである。

信託法14条は，「登記又は登録をしなければ権利の得喪及び変更を第三者に対抗することができない財産」について，信託の登記または登録がなければ，その財産が信託財産に属することを第三者に対抗できない，としている。そうすると，①の財産については，そこで定められた分別管理の方法に従うことが，対抗力を具備する方法となっている。また，④の財産についても，「信託財産に属する旨の記載又は記録」が要求されることには，対抗力を具備するという意義がある。

しかし，②の財産については，固有財産や他の信託の信託財産に属する財産と外形上区別することができる状態で保管されていなければ，分別管理義務を履行していることにはならないが，当該財産が信託財産に属する財産であることを，何らかのかたちで証明できれば，そのことを第三者に対抗しうる（→151頁）。つまり，分別管理義務の履行と，信託財産に属する財産であることの第三者への対抗とは，直結していないのである。もっとも，分別管理は，この証明を容易にする機能を有している。

逆に，③の財産は，信託財産にどれだけの数量・額の財産が存するかが計算上明らかにされ，分別管理義務が履行されていても，信託財産に属する財産が含まれる財産の一団が，物理的に独立していなければ，その数量・額が信託財産に属する財産であることを第三者に対抗していくことができないと解すべきである（→151頁（なお，受託者の固有財産たる金銭と信

託財産たる金銭とが1つの預金債権とされていても，その割合が明らかであればよい））。しかし，信託財産に属する財産であることの対抗要件が欠けると，(イ)(a)で述べるように信託の本質に反する事態となる。したがって，分別管理義務の中味として，数量・額だけでなく，信託財産に属する財産が含まれる財産の一団の物理的な独立性を確保する義務があると解すべきである[52]。

　第2は，分別管理がされている状態をもって，受託者の義務違反に対する心理的な制約にするとともに，受益者等が，受託者を監視することを容易にするためである[53]。

　(イ)　信託法34条1項ただし書は，分別管理の方法について，信託行為の別段の定めを認めている。

　(a)　しかし，同条2項は，①の財産につき，登記・登録義務の免除はできないとしている。信託財産に属する財産であることについての第三者対抗要件が欠けると，受託者による権限外処分の場合（同31条2項1号参照），さらには受託者につき破産手続が開始された場合や当該財産が差し押さえられた場合に，受益者は救済を受けることができないことになるが，これは，信託財産の独立性という信託の本質（→17, 118頁）に反する。したがって，免除ができないわけである。

　そうすると，④の財産についても，「信託財産に属する旨の記載又は記録」は免除できないと解すべきである[54]。

　さらに，②の財産についても，当該財産が信託財産に属する財産であることを証明することが困難なかたちでの管理は認められず，また，③の財産について，信託財産に属する財産が含まれる財産の一団の物理的な独立性を確保せず，ただ数量・額のみで管理することは許されない。そのよう

---

52)　私は，かつて，数量・額を計算上明らかにすれば分別管理義務は尽くされていることになり，信託財産に属する財産が含まれている財産の一団の物理的な独立性を確保することは，善管注意執行義務の問題であるとした（道垣内・問題状況434頁参照）。しかし，改説する。
53)　四宮・220頁は，「忠実義務の違反に対する防御の機能」という。
54)　道垣内・147頁，沖野眞已「受託者の『忠実義務の任意規定化』の意味」野村豊弘古稀『民法の未来』458頁注(14)（商事法務，2014）。

な管理を認める信託行為の定めの有効性は否定されるべきである。

信託行為において別段の定めが許されるのは，あくまで，「分別して管理する方法」（信託34条1項ただし書）についてであり，当該財産が信託財産に属する財産であることの第三者対抗力を失わせることは，もはや「分別」ではないから，別段の定めとしては認められない。

(b)　なお，①の財産についての分別管理義務について，「免除することができない」とされ，別段の定めが許されないとされていないのは，まさに免除のみが否定され，一時的な猶予を許す趣旨だとされる[55]＊。たしかに，信託財産に属することになった財産について分別管理を行うために一定の時間が必要な場合があり，その期間の猶予が認められるのは当然であるが，その期間が経過してもなお分別管理を猶予することは，信託財産の独立性という信託の本質に反し，認められないというべきである。

> ＊　**不動産登記法98条1項による限界**　　立法過程においては，信託事務執行として購入した不動産であっても，それをすぐに第三者に転売することが予定されているときには，信託の登記をする必要がなく，効率的な運用のためには，かえって信託の登記を猶予すべきである，と主張された。しかし，このような猶予がされた場合でも，受託者が経済的に困窮状態に陥り，破産手続開始や差押えの危険性があるときには，信託の登記がされるべきであると解されるところ[56]，不動産登記法98条1項は，信託の登記は，当該不動産の所有権移転の登記と同時に申請しなければならないとしているため，事後的な信託の登記ができないことになっている。航空機登録令50条1項，自動車登録令62条1項，特許登録令60条も同旨の規定を置き，また，船舶登記令35条1項は不動産登記法を準用している。

2　問題となる財産

(1)　①に属する財産として，抵当権・根抵当権が信託財産に属するとき，および，信託財産に属する振替株式等についての問題点は，すでに述べた（→149頁＊，150頁＊）。

(2)　②に属する財産に関して，複数の動産や現物有価証券などにつき，固有財産と信託財産とに持分が帰属していたり，複数の信託財産に持分が

---

55)　寺本・138頁，村松ほか・112〜113頁。
56)　寺本・138頁。

帰属していたりする場合が論じられる[57]。動産・現物有価証券に関しては，信託財産に属する財産と固有財産および他の信託の信託財産に属する財産とを外形上区別することができる状態で保管することが求められるのが原則であるところ，1つの物について持分が両種の財産に帰属しているときには，外形上の区別は不可能であり，帳簿上，共有持分割合を明らかにするしか方法がないが，それで分別管理義務を果たしているかが問題になるのである。

　固有財産と信託財産あるいは複数の信託財産に1つの財産の持分が帰属することは合同運用の結果および過程として必然的に生じるものであり（購入のたびに分割すると，それを売却するときに支障が生じる），その場合には，そもそも当該財産が③の財産に該当し，信託財産に属する財産が含まれる財産の一団の物理的な独立性を確保していれば，帳簿上の管理で足りるというべきである。これに対して，合理性が乏しいにもかかわらず，むやみに共有扱いにすることは許されず，その際は，その扱いの有効性が問題とされるべきであろう[58]。

第4節　報告義務・帳簿等作成義務と検査役の選任

1　総　説

　受託者は，信託財産の状況や信託事務執行の状況につき，帳簿等を作成・保存するとともに，受益者・委託者は，報告を受け，帳簿を閲覧する権利を有する（信託36条～39条）。受託者は，委託者からの依頼を受けて，受益者のために信託事務執行をし，信託財産を管理しているのであるから，受託者がこのような義務を負うのは当然であり，他方，受益者は自らの利益の確保のため，また，委託者は自ら設定した信託目的の達成のため，受託者を監督することができて然るべきである。そこで，このような受託者の義務，および，受益者・委託者の権利が規定されることになる（なお，

---

57)　セミナー(2)・184～189頁。
58)　セミナー(2)・187頁〔藤田友敬〕。

合同運用の場合につき，→96頁＊＊)。

　もっとも，報告や帳簿等の閲覧によって，受託者の不正行為を受益者が発見することは困難である。そこで，受益者は検査役の選任を裁判所に申し立てることができる（同46条）。

2　報告義務

(1)　委託者・受益者は，受託者に対し，信託事務の処理の状況，信託財産に属する財産の状況，信託財産責任負担債務の状況について報告を求めることができる（同36条）。受益者にとって重要な権利であり，単独で行使しうる（同105条1項，92条7号）。

(2)　一般的な報告義務であるから，後に見る信託法38条2項・39条2項のような制限（→211, 216頁）は規定されていないが，受託者の営業時間外などの不適当な時に請求を行ったり，繰り返し請求を行い受託者の事務執行を妨げたりすることは，権利の濫用として許されない。

3　帳簿等作成・報告義務

(1)　趣　　旨

　受託者は，信託財産に係る帳簿その他の書類または電磁的記録を作成しなければならない（信託37条1項）。また，毎年1回，一定の時期に，貸借対照表，損益計算書その他の法務省令で定める書類または電磁的記録を作成しなければならない（同条2項）。

　委託者・受益者の受託者に対する監督権能を実効化するためであるが，それ以外にも，信託財産の範囲を明らかにし，受託者の固有財産に対する債権者による差押え等から，信託財産を保護しやすくするためや（→118頁参照），受託者の信託事務執行において，投資等について適切な判断をするために重要な意味を有するものである。

(2)　信託帳簿

　(ア)　信託法37条1項が，「帳簿その他の書類又は電磁的記録」（これらを合わせ，信託計算規則4条1項で，**信託帳簿**と呼称される。また，「電磁的記録」の詳細については，信託則25条以下参照）としているのは，「帳簿」の意義を

会計実務に照らして考えるとき，仕訳帳，総勘定元帳などが想定されるところ，単純な管理型の信託においては，そこまでの書類の必要がない場合もあり，そこで，「帳簿」に限定されないとする趣旨である[59]。ただし，その作成は，「法務省令で定めるところによ」る必要があり（信託 37 条 1 項），当該法務省令である信託計算規則 4 条 6 項は，信託帳簿の作成にあたり，信託行為の趣旨を斟酌すべきことを定めている。さらに，信託法 13 条は，信託会計について，「一般に公正妥当と認められる会計の慣行」[60]に従うべきことを求めている（さらに，信託計算規則 3 条）。したがって，信託の趣旨に相応した会計慣行に従うことが必要なのであり，どのような書類でもよいわけではない。

このことの具体化として，限定責任信託や，受益権が制限なく譲渡でき，信託財産に属する財産について受託者が広い売却等の権限を有している信託においては，会社計算規則に準じる厳密な書類作成が要求されている（信託計算規則 5 条以下）。

(イ) 受託者は，信託帳簿を作成日から 10 年間（その期間内に信託の清算の結了があったときは，その日まで），保存しなければならない（信託 37 条 4 項）。実効的な監督のためには，かつての状況も明らかにできなければならないが，あまりに長期にわたると受託者に負担なので，10 年という期間にしたわけである。ただし，受益者の全員（信託管理人のいるときは，信託管理人）に当該書類またはその写し（電磁的記録の場合については，信託則 27 条）を交付すれば，受益者による監督に支障は生じなくなるから，保存義務はなくなる（信託 37 条 4 項ただし書）。

さらに，受託者が，「信託財産に属する財産の処分に係る契約書その他の信託事務の処理に関する書類又は電磁的記録を作成し，又は取得した場合」には，作成・取得の日から，受託者は，信託帳簿と同じく，その書類等を，10 年間（その期間内に信託の清算の結了があったときは，その日まで），保存しなければならない（信託 37 条 5 項）。当該書類等または写しの受益者全員等に対する交付によって保存義務がなくなることも，信託帳簿と同

---

59) 寺本・146 頁。
60) 条解・74〜77 頁〔弥永真生〕参照。

じである（同条6項。4項ただし書かっこ書）。信託帳簿の正確性・受託者の信託事務執行の適切性を確認する意味がある書類等であり，受益者の監督権限の実効化のためである。したがって，その確認に資する資料であれば，上記の書類等に含まれることになる。しかし，受託者の負担を考慮すると，受託者またはその従業員によるメモや資料であっても，社会通念上，通常は保存の対象とならない書類等は除かれる必要がある。

なお，これらについては信託行為によって受託者の義務を軽減することはできない（同条1項には，「別段の定め」を認める文言はない）。受益者による信託帳簿等の閲覧請求権（同38条）は信託行為の定めによって制限することができないとされているのであり（同92条8号），その前提となる作成義務の免除・軽減も認められないのが当然だからである[61]。

(3) 財産状況開示資料

信託法37条2項にいう「貸借対照表，損益計算書その他の法務省令で定める書類又は電磁的記録」（信託計算規則4条3項で，**財産状況開示資料**と呼称される）とは，「信託財産に属する財産及び信託財産責任負担債務の概況を明らかにするもの」（同条4項）である（なお，信託業27条，信託業法施行規則37条も参照）。

信託帳簿が，信託事務執行の過程を明らかにするものであるのに対し，財産状況開示資料は，その時点での信託財産の状況を示す資料となる。

これは，信託事務執行の結果としての資料であるから，受益者が信託事務執行の過程を監督するためというよりも，受益者が，自らの権利内容を確認するためのものといえる。したがって，毎年1回，一定の時期での作成が受託者の義務となるとともに，作成したときは，受益者（信託管理人がいるときは，信託管理人）に報告しなければならない（信託37条3項）。作成義務は，信託帳簿についてと同様の理由で免除・軽減できないが（同条2項の文言），作成された財産状況開示資料につき受益者は閲覧が可能なので，受託者が積極的に報告をする義務については，信託行為に別段の定めを設け，軽減・免除することができるとされている（同条3項ただし書）[62]。

---

61) 新井監修・165頁〔木村仁〕。
62) 寺本・147頁。

第4節 報告義務・帳簿等作成義務と検査役の選任

(4) 受益者の信託帳簿の閲覧等の請求

(ア) 受益者は，信託帳簿および信託事務の処理に関する書類等（信託37条5項）について，その閲覧・謄写を請求することができる（同38条1項）。請求にあたって，その理由を明らかにすることが求められているが，実際に不正等があるか否かを確認するために請求するのであるから，請求理由を基礎づける事実が客観的に存在することの立証は不要である[63]。受託者は，示された理由との関係で必要な信託帳簿・書類等を閲覧・謄写させれば足りるが，どのような帳簿の状況か，また，どのような書類等があるかは受益者にはわからないから，受益者の側で対象を特定する必要はない[64]。

しかし，受益者の権利は，あくまで受託者の信託事務執行を監督し，自らの利益を守るために行われるものであるから，その目的以外の目的による請求は，受託者がこれを拒むことができる（同38条2項1号）。

同項5号は，その具体化として，受益者が知り得た事実を利益を得て第三者に通報する目的の場合を挙げ，そのような目的が推認される場合として，第6号は，過去2年以内にそのような第三者への通報をしたことがある者からの請求を挙げている。また，同項3号の「信託事務の処理を妨げ，又は受益者の共同の利益を害する目的」による請求も第1号の具体化であり，第2号（不適当な時の請求。たとえば営業時間外の請求）は，そのような目的が推認される場合である。さらに，第4号は，「請求者が当該信託に係る業務と実質的に競争関係にある事業を営み，又はこれに従事するものであるとき」を挙げる。これは，競合先が信託帳簿等を閲覧・謄写すると，受託者のする取引の相手方・価格などの情報が明らかとなり，信託事務執行に支障を来し，信託財産が損失を被る可能性が高いからであるが，第3号のさらなる具体化と評価できる（第4号においては，請求者に，当該情報を自己の事業に利用するなどの主観的意図があるなどを要しない[65]）。

---

63) 最判平成16・7・1民集58巻5号1214頁（株主・親会社社員の会計帳簿等の閲覧等の請求に関する事例）。ただし，守秘義務との関係で問題が生じることがある（→212頁）。

64) 江頭憲治郎『株式会社法〔第8版〕』735頁（有斐閣，2021）参照。

ただし，受益者の正当な権利行使を妨げないように，列挙された事由による場合以外は，請求を拒むことができない（同項柱書）。

また，同項3号から6号の事由については，他の受益者の利益を守るためのものであるから，請求者以外に，その利益を保護すべき受益者がいない場合，すなわち，単独受益者から，あるいは，複数受益者のすべてから請求があった場合には，当該事由による請求拒否は認められない，とされている（同条3項）。しかし，第3号から第6号の事由が，第1号の事由の具体化だと考えるならば，必然的な制約とはいえない。第3号から第6号の事由に該当する場合には，第1号の事由による拒否が認められることも多いであろう。実際，複数の信託についての信託財産が合同で運用されているとき，1つの信託について信託帳簿の閲覧等が請求されると，合同運用財産の全体について開示が行われることになる（→96頁＊＊）。そこで，当該1つの信託については受益者が全員一致で請求していても，他の信託の受益者の利益が害されるおそれがある。このときは，他の信託の受益者の利益も考慮に入れて，第1号の事由の存否を認定すべきである[66]。

(ｲ) なお，信託行為にその旨の定めを置くことによって，委託者にも閲覧・謄写請求権を認めることができる（信託145条2項5号）。このとき，その認められる範囲も信託行為の定めによって決まるから，たとえば，1年に1回に限るとか，受託者に重大な任務違反があることの蓋然性を示し得た場合に限るとかといった定めも可能である（同項柱書が，「全部又は一部を有する旨を定めることができる」としている点に注意）。

(ｳ) 受益者の有する帳簿等の閲覧・謄写請求権は，受益者の監督権能の実効化のために重要な権利であり，信託行為によって制限することはできない（信託92条8号）。しかし，たとえば，受託者が，信託事務執行として知的財産権のライセンスを受けている場合を考えると，受託者が当該知的財産権の権利者に対して守秘義務を負っていることも多く，ライセンス

---

[65] 最決平成21・1・15民集63巻1号1頁（株主・親会社社員の会計帳簿等の閲覧等の請求に関する事例）。これに対して，閲覧等を認める帳簿等の範囲を裁判所が限定することで足りる，との見解もある（江頭・前出注64）736〜737頁）。

[66] 条解・303頁〔佐久間毅〕参照。

契約の内容（信託事務の処理に関する書類等（同37条5項）に該当する）などを受益者に閲覧・謄写させることが受託者の当該権利者に対する義務違反になることがある。債務者についての信用情報なども同様である。また，受託者の営業秘密に関わる事柄もある。このような場合については，情報秘匿に対する受託者の利益と，情報開示に対する受益者の利益とを調整する必要がある。また，受益者の閲覧・謄写請求権に制限がなければ，受託者としては，信託事務執行として，たとえば知的財産権のライセンス契約を締結することは躊躇せざるを得ないことになる。つまり，効率的な信託事務執行ができないおそれも出てくる。このことによって犠牲にされる利益も考慮しなければならない。

　そこで，信託法38条4項は，財産状況開示資料の作成に欠くことのできない情報その他の信託に関する重要な情報，および，請求者以外の受益者の利益を害するおそれのない情報以外については，受益者が同意をしたときには閲覧・謄写の請求ができない旨の信託行為の定めを置くことを認め，同条5項は，その同意をした受益者に対しては，受託者は閲覧等の請求を拒むことができるとした。信託行為の定めを要求することによって委託者の意思を重んじ（受益者に閲覧・謄写させることができない関係資料をもたらす取引を受託者に躊躇させないようにする委託者の意思），受益者と受託者との利益のバランスを図った規定である[67]。

　このような同意があってこそ，受託者は，受益者に閲覧・謄写させることができない関係資料をもたらす取引を安心して行うことができるのであり，したがって，受益者による同意の撤回は認められないし，受益権の承継人もこの同意に拘束される（同条4項かっこ書。さらに，95条）。

　しかし，信託行為に定めがないときや，定めがあっても受益者が同意しない場合には，守秘義務との対立関係が生じることがある[68]。この点で，そのような場合には，受益者は，閲覧・謄写の請求にあたって，たんに請

---

67)　新井監修・173〜174頁〔木村仁〕。
68)　旧信託法の下で，能見・125〜127頁参照。星野豊『信託法』130頁（信山社，2011）は，守秘義務の存在によっては開示のレベルは低下せず，受託者の免責も生じない，とする。

求理由を述べるだけでは足りず，受託者の義務違反行為が存在する蓋然性を立証する必要がある，とする裁判例[69]があり，注目される。

(5) 利害関係人の財産状況開示資料閲覧等の請求権

(ｱ) 利害関係人は，財産状況開示資料につき，閲覧・謄写の請求ができる（信託38条6項）。

　財産状況開示資料は，信託財産の現状を示すものであり，利害関係人の範囲もこの意義に照らして決められる。受益者が利害関係人に当たることは明らかである。また，委託者について，信託法145条2項5号は，信託行為の定めによって信託帳簿等の閲覧・謄写請求権も有しうることを明示しているが，同項には，信託行為の定めによって財産状況開示資料閲覧・謄写の請求権を委託者に付与しうるとは規定されていない。しかし，信託行為の定めによっても付与できないと解することは，信託帳簿等の閲覧・謄写請求権に関する規律と不均衡であり，法の立場としては，委託者がここにいう利害関係人に含まれることを前提としていると理解すべきである。以上に対して，受託者と取引をしようとしている者には，取引をしないという選択肢が存するのであり，利害関係人に当たらない[70]。

　問題は，信託財産を引き当てにする債権の債権者である。会社法442条3項は，債権者も，計算書類等を閲覧・謄写できることを定めるが，これは，そもそも貸借対照表等につき一般への公告が求められる会社法の制度（会社440条1項）の下での規律である。債権者が債務者に対して財産開示を請求する権利は一般的には存在しないことからすると（民執196条以下参照），信託法38条6項については，債権者は利害関係人に該当しないと考えるべきである[71]。

　なお，信託財産を引き当てにする債権の債権者は，受託者の監督権能を有するわけではないから，上記と異なる見解をとったときでも，財産状況開示資料の閲覧等だけが認められ，信託帳簿等の閲覧等は認められない。

---

69) 東京地判平成13・2・1判タ1074号249頁。
70) 結論同旨，井上編・81頁。
71) 井上編・81頁は，債権者が利害関係人に該当することは明らかである，とするが，妥当でない。

(イ) 財産状況開示資料閲覧等の請求権については，拒否事由は認められていない。利害関係人である限り，自己の権利の基礎となる信託財産の現状を知ることは，当然に認められるべきだからである。

(6) 書類閲覧・謄写のための費用

受益者やそれ以外の利害関係人が書類を閲覧し，または，その謄写を受けるとき，その費用は，請求者の負担であると解される。ただし，受益者が，受託者や法人である受託者の役員に対して，損失てん補責任等の追及・差止めの訴訟を提起し，勝訴したときには，その費用は当該訴訟の必要費として信託財産から支弁される（信託45条1項)[72]。共益費用としての性格を有するからである。受託者等が受益者からの追及に応じて任意に損失てん補責任等を履行したときも，同項が類推適用され，責任追及の前提となった書類の閲覧・謄写に要した費用は信託財産から支弁されると解すべきである。

受益者が上記の訴訟で敗訴した場合も，悪意であったときを除き，受託者に対し，これによって生じた損害を賠償する義務を負わない（同条2項）。受益者が訴えの提起を躊躇しないようにするためである。ここで「悪意」とは請求に理由のないことを知っていることを意味し，また，「これによって生じた損害」とは「これによって信託財産に生じた損害」と解すべきである（→121頁)[73]。

4 他の受益者の氏名等の開示請求

(1) 趣　　旨

受益者が複数である信託における受益者の意思決定は，受益者の全員一致によることが原則である（信託105条1項）。また，信託法は，信託行為の別段の定めとして，多数決による旨の定めを予定し，その場合について詳しい規定を置いている（同条2項以下）。そうすると，受益者がある権利を行使するために，他の受益者と連絡を取るなどの必要性が生じ，そのた

---

[72] 村松ほか・127頁注(2)。

[73] なお，受託者が応訴費用を信託財産から支弁できるかという問題につき，条解・334頁〔道垣内弘人〕参照。

めの前提として，他の受益者を知ることが必要となる。

そこで，信託法39条1項は，受益者が複数の信託において，受益者は受託者に対して，他の受益者の氏名・名称および住所，他の受益者の有する受益権の内容を開示することを請求できるとしている。

もっとも，受益者の中には，自らの氏名・名称や住所，受益権の内容を知られたくないという希望を有する者も存在することがある。さらに，受託者が受益者についての情報を把握できないタイプの信託もある（無記名式の受益証券が発行されている場合，投資信託のように販売会社が個別に顧客名簿を管理する場合）。また，次に述べる拒否事由について，それを具体化する定めを置くことも考えられる（たとえば，同条2項2号の「不適当な時」を具体的に定める）。そこで，この権利の行使の可否およびその要件については，信託行為に別段の定めを置くことができることとされている（同条3項）（なお，制限がされたときについて，信託213条3項参照。→359頁）。

(2) 拒否事由

また，このように他の受益者についての情報を得ることは，全員一致や多数決による受益者の意思決定のために必要だから認められるものであり，そのような目的がない場合に，開示請求を認める必要はない。そこで，信託法39条2項は，信託帳簿等の閲覧請求の場合に準じた拒否事由（信託38条2項。→211頁）を定めている。

なお，2014（平成26）年まで，信託帳簿等の閲覧請求と同様に，請求者が信託と競合関係にあることも拒否事由とされていた。会社法にも，株主名簿の閲覧請求権に関して同様の規定があったが，会計帳簿の閲覧等の請求の場合と異なり，競業関係にある株主による株主名簿の閲覧により会社が不利益を被る事態は通常想定しがたいので，削除された。同様の理由が信託法上の他の受益者の氏名等の開示の請求についても妥当するから，信託法上の拒否事由も削除されることとなった。

5 検査役の選任

(1) 総　　説

以上のように，受益者には，受託者から報告を受け，また，信託帳簿等

を閲覧・謄写する権利が認められているが，実際に，受託者の不正行為を発見することはなかなか困難である。そこで，適切な者に検査にあたらせることができるようにするため，受益者には検査役の選任を裁判所に申し立てる権利が認められ，かつ，検査役の権限は受益者の権限よりも拡大されている。会社法 358 条に対応する。

検査役選任の申立権は，信託行為の定めによって，委託者にも認めることができる（信託 145 条 2 項 10 号）。

しかし，検査役の検査を受けることは受託者にとって負担であり，検査役の選任を自由に認めることはできない。適切な要件設定が求められる。

(2) 選任のための要件

「受託者の信託事務の処理に関し，不正の行為又は法令若しくは信託行為の定めに違反する重大な事実があることを疑うに足りる事由がある」ことである（信託 46 条 1 項）。

「不正の行為」とは，会社法 358 条に関する通説[74]に従えば，信託財産の使い込みなど，信託財産に対する故意の加害行為をいう。

「重大な事実」につき，会社法上は，その事実が会社財産の状態に影響を及ぼすものであることが必要か否かについて議論がある[75]。信託財産に損害がなくても，たとえば，信託目的との関係で，信託行為が特定の企業の株式への投資を禁じているときに，当該企業の株式を購入したのであれば，違反の重大性は肯定すべきである。つまり，信託財産の大幅な毀損を含め，当該信託の目的の根幹に影響を与えるものが「重大な事実」である。

「疑うに足りる事由」について，安易に検査役が選任されると受託者には負担であるが，不正行為等の存在について厳格な立証ができるのであれば，もはや検査の必要はない。適宜，検査項目の限定によって対処できるので，あまり厳格に解するべきではない，との見解[76]に従いたい。

---

74) 江頭・前出注 64) 620 頁注(1)。
75) 江頭・前出注 64) 620 頁注(1)参照。
76) 会社法上の検査役選任につき，江頭・前出注 64) 620 頁注(1)。

(3) 選　　任

　裁判所は，選任請求を不適法として却下する場合を除き，検査役を選任しなければならない（信託46条2項）。また，却下の裁判には理由を付さなければならない（同条3項）。選任にせよ，却下にせよ，この裁判については不服を申し立てることができない（同条4項）。選任がされたときは，調査をさせ，事実を明らかにすればよいし，却下決定があっても，既判力がないから，受益者は再度，請求することができるからである。この再度の請求を的確に行わせるためにも，却下の裁判には理由が必要になる。

　なお，検査役の辞任については信託法に規定はなく，委任に関する民法651条が適用されると解される[77]。

(4) 報　　酬

　検査役の報酬は裁判所が，受託者および検査役本人の陳述を聴いて，裁判所が定める（信託46条5項・6項）。検査役の報酬を定める裁判に対しては，受託者および検査役は即時抗告が可能である（同条7項）。

(5) 検査の実施

　(ア) 検査にあたって，検査役は，受託者に対して信託事務処理の状況および信託財産の状況について報告を求め得るとともに，当該信託に係る帳簿，書類その他の物件を調査することができる（信託47条1項）。受益者の閲覧等が認められる資料を超えて，「その他の物件」に調査対象が拡大されている。分別管理の状況を実際に検査すること等が可能になる。

　(イ) 検査役は必要な調査の後，結果を書面または電磁的記録（信託則29条1項）として裁判所に提供して報告しなければならず（信託47条2項），裁判所は必要に応じて補足説明を求めることができる（同条3項）。

　また，検査役は，その書類の写し・電磁的記録を受託者および検査役選任の申立てをした受益者に提供しなければならない（同条4項，信託則29条2項）。

　そして，その書類の写し・電磁的記録の提供を受けた受託者は，検査役選任の申立てをした受益者以外の受益者に，その旨を通知しなければなら

---

77) 条解・338～339頁〔弥永真生〕。

ない（信託47条5項本文）。この書類の写し・電磁的記録は，信託法37条5項にいう「信託事務の処理に関する書類又は電磁的記録」に当たるから，受益者は受託者に閲覧・謄写の請求ができる（同38条1項）。

　検査役選任の申立てをした受益者以外の受益者に対する通知については，信託行為に別段の定めをすることができる（同47条5項ただし書）。受益者が多数の場合などは通知の手間が過剰であるので，たとえば，全国的な日刊紙に掲載する，ホームページに掲載するといった方法も考えられよう。ただ，裁判所は，必要があると認めたときは，受託者に，検査結果の受益者への通知など，結果の周知のための措置を命じることができる（同条6項）。この裁判所の権限の存在が，信託行為に別段の定めを許すことの正当化理由ともなっている。

第5節　忠実義務

1　忠実義務に関する規定の構造

(1)　受託者はもっぱら受益者の利益を図らねばならず，信託事務の執行において，自己の利益を図ってはならない。これは，ある法律関係が「信託」と呼称され，一定の法的効果を付与される根拠になっており（→18頁），ここに示される忠実義務は，受託者の義務として信託の基本に置かれるべきものである。旧信託法には，これを正面から定める条文はなかったが，「受託者ハ共同受益者ノ一人タル場合ヲ除クノ外何人ノ名義ヲ以テスルヲ問ハス信託ノ利益ヲ享受スルコトヲ得ス」という旧信託法9条の解釈として，受託者は忠実義務を負うと解されてきた[78]。

　これに対して，新信託法は，まず第8条として，旧信託法9条と同様の規定を置いた上，「受託者は，受益者のため忠実に信託事務の処理その他の行為をしなければならない。」という原則を第30条において宣言した。一般的忠実義務の明記である*。そして，その具体的な例として，利益相

---

78)　四宮・231〜232頁。

反行為の制限（信託31条），競合行為の制限（同32条）について規定を置いている。

   * もっとも，信託法8条が直接に働く場合もある。同法30条は，受託者の行動をコントロールするものだが，設定される信託のスキームが，受託者を受益者の1人とすること以外の方法によって，受託者の利益を図るかたちになっているときで，しかし，「専ら」受託者の利益を図る目的のもの（同2条1項）（そのような目的の存在が認められれば，当該信託は不成立または終了となる。→49頁）とまでは言えないときは，同法8条に反する信託として無効となると解すべきである[79]。

(2) したがって，利益相反行為制限や競合行為制限に抵触しない行為であっても，一般的忠実義務違反にはなり得る。そして，それらが別の条文のかたちで明記されたのは，特殊な取扱いが必要だからであり，その重要性ゆえに個別の条文が置かれたわけではない。

一般的忠実義務については後に述べることとし，利益相反行為制限から見ていく。

2 利益相反行為の制限

(1) 利益相反行為の原則的禁止：総説

(ア) 「利益相反行為」というのは，一方が不当に得をし，他方が不当に損をする，という評価を意味する言葉ではない。売主と買主のように，代金が上昇すれば，買主の支出が増え，売主の収入が増加する，といった，一方のプラスが他方のマイナスとなるという関係にあることを意味するのであり，行為の不当性は定義に含まれない。売主が適正利潤を上げ，買主も欲しいものが比較的安く手に入った，という状況にあっても，売主と買主とは「利益相反関係」にある。

さて，信託法31条1項は，受託者に原則として禁止される利益相反行

[79) 東京地判平成30・9・12金法2104号78頁の事案につき，受託者に利益を得させるというスキームであり，信託法8条に反し無効であると分析するものとして，佐久間毅＝新井誠「信託の広がりと信託法研究のこれから」信託フォーラム12号7〜8頁〔佐久間毅発言〕(2019)。福井修「受託者と受益者の兼任について」新井誠古稀『成年後見・民事信託の実践と利用促進』140頁（日本加除出版，2021）も同旨。

為として，次の4つの類型を規定している。
　① 信託財産に属する財産（当該財産に係る権利を含む）を固有財産に帰属させ，または固有財産に属する財産（当該財産に係る権利を含む）を信託財産に帰属させること（1号），
　② 信託財産に属する財産（当該財産に係る権利を含む）を他の信託の信託財産に帰属させること（2号），
　③ 第三者との間において信託財産のためにする行為であって，自己が当該第三者の代理人となって行うもの（3号），
　④ 信託財産に属する財産につき固有財産に属する財産のみをもって履行する責任を負う債務に係る債権を被担保債権とする担保権を設定することその他第三者との間において信託財産のためにする行為であって受託者またはその利害関係人と受益者との利益が相反することとなるもの（4号），
である。
　(イ)　①は，たとえば，信託財産に属している不動産を，受託者が自分で購入し，固有財産に属する財産とすること，および，固有財産に属している不動産を，受託者が信託に対して売却し，信託財産に属する財産とすることである。対価の設定等において，受託者が自分の利益を図る危険性が存するから，原則として禁止される。
　②は，上記のような取引を，自分が受託者となっている複数の信託の間で行うことを禁止する。これは，一方の信託の不利益の下に他方の信託の利益を図るという危険性（えこひいきの危険性）が存するからである。
　③，④は，第三者との間の取引であるが，受託者が自己またはその第三者の利益を図って，信託財産にとって不利となり，受益者に損害を及ぼしてしまう可能性が高い取引については，原則として禁止されることになる。
　そのような取引として，まず，③として，受託者がその第三者の代理人となる取引が挙げられる。代理人になるということは，その第三者と受託者との間に一定の関係があることを意味するし，成功報酬などが約定されているときには，当該第三者の利益を図る危険性がより高い。
　また，受託者と第三者との間に一定の関係があるときなどは，受託者が

当該第三者の代理人になっていなくても，信託財産を当該第三者に不当に廉価で売却するなどの危険性がある。さらに，形式的には，第三者との間の取引であっても，受託者自身の利益が大きく関わってくることもある（受託者が多数の株式を有する会社との取引など）。そこで，④として，受託者がその固有財産に属する財産のみをもって履行する責任を負う債務の担保のために信託財産に担保権を設定する，という典型例を挙げたうえ（このときの担保権設定契約は，第三者と受託者との間の契約だから，①，②には当てはまらないし，受託者がその第三者の代理人となっていなければ③にも該当しない），「第三者との間において信託財産のためにする行為であって受託者又はその利害関係人と受益者との利益が相反することとなるもの」一般を禁止している。

　なお，受託者からする相殺と利益相反行為との関係については，すでに述べた（→159頁）。

　(ウ)　具体的な行為がそれぞれの類型に合致するかは解釈問題であるが，信託法31条2項は，上記の類型に合致する行為であっても，実質的に許容されるべき場合を例外としており，そうであるならば，①から④への該当性は比較的広く認めたうえで，許容性の検討において，実質的な考慮をしていくべきであろう。

　(2)　各類型への該当性

　(ア)　まず，①については，受託者の固有財産に属する財産を無償で信託財産に帰属させることも含まれる＊。親子間の利益相反行為の解釈にあたっては，親から子への贈与は原則として親のする利益相反行為には該当しないとされるが[80]，「固有財産に帰属させ，又は固有財産に属する財産（当該財産に係る権利を含む。）を信託財産に帰属させること」（信託31条1項1号）という文言には該当するといわざるをえない。ただし，多くの場合，例外として許容される場合に該当するであろう（同条2項4号）[81]＊＊。

---

80)　大判昭和6・11・24民集10巻1103頁。
81)　村松ほか・94頁注(7)は，同じ結論を導くにあたり，産業廃棄物や汚染土地などの所有によって信託財産の減少を招く場合もあり得るから，とする。それはそのとおりであるが，信託法31条2項4号に該当するか否かの判断は，行為時

* **情報の利用** 受託者の通常の営業過程で得られた情報については，その営業が信託事務執行であっても，その情報を自己またはその利害関係人の利益のために用いても忠実義務違反とはならない。問題は，信託財産から費用を支出してとくに収集した情報，信託の受託者であるが故に取得できた情報についてである。そして，そのような情報を自己またはその利害関係人の利益のために用いるときの問題点は，しばしば一般的忠実義務との関係で論じられる。

　しかし，その情報を第三者に売却することもできると考えると（それが権限内取引であるとき，その利益は当然に信託財産に帰属する（→37頁）），受託者が固有財産の利益のためにそれを用いることは，まさに，信託財産に属する財産である情報を，受託者の固有財産に帰属させていることにほかならず，信託法31条1項1号に該当する行為であるというべきである。したがって，同条2項の例外に該当すれば，そのような情報の利用も認められることになる（なお，信託業法29条1項3号は，信託財産に関する情報を利用して自己または第三者の利益を図る取引をすることを受託者に禁止しているが，信託業法施行規則41条1項3号・4号は，例外として認められる取引として，「当該信託財産に係る受益者に対し，当該取引に関する重要な事実を開示し，書面又は電磁的方法による同意を得て行う取引」および「その他信託財産に損害を与えるおそれがないと認められる取引」を挙げている。信託法31条2項2号・4号に対応する規律であり，このことからも，一定の情報の利用が同条1項1号に該当する行為であると解すべきことが裏付けられる）。

　なお，後に述べるように，このとき当該情報によって受託者またはその利害関係人が得た利益の額が，信託財産の被った損失額であると推定されるが（同40条3項。→265頁），当該情報を利用して利益を上げる機会が信託財産には存しない場合や，固有財産等からも投資がされることによって信託財産の利益が減少したといった事情のないときは，信託財産に損失は生じていないと解される（ただし，任務違反が「重要な事由」に該当するときは，受託者の解任事由となる（同58条4項。→295頁））。

** **共同受託者の存在** 共同受託者の存在が問題になることもある[82]。たとえば，甲信託につき T_1 と T_2 とが共同受託者となっており，甲信託の信託財産に属する財産を T_1 の固有財産に帰属させる場合，あるいは，その逆の場合が考えられる。さらに，T_1 が，乙信託の受託者となっており，甲信託の信託財産に属する財産を乙信託の信託財産に帰属させる場合，あるいは，その逆の場合もある。

　共同受託者が存在すれば，T_1 が自己の利益を図ろうとすることを掣肘できるのではないか，また，対象となっている財産あるいは行為につき T_2 が単独

を基準とすべきであり（→232頁），後になって汚染土地であるとわかったからといって，遡って例外への該当性が否定されるわけではない。

82) セミナー(2)・125～129頁参照。

で分掌しているときには，実質的にはT_1とT_2の間の取引であり，自己取引として規律しなくてもよいのではないか，とも思われる。

しかし，T_2の判断に，T_1が影響を及ぼすことも否定できないし，T_2は，甲信託の受託者なのだから，文言上も，信託法31条1項1号・2号に該当するというべきである。

(イ) ①，②の類型に関しては，信託財産に属する財産・固有財産に属する財産の双方について，「当該財産に係る権利を含む」とされている。信託財産に属する財産につき，受託者の固有財産に属する債権や他の信託の信託財産に属する債権を被担保債権とする抵当権を設定することが，この例となる。受託者が自己あるいは他の信託に不当に有利な行為をしてしまう可能性が存するからである。同様に，信託財産に属する不動産を受託者が自己または他の信託のために利用すること，固有財産または他の信託財産に属する不動産を別の信託のために利用することも，この類型に含まれると解される。利用権の移転行為だからである。

なお，たとえば，信託財産に属する不動産上に第三者が有する地上権を，受託者が固有財産に帰属させるべく譲り受けることも，信託財産に係る権利を固有財産に帰属させているから，文言上は，①に該当しそうである。しかしながら，信託法31条4項が，①と②の行為について，許容される例外に該当しない場合には無効としているのは，①と②の行為が，受託者の内部的な行為にすぎないことを前提とするものであり，第三者が有している信託財産に係る権利を受託者が当該第三者から取得し，固有財産または他の信託財産に帰属させること，および，第三者が有している固有財産に係る権利を信託財産に帰属させることは，禁止される利益相反行為に該当しないと解すべきである*。

また，受益者の有する受益権を受託者が購入するといった取引においても，受益者と受託者の利益は対立する。しかし，これは，受託者が信託事務執行としてするものではなく，受益者も自由に対価を定めうる地位にあるのだから，禁止される利益相反行為にはならない[83]。ただし，受託者

---

83) 寺本・125頁注(6)，田中・213頁，姜雪蓮『信託における忠実義務の展開と機能』401，413頁（信山社，2014）。なお，セミナー(2)・117頁以下参照。

が信託事務執行をしているために信託財産の状況について正確な知識を有することを利用して、受益者から客観的価値よりも安価に受益権を購入した場合には、一種のインサイダー取引であり、説明義務違反等の問題が生じる。

　＊　(i)　信託財産に係る権利として第三者が有している権利を受託者が当該第三者から取得し、固有財産または他の信託財産に帰属させる例として、次のものを挙げることができる（なお、下記の α から γ において、地上権等が混同によっては消滅しないことにつき、信託法 20 条参照。→115 頁）。すなわち、α 信託財産に属する不動産上に第三者が有する地上権や賃借権を受託者が固有財産に帰属させるべく譲り受けること、β 信託財産に属する財産を目的として第三者が有する担保権の被担保債権を受託者が固有財産に帰属させるべく譲り受けること、γ 第三者が有する信託財産責任負担債務に係る債権を受託者が固有財産に帰属させるべく譲り受けたこと、さらには、それぞれについて、他の信託の信託財産に帰属させるべく譲り受けること、である。

　たしかに、いずれにおいても、信託財産に係る権利を受託者が固有財産または他の信託の信託財産に帰属させているので、文言上は、①または②に該当することになるが、当該譲受けによって、信託財産が不利益を被るおそれはない。信託財産の負担は、当該譲受けによっては変化しないし、移転の対価が不相当であるときに損害を被るのは受託者との取引の相手方たる第三者であり、信託財産ではない。また、第三者と受託者の間における受託者の固有財産に係る取引は、信託の目的達成のために必要な行為とはいえないから信託法 31 条 2 項 4 号の例外にも該当しない。やはり、禁止される利益相反行為から、解釈論によって類型的に排除する必要がある。

　もっとも、受託者が第三者から信託財産に属する不動産の賃借権を譲り受けた場合を考えると、たとえば、地代等増減請求権（借地借家 11 条）の行使にあたって、受託者が自らの利益を図るおそれがある（これに対して、債権の譲受けの場合、受託者の図利行為は考えにくい）。しかし、これについては、一般的忠実義務の問題として考えるべきであろう。実際、固有財産に属する財産を信託財産に属させた場合であっても、契約不適合責任（民 562 条以下）等の行使にあたって、受託者が自らの利益を図ることはあり得るので、移転行為自体が信託法 31 条 2 項 4 号の例外に該当するとしても、その後の規律は必要になる。

　(ii)　同様に、受託者の固有財産に係る権利を受託者が信託財産に帰属させるべく第三者から取得することも、禁止される利益相反行為に該当しない。このときは、当該取得行為が信託事務執行であるから、信託法 31 条 2 項 4 号の例外に該当するか否かで判断すればよいとも思われる。しかし、第三者の立場からすると、その主観的態様にかかわらず、同号の「正当な理由」がないからといって、当該取得行為が無効となるのは不当である。やはり、禁止される利益

相反行為にあたらないといわざるを得ない。

(ウ) ④については，とくに利害関係人の範囲が問題になる。まず，会社法356条1項1号・2号が「自己又は第三者のために」としているところ，あえて「利害関係人」としているのであるから，「第三者」よりは狭く，受託者と利害関係を一にする者と解すべきであろう（第三者の利益を図る意図がある場合について，→250頁）。受託者の配偶者，子，あるいは法人たる受託者の子会社がこれにあたる[84]。

もっとも，たとえば，取引の相手方である第三者と受託者との一体性が強い場合には，受託者を実質的には取引の相手方と見て，①に該当するとすべき場合もある（たとえば，相手方たる第三者の法人格が否認され，受託者と同一と見られる場合）。①と④の差異は，①については当然無効であるのに対し（信託31条4項），④については，受益者による取消しが可能であるにとどまり，かつ，取消権に期間制限が課されることにあるところ（同条7項。→236頁），実質上，第三者と受託者が一体のときには取消権の期間制限の必要性がないからである（なお，善意・無重過失の相手方が保護されるか否かにも違いがあるが，一体性が肯定されるときには，善意・無重過失であることはなかろう）。

(3) 利益相反行為が許容される場合

(ア) すでに述べたように，信託法は，禁止される利益相反行為の範囲を比較的広く設定している。しかし，その禁止は受益者の利益を守るためのものであるから，受益者の利益が害されるおそれがないときにまで，その禁止を及ぼす必要はない。実際，利益相反行為禁止のルールを厳格に適用すると，非常に不合理な事態も生じてくる。

受託者が，固有財産に属する財産として甲社の株式を保有しており，他方で，乙社の株式を信託財産に属する財産として保有しているとする。そして，このとき，投資先の適切な組み合わせの観点からすると，受託者の固有財産については甲社の株式を売却し，乙社の株式を購入すべき状態にあるが，信託財産については，逆に，乙社の株式を売却し，甲社の株式を

---

[84] 村松ほか・95頁注(10)。

購入すべき状態にあるとする。卒然と考えると，受託者は，固有財産に属する甲社の株式と信託財産に属する乙社の株式を交換すればよさそうだが，これはまさに「信託財産に属する財産（当該財産に係る権利を含む。）を固有財産に帰属させ，又は固有財産に属する財産（当該財産に係る権利を含む。）を信託財産に帰属させること」であり，①に該当する故に，許されない行為となる。しかし，そうだからといって，固有財産については甲社の株式を市場で売却し，乙社の株式を市場で購入する，信託財産については乙社の株式を市場で売却し，甲社の株式を市場で購入する，ということにすると，費用もかかり，不合理な事態になる。これは②の信託財産間の取引についても同様である。そこで，たとえば取引相場が明確なものについては，例外を認めるべきではないか，ということになる。

　さらには，取引相場が明確であることも必須の条件ではない。要は，正当な取引であればよいわけあり，このことは，④について禁止の典型例とされている「受託者個人の債務の担保のために信託財産に担保権を設定する」という場合ですらそうである。受託者が債務を支払えなくなって担保権が実行される可能性とそのときの信託財産の負担額との関係で，担保権を設定することの対価として受託者の固有財産から信託財産に対して支払われる額が十分であれば，それは合理的な取引になる。

　そこで，信託法 31 条 2 項は，利益相反行為の禁止について，いくつかの例外を認めるとともに，信託行為に別段の定めがあるときは，それが優先されることも明確にした。具体的には，

α　信託行為に当該行為をすることを許容する旨の定めがあるとき（1号），

β　受託者が当該行為について重要な事実を開示して受益者の承認を得たとき（2号）（ただし，承認があっても当該行為をすることができない旨の信託行為の定めがあるときは，この限りでない（ただし書）），

γ　相続その他の包括承継により信託財産に属する財産に係る権利が固有財産に帰属したとき（3号），

δ　受託者が当該行為をすることが信託の目的の達成のために合理的に必要と認められる場合であって，受益者の利益を害しないことが明ら

かであるとき，または，当該行為の信託財産に与える影響，当該行為の目的および態様，受託者の受益者との実質的な利害関係の状況その他の事情に照らして正当な理由があるとき（4号），

である。

(ｲ) αは信託行為の定めで許容することを認めるものだが，別段の定めがあっても，受託者が自己または第三者の利益を図る行為まで許容したものとは解釈できない。したがって，そのような行為は，当該定めの解釈として，許容されている行為に該当しない。また，およそ自己取引ができる旨の信託行為の定めを有効だと解することは，利益相反行為について明確な規律を置いた信託法の趣旨にも反する。事前的な定めであるから，個別的・具体的な列挙を求めることはできないが，少なくとも，対象行為の特定（たとえば，「株式の売買」等）が要求されるというべきであろう[85]*。さらに，許容されている行為であっても，受託者は，善良な管理者の注意をもって，その行為をしなければならず（信託29条2項。→180頁），また，一般的忠実義務違反になることもありうる[86]（同30条。→247頁）。

＊ 受託者への貸付け，受託者からの貸付け，自己取引における債権の成立
(ⅰ) 実務上，重要な自己取引として，信託財産から受託者への貸付け，逆に，受託者から信託財産への貸付けがある。

前者は，利益相反行為禁止の例外の要件を満たしている限り，有効である。実務における，いわゆる銀行勘定貸し，すなわち，信託財産中の未運用金を受託者である信託銀行の銀行勘定で運用する形態については，信託財産に属する財産である金銭を銀行勘定で管理しているにすぎないという見解も有力であるが[87]，それでは，信託財産に属する金銭について，ただ額のみで管理するの

---

85) 寺本・125頁注(8)，村松ほか・96頁注(12)，新井監修・128頁〔木村仁〕，沖野・前出注54）479頁。これに対して，井上聡「金融取引実務が信託に期待するもの」信研30号73〜74頁（2005）は，「市場価格，独立の評価会社による鑑定価格または複数の仲介業者による見積価格に基づくなど，取引条件が独立の第三者との間で行われる取引と同等と認められる利益相反取引」，「約款等に基づいて行われる定型的取引」といった定めで足りるとするが，賛成できない。
86) 能見善久「新信託法の意義と課題」信託230号25〜26頁（2007）。
87) 能見善久「金銭の分別管理・コメント」商事信託法制研究会編『商事信託法制の研究（第三冊・完）』10〜13頁（2002)，神田秀樹ほか「座談会・マイナス金利の金融政策と信託実務」信託フォーラム6巻49頁〔井上聡発言〕(2016）参照。さらに，西村あさひ法律事務所編『ファイナンス法大全（下）〔全訂版〕

を認めることになり，妥当でない（→205 頁）。やはり，受託者に対する貸付債権が信託財産に属する財産になっていると解すべきであろう。

　後者，すなわち，ある信託財産に対して受託者の固有財産または受託者が同一である他の信託財産からされる貸付けも，利益相反行為禁止の例外の要件を満たしている限り，有効であることには問題がない。

　(ii) それでは，そのような取引において，貸付債権を観念することができるか，また，観念することができたとしても，その担保のために抵当権を設定することは可能か。同一人間の取引であることから問題になる。

　信託法は，同一人間には債権債務関係が成立し得ないことを前提としながら，適切な処理のために必要のあるときは，受託者の有する権利を金銭債権とみなすこととしている（信託 11 条 3 項，49 条 4 項，50 条 1 項）。しかるに，受託者が信託財産に対して有する貸付契約上の権利については，受託者が他から債権を取得したときを除き（同 20 条 3 項），金銭債権の存在が観念されていない。同様に，信託財産に属する財産を固有財産または他の信託財産に帰属させるときや，固有財産または他の信託財産に属する財産を別の信託財産に帰属させるとき，そこに代金債権の存在を観念することにはなっていない[88]。

　しかし，金銭債権とみなすという規定がないときも，必要な場合は，解釈論として，あたかも契約によって債権・債務関係が発生する場合と同等に扱うことを認めるべきであり，当該債権を被担保債権とする担保権の設定や，当該債権の第三者による差押えも肯定されるというべきである[89]。

　登記実務も，信託銀行である受託者が，信託事務執行として，自行から金銭を借り入れ，信託財産に属する不動産に抵当権を設定し，登記することを認めている[90]。

(ウ)　β は，受益者の承認であり，利益相反行為制限が受益者の利益を守

---

691 頁以下〔有吉尚哉〕（商事法務，2017）。本書旧版 212 頁の見解を改める（道垣内弘人「銀行勘定貸の法的性質理解が関係する問題点」トラスト未来フォーラム編『信託の基礎法理と現代的問題の結びつき』（2022）（近刊）参照）。

[88]　別冊 NBL 編集部編『信託法改正要綱試案と解説（別冊 NBL 104 号）』141 頁（商事法務，2005）は，信託財産に属する財産を固有財産に帰属させることができるという内容の形成権であるとする。後藤出「固有財産と信託財産との取引に係る一考察」信託フォーラム 7 号 83 頁以下（2017）も同旨。

[89]　道垣内・問題状況 166〜182 頁，小野傑「商事信託法の諸問題」田原睦夫古稀・最高裁判事退官『現代民事法の実務と理論（上）』834 頁（金融財政事情研究会，2013）。さらに，田中・59 頁，神田秀樹「平成 18 年信託法と商事信託——理論的観点から」信研 35 号 25 頁（2010）。なお，信託財産破産に即した議論として，沖野眞已「信託財産破産をめぐる諸問題」ジュリ 1450 号 39〜42 頁（2013），セミナー(4)・163〜168 頁も参照。

[90]　「質疑応答」登研 743 号 147 頁（2010）。

るためのものであることから，例外として認められている（複数の受益者が存在するときは，信託法105条が適用されるので，原則として全員一致が必要。→371頁）。しかし，受益者は，受託者が適正に判断して信託事務を執行することを期待できるのであり，受託者は判断のリスクを受益者に転嫁させることはできない。したがって，承認があっても，受託者は，善良な管理者の注意をもって，その行為をしなければならず，また，一般的忠実義務違反になることもあり得る。αについて述べたところと同様である。さらには，受託者が受益者に対して承認を求めるにあたっても，善良な管理者の注意をもってすることが求められる。不合理な内容の行為について承認を求めることは，そもそも受託者の義務違反である[91]＊。

承認にあたっては，受託者が受益者に対して，当該行為についての重要な事実を開示する必要がある。これは，概括的に禁止されていた行為の禁止を解除し，個別的なリスクを負担するか否かを適切に判断できる資料を提供するという趣旨であるから，その観点から，重要な事実であるか否かが決められ[92]，また，受託者はその行為をすることについての合理性を説明する必要がある[93]。重要な事実の開示・合理性の説明のないままに承認がされても，信託法31条2項2号の要件は充足されない。

また，受益者の承認があっても，当該行為ができない旨の信託行為の定めがある場合には，委託者が，受託者の自己取引等が禁止される信託として設定しており，受益者は，そのような信託の受益権を有しているのであるから，承認があっても当該行為が許容されることにはならない（信託31条2項ただし書）。この定めは，信託法31条1項に列挙する行為を全面的に禁じるものである必要はなく，一定の行為（たとえば，抵当権の設定）は受益者の承認があっても認められない，という内容でもよい。

＊　このように言うと，信託法31条2項1号および2号による例外が，結局，同項4号による例外に吸収されてしまうのではないか，との疑問が生じるかも

---

91)　岩藤美智子「新しい信託法における受託者の忠実義務」信託研究奨励金論集28号19～20頁（2007）。
92)　村松ほか・96頁注(13)。
93)　沖野・前出注54）481頁。

しれない。しかし、「受益者の利益を害しないことが明らか」である必要はなく、受託者の善良な管理者の注意をもってする判断があればよい。

(エ) γとしては、A社が法人たる受託者Tとの間で、信託財産に属する財産についての売買契約を締結していたところ、A社とTとが合併し、Tが存続会社になった場合などが考えられる。このとき、Tが信託財産に属する財産についての買主の地位を承継することになり、このような後発的な事情で利益相反行為になった場合は仕方がないという趣旨でもあるが、むしろ、包括承継によって条件変更が生じないから、と考えるべきであろう。受託者が自然人であるときに、相続が発生し、上記の状態になったときも同様である。

(オ) δは、信託事務執行の過程で行われる可能性のある行為のすべてを、あらかじめ信託行為に示して許容することは困難であり、また、受益者の承認を得ることが時間・費用などの関係で難しいこともあるので、包括的な例外要件を定めるものである＊。

しかし、一定の要件が具備されていることは必要であり、信託法31条2項4号は、まず、当該行為が信託目的の達成のために合理的に必要であること（客観的必要性[94]）を共通要件として挙げたうえ、受益者の利益を害さないことが明白であるとき（無害の明白性）と、当該行為の信託財産に与える影響、当該行為の目的および態様、受託者の受益者との実質的な利害関係の状況その他の事情に照らして正当な理由があるとき（正当性）に分けて規定している[95]。

前者の典型例としては、信託財産において投資対象のポートフォリオの適正化を図る必要があり、そのために、市場価値の明白な財産につき、そ

---

[94] 以下、「無害の明白性」、「正当性」という用語も含め、神田＝折原84頁による。

[95] これに対して、村松ほか・97頁は、信託法31条2項の文言解釈として、「客観的必要性」を「無害の明白性」にのみ係るものだと理解し、例外として、「客観的必要性＋無害の明白性」と「正当性」の2つの場合が規定されているとする。しかし、「客観的必要性」がない場合にまで例外として許容すべきではなく、「客観的必要性」は、双方に係る要件だと考えるべきであろう。なお、2通りの解釈の可能性があることは、田中・214〜215頁が指摘している。

の帰属を，信託財産から固有財産へ，固有財産から信託財産へ，または1つの信託財産から他の信託財産へ変化させる場合（→226頁）が考えられる。

後者は，受益者の利益を害する可能性が肯定されているのであり（否定されれば前者となる），その可能性との比較考量で正当性が判断される**。

そして，いずれの場合も，要件の充足判断時期は行為時であり，受託者の判断に善良な管理者の注意に欠けることがなかったときには，同号への該当性は肯定されると解すべきである。そうしないと，受託者に不当に負担を課し，また，信託事務執行の円滑性をそぐことになる。

　*　自己取引は受益者に損害を生じさせる危険性が高い類型であるので，取引の必要があるときは，受益者の承諾を求める方向に勧誘すべきであり，公正さが証明されても自己取引は認められないという方向のルールが必要だとする見解もある[96]。

　**　「正当な理由」が認められる場合　　個別的な比較考量となるので，事案ごとの判断ではあるが，次のような例が挙げられている[97]。
　①　信託財産に属する土地が競売されたとき，受託者がその固有財産に帰属させるべく競落する場合，
　②　受託者が銀行を兼営しているとき，信託財産に属する金銭を一般の顧客と同一の利率で受託者の固有財産（銀行勘定）に属させるかたちで預金する場合，
　③　信託財産に属するテナント・ビルにつき賃借人が見つからないとき，受託者が他の賃借人と同一条件で借り受ける場合，
　④　信託財産に属する金銭で市場において有価証券を購入したところ，その有価証券は，受託者がその固有財産に属するものを売却したものであった場合，
　⑤　信託財産に属する金銭を第三者に送金する必要があるとき，銀行を兼営する受託者が，一般顧客向けの料率（またはそれ以下）の費用を徴収して送金を実施する場合，
である。

しかし，①および④は，価格決定が当事者間の交渉によってされるものではないのであり，むしろ「無害の明白性」がある場合と考えるべきであろう。②，③，⑤は例として適切だと思われるが，②，⑤では，他の銀行との比較が重要である。受託者である銀行に預金し，あるいは，送金を依頼することが不利で

96）姜・前出注83) 406頁。
97）寺本・127頁，佐藤哲治編『Q&A 信託法』161～162頁（ぎょうせい，2007）。

あるにもかかわらず，あえて受託者である銀行を利用した場合には，受託者は受託者たる地位を利用して，行為の相手方となったと評価され，「正当な理由」がないとされる場合もあろう。

　(カ)　信託法 31 条 2 項各号は，あくまで例外を定めるものであるから，ある行為がその要件を満たすことについては，受託者に立証責任がある。

(4)　受託者の通知義務

　受託者は，禁止される利益相反行為をしたときはもとより，以上の例外に該当すると判断していても，そのような行為をした旨およびそれについての重要な事実を受益者に通知しなければならない（信託 31 条 3 項）。受益者に確認の機会を与えるためのものであり，「重要な事実」の範囲は，受益者がその正当性を確認するために必要な範囲ということになる（同条 2 項 2 号の「重要な事実」と同じと解してよい）。確認の機会を与えるという観点からすると，行為にあたって受益者の承諾があった場合も同様に解される[98]。この通知がないときは，受益者の取消権につき，行為の時から 1 年という除斥期間が経過しないと考えるべきである[99]（同 31 条 7 項後段→27 条 4 項後段）。

　しかし，費用や信託事務執行の機動性の観点から，煩雑になりすぎるときもあるので，信託行為の定めによって変更・排除できることにされている（同 31 条 3 項ただし書）。

(5)　許されない利益相反行為の効果

　(ア)　例外として許容されない利益相反行為がされた場合，それによって信託財産に生じた損失について，受益者は，受託者にてん補を求めることができ，また，変更が生じたことについて，受益者は，受託者に原状回復を求めることができる（信託 40 条。→252 頁）。これは受託者の義務違反一般について認められる救済方法である。しかし，許されない利益相反行為は，受託者の権限外行為であるから，権限外行為がされたときと同様に，

---

[98]　村松ほか・98 頁注(17)。

[99]　仮登記担保契約に関する法律 5 条 1 項の定める清算金見積額の通知がなされなかった場合につき，最判昭和 61・4・11 民集 40 巻 3 号 584 頁は，清算期間経過後の競売請求を認める。なお，道垣内弘人『担保物権法〔第 4 版〕』292 頁（有斐閣，2017）参照。

その行為の効果を否定することも認められてよい。その具体的な内容は，第三者が関係するか否かで分けて考える必要がある。

　(イ)　信託財産と固有財産との間で，または，複数の信託財産の間でされた，ある財産の帰属を変える行為（信託31条1項1号・2号の行為）については，その行為の効力を否定するだけで，当該財産の帰属状態は元に戻るわけだから，単純に無効とされている（同条4項）。

　ところが，たとえば，受託者が信託財産に属する財産を固有財産に帰属させたうえ，第三者に対してそれを処分すると，当該第三者の保護の必要性が生じる。固有財産に属する財産が信託財産に帰属した場合，信託財産に属する財産が他の信託の信託財産に帰属した場合も同様である。そこで，信託法31条6項は，禁止される利益相反行為の対象となった財産について，さらに第三者に対する処分等がされたときは，その処分行為は一応有効としたうえ，禁止される利益相反行為がされたことについて当該第三者が悪意または重過失のときのみ，受益者は，受託者と第三者との間の処分行為等を取り消すことができる，としている＊。

　また，受託者の行為が無効であるときも，受益者はその行為を追認することができる。追認があれば，行為時に遡って有効となる（同条5項）（なお，追認のもつ意味について，→88頁＊）。

　　＊　しかし，具体的な結論を考えるにあたっては，場合分けが必要である。
　　（i）信託財産に属する財産が固有財産に帰属した場合
　　（a）当該財産が受託者の固有財産に属する財産として第三者に処分されたとき　固有財産に帰属した原因が禁止された利益相反行為に該当することについて，当該第三者が善意かつ無重過失であれば，当該第三者は，当該財産を受託者の固有財産に属するものと正当に考えることができる。そして，受託者は，固有財産に属する財産について無限定の処分権限を有するから，第三者が受託者の処分権限を疑う余地はない。これに対して，悪意または重過失であれば，第三者は，当該財産を受託者の固有財産に属するものと正当に考えることはできず，原因行為の取消しによって，当該財産についての権原を失う。
　　以上から，信託法31条6項のみを問題にすればよいことがわかる。
　　当該財産に信託財産に属する財産としての対抗要件が欠けていたときは，処分の相手方である第三者は，当該財産が受託者の固有財産に属するものであるとして行動できるのだから，主観的態様いかんにかかわらず，有効に処分を受けることができるのではないか，という疑問も生じる。しかし，当該財産が固

有財産に帰属した以上，信託財産に属する財産としての対抗要件が具備されていないことは当然であり，信託法 31 条 6 項の適用にあたっては，対抗要件の不具備は問題にならない。

　もっとも，そうすると，信託法 14 条の信託の登記または登録をすることができる財産について，その登記または登録がされていない場合に，たんに受託者が無権限で処分したときは，その処分は取消しの対象とならず，処分の相手方はその主観的態様とは無関係に保護される（信託 27 条 2 項 1 号参照）（→87, 149 頁）にもかかわらず，受託者が，禁止された利益相反行為によって当該財産をいったん固有財産に属する財産にしたうえで処分したときは，禁止された利益相反行為があったことについて相手方が悪意または重過失であれば，当該処分が取り消されることになる。不均衡であることは否めない。

　(b)　当該財産が信託財産に属するものとして第三者に処分されたとき　当該財産の固有財産への帰属には意味がなく，当該第三者が，禁止された利益相反行為がされたことについて，善意かつ無重過失であっても，当該利益相反行為は無効としてよい。信託財産に属する財産の処分として規律すればよく，第三者への処分が受託者の権限違反行為に該当する場合は，信託法 27 条で処理される。

　(ⅱ)　固有財産に属する財産が信託財産に帰属した場合

　当該財産が固有財産に属する財産として第三者に処分されたときはもとより，信託財産に属する財産として処分されたときでも，固有財産から信託財産の移転行為は無効とすればよい。相手方たる第三者は，受託者の固有財産に属する財産の処分を受けたものとして保護され，取消しの余地はない。

　(ⅲ)　甲信託の信託財産に属する財産が乙信託の信託財産に帰属した場合

　(a)　当該財産が乙信託の信託財産に属するものとして第三者に処分されたとき　乙信託の信託財産に帰属した原因（＝禁止された利益相反行為）について，当該第三者が善意かつ無重過失であれば，当該第三者は，当該財産を乙信託の信託財産に属するものと正当に考えることができる。信託法 31 条 6 項による原因行為の取消しは否定される。しかし，乙信託の受託者に認められた権限の範囲は問題になる。仮に，当該第三者への処分が乙信託の受託者としての権限違反行為となる場合には，信託法 27 条を適用すべきであり，当該第三者が権限違反につき悪意または重過失であれば保護に値せず，乙信託の受益者は当該第三者への処分行為の取消しができる。そして，取消しにより，当該財産はいまだ第三者に処分されていない財産となり，甲信託の受益者は信託法 31 条 4 項による無効を主張しうる。

　(b)　当該財産が甲信託の信託財産に属するものとして第三者に処分されたとき　当該財産の乙信託の信託財産への帰属には意味がなく，当該第三者が，禁止された利益相反行為がされたことについて，善意かつ無重過失であっても，当該利益相反行為は無効としてよい。甲信託財産に属する財産の処分として規律すればよく，第三者への処分が受託者の権限違反行為に該当する場合は，信

託法27条で処理される。

(ウ) これに対して，第三者との間の取引（信託31条1項3号・4号の取引）については，原則的にも無効とならず，当該第三者が，自らと受託者との間の行為が利益相反行為禁止に反することについて第三者が悪意または重過失のときのみ，受益者は，受託者と第三者との間の処分行為等を取り消すことができる（同条7項）（なお，取り消さないという選択のもつ意味について，→88頁＊）。

禁止された利益相反行為につき受託者は無権限であり，権限外処分の取消し（→85頁）と同様に考えるのが原則である。利益相反行為の取消しについて，信託法27条2項1号の要件は明記されていないが，信託財産に属する財産について登記・登録という対抗要件が欠けているときは，受益者は当該財産が信託財産に属する財産であることを当該第三者に対抗できないのであるから（信託14条），やはり取消しはできないことになる。

また，受託者から処分を受けた第三者が，さらに転得者に対する処分を行ったとき，転得者の保護も問題となるが，これは一般原則に委ねられる（→89頁）。

(エ) いずれの場合にも，信託法27条3項・4項が準用される（同31条7項）。すなわち，複数受益者のうち1人が取消権を行使すると，その取消しは他の受益者のためにも効力を生じる。受益者（信託管理人が現に存する場合には，信託管理人）が取消しの原因のあることを知った時から3か月間行使しないときは，取消権は時効によって消滅し，また，行為の時から1年を経過しても消滅する（→89頁）。

また，受益者の有する取消権は，信託行為の定めによって制限することができない（同92条6号。→332頁）＊。

＊ **信託業法における利益相反行為規制**[100]　　（i）信託業法においても利益相反行為の規制がされている。

同法29条2項は，「自己又はその利害関係人（株式の所有関係又は人的関係において密接な関係を有する者として政令で定める者をいう。）と信託財産と

100）　小出・前出注11）150〜155頁。

の間における取引」(1号),「一の信託の信託財産と他の信託の信託財産との間の取引」(2号),「第三者との間において信託財産のためにする取引であって,自己が当該第三者の代理人となって行うもの」(3号)を原則として禁止し,さらに,同条1項4号が,「その他信託財産に損害を与え,又は信託業の信用を失墜させるおそれがある行為として内閣府令で定める行為」を禁じるところ,当該内閣府令にあたる信託業法施行規則41条2項4号は,「通常の取引の条件と比べて受益者に不利益を与える条件で,信託財産に属する財産につき自己の固有財産に属する債務に係る債権を被担保債権とする担保権を設定することその他第三者との間において信託財産のためにする行為であって受託者又は利害関係人と受益者との利益が相反することとなる取引を行うこと」を,その行為の1つとして定めている。

禁止される自己取引につき,信託法31条1項は受託者が当事者となるものだけを定めているのに対し,信託業法29条2項1号は受託者の利害関係人と信託財産との間における取引も含めており,そこに違いがある[101]。そして,同号の利害関係人の範囲として,信託業法施行令14条は,信託会社の役員または使用人,関連法人,大口株主など,具体的な基準を定めている。

(ii) 信託業法29条2項は,信託法と同様に,禁止の例外を定める。信託行為の定め(行う取引の概要を定めることを要求している)または受益者の承認(書面または電磁的方法によるもの)があり,かつ,「受益者の保護に支障を生ずることがない場合として内閣府令で定める場合」である。信託法31条2項1号・2号の例外について,同項4号に相当する要件を加重していることになる。内閣府令の定めとして,信託業法施行規則41条3項が,委託者,受益者,それらの者から指図権限の委託を受けた者の指図による取引,市場価格が明確な有価証券等の売買,不動産鑑定士の鑑定評価を踏まえた価格による不動産売買,同種および同量の取引を同様の状況の下で行った場合に成立することとなる通常の取引の条件と比べて受益者に不利にならない条件で行うもの,個別の取引ごとに当該取引について重要な事実を開示し,信託財産に係る受益者の書面または電磁的方法による同意を得て行う取引,金融庁長官の承認を得て行う取引,を定めている。

(iii) 受託者たる信託会社が,信託業法29条2項各号の取引をした場合は,信託財産の計算期間ごとに,その状況を記載した書面を受益者に交付しなければならない(同条3項)。ただし,適格投資機関等である受益者から書面交付を要しない旨の承諾をあらかじめ得ている場合など,一定の例外もある(信託業法施行規則41条5項)。

(iv) 信託業法は,信託会社に対する監督を主目的とする法律であり,その違反が,利益相反行為の私法上の効力に直接に影響するものではない。ただし,信託法31条適用のためのガイドラインとして重視すべきであるとの見解も有力である[102]。

---

101) 新井監修・136頁〔木村仁〕。

3 競合行為の禁止

(1) 原則的な禁止

受託者が，信託事務執行として適当な不動産を購入する義務を負っており，適合的な不動産を見つけたが，短期間で値上がりしそうなので，受託者が，自分の固有財産にすべく，信託のためではなく，自分のために購入したとする。受託者の固有財産と信託財産とが同じ行為について相争う関係にあるので，このような行為を**競合行為**という（→90頁）。

受託者に競合行為をされると，信託財産が増加する機会が失われてしまう。そして，受託者は，受益者のために忠実に信託事務処理を行わねばならないという忠実義務を負っているのだから（信託30条），このような場合には，受益者のために，信託事務処理のほうを優先すべきであると考えられる。

そこで，信託法32条1項は，受託者として有する権限に基づいて信託事務の処理としてすることができる行為であってこれをしないことが受益者の利益に反するものについては，受託者はこれを固有財産または受託者の利害関係人の計算でしてはならない，としている*。

ここでいう利害関係人の範囲は，信託法31条1項4号と同様に，受託者と利害関係を一にする者と解すべきであろう（→226頁）。

  ＊　**信託業法における競合行為避止義務**　信託業法には，競合行為について特段の規定は置かれていない。これは，信託会社は兼業業務を行うことが認められており，その範囲も多岐にわたるので，類型化して禁止するまでの必要はないと考えられたからだとされる[103]。

(2) 競合行為が許容される場合

もっとも，このような競合行為の禁止も，あまり形式的に貫くと実態にそぐわない場合が出てくる。不動産の投資を行う信託について不動産取引を行う会社を受託者としたとき，受託者は，もはやおよそ不動産売買ができないことになるのでは不都合である。そして，不動産取引を行う会社を受託者にはできないことになると，最適の受託者を選択できなくなる。

---

102)　新井・279頁。
103)　小出・前出注11) 151頁。

そこで，まず，「信託行為に当該行為を固有財産又は受託者の利害関係人の計算ですることを許容する旨の定め」が信託行為にある場合には，当該競合行為をすることができるとされている（信託 32 条 2 項 1 号）。信託行為の定めにおいては，信託法 31 条 2 項 1 号と同様に，少なくとも，対象行為の特定（たとえば，「株式の売買」等）が要求されるというべきであろう。また，この定めは，競合行為をしたという一事をもっては受託者の義務違反にはならない，というにとどまり，受益者の利益を排除して，自己の利益を図るために，競合行為をすることは，後に述べる一般的忠実義務違反（同 30 条）になるとともに，善良な管理者の注意をもってする信託事務執行義務の懈怠（同 29 条 2 項）であり，受託者は損失てん補責任を負うことになる（同 40 条）。

　また，受託者から重要な事実を開示されて承認を求められた受益者が，競合行為を承認することもできる（同 32 条 2 項 2 号）。複数の受益者がいるとき，信託法 105 条が適用されるので，原則として全員一致が必要であること，ここにいう「重要な事実」とは，承認の可否を適切に判断できる資料を提供するという趣旨であるから，その観点から，重要な事実であるか否かが決められ，重要な事実の開示のないままに承認がされても，信託法 32 条 2 項 2 号の要件は満たされないこと，受託者が受益者に対して承認を求めるにあたっても，善良な管理者の注意が求められるのであり，不合理な内容の行為について承認を求めるのは，そもそも受託者の義務違反であることは，利益相反行為の場合と同様である（→230 頁）。また，受益者の利益を排除して，自己の利益を図るために競合行為をすることは，受益者が受託者に対して恵与の意思をもって承認したような場合を除き，一般的忠実義務違反になるとともに，善良な管理者の注意をもってする信託事務執行義務の懈怠であり，受託者は損失てん補責任を負う（同 40 条）。逆に言えば，受益者の利益を排除することが認められるためには，そのことが明確に示されている事実を開示する必要があることになる。

　また，受益者の承認があっても，当該行為ができない旨の信託行為の定めがある場合には，委託者が，受託者の競合行為が禁止される信託として設定しており，受益者は，そのような信託の受益権を有しているのである

から，承認があっても当該行為が許容されることにはならない（同32条2項ただし書）。この定めは，競合行為を全面的に禁じるものである必要はなく，一定の行為（たとえば，債券の購入）は受益者の承認があっても認められない，という内容でもよい。以上は，利益相反行為の場合と同様である（→230頁）。

(3) 受託者の通知義務

受託者は，禁止される競合行為をしたときはもとより，以上の例外に該当すると判断していても，そのような行為をした旨およびそれについての重要な事実を受益者に通知しなければならない（信託32条3項）。「重要な事実」の範囲，信託行為の定めによって通知義務を排除できることは，利益相反行為の場合と同様である（→233頁）。信託事務執行に該当する種類の取引を受託者が自らの営業としても行っているときなどは，競合行為は頻繁にされることになり，通知義務を排除することがコストの観点からも重要になる。

(4) 競合行為の範囲

(ア) 競業禁止は，会社法にも規定されているが，そこでは会社の事業の部類に属する取引のみが規制対象となっており（会社356条1項1号），（不動産の売買を事業とする会社以外の）会社が購入しようとしている土地を取締役が自分のために購入した場合などは，競業とはされていない（ただし，忠実義務違反の問題は生じるとされている[104]）。また，法人は取締役になれないから（会社331条1項1号），取締役が会社の事業の部類に属する取引を行う可能性は，さほど大きくない。これに対して，信託法32条1項のように，「受託者として有する権限に基づいて信託事務の処理としてすることができる行為」一般に競合行為禁止の対象を広げることは，受託者が法人として自己の事業も行っていることが多いことに鑑みると，厳格にすぎるのではないか，法人による受託が困難になるのではないか，という問題が生じる[105]。もちろん，あらかじめ信託行為に別段の定めを置くことは

---

[104] 江頭憲治郎『結合企業法の立法と解釈』172頁以下（有斐閣，1995），北村雅史『取締役の競業避止義務』129頁以下（有斐閣，2000）など。

[105] セミナー(2)・139〜143頁〔とくに，能見善久〕参照。

できるが，すべてを予想した信託行為の作成は困難である。

そこで，禁止の範囲を適切に制限する必要が生じる。

(イ) この点では，まず，忠実義務，そして，その具体化である競合行為避止義務は，受益者の利益を不当に害して，自己または第三者の利益を図ってはならないというものであり，自己の利益を犠牲にすることを求めるものではないことが重要である。競合行為についての同 32 条 1 項は，「信託事務の処理としてすることができる行為」・「これをしないことが受益者の利益に反するもの」という 2 つの要件が満たされる場合だけを規律しているところ，これらの要件は実質的に判断されなければならないのである。実際，受託者は，「これをしないことが受益者の利益に反するもの」のすべてを行う義務を負っているわけではなく，善良な管理者の注意をもってする判断に基づいて行為をするか否かを決定すればよい。また，後者の要件につき，「信託財産について得べかりし利益を失ったという場合を広く包含するものではな」く，「具体的な状況下において，当該行為を信託事務の処理として行うことが信託の目的や信託の条項に照らして具体的に期待されるような場合」に限るとする見解[106]があるが，これに賛成すべきである＊。

いくつかの具体例で見ていく。

＊ **忠実義務と善管注意執行義務** (i) もっとも，このように，競合行為に該当する場合を，「具体的な状況下において，当該行為を信託事務の処理として行うことが信託の目的や信託の条項に照らして具体的に期待されるような場合」と制限しても，当該行為をするか否かは受託者が善良な管理者の注意をもって判断すればよいはずであり，「具体的に期待されるような場合」であったからといって，善管注意執行義務違反がないのに，忠実義務違反となるのはおかしいのではないか，そもそも，忠実義務と善管注意執行義務はどのような関係にあるのか，が疑問に思われてくる。さしあたって以下のように考えたい[107]。

---

106) 村松ほか・99 頁。姜・前出注 83) 141 頁は，信託法の規律は受益者の損失に着目しているとするが，同旨となろう。

107) 以下について，田岡絵理子「受託者の忠実義務の本質的内容と受託者が負う他の義務との概念的関係についての一試論」信託研究奨励金論集 35 号 96 頁以下（2014），「受託者の忠実義務の本質的内容と信託事務遂行義務・善管注意義務と

(ii) まず，信託法30条が規定する一般的忠実義務は，受託者の主観を問題とする。したがって，一般的忠実義務違反を理由に受託者の責任を追及するためには，受託者が，信託事務の執行にあたり，受益者の利益を犠牲にして，自己または第三者の利益を図る意思を有していたことの立証が必要である。

(iii) 次に，競合行為についてはどうか。すでに述べたように，ある一定の行為をするか否かは，受託者が善良な管理者の注意をもって判断すればよいはずであり，「具体的に期待されるような場合」であるからといって，受託者が信託事務執行としてそれをしないで，固有財産または利害関係人の計算ですることをすべて競合行為の禁止に該当するとするのは適切ではない。そうすると，競合行為の禁止についても，受託者の主観的要件，つまり受益者の利益を犠牲にして，自己または第三者の利益を図る意思を有していたことを要求すべきではないか，とも思われる[108]。しかし，結論としては，効果ごとに分けて考えるべきではないか，と思われる。

まず，競合行為の結果として，受益者が介入権（信託32条4項）（→91頁）を行使するためには，受託者の主観的要件は不要であり，競合行為への該当性の判断において，善管注意執行義務違反があることも必要でない。受託者が正当には取得できなかった利益を移転するだけだからである。

これに対して，受託者に対して損失てん補責任を追及していくときには，善良な管理者の注意に基づけば信託事務執行としてすべきであった行為を受託者がしなかったことによって信託財産に損失が生じたことを，受益者が主張・立証しなければならないのが原則である。

しかし，信託法32条1項が，競合行為について，あえて格別に禁止している趣旨に鑑みると，受益者は，受託者によってされた行為が，信託事務執行としてすべきことが期待されていたことを立証すれば足り，かつ，その立証があれば，信託法40条3項の損失推定も働くというべきである。

ただし，受託者は，その行為を信託事務執行としてしなかったことの判断において，善良な管理者の注意を尽くしていたこと（つまり，無過失であること）を立証すれば，免責されると解すべきである。

(iv) 効果との関係で考えるということは，利益相反行為制限についても当てはまる。利益相反行為制限は，予防的な意味が強く，とりわけ客観的な類型を定めることによって，それ以上，受託者の主観的要件や当該具体的な不公正性を立証しなくても[109]，一定の救済を受けうるという意味がある。つまり，受

の概念的関係についての一試論」トラスト未来フォーラム編『信託の理念と活用』103頁以下（トラスト未来フォーラム，2015）から大きな示唆を受けている。ただし，同旨であるわけではない。

108) 利益相反研究会編『金融取引における利益相反〔各論編〕（別冊NBL 129号）』70〜72頁〔道垣内弘人〕（2009）。

109) この点で，木南敦「アメリカ法における受託者の忠実義務違反の判定方法に関する一考察」論叢160巻3＝4号92頁以下（2007）も参照。

託者が義務違反となり得る状況に身を置くことを禁止しているといえる。したがって，受益者の利益を犠牲にして，自己または第三者の利益を図る意思がなくても，信託法31条4項から7項の適用があると解される。行為の効果を認めない，というだけであるから，それでよい。

しかし，受託者が利益相反状態を認識しなかった場合，および，信託法31条2項の要件が満たされていると誤信した場合に，その判断にあたって，受託者が善良な管理者の注意を尽くしているときが問題になる。このとき，受託者が損失てん補責任等（同40条）を負うのは妥当ではなく，善良な管理者の注意を尽くしたこと（つまり，無過失であること）は，受託者の免責を認める抗弁になると解すべきである。

(v) なお，会社の取締役に関して会社法355条が定める忠実義務について，有力な反対説はあるものの，判例[110]・通説は，民法644条に基づいて取締役の負う善良な管理者の注意をもってする委任事務執行義務の一部であり，それを敷衍し，いっそう明確にしたものにとどまる，と解している[111]。会社法においては，両義務の違反の効果が異ならないため，区別の意義はない。これに対して，信託法においては，忠実義務違反の場合には，当該行為によって受託者またはその利害関係人が得た利益の額が信託財産の生じた損失額と推定されることになり（信託40条3項），善良な管理者の注意をもってする信託事務執行義務の違反とは異なる効果が認められている。したがって，両者はいちおう区別されることになる。

ただし，受託者が同一である複数の信託間に利益の衝突がある場合に，受託者が両信託を公平に扱わなかったときは一般的忠実義務違反となるが（→247頁），受託者は利益を受けていないのだから，損失額の推定は働かない（→266頁）。そうすると，そのような場合に2つの義務のいずれに違反したのかは，私法上，大きな問題とならない。

(i) 受託者が同一の債務者に対して信託財産に属する債権と固有財産に属する債権とを有するとき，後者のみ弁済期が到来していれば，固有財産に属する債権を回収してよい。信託財産に属する債権は，弁済期未到来であるから，その回収は，文言上，信託法32条1項の「信託事務の処理としてすることができる行為」に該当しない。そして，その後に債務者の財産状況が悪化し，信託財産に属する債権が回収できなくなっても，受託者の義務違反が問題になることはない。つまり，自らの債権の回収を見合わせる必要はない。

---

110) 最大判昭和45・6・24民集24巻6号625頁。
111) 旧信託法における受託者の義務についても同様の争いがあった。道垣内・問題状況19～20頁参照。

ただし，受託者が固有財産に属する債権を回収した時点で，債務者に破産原因があることを受託者が知り，または，知りうべきであり，信託財産に属する債権の回収のためには破産手続開始の申立てをすべきであった場合に，受託者がその申立てをしないままに固有財産に属する債権を回収することは，一般的忠実義務の違反（同30条）になるようにも思われる。しかし，債権の回収のために，破産手続開始の申立てをするか，債務者の資力の回復を待つかは，場合によっては微妙な判断になるのであり，明らかに破産手続開始の申立てをすべきであるのに，受益者の利益を犠牲にして，自らの利益を図った場合を除き，善良な管理者の注意をもってする信託事務執行義務に違反するとしかいえないと思われる（同29条2項）。

(ii) これに対して，信託財産に属する債権につき弁済期が到来しているのに，その回収を怠ることは，一般には，受託者は善良な管理者の注意をもってする信託事務執行義務に違反していることになる。さらに，受託者が，固有財産に属する債権の弁済期の到来を待ち，当該債権を優先的に回収すると，競合行為避止義務違反となる。按分比例で回収することも，同じく義務違反である＊。本来，信託財産に属する債権が先に回収されるべきだったのであり，それに反する行為を競合行為避止義務違反であると評価しても，受託者に自己の利益の犠牲を強いることにはならないからである。

　　＊　しかし，固有財産に属する債権の弁済期の到来を，あえて待ったのではなく，クロス・デフォルト条項により，固有財産の弁済期も到来した場合は，次の(iii)に該当するというべきであろう。また，担保権実行・強制執行による競売，あるいは，破産手続における配当において，民法488条・489条の適用によって法定充当が行われるとき[112]に，それに従うことは忠実義務違反にはならない[113]。受託者の意図的な行為とはいえないからである。

(iii) 双方の債権の弁済期が同時に到来したとき，債務者に十分な資力がない場合には，受託者は，受領した金銭を双方の債権に按分して充当すれ

---

112) 最判昭和62・12・18民集41巻8号1592頁，最判平成9・1・20民集51巻1号1頁。
113) 田中・220頁。

ば足り，信託財産に属する債権に優先的に充当しなくても，競合行為避止義務違反にならない[114]。受益者の利益を不当に害しているわけではないからである[115]。

(iv) 同一の債務者に対して，固有財産に属する債権と信託財産に属する債権とがあり，他方，債務者が受託者に対して債権を有しているとき，受託者からする相殺については，当該債務者が有する反対債権に係る債務が固有財産のみが責任を負う債務か信託財産責任負担債務かで分けて考えるべきである[116]。

固有財産のみが責任を負う債務である場合，受託者は，自らの固有財産についての取引として債権を取得し，債務を負担しているのであり，受託者は，固有財産に属する債権とそれを相殺しても，競合行為避止義務違反にならない。また，当該債務と固有財産に属する債権とが相殺適状に達する前に，当該債務と信託財産に属する債権とが相殺適状に達したからといって，受託者は，自らの相殺の期待を放棄し，当該債務と信託財産に属する債権とを相殺する義務を負わない。

これに対して，信託財産責任負担債務である場合，信託事務執行として債務を負っているのであり，固有財産に属する債権との相殺につき合理的な期待を有するとは評価できないから，受託者は，固有財産に属する債権の弁済期が到来し，他方，信託財産に属する債権の弁済期が未到来であっても，固有財産に属する債権と相殺することができないことになる（なお，当該債務の債務者は受託者であるから，およそ相殺が考えられないわけではない）。ただし，これは競合行為避止義務違反の問題ではない。当該債務と信託財産に属する債権とが相殺適状に達していない限り，相殺は，「信託事務の処理としてすることができる行為」ではないからである。利益相反行為の問題（信託31条）としてとらえるべきであり，その規律による（→159,

---

114) 田中・188, 217〜218頁。
115) もっとも，担保の有無等，様々な違いがあるため，按分比例だとすれば解決できるとは限らないことにつき，藤田友敬「信託債権の相殺：コメント」能見善久編『信託の実務と理論』204〜205頁（有斐閣，2009）。
116) 両者の区別の必要性を指摘するものとして，神田・前出注89) 24頁。

220頁)。

(v) たとえば，受託者が信託事務執行としても不動産を購入すべき場合に，固有財産に属させる目的で不動産を購入することは許されるか。

たしかに，これは，競合行為の典型例ではある。しかし，受託者が不動産の売買を業（の一部）とする法人の場合，およそ固有財産での不動産の購入が許されなくなるのも適当ではない。仮に，信託行為に明示の許諾がない場合でも，受託者をそのような法人にしている限り，黙示の定めがあると解すべきときもあろう。もっとも，その場合でも，受益者の利益を不当に害して，自己または第三者の利益を図ってはならないという一般の忠実義務違反の問題（信託30条）は生じる。しかし，当該受託会社が受託部門と不動産投資部門とで情報遮断をしているなどの場合（ウォールの設定[117]）には，一般の忠実義務違反にもならないという効果を認めてよい（→242頁＊(ii)）。

(5) 禁止される競合行為の効果

(ｱ) 禁止される競合行為がされた場合，それによって信託財産に生じた損失について，受益者は，受託者にてん補を求めることができ，また，信託財産に変更が生じたことにつき，受益者は，受託者に原状回復を求めることができる（信託40条。ただし，→254頁＊）。しかし，禁止される競合行為について，受託者の固有財産や利害関係人にそのままの効果を帰属させるべきではないから，介入権という特別な救済方法が受益者に認められている（同32条4項）。このことはすでに説明した（→91頁）。

(ｲ) なお，弁済受領や相殺が禁止される競合行為に該当するときに介入権が行使されても，相手方たる債務者との間では，弁済充当の規律（民488条～491条）によって，いずれの債務が消滅したかが決定される。介入権の行使は，相手方の地位を変動させることができないからである（→91頁）。

---

117) 友松義信「信託銀行のチャイニーズ・ウォール」NBL 820号62頁以下（2005），同「信託銀行の利益相反法理に関する考察（3完）」金法1966号63頁以下（2013）。さらに，銀行法の定めにつき，田中・237～239頁参照。

4 一般的忠実義務

(1) 総　　説

(ア) すでに述べたように (→220頁)，利益相反行為と競合行為について個別の条文が置かれているのは，その重要性ゆえではない。あくまで，受託者が負う忠実義務の具体的例として規定されているにとどまる。

したがって，利益相反行為制限や競合行為制限に抵触しない行為であっても，忠実義務違反にはなり得る。そこで，信託法30条は，「受託者は，受益者のため忠実に信託事務の処理その他の行為をしなければならない。」と規定し，受託者には一般的忠実義務が課されることを明らかにしている＊。

受託者は，受託者としての地位を利用して，受益者の利益の犠牲のもとに，自己または第三者の利益を図ってはならない。しかし，受託者が，受託者であることにより，およそ何らの利益を得てもならないということではない。あくまで，自己の利益のために受益者の利益を犠牲にしてはならない，ということである。たとえば，信託財産の計算で行われる取引と受託者の固有財産の計算で行われる取引とが同時に行われることによって取引量が一定以上のものになったため，相手方からいずれの取引についても割引を受けたからといって，一般的忠実義務違反にはならない[118]。たしかに信託財産の計算で行われる取引によって固有財産も利益を受けているが，それによって，信託財産は不利益を受けていないからである。自己の利益を犠牲にすることを求めるものではないことについても，競合行為禁止に関連して述べたところが妥当する (→241頁)。

また，一般的忠実義務は，信託の利益に反する行為を類型的に把握し，信託財産の不利益を防止しようとするものではない。受託者が，受益者の利益の犠牲のもとに，自己または第三者の利益を図ることを問題とするのである。したがって，一般的忠実義務違反と評価されるためには，受託者が，上記のような意思をもって行為をしていることが必要である (→242頁＊(ii))。

---

[118]　井上・62～64頁，セミナー(2)・260～266頁参照。

＊　**信託業法による一般的忠実義務**　　信託業法 28 条 1 項も，「信託会社は，信託の本旨に従い，受益者のため忠実に信託業務その他の業務を行わなければならない。」として，一般的忠実義務を定めている（利益相反行為については→236 頁＊，競合行為については→238 頁＊）。

　(ｲ)　一般的忠実義務の規律は概括的であり，その具体的内容は，当該信託の趣旨に照らして決定される必要がある。結局，どのように信託事務を処理すべきか，という問題であり，どのように処理すべきかは，当該信託の趣旨に照らして決定されるべきだからである[119]。

　そこで，行為を実質的に観察し，その行為の合理性を判断することが必要になる。たとえば，信託事務の処理として第三者と契約を締結するにあたって，リベートを取得し，固有財産に帰属させることは，一般には忠実義務違反となろうが，交渉時に供された食事をとったり，社会通念上，許される範囲で中元・歳暮を受け取ったりすることは合理性を欠くとまではいえないだろう。また，対価なしに第三者が負う債務の担保のため，信託財産に属する不動産に抵当権を設定し，物上保証を行ったとしても，たとえば，事業信託において当該第三者との関係を維持することが重要であるときに，将来のことを考えての行為であれば，忠実義務違反とはならない[120]。利益相反行為に関する信託法 31 条 2 項 4 号の趣旨に沿った総合的判断が求められる[121]。

　なお，利益相反行為・競合行為については，受託者は該当行為をしたときに受益者に通知しなければならないとされているが（同 31 条 3 項，32 条 3 項），一般的忠実義務違反については，ある行為の信託法 30 条への該当性が形式的に判断できないので，通知義務は課されていない[122]。

　(ｳ)　信託法 31 条 2 項 2 号の定めるところ，すなわち，受益者の承認も

---

[119]　具体的な信託ごとに目的が異なり，状況が異なるから，一般的忠実義務の規律が概括的になるのは必然的ではある。しかし，裁判所が事後的に適切に判断できると，なぜ合理的に期待できるのか，という問題はある。藤田友敬「契約・組織の経済学と法律学」北法 52 巻 5 号 445 頁（2002）。

[120]　親子間の利益相反行為に関する，最判平成 4・12・10 民集 46 巻 9 号 2727 頁参照。

[121]　村松ほか・93 頁注(4)。

[122]　条解・200 頁〔沖野眞已〕は立法論として疑問を呈するが，賛成できない。

一般的忠実義務の解除事由となる。しかし，限界があることは，利益相反行為について述べたところと同様である（→230頁）。これに対して，同項1号，すなわち信託行為の定めによる許容は，その定めの存在を踏まえて信託目的が判断されると考えると，理論的には，一般的忠実義務の解除事由ではなく，許容されている行為をすることは，そもそも義務違反ではないことになる。しかし，信託行為の定めにも限界は存在するのであって，たとえば，一般的忠実義務をまったく排除することは，信託設定意思を欠くものと評され，信託の成立が否定される[123]（→56頁）。

(2) 一般的忠実義務違反の具体例

4つの類型に分けることができよう。

(ｱ) 固有財産等と信託財産との利益衝突　(a) 利益相反行為制限に係る信託法31条1項1号は財産移転行為のみを問題としている。しかるに，たとえば，事業信託の受託者が，自己または利害関係人の事業の便宜のために，信託事務の処理として行われている事業の一部を廃止したり，自己または利害関係人の事業で用いるための製品開発を行ったりする場合については，一般的忠実義務違反の問題となる。もっとも，事業の一部廃止や製品開発が当然に忠実義務違反になるわけではなく，信託事務執行として不要であるところ，受益者の利益の犠牲のもとに，自己または第三者の利益を図る意思を受託者が有しているときに限られる。

(b) たとえば，信託財産に属する不動産を第三者に売却するにあたり，受託者が不動産仲介業務を行ったとき，その仲介手数料を取得し，固有財産に帰属させることができるか，が問題とされる。

まず，信託財産から信託報酬以外に仲介手数料を別途要求することができるか。これは，当該信託の趣旨に照らし，受託者がどこまでの義務を負っていたかによって定まる。一般に不動産仲介のノウハウを有する者が受託者であるときは，相手方を探し，契約締結事務を行うことは受託者が信託事務執行として行うことが予定されていると解すべきであり，別途，信託行為の定めがある場合を除き，仲介手数料はとれない[124]。

---

123)　寺本・118〜119頁注(3)。
124)　セミナー(2)・151〜155頁。

次に，相手方である第三者から，仲介手数料を取得できるか。理屈のうえでは，仲介手数料の額だけ，不動産売買価格が減少する可能性があり，信託財産への帰属額を減少させて，その分を受託者が固有財産に帰属させていると評価することもできるので，問題になる。信託銀行である受託者が，買主から依頼を受け，購入対象となる不動産を物色していたところ，自らが受託者である信託の信託財産に属する不動産がたまたま適切だと判断された，といったときには，仲介は受託者としての信託事務執行にあたらず，仲介手数料の発生原因である契約が受託者の信託事務執行とは無関係に生じているから，相手方からの取得は許されるであろう[125]。

(イ) 第三者と信託財産との利益衝突　第三者の利益との衝突は，たとえば，信託財産に属する財産を当該第三者に売却する際の対価の決定にあたって生じる。これは，契約締結における判断であるから，第三者の利益との衝突は原則としては受託者の善管注意執行義務の問題としかならない[126]。

しかし，受益者の利益の犠牲のもとに，当該第三者の利益を図る意思をもって受託者があえて安価で売却等をしたときは，一般的忠実義務違反になるというべきである。

その他の具体例は，(ア)に準じる。

(ウ) 信託財産間の利益衝突　利益相反行為に関する信託法31条1項2号は，1号と同じく，財産移転行為のみを問題としている。また，競合行為に関する同法32条1項は，「固有財産又は受託者の利害関係人の計算」で行うことが前提となっている。しかるに，同一者が複数の信託について受託者となっているとき，信託間の公平が財産移転行為以外でも問題となることがある。そして，複数の信託につき公平に扱うべきことは，財産移転行為に限らず，受託者の忠実義務の一内容となると解される[127]。忠実義務は，自己または第三者の利益を優先させてはならないということ

---

[125]　利益相反研究会編・前出注108) 80〜81頁, セミナー(2)・155〜157頁参照。
[126]　寺本・124〜125頁注(5), 村松ほか・90頁注(2)。
[127]　東京地判平成13・2・1判タ1074号249頁, 東京地判平成16・8・27判時1890号64頁。

であり，他の信託の受益者を有利に扱うことは，第三者の利益を優先させることにほかならないからである[128]（→202頁）。

具体例は，(ア)に準じる。

(エ) 受託者と受益者との利益衝突　信託財産に不利益が生じ，その結果として受益者に不利益が発生するのではなく，受託者の行為が受益者の利害に直接に関係してくる場合もある。

まず，受託者が，固有財産の計算において，受益者から受益権を購入することの可否が論じられる。しかし，受託者が信託事務として行っている取引ではなく[129]，忠実義務違反の問題は生じない（→90頁）。

次に，受託者が固有財産に属する債権を受益者に対して有するとき，それと受益債権との相殺が可能かが問題になる。受託者は，信託事務執行として，受益者に受益債権に係る債務を給付する義務を負っているところ，相殺によって，自らの債権の回収を行うことは，忠実義務に反するのではないか，ということである[130]。

しかし，受益者の資金状態が悪化しているとき，上記の相殺を禁じることは，一般には，受益者に対する他の債権者に有利になるだけであり，また，受益債権との相殺を認めても，信託財産は損失を受けないから，忠実義務違反の問題は生じないというべきである。ただし，当該信託の目的として，受益者に現実の受益をさせる必要があるとき，すなわち，たとえば十分な自活能力のない受益者に一定の生活費を給付する目的などの信託の場合には，受託者には現実給付義務が課され，相殺をすることは善良な管理者の注意をもってする信託事務執行義務に反するというべきである。そして，その効果として，信託法40条1項2号により原状回復がされるべきことになり，それは単純に相殺の効力を否定することによって実現されるのであるから，結論として，相殺の効力が認められないと解すべきである[131]。

---

128)　神田秀樹「忠実義務の周辺」竹内昭夫追悼『商事法の展望』308頁（商事法務研究会，1998）。
129)　姜・前出注83) 412～413頁参照。
130)　能見・58～59頁は，忠実義務違反になるとする。

(3) 一般的忠実義務違反の効果

　一般的忠実義務違反の効果は，後に述べる受託者の損失てん補責任等の発生であり，利益相反行為・競合行為と異なり，特別の効果は定められていない。

　ただし，信託財産に属する財産を，受託者が，第三者の利益を図る意思をもって，当該第三者に不当な廉価で売却したとき（→250頁）など，受託者がその権限を濫用し，権限外行為であると評価される場合には，受託者の権限違反行為の取消し（信託27条）の規律が適用される（→85頁）。

第6節　義務違反に対する受託者の責任

1　総　説

　受託者の義務違反に対する受益者の救済方法としては，すでに見たところでも，受託者の権限違反行為の取消し（信託27条。→85頁），禁止される利益相反行為の無効・取消し（同31条4項・6項・7項。→234頁），競合行為についての介入権（同32条4項。→91頁）があった。これらは，当該義務違反の特性に基づいて認められていたものであり，それ以外に，一般的な救済方法として，信託法には，受託者の損失てん補の責任等（同40条）および受託者の行為の差止請求権（同44条）が定められている。

2　受託者の損失てん補の責任等

(1) 信託法40条の適用範囲

　信託法40条1項は，受託者の任務懈怠があった場合で信託財産に損失や変更が生じたときについて一般的な定めを置いている。ただし，その効果は，信託財産への損失てん補，信託財産の原状回復である。したがって，信託財産について損失をてん補し，または，原状を回復すれば償いうる違反についての責任を定めるものであり，それ以外の場合には適用されない。

---

131)　道垣内・問題状況243～252頁参照。

具体的には，受託者の善管注意執行義務違反（同29条）だけでなく，第三者委託に関する義務違反（同35条），忠実義務違反，分別管理義務違反の場合にも適用されることは，同法40条2項以下からも明らかである。公平義務違反（同33条）については，たとえば，特定の受益者に過大な給付をすることによって信託財産に損失を生じさせたときには，同法40条1項1号による損失てん補の請求がされることになる。一部の受益者に不当に有利な投資がされたときは，同項2号に基づき信託財産の組成について原状回復がされることになる（→277頁＊）[132]。

これに対して，信託事務処理の報告義務（同36条），帳簿を作成し，閲覧・謄写させる義務（同37条，38条）の違反についても，本条は適用されない。信託財産に損失や変更が生じるわけではないからである。

(2) 責任の性質

旧信託法に関しては，同様の責任につき，その性質が議論され，単純な債務不履行ではなく，不法行為の性格も併有するとするもの[133]，債務不履行・不法行為責任とは体系を異にする信託特有の責任だとするもの[134]などがあった。

現行信託法も，その性質を明らかにしているわけではない。しかし，信託法40条の責任の消滅時効期間については，同法43条によって債務不履行による損害賠償請求権に準じる扱いとされており，受託者の受益者に対する義務違反に基づく債務不履行と理解される[135]。

もっとも，債務不履行責任とされたとしても，損失てん補責任の範囲が民法416条で画されることは当然でない。また，請求権の期間制限について，不法行為である性格も加味されている。これらについては後に述べる（→261，272頁）。

---

[132] 条解・274〜275頁〔沖野眞已〕。本書初版・235〜236頁では，公平義務違反は受益者全員との関係で生じるものではないので本条は適用されない，としたが，改説する。

[133] 四宮・280頁。

[134] 田中実＝雨宮孝子「信託違反の性質について」法研45巻12号17頁以下（1972）。

[135] 寺本・162頁。

(3) 請求権者

　受託者の責任を追及できるのは，受益者である。受益者が複数のときにも単独で行使しうる（信託105条1項かっこ書，92条9号）。受益者代理人が選任されている場合も，各受益者が権利を行使できる（同139条4項）＊。

　受益者が有する権利の行使は，信託行為の定めによって制限することができない（同92条9号）。しかしながら，たとえば，「損失のてん補に限る」といった特約を信託行為で定めることが可能かが問題になる。仮に，当該信託の目的との関係で原状の回復が重要であるときは，金銭による損失てん補がされた後でも，受託者の義務内容として，損失てん補金をもって原状を回復することが信託事務処理として受託者に求められることになるから，必要な原状回復はされることになる。したがって，このような信託行為の定めの効力を否定する必要はなかろう[136]。もっとも，実質的に見て，受益者の権利制限とならないことが必要である＊＊。責任額に上限を規定することは，まさに権利行使の制限であり，認められないと解すべきである。

　また，信託行為の定めにより委託者も請求権者とすることができる（同145条2項7号）（→408頁）。

　さらに，受託者が複数ある場合，他の受託者も責任を負う受託者に対して，損失てん補責任等を追及できる（同85条2項）。信託財産を健全に維持することは，受託者の負う義務だからである（→182頁＊＊）。

> ＊　**受益者が複数の場合**　受益者が複数の場合には複雑な問題が生じる。
> （ⅰ）まず，損失てん補と原状回復のいずれの請求をするか等につき，複数の受益者の意見が分かれる場合の不都合が指摘される[137]。このときは，次のように考えるべきであろう。
> 　前提として，義務に違反し，信託財産の原状を変更するとともに損失を生じさせた受託者が自発的に損失をてん補したとしても，受益者は原状回復を請求できるはずである。原状回復請求にあたっては，信託財産に損失が生じたことは要件とされないから（→259頁），受益者は，受託者の義務違反と当該義務違反に起因する原状の変更とを主張し，原状回復を求めることができる。そうであるならば，受託者による損失てん補が，ある受益者の請求に基づいて行わ

---

136) 村松ほか・136頁，田中・284〜285頁。
137) 寺本振透編『解説新信託法』92頁（弘文堂，2007）。

れたときも，他の受益者は，なお原状回復の請求ができると解される（ただし，損失てん補を求めた受益者は，それに加えて原状回復の請求をすることはできないと解すべきである）。この後発的な原状回復請求に応じることによって損失が償われるときは，以前にされた損失てん補のうち，原状回復によって償われた損失分は不要であったことになり，受託者は信託財産からその返還を求めることができる。

これに対して，受託者が原状回復義務を履行し，それによって，信託財産の損失が償われたときは，信託法 40 条 1 項 1 号の損失てん補請求権は消滅する。ただし，原状回復によって償えない損失があるときは，受託者は，別途，損失てん補義務を負う（→261 頁）。

(ⅱ) 受益者の 1 人が，受託者の責任を追及する訴訟を提起するとき，会社法上の株主代表訴訟における株主と同じく（会社 847 条 3 項・5 項），当該受益者は，法定訴訟担当者となる。したがって，他の受益者は当該訴訟に補助参加できるが（民訴 42 条），補助参加をしたか否かにかかわらず既判力が及ぶため（同 115 条 1 項 2 号），判決確定により提訴権を失う。訴訟上の和解がされたときも同様である（同 267 条）。しかし，そうすると，受益者の 1 人の訴訟追行が稚拙であったり，受託者と共謀して責任を軽減したりするおそれがある。会社法上の株主代表訴訟に関しては，補助参加を明文で認めるとともに（会社 849 条 1 項），少なくとも当該株式会社には訴訟告知がされ（同条 4 項），共謀がある場合につき再審の訴えを認めるが（同 853 条），信託法の手当は不十分である。不当な訴訟追行あるいは和解を行った受益者に対して，他の受益者は不法行為（民 709 条）に基づく損害賠償ができると解することになろう。

＊＊ 「損失のてん補に限る」とする信託行為の定め　まず，原状回復費用が損失額を上回る場合には，責任制限に該当するのではないかという疑問が生じる。しかし，「あるべき状態」との差額が損失として認められるのであるから（→258 頁），責任制限になるというほどでもなかろう。

次に，受益者が「あるべき状態」を示したうえで，その財産価値と現状との差額の立証を求められることになると，損失額の立証が不要な原状回復請求に比べて，権利制限がされているのではないか，ということである。この点では，損失額の立証が困難であるときは，特約の効力を否定する，逆にいえば，特約の効力を維持しようとする受託者側に損失額の立証責任があるという処理が求められる。

(4) 要　　件

(ア) 受託者の損失てん補責任または原状回復責任の（積極的）発生要件は，①受託者による任務懈怠があったこと，②信託財産に損失または変更が生じたこと，③②が①によって生じたこと（信託 40 条 1 項本文），である。ただし，原状回復責任については，「原状の回復が著しく困難であるとき，

原状の回復をするのに過分の費用を要するとき，その他受託者に原状の回復をさせることを不適当とする特別の事情があるとき」でないことが必要である（同項ただし書）。

以下，それぞれについて検討する。

(イ)　「受託者がその任務を怠ったこと」　(a)　形式論理からは，受託者の負う義務の違反のすべてが入るが，実際には，②の要件との関係で，信託財産に損失または変更が生じるタイプの違反だけが問題になる（→253頁）。

信託法 40 条 1 項に類似した会社法 423 条 1 項につき，「任務を怠った」というのは客観的な義務違反を意味し，故意または過失とは別次元の概念だと解する見解がある[138]。これと同様に考えれば，信託法 40 条 1 項による責任追及の場面でも，客観的義務違反である任務懈怠のほかに，受託者の故意または過失が必要であるという考え方もありうる[139]（もっとも，受託者が自己に故意または過失がないことの立証責任を負う）。これは受託者の責任に関して旧法における通説でもあった[140]。しかし，他方で，忠実義務違反や分別管理義務違反については，無過失責任である旨が指摘されることがある[141]。そこで，どう考えるべきかが問題になる。

分類して考える。

(b)　まず，善管注意執行義務違反の場合には，いずれにせよ善良な管理者の注意に基づいた信託事務執行をしなかったことが，任務懈怠であり，

---

[138]　相澤哲編『立案担当者による新・会社法の解説（別冊商事法務 295 号）』117 頁（商事法務，2006）。

[139]　寺本・157 頁。

[140]　四宮・282 頁，能見・138 頁。

[141]　忠実義務違反につき，金融取引における信託の今日的意義に関する法律問題研究会「金融取引における受認者の義務と投資家の権利」金融研究 17 巻 1 号 87 頁（1998）（ただし可能性として），分別管理義務違反につき，四宮・223 頁。もっとも，損害を生じさせた直接の事由について過失がなくても，分別管理義務違反と損害発生について因果関係があれば責任を負うというだけであり，分別管理義務違反自体には過失を要するというものだと理解される（能見・140～141 頁，藤田友敬「信託法における受託者の責任」落合誠一古稀『商事法の新しい礎石』936 頁（有斐閣，2014））。

過失ともなるのであるから，区別の必要はない。

　また，第三者委託に関する選任・監督義務および公平義務は，善管注意執行義務の具体化であり，同様である（→197，202頁）。

　(c) 次に，分別管理義務違反に関して実際に問題になるのは，信託財産に属する不動産につき信託の登記が登記所の過誤によって失われた場合などにおいて，信託財産に損失または変更が生じたときをどのように考えるか，であろう。このような事例において，受託者の責任が生じるとするのは妥当ではないと思われ，帰責事由が必要であると解すべきである[142]。

　受益者は客観的な義務違反状態のみを立証すれば足り，帰責事由の不存在は受託者の側で立証すべきことになる[143]。

　(d) 忠実義務違反について，まず，一般的忠実義務違反（信託30条）は，受託者が，受益者の利益の犠牲のもとに，自己または第三者の利益を図る意思をもって行為していることを義務違反自体の要件と考えるべきであり（→242頁*(ⅱ)），帰責事由が必要か否かの問題は生じない。

　(e) 利益相反行為制限については，利益相反状態を認識しなかった場合，および，信託法31条2項の要件が満たされていると誤信した場合が問題になるが，善良な管理者の注意に基づく判断がされた結果での誤信であれば，受託者は責任を負わないと解すべきである。すなわち，帰責事由が必要である（→242頁*(ⅳ)）。

　なお，受益者は客観的な義務違反状態のみを立証すれば足り，帰責事由の不存在（善良な管理者の注意に基づいて判断したこと）は受託者の側で立証すべきことになる。

　しかし，禁止される利益相反行為であることによる効果（信託法31条4項による無効，および，6項・7項による取消権）は，受託者の帰責事由の存否にかかわらず，発生する。

---

142) 能見・139～141頁。
143) このとき，帰責事由がない限り，そもそも最終的には義務違反と評価されないのか（セミナー(2)・222～223頁〔能見善久，道垣内弘人〕），書かれざる抗弁事由（帰責事由の不存在）があるというべきなのか（藤田・前出注141）933頁），という問題がある。

競合行為についても同様であり，受託者は，当該行為を信託事務執行としてしなかったことが善良な管理者の注意を払った判断に基づくことを立証すれば損失てん補責任を免れるが，介入権の行使については，受託者に帰責事由があることを要しない（→242頁＊(ⅲ)）。

（f）受託者が権限違反行為をしないようにする義務は，善管注意執行義務であるが，権限違反行為の取消し（信託27条）にあたっては，受託者に帰責事由は不要であり，客観的に権限違反行為であればよい。しかし，当該行為が善良な管理者の注意を尽くしても権限違反であることが受託者にわからなかった場合には，取消しによって償えない損失についてはもとより，当該行為により逸出した財産の取戻しに要する費用について，受託者は損失てん補責任を負わないと解すべきである。(e)も同様である。

(ウ) 信託財産に損失または変更が生じたこと　「損失」・「変更」に関しては，その比較基準時が問題になる。すなわち，義務違反がなければあるべき状態と比較するのか，義務違反の前の状態と比較するのか，である（なお，合同運用の場合につき，→96頁＊＊）。

まず，「損失」とは，義務違反がなければあったはずの状態と比較して，信託財産の価値が低くなっていることである。たとえば，ある投資をするべきだったのにしなかったというとき，それによって得られるはずであった利益は，ここにいう「損失」に該当する。信託法40条3項が，受託者が忠実義務違反行為により得た利益の額を「損失」の額と推定していることからも，得られるはずであった利益の喪失も「損失」であることが裏付けられる。

これに対して，「変更」に関しては，その効果が「原状の回復」であるところ，「原状」とは「元の状態」であるから（→262頁），ここでは，義務違反の前の状態と比較されていることになる。

そして，損害賠償請求においては「あるべき状態」を基準とし，原状回復請求においては「元の状態」を基準とすることになると，2つの救済方法の性格は異なることになるが，これは，民法に照らしていえば，債務者の債務不履行があるとき，解除をしないで損害賠償を請求することと，解除をすることに対応している。解除の場合にも，なお損害賠償請求は妨げ

られないが（民545条3項），原状回復については損害額の立証の手間が不要になるという利点がある。信託法40条1項についても同じである[144]。

したがって，「変更」があったと評価するためには，損失が生じていることは不要である[145]。ただし，損失が生じていないことが，信託法40条1項ただし書の要件が充足されているか否かの判断において意義を有しうることは別問題である（→261頁）。

(5) 因果関係

(ア) 因果関係の存在を立証する責任は，原則として，受託者の責任を追及する側にあるが，例外もある。

信託事務処理の第三者委託が受託者の義務違反となる場合については，因果関係の立証責任が転換されている（信託40条2項）。つまり，義務違反である第三者委託がされているときに，信託財産に損失・変更が生じた場合には，「第三者に委託をしなかったとしても損失又は変更が生じたこと」を受託者が証明しなければ，受託者は損失・変更について責任を免れない。現行信託法によって，第三者委託の要件を大幅に緩和されたことから（→189頁），緩和された要件に従った適正性を厳格に確保する必要性があると考えられ，このような特則が規定されたのである[146]。

因果関係が否定されるのは，たとえば，第三者委託に伴い信託財産に属する財産が当該第三者に交付されたが，大地震が起こり，当該財産が受託者のもとに存しようが，当該第三者のもとに存しようが，いずれにせよ毀損したという場合である。これに対して，適法に委託を受けた第三者が，善管注意執行義務違反により信託財産につき損失または変更を生じさせた場合には，因果関係は否定されない。

問題は，第三者委託の要件は満たしていないが，当該第三者は善良な管理者の注意を尽くして事務を処理した場合である。たとえば，信託財産の投資につき，要件が満たされていないのに第三者に委託したとき，当該第

---

144) セミナー(2)・253頁参照。
145) 旧法下の学説は分かれていた。損失発生が必要とするものとして，四宮・281頁，不要とするものとして，田中＝雨宮・前出注134) 19頁。
146) 新井監修・184頁〔川口恭弘〕。

三者が善良な管理者の注意を尽くして投資を行ったものの，結果として，信託財産に損失が生じた場合である。受託者が投資をしても同様の損失を生ぜしめたことを証明できない限り，受託者は本条の責任を負うと解することが，特則を設けた趣旨に合致するであろう。

なお，信託法40条2項にいう「受託者が第28条の規定に違反して信託事務の処理を第三者に委託した場合」とは，帰責事由も含めたかたちで任務懈怠があった場合と解すべきであり，第三者委託に関する義務の違反につき帰責事由がないことは，受託者の抗弁事由になる[147]。

(イ) また，信託法40条4項は，分別管理義務違反となる場合についても，上記と同様に，因果関係の立証責任を転換している。分別管理義務違反につき帰責事由がないことが，受託者の抗弁事由になることも同じである。

(6) 「損失のてん補」と「原状の回復」

(ア) 受託者の責任の具体的内容は，「信託財産に損失が生じた場合」には「当該損失のてん補」，「信託財産に変更が生じた場合」には「原状の回復」である（信託40条1項）。すでに述べたように（→259頁），「原状の回復」には，それを求めるときには，損失の立証が不要となるという意義がある。

そして，「変更」とは，義務違反前の信託財産の状況を基準に判断されるべきであり（→258頁），そうすると，受託者の不作為を義務違反としてとがめる場合等を除き，ほとんどの場合は，「信託財産に変更が生じた場合」に該当することになる。しかし，そうだからといって，受益者等は，原状回復を求めなければならないわけではなく，変更によって生じた損失のてん補の請求を選択することもできる（本条1項ただし書も，そのことを前提にしていると考えるべきである）。つまり，受益者等は救済方法につき選択権を有する。もっとも，損失のてん補が請求されたが，受託者が自発的に原状回復を行うことによって，損失が不存在に至れば，損失てん補請求権も消失する[148]。

---

147) 問題点も含め，セミナー(2)・47～55頁参照。
148) 村松ほか・135頁注(2)，五十嵐健一「受託者の損失てん補責任と原状回復

また，原状回復請求を選択したときでも，それでは償えない損失がある場合には，あわせて損失てん補を求めうる。逆に，変更によって損失が生じているとき，受益者が損失てん補請求を選択し，それが履行されたときは，もはや原状回復請求はできないと解される。受託者にとって二重負担となるからである（ただし，受益者が複数である場合について，→254頁＊）。

(イ) てん補される損失の範囲　受託者の義務違反を債務不履行であると考える限り，てん補される損失の範囲は民法416条で定まりそうである。

ところが，たとえば，信託財産に属していたA社の株式が誤って売却されたとき，受益者は，受託者に対して，原状の回復，すなわち，A社の株式を信託財産に回復することを求めることができ，そのとき，A社の株式が高騰していれば，受託者は，高騰した株式を自らの財産で購入して，信託財産にしなければならないことになる。しかるに，同じ事例で損失てん補請求がされると，A社の株式の高騰が予見不可能なものであるときには，価格高騰分は損害賠償の対象にならない可能性がある。これは不均衡であり，「損失のてん補」の場合も，高騰分も含めた額の支払がなされるべきようにも思われる。また，善管注意執行義務違反と忠実義務違反とで，損失てん補の範囲に差を設けるべきだとの指摘もある[149]。

受託者の義務違反の効果は，寄託や委任において受寄者・受任者が債務不履行責任を負うとき（その損害賠償の範囲は当然に民法416条によって定まる）とのバランスも考えなければならず，結論としては，民法416条で損失てん補の範囲を定めることを原則としつつ，原状回復の場合とのバランスは信託法40条1項ただし書の解釈により，また，忠実義務違反の場合に損失てん補の範囲を拡大すべきだとの主張に対しては同条3項の推定を重視することによって，調整を図るべきであろう[150]。

なお，3項に忠実義務違反における損害額について推定規定があるが，

責任（信託法40条1項）の実務的問題について」信研34号89〜90頁（2009）。
[149]　木村仁「受託者の損失てん補責任・原状回復責任」金判1261号71頁（2007）。
[150]　問題の所在は，道垣内・問題状況501〜508頁参照。さらに，セミナー(2)・255〜259頁も参照。

別に論じる。

　(ウ)　原状回復の内容　「原状」とは，義務違反がなければ現時点で信託財産があるはずであった状態にすることだとする見解もあるが[151]，言葉の意味に反するし，また，受益者等が，信託財産が現時点であるはずであった状態を立証しなければならないとすると，損害額を立証しなくてもよい点にメリットのあるものと，原状回復請求権をとらえることができなくなる。義務違反の前の状態に戻すことと解すべきである。

　原状回復には，逸出した財産の回復，占有の回復，毀損の修復などがある。

　なお，原状回復といっても，完全に同じには回復できないことは十分に考えられる。回復しているか否かについても，信託目的に照らした判断が要請される。たとえば，信託財産に属する建物の照明器具を受託者が過失により毀損した場合を考えると，必ずしも同じ照明器具を取り付けなければならないわけではなく，類似の照明器具で足りる。ただし，信託目的との関係で，建物全体で照明器具を統一していることに重要性があるときは，同じ照明器具を取り付けなければならないと解される[152]。

　受託者の行為が無効であったり（信託31条4項），取り消されたり（同27条）した後，相手方に対して返還請求をすることも，ここにいう原状回復に含まれることを前提とする見解もあるが[153]，無効・取消しの結果として生じる物権的ないし不当利得返還請求権の行使を懈怠することが善管注意執行義務違反になり，その結果として損失てん補責任等が生じると考えるべきである。

　(エ)　受託者が複数の場合　受託者が2人以上ある信託において，2人以上の受託者が信託法40条の責任を負う場合は，連帯債務者となる（同85条1項）。

---

[151] 旧法の「復旧」の解釈として，四宮・284頁注(1)，新法の下で，木村・前出注149) 70頁。
[152] 五十嵐・前出注148) 87頁。
[153] 木村・前出注149) 71頁。

(7) 原状回復請求権の制限

(ア) 「原状の回復が著しく困難であるとき，原状の回復をするのに過分の費用を要するとき，その他受託者に原状の回復をさせることを不適当とする特別の事情があるとき」には，損失てん補請求のみができる（信託40条1項ただし書）。

(イ) 「原状回復が著しく困難であるとき」とは，履行不能に限られず，「原状の回復をするのに過分の費用を要するとき」の判断における「費用」に含まれない要素，たとえば，受託者にかかる手間が，原状回復によってもたらされる利益に比し，不合理にかかる場合を含む（たとえば，全精力を原状回復に傾注し，受託者の倒産につながるような努力をすることは要求されない）[154]。

(ウ) 「過分の費用」を要するか否かは，原状回復に必要な費用と原状回復によって生じる利益とを比較して判断される[155]。ただし，原状回復によって生じる利益とは，信託財産に生じる客観的な価値増加を必ずしも意味するわけではない[156]。たとえば，信託目的に照らし，信託財産に属する財産である建物の外形を維持することが重要であれば，外形いかんによって客観的な価値が変わらなくても，「原状回復によって生じる利益」は大きいことになる[157]。逆に，信託財産の変更が信託目的とは無関係であるときには，客観的な価値増加と原状回復費用との比較になることもある。

(エ) 「原状回復をさせることを不適当とする特別の事情」とは，たとえば，義務違反の前の信託財産の状態に戻しても，すぐに別の状態へと変更する義務が受託者に存する場合である[158]。ある時点では売却すべきでな

---

[154] 履行不能を意味するという見解として，新井監修・185頁〔川口恭弘〕。
[155] 寺本・158頁注(2)。
[156] 客観的価値とする見解として，新井監修・185, 186頁注(26)〔川口恭弘〕。
[157] 木村・前出注149) 71頁は，「原状の回復が信託の本旨，すなわち信託目的の達成のために重要である場合には，たとえ費用が過分であったとしても，原状回復責任を課すべきではないか」とするが，そのような場合には，「過分」に該当しないというべきである。
[158] 経済的な損失がない場合を含める見解（セミナー(2)・251～252頁〔藤田友敬〕）もあるが，信託目的によっては妥当でないことがあろう。

かった株式を善管注意執行義務に違反して売却してしまったが，現時点では，すでにその株式は売却すべき状況にあるとする。このとき，いくら受益者等が原状回復を請求していても，いったん，その株式が信託財産に帰属している状態へと戻すことは無駄である。このようなときには，直接に，現在あるべき状態にすることが受託者に認められるべきであり，そのための資金を信託財産に帰属させるべく，損失のてん補のみを請求できる。

例外的に原状回復義務が否定されるのであるから，受託者が，信託法40条1項ただし書の適用を主張するにあたって，現在あるべき状態にすることを主張し，それに必要な額を主張・立証すべきであると解される（→255頁＊＊）。

(8) 過失相殺

受託者の義務違反または損害発生に受益者が加功している場合には，過失相殺が問題になる（民418条）。ただし，本来，受託者が自分のリスクで判断すべき事柄について安直に受益者の助言に従ったからといって，過失相殺は生じない[159]。また，複数の受益者が存在するときに過失相殺がされるのは，受託者の義務違反または損害発生にすべての受益者が加功しているときのみである。一部の受益者の加功があるときは，場合によって，当該受益者に対して受託者が不法行為を理由とする損害賠償請求権を有することになるにすぎない。

このように損失てん補請求がされた場合にも過失相殺がされる場合は少ないが，原状回復請求があったときは，過失相殺を問題とすること自体が困難である。過失相殺がされることによって定まる受託者の責任割合を超える部分にかかった費用を，信託事務処理として信託財産から支弁できると考えるべきであろう。

(9) 受託者の行為の履行強制

受託者が，損失てん補または原状回復を履行しないときはどうなるか。損失てん補請求とは，受託者の金銭を信託財産に組み入れることの請求であり，これは間接強制しかできないことが明らかである。また，原状回復

---

[159] 道垣内弘人「債務不履行における過失相殺——債務不履行法改正との関係において」曹時65巻1号1頁以下（2013）参照。

請求についても，受託者所有財産に対する措置を求めるものであるから，代替執行も困難であり，やはり間接強制しかできない（→332頁)[160]。

受託者を解任し（信託58条），新受託者を選任したうえで，新受託者が前受託者に対して履行を請求することになる（同75条5項）。

3 忠実義務違反における損失額の推定

(1) 総　説

信託法40条3項は，忠実義務違反行為（一般的忠実義務，利益相反行為制限，競合行為避止義務違反のすべてを含む）があったときは，当該行為によって受託者またはその利害関係人が得た利益の額と同額の損失を信託財産に生じさせたものと推定する，としている＊。

このような推定規定を置く積極的理由については，受託者による利益取得行為は受託者の固有財産の計算で行われるので信託財産に生じた損失を受益者が立証するのは困難であるところ，受託者が信託事務処理に際して固有財産で利益を得ているときには，信託財産にこれに対応した損失が生じている蓋然性があり，また，受託者は忠実義務違反行為によって利益を得ているのだから，公平の観点から，立証責任を転換しても差し支えないから，と説明されている[161][162]。結論としては妥当であろうが，これは，どのような場面において第3項の推定が働くのか，という理解に関係している。

> ＊　このような推定規定は，会社法423条2項，特許法102条2項，不正競争防止法5条2項に見られる。ただし，特許法・不正競争防止法は，それらの利益は，他人の権利から生み出されたという性質を有するので，当該他人に帰属するという準事務管理ないし物上代位の考え方に基づくものであるのに対し，会社法は，他者のために行為すべき者の行為の性格付けを変えるという考え方（Equity looks on as done what ought to be done）に基づくものであり，かなり性格が異なる。そして，信託法における損失額の推定がいかなる考え方に基

---

160) 道垣内・問題状況501～508頁参照。
161) 寺本・132頁，村松ほか・104頁。
162) 立法過程における議論の経緯の分析につき，吉永一行「忠実義務論に残された課題に関する一考察」米倉明編『信託法の新展開』137～151頁（商事法務，2008）参照。

づくものかが問題になる。

　また，現行信託法制定前から，信託財産や受託者たる地位を利用して利益をあげた受託者に「利益の吐き出し責任」を認めようとする見解が有力に主張されていた[163]。このような考え方は，信託財産の損失額とは無関係に，「当該行為によって受託者又はその利害関係人が得た利益の額」につき，受託者に信託財産への移転義務を認めようとするものである。信託法における損失額の推定との関係が問題になるが，損失額の推定とは別個に，「利益の吐き出し責任」は認められ得る，と解すべきである。

(2)　適用範囲

　すでに述べたように，信託法40条3項は，一般的忠実義務，利益相反行為制限，競合行為避止義務違反のすべてを含むかたちで損失額推定を及ぼしている。しかし，推定の元となるのは，「受託者又はその利害関係人が得た利益」であるから，「受託者又はその利害関係人」が利益を得るような義務違反であることが必要である。

　ここで利害関係人とは，当該者の利益が受託者の利益と見ることのできる者である。受託者にてん補させる損失額として推定するのだからである。

　なお，受益者等が立証しなくてもよいのは，信託財産に損失が生じたこと，および，その額であり，受託者またはその利害関係人が利益を得たこと，および，その額の立証は求められる。推定が働く前提である。

　また，推定であるから，受託者はもちろん反証ができる。信託財産における取引と固有財産における取引とが合算されることによって手数料の割引が得られたような場合には，固有財産による取引について利益が得られても，信託財産に損失を及ぼしているわけではないといった例が説かれるが，その際には，そもそも忠実義務違反がないとされる場合が多いであろう（→242頁＊(ii)）。

---

[163]　信託財産や受託者たる地位を通じて利益を得てはならないという不作為義務の違反であり，その結果の除去を求める，という構成（沖野眞已「救済——受託者の『利益の吐き出し』責任について」NBL 791号44頁以下（2004）），受託者が信託のためにした行為というのを規範的に考え，利益をあげたとき，その行為が自己または第三者のためのものであったという主張を許さない，という構成（道垣内弘人『信託法理と私法体系』212頁（有斐閣，1996））が示された。

4　法人である受託者の理事等の連帯責任

(1)　信託法41条は，受託者である法人が第40条の責任を負うとき，当該法人に十分な資力があるとは限らないので，受託者である法人の理事等のうち，当該法人の任務違反行為につき「悪意又は重大な過失がある」者に，受託者法人と連帯して責任を負わせている[164]。

連帯責任を負う「理事，取締役若しくは執行役又はこれらに準ずる者」については，社団法人における「理事又は代表理事の職務を代行する者」（一般法人80条），株式会社における「一時役員の職務を行うべき者」（会社346条2項）が挙げられるが[165]，事実上，経営権を有している者もこれに該当すると解すべきである。この趣旨からすると，監査役はこれに含まれないし[166]，使用人の地位にある執行役員も含まれないことになる。

なお，受益者が，理事等に対して第41条の責任を追及する権利については，信託行為によって制限することはできず（信託92条10号），受益者が複数のときにも単独で行使しうる（同105条1項かっこ書）。ただし，受託者である法人の責任を主とし，理事等の責任はそれと連帯するものであるから，受託者の責任について一定の範囲で許される信託行為の定めがあるときには，理事等の責任もその範囲では発生しない。

(2)　理事等は直接に信託事務処理の債務を負うわけではないから，責任の性質は不法行為に近いものとなり，不法行為であれば，理事等に，信託財産の損失・変更に対する故意または過失のあることが要件となりそうである。ところが，信託法41条は，故意・過失に言及せず，受益者を保護するために，「当該法人が行った法令又は信託行為の定めに違反する行為」＊について，それを知りながらやめさせず（もしくは行い），または，重過失によって知らなかったためにやめさせることができなかった（もしくは行わないようにできなかった）ときには理事等に責任を負わせることにし

---

164)　立法趣旨の再検討を含めて，全体として，髙橋陽一「受託者が法人である場合における役員の連帯責任に関する一考察」トラスト未来フォーラム編『資産の管理・運用・承継と信託に関する研究』25頁以下（トラスト未来フォーラム，2019）参照。
165)　寺本・160頁注(3)，村松ほか・138頁。
166)　寺本・160頁注(2)，村松ほか・138頁。

ている。この点に関連し，会社法に関する判例[167]は，第三者は，任務懈怠についての取締役の悪意・重過失を立証すれば，当該第三者に対する加害についての故意・過失を立証しなくても，取締役の責任を追及できる，としている。信託法についても同様の説明が妥当する。また，受託者が責任を負うための要件が満たされているときには，理事等の「悪意又は重過失」と，信託財産の損失・変更との間の因果関係を受益者等が証明する必要はない。

違反行為が個々の理事等の具体的職務内容と関係しない場合であっても，当該理事等は責任を負う，という見解もあるが[168]，会社法429条は，「役員等がその職務を行うについて悪意又は重大な過失があったとき」と定め，職務との関連性を要求しており，また，「干与シタル理事又ハ之ニ準スヘキ者」という旧信託法34条の規定に比べて責任を負う者を限定しようとした経緯からすると，ある程度の職務関連性を要求することが妥当であろう[169]＊＊。

また，信託法41条の「受益者に対し」という文言は，請求権者を表している。受益者が自己に対する給付を請求できるわけではない。なお，他の受託者がいる場合は，この文言は，「受益者又は他の受託者に対し」と読み替えられる（同85条2項）。

＊　信託法40条1項が，「受託者がその任務を怠った」としているのに対し，同41条は，「当該法人が行った法令又は信託行為の定めに違反する」としている。しかし，善管注意執行義務等も，「法令又は信託行為の定め」によって課されるものであり，その懈怠は，「法令又は信託行為の定めに違反する」行為である。したがって，違いに意味を見出すことは困難である。

＊＊　もっとも，なぜ「悪意又は過失」ではなく，「悪意又は重過失」なのか，は明白ではない。
　たしかに，理事等の責任を，受益者保護のための例外的なものであり，二次的なものにすぎないと考えれば，責任を負う場面は限定されるべきことになりそうである[170]（「悪意又は重過失」という文言は，法人の役員等の責任を定め

---

167)　最大判昭和44・11・26民集23巻11号2150頁。
168)　村松ほか・139頁。
169)　以上につき，セミナー(2)・279～283頁参照。
170)　村松ほか・139頁。

る一般法人法 117 条 1 項，会社法 429 条 1 項にも見られる）。しかし，他方で，受託者である法人に十分な資力があるとは限らないから，ということも，信託法 41 条の趣旨として説かれる。その究極の場合は，資力のない法人をあえて受託者にすることによって責任を免れようとする例である。

そして，会社法においては，同様の問題が生じうる場合，すなわち，持分会社の業務執行社員を法人とした場合については，業務執行社員の職務を行うべき者（職務執行者）を自然人をもって定めねばならないとし，当該職務執行者は，「その任務を怠ったときは，持分会社に対し，連帯して，これによって生じた損害を賠償する責任を負う」とされている（会社 598 条 1 項・2 項，596 条）。つまり，資力のない法人をあえて業務執行社員にするという事態に対処する会社法の規律は，職務執行者の責任を「悪意又は重過失」の場合に限定しないという方法によっているのである[171]。

法人を業務執行社員とすることを可能にする制度を導入する際に，その弊害を取り除こうとした会社法の規定と，受託者のほとんどは法人であるという現状から出発している信託法の規定との違いであると説明するほかはなさそうであるが，違反行為と当該理事等の職務との関連性を，ある程度要求するときには，「悪意又は重過失」に限定する必要がなかったように思われる。解釈論としては，違反行為と当該理事等の職務との関連性の強弱との相関関係で，「悪意又は重過失」の認定を柔軟に行っていくほかはあるまい。

(3) 理事等は，「当該法人と連帯して」責任を負う。しかしながら，信託法 41 条に基づく理事等の責任を，とりわけ受託法人が十分な資力を有しないときのためのものだと考えるときは，理事等は，連帯保証人に近い地位に就くといえる。したがって，受託法人の責任が時効等によって消滅したときは，理事等も責任を免れると考えるべきである。

悪意または重過失である理事等が複数存在するときは，それらの理事等は連帯債務を負う[172]。責任を履行した理事等は，他の悪意または重過失である理事等に求償が可能である（民 442 条）。負担割合は，当該違反行為に関与した割合で決まることも考えられるが，責任を負う理事はすべて悪意または重過失であるのだから，平等であると解されよう。

責任を履行した理事等は，受託者である法人に対して求償できる。ただし，後に述べるように，悪意または重過失である理事等は，法人に対して賠償責任を負うことも多いと思われ，そうなると，求償権は相殺によって

---

171) 以上につき，セミナー(2)・269〜273 頁〔藤田友敬〕参照。
172) 村松ほか・139 頁。

消滅することになろう。

(4) たとえば、受託者である法人が株式会社であるとき、法人役員等は、任務懈怠について株式会社に対して損害賠償責任を負う（会社423条）。当該株式会社に生じた損害が、信託法40条の責任を負うことによるものであるときは、法人役員等から支払われた賠償は信託財産に帰属することになり、信託法41条による責任と競合することになる。

もっとも、会社法423条によるときは、任務懈怠と会社に対する損害との因果関係を証明しなければならず、信託法による責任と、その範囲がまったく重複するわけではない。信託法41条による責任のほうが認められやすい。

逆に、信託法41条では責任主体とされていない、会計参与、監査役、会計監査人も、任務を怠っている限り、会社法上は責任を負う。若干、不整合な感は否めない。

5　損失てん補責任等の免除・消滅時効

(1)　損失てん補責任等の免除

信託法42条は、同法40条による受託者の責任および同法41条による受託者法人の役員の責任を受益者が免除できることを定める。受益者が1人のときには当然である。これに対して、受益者が複数であるときは、受託者の責任の全部免除・受託者に任務懈怠につき悪意または重過失があったときの責任の一部免除・受託者法人の役員の責任の一部免除については、受益者の全員一致によってのみ可能であり（同105条4項。同条1項ただし書の規定が適用されないことによって、同条本文のみが適用される）、それ以外についても（つまり、受託者に任務懈怠につき軽過失しかないときの責任の一部免除）、受益者集会による特別決議（受益者の議決権の過半数を有する受益者が出席し、出席した当該受益者の議決権の3分の2にあたる多数決による決議）によってのみ可能であるとされている（同113条2項1号）。

実際には、損失の額が僅少であり、かつ、受益者の側もその決算期が過ぎているような場合には、受益者にとっても事務上の負担のほうが大きく、免除につき受益者も利益を有することがある[173]。

また，免除は単独行為であるから，かたちのうえでは受託者の関与はない。しかし，受託者が受益者に対して免除を働きかけたような場合には，忠実義務違反となり，さらに信託法 40 条の責任が生じることもありうる。また，免除にあたっては，受託者等の責任の成立を認識したうえで，その責任を宥恕するという意思が必要であろう。

(2) 事前の免除

信託法 40 条・41 条の責任を追及する受益者の権利は，信託行為によって制限することはできない（同 92 条 9 号・10 号）。このことに鑑みると，事前の免除は許されないと解すべきである[174]。

(3) 免除の効果

(ア) 受託者が複数存在するときには，責任を負う受託者に対し他の受託者が責任を追及することができ（信託 85 条 2 項），また，信託行為の定めにより委託者も請求権者とすることができる（同 145 条 2 項 7 号・8 号）。

受益者が責任を免除したときは，他の受託者は，もはや請求できなくなるのが原則である（同 85 条 3 項）。受益者の利益の問題だからである。ただし，信託行為に別段の定めをすることは許される。受益者が十分な判断能力を有しないときなどに，他の受託者が合理的な判断をすることが期待される場合があるからである。

これに対して，委託者については，自己固有の立場から受託者の責任を追及できるのであり，受益者が免除をしても影響されない，と説かれている[175]。妥当であろう。

他の受託者は免除ができない。責任追及は，信託財産を健全に保つという信託事務執行であり，義務だからである。他方，委託者が免除することは自由であるが，その効果は，当該委託者が責任を追及できなくなるということにとどまり，他の請求権者の権利に影響を与えない。

(イ) また，信託法 41 条による理事等の責任については，理事等が連帯保証人に近い地位にあることに鑑み，同法 40 条の責任が免除されたとき

---

173) セミナー(2)・297 頁〔田中和明〕。
174) セミナー(2)・290〜296 頁参照。
175) 村松ほか・142 頁注(6)。

には，消滅すると解すべきである（→269頁）。

　(4)　損失てん補責任等に係る債権の期間の制限

　(ア)　信託法40条に基づく受託者の責任は，債務不履行責任の性格を有し，債務不履行による通常の損害賠償債権と同じ消滅時効にかかる（同43条1項）。具体的には，「債権者が権利を行使することができることを知った時から5年」，「権利を行使することができる時から10年」の消滅時効期間が適用される（民166条1項）。

　(イ)　ただし，この期間の起算点が問題である。10年の消滅時効期間は，「権利を行使することができる時から」進行する（民166条1項2号）が，信託の場合，権利者である受益者は，自らが受益者であることを知らない場合もあり，その間に時効期間が満了するのは，受益者に酷である。そこで，受益者が受益者としての指定を受けたことを知るに至るまでの間（受益者が現に存しない場合にあっては，信託管理人が選任されるまでの間）は，消滅時効が進行しないこととされている（信託43条3項）。

　また，受託者の任務違反によって損失・変更を受けるのは受託者の手元にある信託財産であるから，受益者等が，その違反行為を認識することは容易ではない。2017（平成29）年改正前民法166条1項の適用においては，権利の性質上，その権利行使を現実に期待できないときには時効が進行しないという見解が有力に唱えられており[176]，判例も，事案の性質に応じて，起算点を柔軟に定める方向性を示していた。このことを踏まえると，信託法43条1項の消滅時効に関しても，民法166条1項2号の適用にあたり，「権利を行使することができる時」とは，「受益者が違反行為を認識し，または，認識すべきであった時」と解釈すべきである[177]。

　(ウ)　受託者が受益債権の消滅時効を援用するにあたっては，受益者に対する権利の通知等の手続を経る必要があるところ（信託102条3項），信託法40条の責任に関する消滅時効の援用については，このような手続的な制約はない。受益債権に係る給付は信託の本来的給付であるのに対し，損

---

[176]　たとえば，星野英一「時効に関する覚書」同『民法論集第4巻』310頁（有斐閣，1978）。
[177]　木村・前出注149）70頁。

失てん補責任はそうではないから，と説明される[178]。しかし，むしろ，信託財産からの出捐に係る場合と，受託者の固有財産からの出捐を求められる場合との違いだと考えるべきであろう。後者について，受託者は受益者の利益を保護すべき立場にはない。

(エ) しかし，とりわけ民法166条1項2号による10年の消滅時効の起算点を違反行為について受益者が認識した時と考えると，受託者の責任がかなり長期間にわたって存続することになり，受託者に酷になることもある。そこで，任務違反行為によって信託財産に損害・変更を生じさせた時点から20年間で損失てん補責任・原状回復責任が消滅することにしている（信託43条4項）。任務違反行為時ではなく，損害・変更発生時であるのは，その時点で，信託法40条の権利が発生するからである。これは除斥期間と解される[179]＊。

20年の除斥期間を置くのは，損失てん補責任等の追及は任務違反行為時の後に受益者となった者も可能であるところ，受益者の認識可能性を基準とする消滅時効制度だけでは時効期間が極端に長期にわたり，受託者の負担が過剰となるとともに，信託事務の円滑な処理にも支障となるからだと考えることができる（民166条2項参照）[180]。

> ＊ たとえば，信託財産に属する財産が受託者の過失により毀損し，信託目的に反する状態になっていたとする。このとき，当該過失を原因とする原状回復請求権が時効により消滅しても，当該信託が終了していなければ，受託者はなお信託事務処理義務の内容として原状回復義務を負う。ただし，その際は，要した費用につき，信託財産から償還を受けることができる（信託48条）。

(オ) 以上に対して，信託法41条による理事等の責任については，理事等が信託事務処理についての義務を受益者等に対して負わないことから，債務不履行責任と性質決定することが困難である。そこで，第43条1項と異なり，「債務の不履行によって生じた責任に係る債権の消滅時効の例による」とするのではなく，「受益者が当該債権を行使することができる

---

178) 村松ほか・144頁注(2)。
179) 寺本・164頁。
180) 佐久間・165頁。民法改正前の議論も同頁参照。

ことを知った時から5年間行使しないとき」・「当該債権を行使することができる時から10年間行使しないとき」には,「時効によって消滅する」と規定されている(同43条2項)。会社法429条による取締役の対第三者責任について,判例[181]は,「取締役の責任は,法がその責任を加重するため特に認めたものであって,不法行為責任たる性質を有するものではない」との理解のもと,債権一般の消滅時効の規定を適用するとしており,これを踏まえたものである[182]。消滅時効の起算点については,信託法40条と同じである(信託43条3項)。

なお,同法40条に基づく受託者の責任が消滅したときは,理事等の責任も消滅する。理事等の地位は連帯保証人のそれに近いものであり,受託者の責任に付従する。

6 受託者の行為の差止め

(1) 総　説

損失てん補・原状回復の請求は事後的な救済方法であるが,信託法は,事前的な措置として,受益者が,受託者の行為を差し止めることを認めている(会社360条1項参照)。信託法44条である。同条は,第1項で一般的な差止請求を規定するとともに,第2項で公平義務違反の場合を別個に規定している。その理由は後述することとして,まず,第1項の規定する一般的な差止請求権から見ていく。

(2) 信託法44条1項による差止請求

(ア) 請求権者　差止めの請求権者は受益者である。この権利は,信託行為の定めによって制限することができず,各受益者が単独で行使できる権利である(信託92条11号,105条1項)。受託者が2人以上ある信託の場合,他の受託者も請求権者となる(同85条4項)(→182頁＊＊)。

(イ) 要　件

(a)「受託者が法令若しくは信託行為の定めに違反する行為をし,又は

---

181)　最判昭和49・12・17民集28巻10号2059頁。
182)　寺本・163頁,村松ほか・145頁。

これらの行為をするおそれがある」こと

損失てん補責任等を定める信託法40条が，受託者の任務懈怠を要件としているところ，異なった書き方となっている。ただし，これは，作為を前提とした書き方をするためであると思われ，全体として，受託者が義務違反行為をし，または，そのおそれがある，と解すれば足りよう（→268頁＊）。

(b)　「信託財産に著しい損害が生ずるおそれがある」こと

差止めは，現実には義務違反行為がないのに，その「おそれ」だけで救済を認めるものであるから，要件が厳格になるのである。

「著しい損害」にあたるか否かの判断にあたっては，損害の絶対額だけでなく，信託財産全体の価額と損害額との関係，信託の目的との関係も考慮される[183]。絶対額が少額であっても，信託財産のほとんどを毀損するおそれがあるときは，「著しい損害」というべきであろうし，ある財産の状況の維持が信託目的との関係で重要であるならば，その改変のおそれは，価額の減少をもたらさなくても，「著しい損害」となる。さらに，受託者の損失てん補能力や原状回復の容易さも考慮されよう（行訴37条の4第2項参照）。

(c)　差止め対象の特定

受益者は，どのような行為について差止めを請求するのかを特定しなければならない。ただし，どの程度までの特定が必要かは，差止めの一般論となる。

(ウ)　効　力　　受益者により差止めが請求されたにもかかわらず，受託者が当該行為を行ったとき，当該行為が，そもそも受託者の権限外行為であれば，権限外行為として処理されることになる（信託27条，31条。→85, 233頁）。これに対して，権限内行為の場合に，受託者が正当な差止請求を無視して当該行為を行ったときはどうなるであろうか。

会社法における取締役の行為の差止めについては，少なくとも仮処分の段階にとどまるときは，取締役に不作為義務を課するにとどまり，当然に

---

[183]　条解・332頁〔佐久間毅〕。

は無権限行為とならない，という見解が有力である[184]。

　たしかに，差止めは裁判所に請求しなければならないわけではなく，請求の正当性を受託者が明確に判断できるわけではない。さらには，実体的には，受託者が行おうとしているのが善良な管理者の注意をもってする信託事務執行義務に反した安価売却であり，そのことを相手方（買主）が知っていたとしても，相手方は購入を控えることによって受益者を保護すべき義務を負っていない（喜んで安く買えばよい）。したがって，受益者の請求が正当だからといって，そのことをもって，受託者が無権限となると解するのは困難であり，また，妥当でない（もっとも，受託者の意図によっては受託者の権限濫用として権限外行為と評価されることはある。→83, 252頁）。しかし，受託者に不作為義務を課すだけだというのも，差止請求の実効性をあまりに乏しくする。

　そこで，理論的には難しい点もあるが（差止めを認める裁判に形成的な効力があるわけではない），差止めの仮処分命令が下された後に限って，信託法27条を類推するのが妥当であろう[185]。

(3) 信託法44条2項の差止請求

(ア) 信託法44条2項は，公平義務違反の行為についての差止命令について，他の場合の差止命令と区別して規定している。その理由は，公平義務違反は信託財産自体には損害が生じない場合があること，および，請求権者を受益者一般ではなく，損害を被る受益者とすべきことにある。ただし，公平義務違反（→201頁）であれば，必ずこのような理由が当てはまるとは限らず，信託財産に損失が生じ，利益を得た受益者を除く受益者が広く損害を被るときには，信託法44条1項での差止めが認められるというべきである*。

　受託者が2人以上ある信託の場合，他の受託者も請求権者となる（同85

---

184) 反対説を含め，江頭・前出注64) 527〜528頁参照。なお，最判平成5・12・16民集47巻10号5423頁は，募集株式の発行等の差止めの仮処分命令に反する株式発行は，新株発行の無効の訴え等の原因となるとするが，株式発行の特殊性から説明する見解が多く，一般化はできないと思われる。

185) 村松ほか・148頁も，権限違反行為の規律の類推を説くが，正当な差止請求であればその効力が生じるとするのは妥当でない。

条4項）（→182頁＊＊）。

　　＊　具体的に特別な扱いが必要な場合としては，信託期間中に生じた利益の給付を受ける受益者（収益受益者）と信託終了時に残余財産の給付を受ける受益者（残余財産受益者）との間の公平義務違反が挙げられる[186]。すなわち，投機性の高い投資商品の購入は収益受益者には有利といえるが，残余財産受益者にとっては残余財産が減少する可能性が高いので不利となるのである。しかし，信託財産全体の価値を高めるという観点から評価するとき，当該投資が適切なものである場合は，そもそも公平義務違反とならないというべきであり（→201頁），他方，不適切である場合は，公平義務違反の有無にかかわらず，信託法44条1項の差止請求が問題になり，同項の要件に照らして判断されるというべきである。
　　また，100の収益の分配にあたって，受益者Aと受益者Bに50ずつ給付すべきところ，受託者がAに70，Bに30という給付を行おうとしている場合も挙げられる[187]。しかし，このとき，Bには50の給付を受ける権利があると考えると，Bには直接的な損害が生じず，Aに20だけ余分に給付をしたことによる損害が信託財産について生じることになる。したがって，Bは，信託法44条1項の差止請求権を行使できることになる。問題となるのは，分配対象が100に限定され，その100が信託財産から逸出すると，Bにはもはや50の給付を受ける権利がなくなる場合であるが，そのような場合が，信託終了の場面以外で考えられるのかは疑問である。
　　公平義務の内容の解釈にもよるが，結論として，信託法44条2項が適用される場合はきわめて少ないというべきであろう。

　(イ)　要件としては，信託財産についての損害ではなく，「一部の受益者に著しい損害が生ずる」ことである。これは，原則として絶対額で判断されることになろう。ただし，受託者のてん補可能性，公平義務違反で利得をした受益者に対する不当利得返還請求権＊の成否（給付利得）とその実現可能性が考慮されることになる。

　効果については，信託法44条1項の差止請求に準じる（→275頁）。

　　＊　公平義務に反した給付を受けた受益者が，不当利得返還義務を負うのは当然のようにも思われるが，信託法226条1項2号の規定をもって，受益者が責任を負う場合を限定的に明らかにしていると考えると，一般的な不当利得返還義務は否定されることにもなりそうである。しかし，同号の責任は，受託者の責任との連帯関係を示すために確認的に規定されているのであり，不当利得返

---

186) 村松ほか・149頁注(4)。
187) セミナー(2)・310頁以下。

7 費用または報酬の支弁等

信託法45条は、受託者の損失てん補請求等、法人である受託者の役員の連帯責任、受託者の行為の差止めについて訴えを提起した受益者に、一定の要件のもとで、その費用等を信託財産から支弁し、また、損害賠償義務を免れさせることを認めている。その趣旨・内容は、信託法24条と同じであり、そこでの説明に譲る（→120頁）。

なお、受託者の応訴費用は、当該応訴が信託事務執行ではないので、信託財産から支弁することはできない[188]。

第7節　受託者の費用償還請求等

1　信託財産からの費用償還

(1) 総　説

すでに述べたように、信託事務の処理において、第三者に対して債務を負うと、受託者はその債務の債務者になる（→79頁）。これは限定責任信託でも同じことあり、職務分掌に従って他の受託者が行った信託事務処理によって債務が生じた場合も同様である。違いは、信託財産から払えないとき、固有財産まで引き当てになるのかという点にあるのであって、いずれにせよ受託者は債務者となり、弁済義務を負う（信託216条・217条、83条2項本文。→164頁）。

このような債務は、もちろん信託財産から支払われるべきものである。そして、信託財産に属する財産を用いてそれを弁済できるのは当然であり、これが原則である。

しかし、代わりに固有財産から支出することもあるし、債権者からの相殺によって、固有財産に属する財産を用いて弁済した状況が生じることも

---

188) 条解・334頁〔道垣内弘人〕。

考えられる（→157頁）。この場合，信託財産からその償還を受けることを受託者に認めなければならない。信託法 48 条 1 項がこれを規定する。また，信託事務執行の便宜のため，合理的な額をあらかじめ信託財産から固有財産に移転することもできる（同条 2 項）。

(2) 費用支出後の償還請求

(ア) 要　件　　受託者が信託財産から償還を受けることができるための要件は，信託事務を処理するのに必要と認められる費用を固有財産から支出したことである。受託者が，その権限内で，善良な管理者の注意をもってする信託事務執行において支出した費用であることが原則であり，権限外の目的で費用を支出したときには償還請求はできない。また，不当に多額を支出したときには，合理的に必要な範囲でしか，償還を受けられない。ただし，結果として信託財産の維持・増加をもたらす必要はない*。信託報酬に含まれていると判断される費用の支出もここに含まれない**。

　受託者の不法行為や債務不履行によって発生した債務を弁済したときでも，償還請求が認められ得る。それが受託者の任務の懈怠であり，第三者に弁済することによって，信託財産について生じた損失を受託者がてん補しなければならないような場合（信託 40 条 1 項）だけ，償還請求権が否定される[189]。たとえば，履行遅滞による損害賠償であっても，債務の存在を訴訟上，争った結果として生じたものであり，かつ，訴訟で争うことが善良な管理者の注意をもってする信託事務執行に該当するときは，受託者に損失てん補義務は生じず，当該賠償債務を固有財産から弁済すれば，信託財産から償還を受けることができる。また，無過失による不法行為責任はもちろん，過失不法行為であっても，不法行為責任の成立要件としての過失が存在する場合でも，受託者の善管注意執行義務違反が認められないときには，同様である。たとえば，侵害された相手方の権利について，その帰属に関する争いがあるときなどは，この例となる場合があろう。

*　**不当な費用支出と信託財産の増加**[190]　　信託事務処理に必要な費用ではなくても，結果として信託財産を増加させることがある。信託財産に属する財

---

189)　加毛明「信託と破産(1)」NBL 1053 号 11 頁（2015）。
190)　セミナー(2)・317～323 頁参照（若干，私見を修正したところがある）。

産である不動産につき，受託者に改良の権限がないのに，改良を行い，そのため，当該財産の価値が増加した，といった場合である。受託者は，当該財産の本権者であるから，民法上の占有者の有益費償還請求権（民196条2項）は当然には適用されないが，その趣旨（不当利得の防止）に鑑みるならば，信託法48条・49条の類推を認めるべきであろう。ただし，民法196条2項に準じて，価格の増加が現存する場合に限り，かつ，支出額・現存増加額のうち少ない方の額に限られるというべきである。また，権限外の保存行為がされた場合については，民法上は全額の償還が認められるが，その保存行為によって減少が防止された利益が現存しているときに限られると解すべきである。

なお，信託事務処理に必要な費用の支出ではないので，競売等の手続において，受託者を上記の償還請求権について信託財産責任負担債務に係る他の債権者よりも優先させる必要はないともいえそうだが（つまり，信託法49条6項・7項は準用されない），受託者の費用支出によって，それらの債権者も利益を受けるのであり，優先権を否定する必要はないと思われる。

＊＊　信託銀行等が受託者となっているとき，受託者の固有財産からの支出行為について，固有財産から信託財産への貸付けが行われた後に信託財産から第三者へ支出されているのか，固有財産から直接に第三者へ支出されているのかを，一義的には決められない場合がある。受託者が固有財産から信託財産に貸し付けることは，信託法31条1項2号の利益相反行為に該当するから，上記の行為が受託者からの正当な貸付けと性質決定がされるためには，同条2項の要件が満たされている必要がある[191]（→227頁）ので，問題になる。

貸付けか費用支出かは，信託財産から固有財産への弁済に期限の利益が付与されているか否かで決まるというべきであるが（利息の約定は，信託法48条1項の信託行為の別段の定めとも解し得る），現実の区別が困難な場合もあろう。

(イ)　効　果　　受託者は，信託財産から，費用の額および支出の日以後の利息の償還を受けることができる。利息は法定利率（民404条）による。

期限を許与したり，利率を変えたりするなど，信託行為による別段の定めが許されるが（信託48条1項ただし書），信託財産に流動資金があり，償還を受け得るのに，利息が発生するに任せることは，善管注意執行義務に違反することになる。

(3)　費用の前払請求

(ア)　受託者は，信託事務を処理するのに費用を要するとき，信託財産か

---

[191]　セミナー(2)・323〜330頁参照。

ら前払を受けることが可能である（信託48条2項本文）。委任についての民法上の規定（民649条）に従ったものとみられる。しかし，委任においては，委任者が受任者とは別人格であるため，受任者が委任者の金銭を直接に用いることはできず，前払を受けることが必要になるのに対し，受託者は信託財産から支出ができるから，前払を受ける必要があるとされる趣旨はわかりにくい。例として，信託財産責任負担債務の弁済期の到来を待っていると，信託財産の価値の下落により当該債務を弁済できなくなる場合が挙げられるが[192]，たとえば，株式を中心とする信託財産が株式市場の変動により価値が全体として下落するおそれのある場合には，受託者は，信託財産に属する株式を売却し，下落に備える義務を負うのであり，適切な例ではない。信託財産に属する財産につき処分禁止の仮処分がされるなど，信託財産が流動性を失って，信託財産責任負担債務の弁済が困難になりそうな場合や，信託財産破産（→431頁）の場合（破244条の8参照）を例とすべきであろう。ただし，後に述べるように（→436頁），信託財産が信託事務執行に不足するときには，委託者・受益者に対して受託者が前払の請求をし，それが履行されないときに信託を終了できることになっており，前払請求権は受託者が信託終了の措置を執る前提として機能するという面はある。また，信託の清算の段階では，そのプロセスの中であらかじめ信託財産責任負担債務の弁済資金を確保する必要が存するときもあろう（たとえば，→442頁＊＊＊）。

なお，信託行為による別段の定めも許される（信託48条2項ただし書）。たとえば，前払を受けうる事由を列挙するなどが考えられる。

(イ)　また，受託者は，前払を受けるにあたって，受益者に対し，その額と根拠を通知しなければならない（信託48条3項本文）。「お手盛り」により過大な費用の前払がされることを防止するため，とされるが[193]，現実の費用が前払額を下回るとき，受託者はその返還義務を負うのであり＊，説得的な説明ではない。むしろ，受託者による横領との区別を明らかにするため（つまり，受託者の自己防衛）のものであろう。

---

192)　村松ほか・155頁注(5)。
193)　寺本・174頁。

受益者への通知は，とりわけ受益者が多数のときなど，受託者にとって負担となる。そこで，信託行為に別段の定めがあれば，それに従う（同項ただし書）。たとえば，全国的な日刊紙に掲載する，ホームページに掲載する等の方法が考えられよう。

> ＊　前払を受けた受託者は，前払額の算定根拠となった行為の後，現実の費用と精算することになる。足りなければ償還請求ができ，余れば返還しなければならない。なお，前払額が善良な管理者の注意をもって決められた以上，それが余ったからといって，受託者は前払時からの遅延損害金を支払わなければならないわけではない[194]。

(4) 償還および前払の方法

(ア)　償還・前払は，受託者が信託法40条により損失てん補責任等を負う場合には，それを履行した後でなければ，受けることができない（同48条4項本文）。自らの債務を遅滞しておきながら，権利のみを行使することは公平に反するからである。他方，受託者は，償還・前払を受けるまでは，受益者や帰属権利者（→442頁）に対する信託財産に係る給付債務の履行を拒むことができる（同51条）。受益者・帰属権利者への給付により信託財産が減少し，受託者の権利が実現されなくなることは，受益者・帰属権利者が給付原資として期待できる財産が費用を支出した後の信託財産に限られること（同100条，182条1項）に照らして妥当でないからである。ただし，受託者はすみやかに償還・前払を受け，受益者・帰属権利者への給付が遅れないようにすべきである（その意味では，わざわざ同時履行関係を規定するほどのこともない）。

(イ)　(a)　償還・前払を受けるために，受託者は信託財産に属する金銭を固有財産に帰属させることができる＊（信託49条1項）。また，そのために必要な場合は，信託財産に属する財産を処分することができる（同条2項）＊＊。これは信託事務執行であり，善良な管理者の注意をもってすることが必要である。そのうえで，処分によって得られた金銭を固有財産に帰属させることになる。

ただし，処分すると信託の目的を達成することができなくなってしまう

---

194)　セミナー(2)・346頁〔道垣内弘人〕。

財産は処分できない（同項かっこ書）。そのような財産以外に処分に適する財産がないときは，後に述べる償還・前払に信託財産が不足しているとき（同52条）に該当する。信託の終了の箇所で説明する（→436頁）。

　また，信託財産に属する財産の処分については，信託行為に別段の定めができる（同49条2項ただし書）。たとえば，処分方法の定めがあれば，それに従うことになる。特定の財産につき処分を禁止する定めもできる。

　*　**信託財産に属する金銭を固有財産に移転すること**　これは受託者の単独で可能な行為であるが意思表示の外形は必要であり，少なくとも帳簿上の移転は必要であろう[195]。信託財産に属する財産で金銭以外のものの固有財産への移転についても同様である。

　**　**受託者の待機義務**　信託財産に属する財産を処分すると，信託目的の達成が不可能ないし著しく困難になるときは，受託者は償還請求を猶予しなければならない，という見解もある[196]。たしかに，信託目的の達成のために必須の財産については受託者の処分権限が制約されているが（信託49条2項），処分のために適切な財産がないときは，信託財産が費用の償還等に不足している場合として，信託法52条が適用され，委託者および受益者は，自らで償還原資を支出して信託を継続するか，信託を終了するかの選択肢を有するというのが信託法の構造であり，受託者による待機は予定されていないと思われる。実質的にも，受託者にそのような義務を負わせるのは妥当でない。近いうちに財産状況が改善する可能性が高い場合には別に考える見解もあり得るが，受託者に判断リスクを負わせるものであり，妥当でない。

　(b)　さらに，受託者は，金銭による償還・前払に代えて，信託財産に属する財産で金銭以外のものを固有財産に帰属させることができる（信託49条3項）。ただし，これは利益相反行為に該当するから，信託法31条2項各号の定める要件を満たさなければならない。同条3項の通知義務も課されると解すべきである。なお，これは可能だというだけであり，信託財産に属する財産が簡単に換価できないからといって，受託者に，いわば買取義務があるわけではない。

　また，信託法49条3項には，「第1項の規定により有する権利の行使に代えて」とあるが，不足額があるときは，その額について，さらに同条1

---

[195]　セミナー(2)・333〜334頁。
[196]　四宮・291頁。

項の権利を行使することができる。また，評価の結果，受けるべき償還・前払の額よりも財産の価格の方が大きいとき，差額を精算する方法もとることができよう。

(c) 信託財産に属する財産について強制執行等の手続が開始したとき，受託者の有する償還・前払の権利は，それらの手続との関係では金銭債権とみなされ（信託49条4項）*，受託者は配当要求ができる（同条5項）。そして，受託者が支出した費用に係る債権（前払の権利を含まない）が，別人格間であれば共益費用の先取特権が生じるようなものであるとき[197]は，共益費用の先取特権（民306条1号，307条）の被担保債権と同順位の優先権を付与される（信託49条6項）。

同じく，別人格間であれば動産保存の先取特権（民311条4号，320条）・不動産保存の先取特権（同325条1号，326条）が生じるときも，当該先取特権の被担保債権と同様の優先権が与えられる（信託49条7項1号）。

有益費の償還請求権一般について，民法上は先取特権が与えられていないが，多くの場合，留置権（民295条1項，商521条）が生じるのであり，一定の保護が与えられているといえる。ところが，信託財産に属する財産は受託者に帰属しており，「他人の物」（民295条1項）でも，「債務者の所有する物」（商521条）でもないから，留置権は発生しない。そこで，受託者の支出した費用が有益費に当たるときは，支出額または現存する価値増加額のいずれか低い金額について，受託者に優先権が与えられる（信託49条7項2号）。

以上の優先権の趣旨として，受託者の保護が挙げられるが，信託財産責任負担債務の債権者は，受託者の固有財産にも執行していくことができるのであり，受託者の償還請求権を優先することによって受託者の固有財産に帰属した財産につき，再び強制執行等の手続を行うことができる。そうであるならば，限定責任信託の場合を除き，受託者の保護にはつながらない（受託者の固有財産を増加させ，受託者に対する債権者で，信託財産責任負担債務に係る債権以外を有する者を，信託財産責任負担債務の債権者と同順位に置くと

---

197) 道垣内・前出注99) 46頁参照。

いうかたちで保護することになる)[198]。もっとも，受益債権の債権者との関係では，受益債権に係る債務が，信託財産に属する財産をもってのみ履行の責任を負うものとされているので（信託100条），受託者の保護の意味を有する。なお，信託法50条は，同法49条4項と合わせ，受託者の償還請求権が信託債権（同21条2項2号）と同等になることを原則としていることを意味し，したがって，受益債権に優先することを示しているともいえる。

また，信託財産破産の局面については規定がないが，共益費用の先取特権の被担保債権と同様の優先権を付与される債権は優先的破産債権（破98条1項）となり，個別の財産に対する必要費・有益費の償還請求権については，特別の先取特権が与えられ，受託者を別除権者（破65条1項）として扱うべきである[199]。

以上の優先権は，信託財産責任負担債務に係る債権を有する債権者との関係で生じる。不動産保存の先取特権には，保存行為の時点ですでに登記されている抵当権にも優先する効力が与えられているが（民339条），その効力を保存するためには，保存行為の完了後，直ちに登記をしなければならない（民337条）。しかし，受託者の償還請求権についての優先権は，受託者が当該不動産の所有者であるため，登記が不可能である。したがって，受託者の優先権は，被担保債権が信託財産責任負担債務である既登記の抵当権にも，登記なくして優先すると解さざるを得ない。これに対して，それ以外の者が信託財産に属する不動産について抵当権を有しているとき，当該抵当権者との関係では受託者は優先権をもたない（信託49条6項かっこ書）。そのような債権者との関係では，受託者は所有者にすぎず，所有者がその所有不動産について保存費用を支出したからといって，抵当権者が所有者に劣後することはないはずだからである[200]。

---

198) 道垣内・問題状況135～136頁。
199) 伊藤眞ほか『条解破産法〔第3版〕』1633頁（弘文堂，2020）。
200) 寺本・179～180頁は，受託者が必要費・有益費を支出したことによって有する償還請求権は，被担保債権の区別なく，抵当権に優先するとするが，賛成できない。実は，信託財産責任負担債務に係る債権を有する債権者が，信託財産に属する財産について個別担保を有するとき，その者の権利との関係で，受託者に

* **費用償還請求権の代位行使・差押え**[201]　　信託法は，信託財産に対する強制執行等の局面でのみ，受託者の費用償還請求を金銭債権とみなすとしている。それでは，受託者の固有財産のみに対する債権者は，受託者が行使しない費用償還請求権について，債権者代位権（民 423 条）を行使し，あるいは，差し押さえることはできないか。これができないとすると，受託者の固有財産が資金不足に陥っているとき，不当な結論となる。

　　文言上は難しいが，少なくとも差押えはでき，受託者の固有財産のみに対する債権者がそれにより取得した権利は，信託財産責任負担債務に係る債権になると解すべきである（→122 頁）。

(5) 代　　位

　受託者は，信託財産責任負担債務を固有財産をもって弁済したときで，信託財産に対する償還請求権を取得したときは，弁済された信託財産責任負担債務の債権者に代位する，とされている（信託 50 条）。実質的には第三者弁済に当たる，という理由が説かれるが[202]，説得的ではない。当該債務について第三者が保証人となっていたときを考えると，受託者による弁済は当該保証人にとってみれば債務者による弁済にほかならず，そのとき，受託者が債権者に代位し，保証人に保証債務の履行を請求できるというのは，根本的におかしい。また，第三者所有財産につき信託財産責任負担債務に係る債権を被担保債権とする抵当権が設定されていた場合も同様である。そもそも，受託者は保証人や物上保証人から求償されるべき立場にあり，代位を認めることは矛盾である。

　そうすると，当該信託財産責任負担債務の債権者が信託財産に属する財産について有していた権利に限って，代位の対象になると解すべきである[203]。

　　一定の優先権を認めることも妥当でない場合がある。道垣内・問題状況 136～139 頁。
201)　セミナー(2)・339～342 頁参照。さらに，旧法下での議論であるが，遠藤雅範「受託者の補償請求権に関する法律上の性質」信研 26 号 73 頁以下（2001）。
202)　寺本・183 頁，村松ほか・159 頁注(14)。
203)　セミナー(2)・333～335 頁参照。

2 受益者からの費用償還[204]

(1) 旧信託法36条2項では，受託者は，受益者からも費用の償還を受ける権利を有するとされていた。しかし，受益者が償還義務を負うことを原則とすると，信託を利用した投資商品の設計が困難となり，また，受益者に償還義務を負わせることは，個別の合意で可能であることから，現行信託法では，受益者の償還義務を原則として否定するとともに，受託者と受益者との合意に基づいて，受益者に費用の償還・前払の義務を負わせることが可能であることを，信託法48条5項に規定することとした。なお，合意で可能なのは当然であるから，同項は確認規定である。

(2) 受益者の義務は，受託者との間の契約によって生じるものであり，その内容は契約によって定まる。また，受益権が譲渡されたとき，その義務が新受益者に当然に引き継がれるわけではない（実務的には，受益権に譲渡制限特約を付け，新たに償還義務を負う契約を締結する者でなければ，その者に対する譲渡を承諾しない，という方法が考えられる）。逆に，受益権を失ったからといって，償還義務を免れるわけではない。

しかし，信託期間中の利益も受益者に帰属し，かつ，信託終了時には信託財産が受益者に帰属するような信託では，償還義務は受益者としての地位に結びついていると考えられ，受益権の譲渡によって，その契約上の地位が移転し，逆に，受益権を失った場合には，それまでに発生した償還義務を除き，将来の償還義務を免れると解するのが妥当である。

(3) 契約によって償還義務を負うことは，受益者以外も可能である*。

* **指図権者等の費用償還義務**[205]　受託者に対する費用償還義務を，受益者一般に認めることが適切でないとしても，信託財産の運用についての指図権者がおり，受託者がその指図に従う義務があるときは，費用発生リスクをコントロールしているのは指図権者であるから，指図権者に費用償還義務を課すべ

---

204) セミナー(2)・355〜364頁，関貴志「信託事務処理費用等の償還請求」井上聡監修『信託の80の難問に挑戦します！』85頁以下（日本加除出版，2021），神田＝折原・104〜106頁。

205) 木村仁「受託者の費用償還請求権をめぐる一考察」法時82巻11号134頁以下（2010）参照。さらに，伊室亜希子「受託者の費用償還請求権の新信託法による変容」明治学院大学法科大学院ローレビュー13号1頁以下（2010）も参照。

きではないか，さらには，個別的な指図権がなくても，信託目的，受託者の権限範囲などに照らして，委託者や受益者が費用償還義務を負うという黙示の合意が存在すると解すべき場合もあるのではないか，と指摘されている。

委託者（受益者を兼ねる場合を含む）については，信託契約の解釈として認められる場合があろうが[206]，信託契約の当事者ではない（つまり，委託者ではない）受益者・指図権者については困難であろう。もっとも，不適切な指図によって受託者に損害を生じさせたときには，不法行為を理由とする損害賠償請求ができる場合もあろうし，信託契約の書面において，受益者や指図権者が契約当事者となっているときは，それらの者は理論的な意味での信託契約の当事者ではないものの，別の合意が同一書面でされていると評価でき，受託者との間に黙示の委任契約の存在を認定し，民法650条1項による費用償還請求権を認めるべき場合もあると思われる[207]。

3 信託報酬

(1) 受託者は，信託行為に受託者が信託財産から信託報酬を受ける旨の定めがある場合に限り，信託財産から信託報酬を受けることができるが，商法512条が適用されるときは，信託財産から，当然に相当の報酬を受け得る（信託54条1項）。

額については，信託行為に直接の定め，または，算定方法の定めがあるときは，それによって定まる。ないときは，受託者は相当の額を信託財産から取得することができるが，受益者に対し，その額と算定根拠を通知しなければならない（同条2項・3項）[208]。

---

206) 新井・329頁は，自益信託の場合，委託者に費用償還義務を認めるべきことを説く。これに対して，木村・前出注205) 135頁は，自益信託であることは契約解釈における考慮要素の1つとして位置づけられるとする。後者の見解に与したい。

207) 東京地判平成21・6・29判時2061号96頁は，民法650条の適用を否定する。髙木いづみ「委託者指図型投資信託の委託者に対する受託者の費用償還請求権等の有無」みずほ信託銀行＝堀総合法律事務所編『詳解信託判例』243頁（金融財政事情研究会，2014）は，民法650条の適用は，個別の合意に係らせようとした趣旨に反する，とするが，黙示の合意は認める（同・248頁）。また，星野豊「『信託関係』における『受益者』の責任(1)〜(3完)」NBL 673号10頁以下，674号47頁以下，675号52頁以下（1999）は，受益者兼委託者が指図権を有するとき，代理関係の併存を認め，受益者の費用償還義務を肯定する。

208) 不相当な報酬合意やその後の変更によるコントロールの可能性について，小出篤「信託報酬について」信研39号58頁以下（2014）。

(2) 信託報酬については，費用等に関する規律が多く準用される。具体的には，信託法48条4項・5項，49条（6項・7項を除く），51条，52条である（同54条4項）（→278頁）。また，民法648条2項・3項，648条の2も準用される（信託54条4項）ので，信託行為に別段の定めがない限り，信託終了まで，受託者は信託報酬を受けることができないのが原則である。信託法51条の適用にあたっては，受託者の報酬請求権の履行期が到来していることが要件とされる。

(3) なお，信託法48条5項が準用されるので，受益者が，受託者との合意により，信託報酬を支払うことを約することもできる（なお，信託業法29条の3参照）。もっとも，個別の契約で支払を合意できるのは，委託者その他の第三者も同様である。

4 信託財産からの損害の賠償

(1) 受託者は，信託事務を処理するため損害を被ったときには，信託財産から賠償を受けることができる（信託53条1項）。受託者の義務履行行為の過程で損害を被ったときには，その利益の帰属する財産からその賠償を受けることができるのが公平であるとの考え方に基づく。民法650条3項に対応する規定である。

ただし，過失相殺はあり得る。そのことを明らかにするために，信託法53条1項は，「自己に過失なく損害を受けた場合」（1号）と，「第三者の故意又は過失によって損害を受けた」ときで受託者に過失がある場合（2号）の2つに分け，前者では損害の全額の賠償を受け得るが，後者では加害者に賠償請求ができる範囲で信託財産から賠償を受け得ることとしている。

(2) 受託者が信託財産から賠償を受けたときは，加害者である第三者への賠償請求権は信託財産に帰属することになる。当該第三者の行為によって，信託財産が，受託者の固有財産に対して賠償するというかたちで損害を受けたことになるからである。

(3) 民法650条3項については，「委任事務を処理するため」という文言の解釈につき，委任事務の引受けと因果関係のあるすべての損害を含め

る見解と,直接的な委任事務処理行為から生じた損害に限られるとする見解とがある。また,有償委任にも適用されるか,無償委任の場合に限られるか,についても争いがある[209]。

　信託に即して,後者から考えると,たしかに信託報酬が支払われる場合には,一定の危険の引受けは,その報酬に含まれていると解される場合もあろうが,合理的な範囲を超えた損害を被ったときは,やはり信託財産に求償できるというべきであり,無償の受託に限る必要はない。しかし,賠償範囲については,受託が有償の場合と無償の場合とに分け,有償の場合には,「委任事務を処理するため」に受けた損害とは,直接的な委任事務処理行為から生じた損害に限られると解すべきであろう。たとえば,信託事務処理のための出張の途中で生じた損害は含まれない。

　(4)　損害賠償についても,信託法48条4項・5項,49条(6項・7項を除く),51条,52条が準用される(同53条2項)。

第8節　受託者の変更

1　受託者の任務終了

　(1)　信託が継続していると,その間にいろいろな変化が生じてくる。受託者の変更もその1つである。

　受託者の変更が生じるのは,信託は終了していないのに,現在の受託者の任務が終了するからである。その終了事由は大きく4つに分けられる。受託者の能力喪失,受託者の辞任,受託者の解任,信託行為において定めた事由の発生,である。順に検討する。

　(2)　受託者の能力喪失

　(ｱ)　受託者である個人が死亡したとき(信託56条1項1号)は当然だが,受託者である個人が後見開始または保佐開始の審判を受けたときにも,その任務が終了するとされている(同項2号)。かつては,成年被後見人およ

---

　　209)　平野裕之『民法総合5　契約法〔第3版〕』635〜636頁(信山社,2007)参照。

び被保佐人の受託者資格は否定されており（改正前信託7条），そのときには，後見開始・保佐開始の審判を受けたことにより受託者の任務が終了するのは当然であった。2019（令和元）年の改正により成年被後見人および被保佐人の受託者資格が肯定されたが，当初から制限行為能力者を受託者とした場合と異なり，受託者が後になって制限行為能力者となったときは，信託事務執行にも支障をきたすおそれが発生するので，受託者の任務を終了させるという当事者意思（信託契約の場合は委託者と受託者，遺言信託・自己信託の場合は委託者の意思）の存在が推測されるという考えのもとに，任務終了事由としては存続させることにした。当事者意思の推測である故に，信託行為における別段の定めが許される（信託56条1項ただし書）（とりわけ遺言信託において，受託者として指定された者が，信託の効力発生前に後見開始または保佐開始の審判を受けた場合について，→58頁＊＊）。

　(イ)　受託者について破産手続が開始したときも同様である＊。破産手続の開始決定は，自然人等では人格の消滅の原因とならず，また，必ずしも財産管理能力の不十分さを示すわけではないが，破産者に受託者の任務を継続させることは，通常の委託者の意思に反する。したがって，受託者としての任務も終了するとされている（信託56条1項3号）。このように意思推定を根拠にする事由にすぎないから，信託行為における別段の定めが許容される（同項ただし書。さらに，同条4項）。

　受託者である法人が解散したときも，存在がなくなるわけだから，受託者としての任務も終了する（同項4号）。ただし，合併の場合は，合併後存続する法人または合併後設立する法人が受託者の任務を引き継ぐ（同条2項前段）。株式会社に即していえば，吸収合併（会社749条）において，受託者である法人が吸収合併存続会社であるときは，そのまま受託者として任務を負い続けるが，吸収合併消滅会社のときは，吸収合併存続会社に受託者としての任務を引き継がせることになる。また，新設合併（同753条）においては，新設合併設立会社が受託者の任務を引き継ぐ。受託者である法人が分割されるときも，分割により受託者としての権利義務を承継する法人が，受託者としての任務を引き継ぐ（信託56条2項後段）。株式会社に即していえば，吸収分割（会社758条）においては吸収分割承継会社が，

新設分割（同762条）においては新設分割設立会社が引き継ぐことになる。以上の引継ぎに関する規律については，信託行為において別段の定めができる（信託56条3項）。

＊ 受託者の破産[210]　受託者の破産の場合，信託財産に属する財産は破産財団に属さないが（信託25条1項），現有財団には組み込まれてしまう。そこで，委託者，その相続人，受益者，新受託者（信託が終了するならば，残余財産について権利を有する者）が，取戻権（破62条）を有する，というのが，かつての通説であった[211]。しかしながら，このとき，破産管財人は，信託財産に属する財産を保管し，新受託者（または信託財産管理者）による信託事務の処理が可能になれば，その者に信託事務を引き継がなければならないのであり（信託60条4項），取戻権の行使といっても，新受託者（または信託財産管理者）はともかく，受益者等は自己に信託財産に属する財産の引渡しを求めうるわけではない。当該財産が破産財団に属していないことを主張し，自らの信託上の権利を行使し続けることができる，というのみである[212]。

そして，このように，破産管財人が信託財産の保管義務を負い，新受託者（または信託財産管理者）への引渡義務を負うのであれば，受託者死亡時に同様の義務が信託法上課されている相続人（同60条2項）と同じく，破産管財人の第三者性は否定され，仮に，信託財産に属する財産のうちに，第三者に対してそれが信託財産であることを対抗するためには登記・登録等の対抗要件が必要なものがあっても，受託者に対抗するためには対抗要件が不要であることになる[213]。つまり，この局面では，破産管財人は，破産債権者の利益代表者としてではなく，破産者が負っていた受託者たる役割を引き継ぎ，新受託者への引継ぎのための暫定的受託者としての地位にあると解されるのである。

(ウ)　受託者について，再生手続開始決定（民再33条）・更生手続開始決定（会更41条，金融更生特31条・196条）があったときには，受託者の任務は終了しない（信託56条5項本文・7項）。再建型手続においては，債務者が事業等を継続することが前提だからである。このとき，管財人または保

---

210)　条解・127〜135頁〔加毛明〕参照。
211)　たとえば，四宮・75頁。
212)　沖野眞已「公共工事請負前払金と信託」平井宜雄古稀『民法学における法と政策』374〜375頁（有斐閣，2007）。また，以上に至る学説上の流れについて，加毛明「受託者破産時における信託財産の処遇(2)」法協124巻11号2388〜2395頁（2007）参照。
213)　鈴木秀昭「信託の倒産隔離機能」信研28号100〜106頁（2003）。受託者の破産によって信託が終了する場合に即して，道垣内・問題状況326〜327頁。

全管理人がいるときは，その者が受託者としての任務の遂行を行う（同条6項・7項）。ただし，委託者が信託行為の定めによって当該決定を受託者の任務終了事由とすることはできる（同条5項ただし書・7項）。

信託財産は，受託者の再生債務者財産・更生会社財産には組み込まれず，倒産債務者の財産の中で，独立性を保ったままである（同25条4項・7項）。

(エ) なお，受託者が株式会社であるとき等は，破産手続開始の決定によって解散するから（会社471条5号），受託者としての任務も終了する。このとき，破産手続開始決定を終了事由とする信託法56条1項3号ではなく，同項4号を適用するとされている（同項3号かっこ書）*。

> *　**第3号と第4号の違い**　破産手続開始決定を終了事由とするか，解散を終了事由とするかで，前者では，新受託者による信託事務処理が可能になるまで，破産管財人が信託財産に属する財産の保管等の義務を負うのに対し，後者では負わないという違いが生じる（信託60条4項）。受託者である株式会社につき破産手続が開始したときにも，破産管財人に保管等の義務を負わせるべきだという判断もあり得るが[214]，明文の規定に反するし，破産財団の増殖を任務とする破産管財人に，信託財産に属する財産が破産財団に組み込まれないようにする任務を負わせるのには無理がある。信託財産に属する財産はいちおう清算中の会社に属するとしたうえ，必要に応じて，後に述べる信託財産管理者による管理（→299頁）によるべきであろう[215]。

(3) 受託者の辞任

受託者は，一定の要件が満たされれば辞任することができる。信託行為に辞任についての定めがあるときはそれに従って辞任できるし，定めのない場合でも，委託者および受益者の同意を得れば辞任可能である（信託57条1項）。委託者が現に存しないときは同意による辞任はできない（同条6項）。委託者の意思に反するおそれがあるからである[216]。ただし，遺言信

---

214) 村松ほか・192頁注(16)。
215) セミナー(2)・405～409頁。
216) 関係者の意向を優先しようとする新信託法の趣旨に合致しないとして，立法論的に疑問を呈する評価もある（福田ほか・292頁，新井監修・239頁〔越知保見〕）。しかし，信託の変更においても，委託者が現に存しないときには自由な合意を認めない（信託149条5項）。信託法は委託者の意思を，関係者の意思として重視しているのであり，当該評価は正当でない（セミナー(3)・411頁〔道垣内弘人〕）。

託の場合を除いて，委託者の地位は相続人に承継されるので（同147条の反対解釈），「委託者が現に存しない」ことになるのは，遺言信託のとき，委託者が死亡して相続人がいないとき，および，委託者が法人の場合で当該法人が解散したときであることになる[217]。

さらには，以上の要件が満たされなくても，やむを得ない事由があるときは，裁判所の許可を得て辞任できる（同57条2項。さらに，3項〜5項）。受託者が自然人であるときは，病気等がこれに該当する（→195頁）。

辞任によって受託者の任務が終了するのは当然である（同56条1項5号）。

(4) 受託者の解任

(ア) 受託者は，一定の要件が満たされれば解任されうる。信託行為に受託者の解任についての定めがあるときはそれに従って解任できるし（信託58条3項），定めのない場合でも，委託者と受益者が合意をすれば，いつでも受託者を解任することができる（同条1項。さらに，同56条1項6号）。すでに死亡・解散しているなど，委託者が現に存しないときは合意による解任はできない（同58条8項）。受益者のみの判断によって受託者を解任できるとすると，委託者の意思に反してしまうおそれがあるからである[218]。

受託者の意思的関与を必要としないのは，受託者は信託の利益を享受することができないのであり（同8条），不利益さえ補償されれば，受託者にはその地位にとどまっておく利益はないはずである，という考え方に基づいている。したがって，受託者に不利な時期に解任したときは，受託者が被った損害を賠償しなければならない（同58条2項本文）＊。ただし，解任について「やむを得ない事由があったとき」は賠償は不要である（同項ただし書）。もっとも，賠償額の範囲を決めるにあたっては，解任の事由を考慮すべきである。そうすると，一律に賠償を否定する「やむを得ない事由」については，受託者が任に適さないことが明らかであることなど，制限的な解釈が求められよう。賠償額による調整が優先されるべきだからで

---

[217] 条解・373頁〔山下純司〕。本書初版・275頁が，何らの限定もしないで，委託者が死亡した場合を例に取り上げた点は改説する。

[218] 前出注216）と同様の立法論的批判があるが，それと同様に正当でない。

ある。

　損害賠償についても，信託行為に別段の定めをすることは許される（同58条3項）。受託者が，そのような定めの適用される地位として引き受けていると解されるからである。

　(イ)　もっとも，委託者が現存しなくても，また，現存する場合に委託者と受益者との間の合意が調達できなくても，受託者が任務違反によって信託財産に著しい損害を与えたことなど，「重要な事由」があるときは，委託者または受益者は，裁判所に受託者の解任を求める申立てができる（同条4項。さらに，5項～7項）。なお，受益者の申立権は信託行為で制限することはできず，複数の受益者がいるときも各人が単独で行使できる（同92条1号）。このときは，受託者に対する損害賠償が不要なことは当然である。

　　＊　**賠償の範囲**　信託法58条2項は，民法上の委任の規律と同様の規定であり（民651条2項），そこでは，委任報酬を得るという利益の侵害は賠償の対象にならないとされている（同項2号かっこ書）。これに対して，株式会社の取締役が正当な理由なく解任されたときの損害賠償（会社339条2項）については，任期中に得られたはずの報酬相当額を含むというのが通説である[219]。
　　　たしかに，信託には，事業信託のように，会社と同様の用い方がされる場合もあり，報酬が一切取れないと解するのは，会社法との差が大きすぎる。しかし，損害賠償が不要とされる場合につき，会社法が「正当な理由がある場合」としているのに対し，信託法は「やむを得ない事由があったとき」としている。これは，民法と同じであり，会社法よりも狭いと思われる。さらに，株式会社の取締役に関して上記の解釈がとられてきた背景には，会社法制定まで，取締役の任期が2年に制限されてきたことがあり（2005（平成17）年改正前商256条），現行法のもとで，全株式譲渡制限会社において任期が10年と定められたとき（会社332条2項参照），任期当初に解任された場合にまで同様の範囲で賠償が認められるかは疑問である。
　　　受託者の期待と解任の理由を考慮して，合理的な範囲の報酬については認める，というほかはなかろう。

(5)　信託行為に定めた事由の発生

　信託行為において，受託者の任務に期限を付し，一定の期間の経過により任務が終了する，あるいは，受託者の財産管理能力が疑われる事態が生じたとき，たとえば固有財産につき差押えなどを受けた場合には任務が終

---

[219]　江頭・前出注(64) 413～414頁注(7)。

了するといった定めを置くことができる。このときは，その定めに従って，受託者の任務は終了する（信託56条1項7号）。

なお，旧信託法44条は，「信託行為ニ依リ特定ノ資格ニ基キ受託者ト為リタル者其ノ資格ヲ喪失シタルトキハ其ノ任務ハ之ニ因リテ終了ス」としていた。これは，たとえば，ある会の会長の資格によって受託者となった者が会長ではなくなった場合には，受託者としての任務が終了するというものだと解されてきたが[220]，特定の資格の喪失をもって，「信託行為において定めた事由」が発生したものと解釈できるのが通常なので，削除された[221]。

2 任務終了時の手続
(1) 受益者等への通知

受託者の任務終了は，受益者にとって重要な利害関係のある事柄であるから，前受託者（任務が終了した受託者）は受益者にその旨の通知をしなければならない（信託59条1項本文）。ただし，信託行為に別段の定めがあればそれに従う（同項ただし書）。もっとも，受益者の監督権能を無力にするような不合理な定めは許されない。たとえば，受託者の任期と次期の受託者が予め定まっているようなときは，通知をしなくても受託者の交代が受益者にわかるので，費用の節約のため通知を省略するといったものが，合理的な定めの例として考えられる[222]。

受託者について破産手続の開始決定があったことを理由として受託者の任務が終了したときは，破産管財人にも，信託財産の状況のほか，知れている受益者・帰属権利者（同182条1項2号）の氏名等，信託行為の内容を通知しなければならない（同59条2項，信託則5条）。他の受託者がいないときは破産管財人が信託財産に属する財産の保管等をするのであるし（信託60条4項），他の受託者がいるときも，破産管財人は何が信託財産に属する財産か，破産者（＝前受託者）がどのような債務を負っているかを知

---

220) 四宮・264頁。
221) 寺本・197頁注(6)。
222) 寺本・206頁。

ることが必要だからである。共同受託者がいるときには，当該他の受託者が信託に関する権利義務を引き継ぎ，前受託者の任務も行うことになるから（同86条4項），当該他の受託者にも通知が必要である（同条1項）。

　受託者の死亡を理由とする任務終了のときは，前受託者に通知義務を負わせることはできないし，後見・保佐に付されたことを理由とするときも，通知義務を負担させるのは酷である。そこで，死亡の場合は前受託者の相続人，後見・保佐の場合は成年後見人・保佐人が，任務終了の事実を知っているときは，知れている受益者に（また，他の受託者がいるときには，知れている他の受託者にも）通知をする義務を負うことにしている（同60条1項，86条2項）。

　(2)　保管と引継ぎ

　(ア)　通知が行われても，新受託者が就任するまで，信託財産が放置されることになっては困る。共同受託者がいるときは，信託行為に別段の定めのない限り，当該他の受託者が信託に関する前受託者の権利義務を引き継ぎ，その任務を行う（信託86条4項）。しかし，それ以外の場合には，前受託者は，新受託者が就任し，信託事務の処理ができるようになるまで，引き続いて信託財産に属する財産の保管をするとともに，新受託者に信託事務を引き継ぐために必要な行為をしなければならない（同59条3項本文，86条1項）（清算中の会社にも，その義務が認められると解すべきである）。

　任務終了事由が，受託者の死亡のとき，後見開始・保佐開始審判のとき，破産手続開始のときは，前受託者に保管等の義務を負わせるのは不可能または不適当なので，それぞれ相続人，成年後見人・保佐人，破産管財人がその義務を負う（同60条2項・4項）。

　以上のように，辞任以外の事由で受託者の任務が終了する場合は，もはや当該受託者には積極的な行為をさせるべきでないと判断されるときであるので，保管・引継ぎに義務の範囲が限られる。これに対して，受託者が自分の判断で委託者・受益者の同意を得て辞任したときには，新受託者等が信託事務の処理をすることができるに至るまで，引き続き受託者としての権利を有するとともに，義務も負う（同59条4項本文）。自らの判断で辞任するだけであり，不適格であるとされるわけではないので，信託事務の

執行に支障を来さないように，受託者の任務を継続しなければならないのである。もっとも，信託行為に別段の定めをすることはできる（同項ただし書）。これに対して，同じく辞任でも，やむを得ない事由により裁判所の許可に基づいて辞任した場合には，当該受託者に任務を継続させるのは酷であるから，原則通り，前受託者は保管・引継ぎの義務だけを負う（同項が，「第56条第1項第5号に掲げる事由（第57条第1項の規定によるものに限る。）」としていることに注意）。

(イ) 後に述べるように（→305頁），新受託者が就任したときは，新受託者は，前受託者の任務終了時に，信託に関する権利義務を前受託者から承継したものとみなされる（信託75条1項）。しかし，これは法的な擬制であり，共同受託者がいないときで，受託者の死亡以外の事由によって任務が終了した場合，信託財産に属する財産は，いちおう前受託者に帰属した状態のままであると考えられる。ところが，受託者の死亡の際には，前受託者に事実上帰属させることもできないし，信託財産は相続財産とはならず，相続人には引き継がれない。しかし，だからといって，死亡後，信託財産に属する財産の帰属主体が存在しないわけにはいかない。そこで，信託財産は法人（**信託財産法人**）となるとされている（同74条1項。なお，同86条3項）。

なお，受託者が委託者・受益者の同意を得て辞任した場合には，新受託者はその就任時に前受託者から信託財産を承継したものとみなされ（同75条2項），就任前は前受託者に信託財産が帰属したままになる。新受託者就任まで前受託者が受託者としての任務を継続するからである。

(ウ) 前受託者（辞任によって任務が終了した場合を除く），相続人，成年後見人・保佐人，破産管財人は，積極的に信託財産を処分する権限は有しない。にもかかわらず，信託財産の処分をしようとしているときは，受益者は，これらの者に処分をやめることを請求できる（信託59条5項，60条3項・5項。その費用負担（同61条）については，→278頁）。

なお，相続人等ではなく，前受託者が保管等の義務を負うときは，その権限・義務を信託財産の保管・引継ぎを超えて拡大することができる（同59条3項ただし書）。処分等の継続の必要性がある場合に対応するためであ

る[223]）。

　また，前受託者以外の者が，通知・保管等の義務を負うとき，その履行のために支出した費用および支出日以後の利息を，新受託者または信託財産法人管理人に対して請求できる（同60条6項）。本来，自分の負っていない義務を，受益者の利益のために履行したことになるからである。その際，受託者の費用償還請求権等と同様の優先権を付与される（同条7項）。この優先権については，受託者の優先権の場合と異なり（→284頁），端的に先取特権と考えればよい。

(3) 信託財産管理者・信託財産法人管理人

　(ア) 以上のように，新受託者が信託事務を処理し始めるまでの間は，前受託者などに保管義務が課され，あるいは，前受託者の任務が継続する。しかし，それでは不十分であると判断されるときには，裁判所は，利害関係人の申立てにより，**信託財産管理者**を選任し，その者による管理を命ずる処分（**信託財産管理命令**）をすることができる（信託63条1項。さらに，同条2項・4項，64条1項・2項）（また，民事保全法56条に基づく仮処分による職務代行者について，信託法73条参照）。前受託者死亡の場合は，信託財産法人が設立されるので（→298頁），**信託財産法人管理人**を選任し，その者による管理を命ずる処分（信託財産法人管理命令）がされる（同74条2項。さらに，同条3項・6項）＊。

　信託財産管理者・信託財産法人管理人の選任は，新受託者が選任されておらず，必要性が認められる場合に行われる（同63条1項，74条2項。なお，後者には新受託者の未選任という要件は明示されていないが，新受託者が選任されたときは，その時点で信託財産法人が遡及的に成立しなかったこととなるので（同条4項），信託財産法人管理人を選任する余地がない）。たとえば，前受託者等，信託財産に属する財産の保管の義務を負う者が不適任である場合がこれに当たるが，後任の受託者が信託行為で定められており，就任の催告がされているときなどには，必要性が否定される。複数の受託者が存在する場合で，その一部が欠け，未選任であるときには，他の受託者が前受託者

223）寺本・211頁注(16)。

の権利義務を引き継ぎ，その任務を行うので（同86条4項），ここでいう必要性は認められない[224]。職務分掌がされているときなどには，他の受託者に負担ではあるが，信託財産管理者・信託財産法人管理人は暫定的な機関と位置づけられているので，他の受託者に暫定的な任務を課すことで足りるというべきである。

申立権者は「利害関係人」であるが，受託者の変更による信託財産・事務の引継ぎが適切に行われることについて利害関係を有する者であればよいから，委託者，受益者，前受託者等，保管義務を負う者のほか，信託財産責任負担債務に係る債権の債権者，さらには，前受託者の固有財産に対する債権者も含まれる。

裁判所は，信託財産管理者・信託財産法人管理人が不適任であることを知ったときや，選任の必要性が消失したときは，職権によって，命令を変更し，または取り消すことができる（同63条3項，74条3項）。

  * **前受託者等の権限違反行為・任務懈怠**　　（ⅰ）前受託者が委託者・受益者の同意に基づいて辞任したことにより，その任務が終了したときは，新受託者または信託財産管理者・信託財産法人管理人が信託事務を処理することができるまで，前受託者は受託者としての権利義務を有するから（信託59条4項），受託者の権限違反行為一般の規律に従う（同75条4項，27条。→85頁）。前受託者が保管・引継ぎ義務（のみ）を負うときは（同59条3項），相続人・後見人等，当該財産の帰属主体でない者による行為と同様に考えることもできそうだが，前受託者にはいまだ信託財産に属する財産が帰属しているという違いがある。そこで，その場合の前受託者の行為も，受託者の権限違反行為一般の規律に従うとされている（同75条4項）。

  信託財産管理者が選任されても，前受託者は信託財産に属する財産の帰属主体たる地位を失わない。しかし，信託財産管理者は，前受託者に信託財産の保管をさせるのが不適当な場合等に選任されるのであるから，上記と同様には規律すべきでない。そこで，信託法65条1項は，前受託者が信託財産管理者の選任以後に信託財産に属する財産に関してした法律行為は，信託財産との関係ではその効力を主張し得ないとし（さらに同条2項参照），前受託者は信託財産に属する財産の帰属主体であっても当該財産に関する法律行為について無権限であることを明記している。ただし，信託財産に属する財産について，処分の相手方の即時取得・善意取得はあり得る。登記・登録されている財産で信託財産管理命令の登記・登録がされていないもの（同64条5項）の処分等の相

---

[224]　寺本・221〜222頁注(2)。

手方の保護も問題となるが，命令の登記・登録は対抗要件ではなく，前受託者名義のままにしていることにも受益者等に帰責性はないから，否定されるべきであろう。

新受託者が選任されると，前受託者は信託財産に属する財産につきまったくの無権利者となるので（同75条1項参照），保管・引継ぎ義務を負う相続人等と同様の規律になる。

(ii) 相続人，後見人・保佐人，破産管財人は，信託財産に属する財産の帰属主体ではなく，たんに保管等の権限・義務を負うだけである。したがって，これらの者がその権限を超えて，たとえば当該財産を処分すると，まったくの無権利者による処分となる。理論的に表見代理の成立が考えられないではないが，相手方に正当な理由があると認められる場合はほぼないといってよい。

信託財産管理者・信託財産法人管理人の選任後についても同様であり，保存行為であっても，無権利者の行為となる。

(iii) 前受託者が引き続き受託者としての権利義務を有する場合に，その任務の懈怠により信託財産に損失を生じさせたときは，損失てん補責任等を負う（同40条）。これに対して，保管・引継ぎの義務だけを負う場合に，任務懈怠により信託財産に損失を生じさせたときには，前受託者は不法行為責任を負い，その損害賠償債権が信託財産に属すると解すべきであろう。相続人，後見人・保佐人，破産管財人の義務違反も同様である。

また，信託財産に損失が生じないときも，たとえば，通知義務（同59条1項，60条1項）の不履行により受益者が直接の損害を被ったときには，不法行為責任を負う[225]。

(イ) 信託財産管理者・信託財産法人管理人が選任されると，裁判所は，選任した旨とその氏名・名称を公告する（信託64条3項・4項，74条6項）。また，信託財産に属する権利で登記・登録がされたものがあることを知ったときは，裁判所書記官は，職権で，命令の登記・登録を行う（同64条5項・6項，74条6項）。

選任があり，その者が信託事務処理をできるようになると，前受託者，相続人・後見人・保佐人，破産管財人の保管義務等は終了する（同59条3項，60条2項・4項）。このとき，それらの者は，遅滞なく，信託事務に関する計算をし，すべての受益者（信託管理人）にその計算の承認を求めるとともに，信託財産管理者・信託財産法人管理人に必要な信託事務を引き継がなければならない（同78条）＊。そして，信託財産管理者・信託財産

---

[225] 条解・382〜383，389頁〔山下純司〕参照。

法人管理人は，直ちに信託財産に属する財産の管理に着手する（同67条，74条6項）。

信託財産管理者・信託財産法人管理人は，いわば仮受託者である。したがって，処分も含めて，信託事務の処理全般について権限を専属的に有するが（同66条1項）（2人以上いるときについて，同条2項（さらに同条6項〜8項）・3項，74条6項），保存行為または性質を変えない利用・改良行為の範囲を超える行為をするときには，裁判所の許可が必要である（同66条4項。さらに，6項〜8項）。裁判所の許可なく権限を踰越したとき，受託者の権限違反行為（同27条）と同様に扱うことも考えられないではないが，無効とされている（同66条5項本文，74条6項）。権限の制約が法定のものであり，かつ，その地位との関係で本質的なものだからである。ただし，その無効は善意の第三者には対抗できない（同66条5項ただし書，74条6項）。ここでの善意とは，裁判所の許可が得られたと信じたことを意味する[226]。

また，信託財産管理者・信託財産法人管理人は，信託財産に関する訴えについて原告・被告となることが明記され（同68条，74条6項），前受託者が信託財産に関して当事者となっていた訴訟を受継するとされている（民訴124条1項4号イ）。受託者と異なり，信託財産に属する財産の帰属主体ではないので，明文の規定が置かれるわけである。

そして，その職務をするにあたって，受託者と同一の義務・責任を負う（信託69条，74条6項）。

死亡等のときは，裁判所による命令変更によるが（同63条3項），辞任・解任については，受託者に関する規定が準用されている（同70条前段，74条6項）。ただし，解任は，裁判所が職権によって命令を取り消すことによっても可能である。また，受託者が裁判所の許可を得てする辞任については，「やむを得ない事由」の存在が要求されているが（同57条2項），信託財産管理者・信託財産法人管理人は，その就任が裁判所による選任という外在的な事情によるものであるので，「正当な事由」があればよいとされている[227]（同70条後段，74条6項）。費用・報酬についても受託者の

---

[226] 道垣内弘人「判批」星野英一＝平井宜雄編『民法判例百選Ⅰ〔第4版〕』71頁（1996）参照。

規律に準じるが，費用については，自己の判断で前払をして信託財産から取得するのではなく，裁判所の決定に従って信託財産から前払を受ける仕組みとなっている。また，報酬についても，信託行為の定めは考えられず，裁判所の決定による（同71条，74条6項）。

 ＊ かなり読みにくいが，信託法77条1項の「新受託者等」とは，新受託者と信託財産管理者とを含むので（同59条3項かっこ書参照），信託財産管理者が選任された場合にも，計算承認請求や引継ぎをしなければならないことになる。そして，この規律が同78条で，相続人，成年後見人，保佐人，破産管財人に準用される（同条の「前受託者の相続人等」は，成年後見人，保佐人を含む。同60条1項かっこ書参照）。なお，相続人がいるときに信託財産法人管理人が選任された場合については規定を欠いているが，同条の趣旨から，計算承認請求や引継ぎの義務が生じると解すべきである。

(4) 新受託者の選任

(ア) 新受託者の選任は，信託行為に定めがあればそれによる。このとき，利害関係人には，遺言信託における信託の引受けの催告に準じた就任催告権が与えられる（信託62条2項・3項）。信託行為に定めがなかったり，指定された者が引き受けなかったりしたときは，委託者と受益者の合意による（同62条1項。委託者が現に存しないときは，受益者のみの判断による（同条8項））。そして，協議困難・合意不成立など，自律的な選任ができないときは，利害関係人の申立てにより，裁判所が新受託者を選任する（同条4項。さらに，5項～7項）。

就任催告権・裁判所への申立権が認められる利害関係人の範囲は，信託財産管理命令等の申立ての場合と同じく（→300頁），広く解される。また，裁判所は，必要性がないときは新受託者を選任しない。具体的には，共同受託者がおり，受託者の補充の必要性がない場合が，これに当たろう。

(イ) そして，前受託者やその相続人など保存等の義務を負っていた者は，遅滞なく，信託事務に関する計算をし，すべての受益者（信託管理人がいる

---

227) 村松ほか・195頁。もっとも，遺言信託においては，受託者が裁判所によって選任されることもある（信託6条1項）。さらに，新受託者もそうである（同62条4項）。信託財産管理者・信託財産法人管理人の特徴は，それが必ず裁判所により選任されることにある。

ときは信託管理人）にその計算の承認を求めるとともに，新受託者に必要な信託事務を引き継がなければならない（信託77条1項，78条）。計算の承認（計算の承認請求があったときから，1か月以内に異議を述べなかった場合を含む）があれば，これらの者は引継ぎに関する責任を免れるが（同77条2項・3項），不正の行為があったときは，責任を免れない（同条2項ただし書）。

　ここでいう「引継ぎに関する責任」とは，計算書類から知り得べき事項に限られる[228]。したがって，たとえば前受託者に任務懈怠があったとき，その損失てん補責任等が免責されるわけではない[229]。また，不正行為には，保存等の義務の執行にあたっての不正行為だけでなく，計算書類の偽装など，承認を求めるにあたっての不正行為も含まれる[230]。後者の場合，そもそも有効な承認のあることにならない。いずれについても，故意行為であることが必要であり，たんに職務執行にあたって善良な管理者の注意を欠いていたことによるものは含まない[231]。

　なお，信託財産管理者・信託財産法人管理人が選任されているときには，その選任時に，前受託者やその相続人など保存等の義務を負っていた者が，受益者に対する計算承認請求，信託財産管理者・信託財産法人管理人に対する引継ぎを行っており，新受託者が選任されたからといって，再び同じ手続をとらなければならないわけではない。信託財産管理者・信託財産法人管理人が，新受託者の就任時に，同様の手続を新受託者との関係でとらなければならないことになる（同72条）。このとき，受益者ではなく，新受託者に対し承認を求めることとされているのは，信託財産管理者・信託財産法人管理人は受託者と同一の義務・責任を負っているので（同69条），受託者の交代にともなう通常の手続となるからである。

---

228) 大判大正5・10・12民録22輯1735頁（会社取締役・監査役の責任解除（現行法では存在しない）に関するもの）。
229) 村松ほか・204頁注(18)，条解・426頁〔山下純司〕。
230) 大判大正11・3・13民集1巻93頁（会社取締役・監査役の責任解除（現行法では存在しない）に関するもの）。
231) 四宮・285頁は，不正行為の意義について，「刑事責任または過料制裁を受けるような行為」とするが，たとえば，信託法270条に掲げられた行為は，計算書類の偽装などとは性格を異にし，基準として機能しないと思われる。

(ウ) なお，新受託者が選任されても，実際に信託事務処理をするには，なお時間を要することもある。そこで，前受託者等の保管義務は，新受託者等が，「信託事務の処理をすることができるに至るまで」とされている（信託59条3項・4項，60条2項・4項）。また，同様の時点まで，信託財産法人管理人の代理権は存続するのであり（同74条5項。代理権行使は，同条4項ただし書の権限内行為となる），信託財産法人管理人の職務はこの時点まで継続する。

信託財産管理者は，新受託者が選任されるまでの間についての処分（信託財産管理命令）に基づいて選任されている者であるから（→299頁），新受託者の選任によってその任務は終了する。しかし，受託者と同一の義務を負うため（同69条），新受託者が信託事務の処理をすることができるに至るまで，信託法59条3項に基づき，信託財産管理者が信託財産の保管等の義務を負うことになる。

(5) 新受託者による権利義務の承継

(ア) 新受託者が就任すると，新受託者は，前受託者の任務が終了したときに，そのときに存する信託に関する権利義務を前受託者から承継したものとみなされる（信託75条1項）。しかし，例外がある。

前受託者が委託者・受益者の同意に基づいて辞任したことによって任務を終了したときは，新受託者は就任時に前受託者から権利義務を承継したものとされる（同条2項）。すでに述べたように，委託者・受益者の同意に基づく辞任の場合には，前受託者は新受託者等に引継ぎができるまでの間は，受託者としての権利義務を負い続ける（同59条4項。→297頁）。したがって，その間は，前受託者に権利義務が帰属していると考えるのが素直である。また，複数の受託者が存在する場合には，残された受託者が任務を負い続けるので，権利義務はそれらの受託者に帰属する（同86条4項）。

それ以外の事由による場合には，権利義務の帰属主体が存在しないという状態を避けなければならないし，受託者でない者に帰属させるのも妙である。そこで，原則としては，遡って新受託者に帰属しているとみなすことにしているのである。ただし，前受託者，成年後見人・保佐人，破産管財人も信託財産の保管は行うし，信託財産管理者・信託財産法人管理人は，

それを超えた行為をする可能性があるので（同66条4項），その権限内でした行為は，いくら遡及的に帰属が否定されたからといって，その効力が否定されない（同75条3項）。

(イ)　注意すべきなのは，前受託者のもとで発生した債務である。

すでに繰り返し述べているように，責任限定信託の場合や，個別に責任財産限定特約を債権者と締結した場合を除き，受託者は固有財産をも含めて債務の支払の責任を負う。しかし，この効果が発生するのは，受託者自身が債務者となって相手方に対して債務を負っているからである。しかるに，前受託者が自ら債務者となって負った債務については，新受託者は自らが債務者となって債務を負ったわけではないので，固有財産をも含めて支払の責任を負う理由は存在しない。たしかに，新受託者は債務者としての地位も引き継ぐと考えられるが，固有財産についてまで引き当てになることについては同意がないといわざるを得ない。

他方，そうだからといって，債権者が，もはや信託財産しか差し押さえられなくなるというのも妥当でない。債権者は信託財産だけでなく受託者の固有財産も自らの債権の引き当てにできていたのだから，その利益が奪われるのは不当である。もちろん，前受託者に対してしか請求できないというのも妥当でない。債権者は信託財産から弁済を受ける権利を有していたのである。

そこで，次のような結論となる。

債権者は，信託財産を引き当てにできるという利益を維持できるべきであるから，新受託者は信託財産からそれを履行する義務を負う。しかし，新受託者は，信託財産に属する財産のみをもって当該債務を履行するのであり，固有財産からの履行責任を負わない（債権者は，新受託者の固有財産について，差押え等ができない）（信託76条2項）。それと同時に，債権者は，前受託者の固有財産を引き当てにできるという利益を奪われず，前受託者にも履行の請求ができる（同条1項）。前受託者の死亡のときには，相続人に対して債務の履行を請求できる。そして，前受託者やその相続人の履行は信託財産責任負担債務の履行になるから，新受託者や信託財産法人管理人から償還を受けることができる（同75条6項は，それを予定しているとい

うべきである)。ただし、受益債権など、信託財産に属する財産のみをもって履行する責任を負う債務については、もはや前受託者は履行責任を負わない。信託財産の帰属主体でないからである。理論的にいえば、新受託者は、責任財産を信託財産に属する財産に限定しながらも、重畳的な債務引受をして、債務者となったということになる*。

また、新受託者就任前に、信託財産に属する財産について強制執行等の手続がされていたときは、新受託者に対し続行することができる(同75条8項)。前受託者は受託者たる地位を失ったのであるから、信託財産に属する財産が前受託者から新受託者へ移転することは、たんなる差押え後の財産処分ではなく、強制執行開始後の債務者の死亡に近い面をもっている。そこで、民事執行法41条1項と同様の規定を置き、承継執行文の付与を受けることなく、そのまま新受託者に対して続行できることを明らかにしたわけである[232]。

> * もっとも、継続的契約の引継ぎなどでは、問題が生じる。たとえば、前受託者が第三者と信託財産のために継続的なデリバティブ契約を締結していたとする。この契約から生じる権利義務を、「信託に関する権利義務」と考えると、新受託者の就任によって、新受託者に引き継がれることになる。しかし、当該第三者にとっては、契約の相手方が自らの同意なく変更することになり、不測の損害を被る。たしかに、前受託者は固有財産でも信託債権に係る債務につき責任を負い続けるが、これは、一般的には既発生の債務について適用される規律である。そこで、契約上の地位は、契約当事者である前受託者にとどまると解すべきようにも思われるが、そうすると、とりわけ、委託者と受益者の合意による解任など、前受託者に非が認められないときには、前受託者に苛酷な結果となる。今後の課題となっている[233]。

(ウ) また、前受託者、および、前受託者である法人の理事等の責任(信託40条,41条。→252頁)については、新受託者・信託財産管理者・信託財産法人管理人が前受託者(またはその相続人)・理事等に、その履行を請求できる(同75条5項)。当然のように思われるが、逆に、保管・引継ぎ

---

[232] セミナー(4)・92頁〔道垣内弘人〕。
[233] セミナー(2)・418～420頁参照。また、実務上の対応につき、佐久間亨「受託者の変更」井上聡監修『信託の80の難問に挑戦します!』99～100頁(日本加除出版,2021)。

義務を負っているにすぎない相続人，成年後見人・保佐人，破産管財人は請求できないことを示している。相続人については，自らが相続した債務の支払を自らに求めることになるし，成年後見人・保佐人は，被後見人・被保佐人の利益を図るべき立場にあり，それらの者に対する権利を行使すべき立場にない。破産管財人については，前受託者の責任を追及することは，破産財団に属しない財産を破産財団に属する財産に移転することにほかならず，妥当でない。また，前受託者等の責任は，本来，受益者が請求できたものであり，新受託者等が選任されたからといって，受益者の権利が失われるわけではない[234]。

前受託者の有する費用等の償還・賠償・信託報酬を受ける権利（同49条，53条，54条。→278頁）については，前受託者（またはその相続人）が，新受託者・信託財産管理者・信託財産法人管理人に請求できる（同75条6項。なお7項）。

そして，上記の債権につき弁済を受けるまで，前受託者は，信託財産に属する財産を留置することができる，とされている（同条9項）。しかし，そのことによって，前受託者の有する債権が，事実上，最優先の権利となるのは妥当でなく，ただ，新受託者からの引渡請求に対する抗弁事由となるだけだと解すべきである[235]。

---

[234] セミナー(4)・194頁参照。
[235] 道垣内・問題状況136〜139頁参照。

■ 第5章 受益者と受益権

第1節 総　説

1　定　義

(1)　受益者とは,「受益権を有する者」をいい（信託2条6項）,受益権とは,「信託行為に基づいて受託者が受益者に対し負う債務であって信託財産に属する財産の引渡しその他の信託財産に係る給付をすべきものに係る債権（以下「受益債権」という。）及びこれを確保するためにこの法律の規定に基づいて受託者その他の者に対し一定の行為を求めることができる権利」をいう（同条7項）*。

> *　**受益債権という言葉**　受益権には,たんに受託者からの給付を受ける権利だけではなく,受託者に対する監督権能などが含まれるところ,従来,受託者からの給付を受ける権利のみを意味するときも,それを「受益権」と呼称することが多く,議論に混乱を生じさせていた。そこで,現行信託法は,受益者が受託者に対して給付を求める債権について「受益債権」という言葉を用い,受益権とは区別している[1]。

(2)　このように定義される受益者は,先に示した信託の概念図（→20頁）からすると,信託においてきわめて重要な地位を占める。

　ところが,受益者は,不特定でも,未存在でもかまわない。たとえば,ある団体に加入している者を受益者とする信託においては,団体のメンバーが替われば,受益者が変動することになり,受益者が不特定であることになる。また,まだ孫が生まれていないのに,孫を受益者として指定することも可能であり,そのときは未存在の受益者となる。一定の期間,ある者を受益者とし,その後,別の者を受益者とすることも可能である。さらに,受益者が委託者と別の者である必要はないし（→20頁）,受託者も受

---

[1]　道垣内・問題状況268頁参照。

益者の1人となることができる（信託8条）。受益者が存在しない信託（目的信託）もあり得る（→334頁）。

　そうなると，受益者の存在は，信託においてどのような意義を有するのかが，わからなくなってくる。

　このことを考えるためには，まず，受益者が現存するとき，その者は信託においていかなる地位を与えられるのか，いかなる機能を有しているのか，を明らかにし，受益者が不特定・未存在の場合，受託者がその1人となる場合，委託者が兼ねる場合，そもそも受益者が存在しない場合に，現存する受益者の地位・機能がどのように代替されているのかを検討することが必要である。

2　受益者の位置づけ

(1)　利益享受主体としての受益者

　まず，受益者は，信託財産からの利益を受ける主体として，信託において意味を有している。

　受託者は，信託財産の帰属権者でありながら，信託財産からの利益を受けることができない（→18頁）。たしかに，受託者も受益者の1人となることができるが，このとき，受託者としては，自らも含む受益者全体の利益のために信託事務を執行する必要があり，自分の利益だけを図ることはできない。信託法163条2号は，1年間は，受託者が唯一の受益者でもよいことを認めるが，これは逆に受託者が唯一の受益者であることが例外状況であることを前提とするものである。また，受託者が唯一の受益者であることが1年以内であっても，実質的に見て，その信託が，信託法2条1項にいう「専らその者」，つまり受託者「の利益を図る目的」のものと評価されるような信託は認められない（→48頁）。以上は，受益者が不特定・未存在の場合や委託者が受益者を兼ねる場合も同様である。

　それでは，そもそも受益者が存在しない場合，すなわち目的信託の場合はどうか。このときは，受託者は，信託行為によって定められた目的を実現するために信託事務を執行する義務を負うのであり，そのことによって，受託者が信託財産からの利益を受け得ないことが確保されている（→339

頁)。すなわち，利益の帰属者としての受益者の代わりに，「目的」に利益が帰属することになるわけである。

このように，目的信託を除き，受益者の存在は，その者が利益の帰属者となり，受託者に利益を帰属させないという機能を有していることになる。

(2) 受託者の行為基準としての受益者の利益

次に，特定の受益者が現存している場合も，不特定・未存在の場合も，受益者の利益を図ることが受託者の義務となり，受益者は，受託者の信託事務執行の基準となるという機能を有している。「受益者の利益」を規律の基準とする条文は多い（信託19条1項3号・3項3号，31条1項4号・2項4号，32条1項，149条2項2号，150条1項，151条2項2号，155条2項2号，159条2項2号，165条1項）。

目的信託に関しては，これらにつき，信託目的を基準とする読み替えが行われている（同261条）*。

> ＊ **信託目的と受益者の利益との関係** もっとも，信託目的は，すべての信託において定められなければならないから，受益者と目的は択一的なものではない。実際，「受益者の利益」を規律の基準とする条文も，「信託の目的の達成のために合理的に必要と認められる場合であって，受益者の利益を害しないことが明らか」（信託19条1項3号・3項3号，31条2項4号），「信託の目的に反しないこと及び受益者の利益に適合することが明らかであるとき」（同149条2項2号，151条2項2号，155条2項2号，159条2項2号），「信託の目的及び信託財産の状況その他の事情に照らして受益者の利益に適合」（同150条1項，165条1項）といったかたちで，信託目的と受益者の利益とを基準の中に併存させている。信託法31条1項4号および32条1項は，単純に受益者の利益を問題としているようにも思われるが，前者の利益相反行為制限については，その例外を定める同法31条2項4号で信託目的が考慮されているし，後者の競合行為に関する同法32条1項については，具体的な状況下において，当該行為を信託事務の処理として行うことが信託の目的や信託の条項に照らして具体的に期待されるような場合に競合行為が禁止されるものと解されている（→241頁）。したがって，受益者の利益が，信託目的とは独立に図られる仕組みにはなっていないのである。
>
> そうすると，受託者の利益享受禁止にせよ，受託者の行為基準にせよ，重要なのは信託目的であって，受益者の利益ではない，という考え方も成り立つ[2]。

---

2) 星野豊『信託法』（信山社，2011）は，信託目的を最も重要なものと位置づけ（36頁），受益者もその目的達成のために，行為義務を負うとする。たとえば，

たしかに，信託目的には，受益者の利益に解消しきれない部分がある。そして，受益者が享受できる利益の内容は，信託目的によって定まる。そうであるならば，すべてについて信託目的を基準に考えることも十分に可能である。しかし，そのようにして定まった受益者の利益享受内容は，受益者の利益に解消しきれない部分を含む信託目的とは一応独立の要素として，受託者の利益享受禁止を確保し，受託者の行為基準を定めると考えた方が，思考の便宜に資するように思われる。

(3) 受託者の監督者としての受益者

　受益者は，受託者などの事務執行が適切か否かを監視する権利を有する（→331頁）。自らの利益を守るための権利であるとともに，その結果として，受益者は信託目的の達成のために重要な役割を果たすことになる。

　しかるに，不特定・未存在の受益者には，この監督権能の行使は困難であるし，現存する受益者であっても，監督権能の行使のために十分な能力等を有しないときもある。このため，信託法は，信託管理人・信託監督人・受益者代理人の制度を定め（→387頁），監督権能を代替させている。これらの者は，受益者の利益のために権能を行使するのであり，やはり受益者の存在（特定の受益者が現存している場合だけではない）が重要になる。これに対して，目的信託の場合には，委託者に監督権限を与えている（→337頁）。

　以上からすると，信託においては，受託者を適切に監督することが必要なところ，受益者は，その者が受託者の監督権限を有することにより，信託目的の達成のために，信託において重要な役割を担うことになる。しかし，受益者は自らの利益のために監督権限を行使できるというだけであり，その行使が義務であるわけではない3)。

　　損失てん補等の請求権を受益者が行使するのは，受益者の利益のためではなく，目的達成のためだとし（140頁），受益者の受託者に対する監督権限行使は受益者の義務であるとする（151頁）。さらには，信託行為で定められた受益が終了した受益者も，監督権限などを有する可能性があるとする（90～92頁）。
　3) これに反対するのが，前注の見解である。

第2節　受益者の決定

1　受益権の取得

(1)　受益者は，信託行為によって指定される*。信託行為において，特定の者が受益者となるべき者として指定される場合もあれば，あるいは，一定の条件を備えるべき者が受益者となるべき者の候補として指定され，その条件が満たされる者の中から，後に述べる受益者指定権・変更権の行使（→315頁）がされることによって，受益者となるべき者が，具体的に決定する旨が信託行為に定められるときもある。

現存する者が，信託行為によって受益者となるべき者として指定されていると，その者は，受益の意思表示をすることなく，また，指定を知らなくても，当然に受益権を取得する**。受益者指定権・変更権の行使によって，受益者となるべき者として指定された者についても同様である（信託88条1項本文）。また，たとえば，未出生の子が受益者となるべき者として指定されている場合に，出生により法人格を取得したときには，法人格取得時から受益権を取得することになる（民3条1項参照）。

一定の事由の発生，または，一定の時期の到来によって，ある者が受益権を取得する旨が信託行為に定められているときは，その事由の発生・時期の到来によって，その者が当然に受益権を取得する（信託88条1項ただし書）。信託法90条1項1号は，受益者となるべき者として指定された者が委託者の死亡の時に受益権を取得する旨の定めのある信託（遺言代用信託。→321頁）を規定するが，これは，その一例である。

さらに，受益権を，5年間はAに与え，その後，5年間はBに与えるといった定めをすることも可能である。受益者の死亡によって，他の者が新たに受益権を取得する旨の定めのある信託（後継ぎ遺贈型受益者連続信託。→325頁）が，信託法91条に規定されているのが，その一例である。

*　**受益者の決定**　受益者は一般的には信託行為において明示に定められる。しかしながら，信託契約における当事者意思の解釈が問題になることがある。とりわけ，当事者が，明確に「信託契約」という文言を用いていないときに，

信託設定意思があるとして信託の成立を認める場合には，受益者が誰であるかの解釈が必要になる。判例4)には，公共工事において発注者から前払された金銭につき，請負業者が，工事費用のためにしか引き出せないという拘束がかかった特別の預金とした例において，注文者を委託者兼受益者，請負業者を受託者とする信託の成立を認めたものがある。このとき，明示の受益者の定めがあったわけではなく，学説には，請負業者に対する下請業者や納入業者を受益者とみるべきだとの見解5)もあった。注文者を受益者と認定することも十分に可能な事案である6)が，いずれにせよ解釈が必要になるのである。

** **受益者となるべき者**　信託法4条3項2号，88条1項・2項，89条6項，90条1項1号では，「受益者となるべき者」という言葉が用いられる。これは，受益者とは受益権を有する者をいうので（同2条6項），受益権を取得する以前の段階では，その者を，「受益者」と呼称できないからである。

(2)　民法上，第三者のためにする契約については，第三者の受益の意思表示によって，当該第三者の権利が発生する（民537条3項）。これに対して，受益権については受益者となるべき者として指定された者が，当然に取得するとされている。この理由について，かつては，受益者となるべき者をとくに保護するため，といわれてきた7)。しかし，受益者変更権が付されているような場合には，受益者の地位は保護されておらず，説明として不十分である。受益権を有する者（＝受益者）を早期に出現させることにより，委託者と受託者との合意だけでは信託を変更できなくなる等（→414頁）の効果が生じ，スキームの安定性を高めることに資するという理由を挙げるべきであろう8)。さらに，受益の意思表示が不要である故に，意思能力を欠き，法定代理人も選任されていない者が利益を享受できるというメリットも指摘される9)。

---

4)　最判平成14・1・17民集56巻1号20頁。
5)　道垣内・問題状況322〜324頁。
6)　沖野眞已「公共工事請負前払金と信託」平井宜雄古稀『民法学における法と政策』406頁（有斐閣，2007）は，信託財産に属する財産で，孫の学資を支払うという信託でも，受益者は孫が通っている学校ではなく，孫である，として，注文者を受益者とみることを肯定する。これはそのとおりであり，肯定することを「いささか困難である」（道垣内・問題状況323頁）と評するのは妥当でない。
7)　四宮・317頁。
8)　セミナー(3)・2〜11頁参照。
9)　新井・223頁，福田ほか・315頁，佐久間・140頁。

ただし，受益者となっても受益権の放棄は可能であり，この点は後に述べる（→350頁）。

(3) 受益者となるべき者として指定された者が受益権を当然に取得するという規律にすると，受益権を取得し，受益者となった者が，そのことに気がつかない場合も生じる。そこで，受益者の権利行使の機会を保障するため，受託者は，受益権を取得したのに，そのことを知らない者に対して，遅滞なく通知をしなければならない（信託88条2項本文）。

この通知義務の懈怠があり，そのことによって受益者が損害を被れば，受益者は受託者に対して損害賠償請求ができる（その性質は，不法行為による損害賠償請求権）。ただし，通知の懈怠と因果関係のある損害が，受益者に生じることは少ないと思われる。

もっとも，通常の場合，受益権を取得したことについて不知であることは少ないので，受託者の事務の簡素化のため，信託行為において，一般に通知義務を排除し，または，軽減することが可能とされている（同項ただし書）。受益者への実際の給付が行われるまでには時間があり（たとえば，10年後から給付する），かつ，少なくともそれまでの間は，委託者が自らで受託者に対する監督権限を行使しようとする場合（→408頁）も，通知義務を排除することが妥当である例として考えられる[10]。さらに，受益者に対し，その者が受益権を取得したことを，一定時期までは秘匿していたいという委託者の要望が存在することもあるといわれる。

2 受益者指定権・変更権

(1) 総　説

信託行為においては，信託設定後に受益者を指定し，または，変更する権利を定めることができる（信託89条1項）。それぞれ，**受益者指定権**，

---

[10] 逆に，受益者への通知義務が制限されているにもかかわらず，委託者の監督権限を強化する旨の定めが信託行為にないときが問題になる。この問題も含め，木村仁「受益権取得の秘匿を定める信託の法的諸問題」トラスト未来フォーラム編『信託及び財産管理運用制度における受託者及び管理者の責務及び権限』75頁以下（トラスト未来フォーラム，2016）参照。

受益者変更権とよばれる。受益者変更権は，事業承継を目的とする信託において，承継者を変更する可能性があるときなどに用いられるといわれる[11]。受益者の一部について信託行為で指定し，残りについて，後から指定することにしてもよいし，指定された受益者の一部についてのみ受益者変更権を定めることもできる。

受益者指定権等（以下，受益者指定権と受益者変更権を合わせて，「受益者指定権等」という。同項かっこ書参照）を有するのは，委託者，受託者のほか，第三者でもよい（受託者でよいことは，同条6項）。

受益者指定権等は，信託行為に別段の定めがない限り，相続によって承継されない（同条5項）。信託行為によって受託者や第三者を受益者指定権等を有する者として定めるときには，その者の判断能力を委託者が信頼した結果なのであるから，その相続人に権利を承継させることは委託者の意思に反するのが通常だからであり，また，委託者が自らを受益者指定権等を有する者としたときは，委託者が信託行為の一部を事後的に決定または変更する権限を留保していたわけであり，自らの相続人にそのような権限を与える趣旨までを含むとは通常解し得ないからである。もっとも，信託行為に別段の定めを置くことはできる（同項ただし書）。別段の定めとしては，相続性を肯定することも考えられるが，むしろ受益者指定権等を有する者の死亡時に備えて，次順位者を定めることが通常となろう。

(2) 受益者指定権等の取得

それでは，どのようなメカニズムで，ある者が受益者指定権等を有するに至るのであろうか[12]＊。

まず，受託者が受益者指定権等を有する場合には，原則として，信託事務の内容として，受益者指定権等を行使する義務を引き受けていると考えるべきである。したがって，受託者が当該権利を行使することは，信託事務執行となる。

次に，第三者の場合には，一見，信託設定にあたって，委託者によって自らに受益者指定権等が留保され，その留保された受益者指定権等が，委

---

11) セミナー(3)・20頁〔井上聡〕。
12) セミナー(3)・23〜30頁参照。

託者との委任契約によって当該第三者に与えられていると解すべきようにも思われる。しかし，そうすると，当該第三者が権利の行使前に死亡したとき，委託者にその権利が復帰することになるが（信託89条5項参照），それは第三者に受益者指定権等を付与した趣旨に反すると思われる。当該第三者の死亡時に備えて指定権等を有する次順位者を信託行為で定めていない場合（同項ただし書参照），受益者指定権等の行使がされず，受益者を定めることができないときには，当該信託は目的達成不能となり終了すると解すべきである（同163条1号。→427頁）。そうであるならば，第三者が指定権等を有するときには，委託者の有する指定権等が移転したものではなく，委託者が当該第三者の有する受益者指定権等を信託行為によって創設したと考えるべきであろう（信託設定時における設定的移転に類したもの）。そして，当該第三者が創設された権利を取得するか否かは本来的には当該第三者の自由であるところ，その引受け，および，適切な権限行使を委任する行為として，委託者と当該第三者の間に委任契約が存すると見るべきである[13]。

同様に，委託者が受益者指定権等を有するときにも，委託者が受益者指定権等を信託行為によって創設し，それを自らが引き受けたと考えるべきである。

  ＊ **裁量信託・受益者指定権等の限界**　（ⅰ）**裁量信託**とは，受益者や，その受益内容が定まっておらず，受託者が裁量に基づいてそれを定めるという信託である。受託者に受益者指定権等があるときが，その一例となる。このような裁量信託は有効であるが，受託者がまったく自由に受益者を決められるのでは，信託目的が定まっていないことになり，信託の設定自体が無効となる[14]（→46, 336頁）。裁量権行使の基準について信託行為に定めがあること，または当該信託の目的に照らして裁量権に一定の限界があると解釈できることが必要である[15]。また，このとき，受託者の裁量権行使は信託事務執行であり，受託者

---

[13]　村松ほか・210頁注(1)。これに対して，佐久間・142〜143頁は，信託行為の定めにより受益者指定権等が創設され，その付与のための委任を受託者が行うものと考える。

[14]　四宮・127頁は，結論として同旨であるが，信託目的の不確定を理由とはしていないと思われる。また，樋口範雄『アメリカ信託法ノートⅠ』107〜110頁（弘文堂，2000）。

はその行使にあたり善管注意執行義務などを負う16)。

(ii) 第三者が受益者指定権等を有するときも同様であり，裁量権に一定の限界があることが必要である。また，当該第三者は，委託者との間の委任契約に基づく債務を委託者に対して負うことになる。

(iii) これに対して，委託者が受益者指定権等を有するときは，結局，受益者を後になって決め，あるいは，変更することがある，という信託を設定したのであるから，裁量権に限界がなくても有効であり，また，受益者指定権等の行使にあたって，変更前の受益者に対しても何らかの義務を負うことはない17)。

(3) 受益者指定権等の行使

(ア) 委託者・第三者が受益者指定権等を行使するときは，受託者に対する意思表示によってするのが原則である＊（信託89条1項）。通知を受けた受託者は，新たに受益者となった者に，その旨を通知しなければならない（同88条2項。ただし，信託行為による別段の定めは許容される。→315頁）。また，受託者は，受益者変更権が行使されたことにより受益権を失った者に対しても，同様の通知義務を負う（同89条4項。ただし，信託行為による別段の定めは許容される）。

受託者が受益者指定権等を有するときは，受益者となるべき者に対する意思表示によって行う（同条6項）。このとき，信託法88条2項の通知は不要であるが，変更により受益権を失った者に対しては，受託者は通知義務を負う（同89条4項）。

＊ **受益者指定権等の差押えなど**18)　(i) 受益者指定権等を有する者が，受益者として自分を指定し，あるいは，受益者を自分に変更する権利を有しているとき，受益者指定権等を有する者に対する債権者が，受益者指定権等を差し押さえたり，代位行使したりすることは認められるか。受益者指定権等を有する者が自分を受益者とする指定・変更を行うことが，当該受益者指定権等が定められた趣旨に合致しているときには，あえて自分以外の者を受益者とすべく権利行使をすることは認める必要がなく，差押え・代位行使を認めても支障

---

15) 最判平成5・1・19民集47巻1号1頁は，遺言執行者に対して，「全部を公共に寄与する」としたものを，受贈者の特定性に欠けることはないとしている。ここでも，論理として，範囲の特定があることが有効性肯定の前提とされている。

16) 藤池智則「新信託法と裁量信託・受益者指定権付き信託」金法1810号115頁(2007)。

17) 委託者が指図権者であるときの議論を参照（→187頁＊(ii)）。

18) セミナー(3)・50～59頁参照。

はないようにも思われる。しかし，一般的には，様々な事情を考慮して指定等をすることが受益者指定権等を有する者に委ねられているのであり，それを剥奪するかたちで差押債権者や代位債権者が代わって判断をすることは認められるべきではない。受益者指定権等は財産的な権利ではなく，差押えも代位行使もできないというべきである[19]。

また，現時点で受益者であり，かつ，受益者変更権を有する者が，無資力なのにもかかわらず，受益者を他者に変更したとき，その行為を詐害行為として取り消し得るか，も問題になる。これは，自らに帰属している受益権を譲渡する行為に類似するので，詐害行為取消しの対象となることを認めてよい。ただし，その時点で受益者変更権を行使しないことが，受益者変更権が定められた趣旨に反しないことが必要であり，当該趣旨に照らすと受益者変更権を行使すべきときにその権利を行使したときは，詐害意思が否定されるべきである。

以上は否認についても同様である。

(ⅱ) 委託者兼受益者が受益者変更権を有しているとき，受益権が差し押さえられたり，その者について破産手続が開始したりした後に，受益者変更権を行使できるか，も問題とされる。差押え・破産手続開始後の受益権の「その他の処分」（民執145条1項）・「破産財団に属する財産に関してした法律行為」（破47条1項）に当たるので行使できないという見解[20]もあるが，差押え等がされた当該受益権は，権利者である受益者が変更される可能性があるという性質を有するものであり，その後も行使は可能だというべきである。ただし，債権者を詐害する意図がある場合などには，権利の濫用とされることもあろう。

(イ) 例外として，受益者指定権等を，遺言によって行使することもできる（信託89条2項）。信託財産が自らが出捐した財産であるとき，その利益帰属権者である受益者を定めるのは相続に近いからである。そうであるならば，遺言によって行使できるのは，受益者指定権等を有する者が委託者である場合に限られるというべきである[21]。

このときは，受託者に対する通知がされないので，受託者は受益者が存在すること，あるいは，受益者が変更したことを知らないまま，信託事務を執行する可能性がある。そこで，遺言による指定権等の行使を受託者が

---

19) 条解・459頁〔山下純司〕。また，遺言代用信託における受益者指定権等の行使は，遺言で受遺者を指定するのと同じであり，一身専属性があるとするものとして，能見善久「財産承継的信託処分と遺留分減殺請求」トラスト未来フォーラム編『信託の理論的深化を求めて』144頁（トラスト未来フォーラム，2017）。

20) 信託協会「信託受益権を巡る民事執行法・破産法上の諸問題」信託260号16～20頁（2014）。

21) 寺本・254頁は，誰であってもよいとする。

知らないときは，受益者となった者はそのことをもって受託者に対抗できないとされている（同条3項）*。

具体的には，受託者から受益者に対する通知・報告が求められている局面で，受益者が指定されていないものとして，その通知をしなかったり（同31条3項，32条3項，35条3項，37条3項，54条3項など），信託帳簿等の閲覧等の請求など，受益者から受託者への請求権が認められている局面で，受益者となった者からの請求に応じなかったりしても（同36条，38条1項。他の例として，同103条1項），受託者はその責任を問われない。また，利益相反行為についての受益者の承認，損失てん補責任等の免除などにつき，受益者が変更されていないものとして，すでに受益権を失った者の意思表示を受益者の意思表示として扱うことができる（同31条2項2号，42条。他の例として，同19条1項2号，35条3項2号，149条1項，151条1項など）。受益債権に基づく給付も，すでに受益権を失った者に対してすれば，受託者はその責任を免れる。

受託者は，遺言による受益者指定権等の行使を知ったときも，信託行為に別段の定めがない限り，受益者となった者（同88条2項），受益権を失った者（同89条4項）に対して，その旨を通知しなければならない。

　　* 受益者指定権等の有効な行使がされたか否かの判断も，受託者の信託事務執行である。したがって，偽造の遺言書を示されたとき，受益者指定権等の有効な行使がされたと，善良な管理者の注意を尽くして判断したのならば，受託者は責任を問われない。逆に，善良な管理者の注意を尽くせば，受益者指定権等の行使があったことを知ることができたのに，知らなかった場合には，受託者は，信託法89条3項の保護を受け得ないと解すべきである。ただし，受託者には遺言書の調査権限があるわけではなく，その場面における善良な管理者の注意の水準はあまり高いものとはならない。

(ウ)　たとえば，「委託者の子から受益者を指定せよ」とされているのに，それ以外の者を指定したときのように，受益者指定権等の行使が，信託行為によって定められた範囲外である場合には，受益者指定権等の有効な行使とならない。受託者が権利者であるとき，受益者指定権等の行使は信託事務執行であるところから，受託者の権限外行為に関する信託法27条が適用されるようにも思われるが，本来的に受益者となれない相手方の保護

を問題とする必要はなく，たんに無効と解してよい。これに対して，権限の範囲内であれば，信託行為によって定められた指定等の基準に反していても，有効な指定権等の行使となり，受益者指定・変更の効果が生じる。たとえば，「委託者の子のうち，最も困窮している者を受益者に指定せよ」とされているとき，評価を誤り，困窮度の低い者を指定したような場合である。

　そして，当該基準に照らせば，本来，受益者となるべき者が受益者となれなかったときでも，その者は受益者指定権を有する者に対して損害賠償を求めることはできない。受託者が指定権者であるとき，受託者は信託との関係で義務を負っているにすぎず，いまだ受益者でない者は，受託者の善管注意執行義務違反についての責任は追及できないと考えるべきだからである。また，第三者が受益者指定権を有するとき，当該第三者は，委託者との委任契約に基づいて義務を負うのみであり，また，委託者が受益者指定権を有するときは，委託者は権限の範囲では自由に指定権を行使できると考えるべきである。

　これに対して，受益者変更権の行使につき，当該基準に照らせば，本来，受益権を失うはずではなかった者が受益権を失ったときには，自らが有する権利が不当に侵害されたのだから，受益者変更権を有する者に対して，不法行為に基づく損害賠償を求めることができる。

3　遺言代用信託（委託者の死亡の時に受益権を取得する旨の定めのある信託等）

(1)　総　　説

(ア)　受益者となるべき者が受益権を取得するにあたっては，1 で述べたように（→313頁），一定の事由の発生・期間の経過という条件を定めることができる。そうであるならば，そこでの事由を「委託者の死亡」としておけば，受益者となるべき者に受益権を遺贈するのと同様の効果をもたらすことができる。同様の効果は，受益権は当初から一定の者に帰属しているが，その者が受益者として信託財産に係る給付を受けるのを委託者の死亡後にしておくことによっても達成できる。

このような信託は，その効果に着目して，**遺言代用信託**とよばれる（なお，遺留分との関係につき，→66頁）。

(イ) 遺言については，遺言者の最終意思を重んじるために，いつでも撤回ができることになっている（民1022条）。また，死因贈与についても，遺贈に関する規定を準用するという民法554条の規定を承け，判例上，いつでも取消し可能とされている[22]。そこで，信託法90条1項は，遺言代用信託として，「委託者の死亡の時に受益者となるべき者として指定された者が受益権を取得する旨の定めのある信託」（1号）と「委託者の死亡の時以後に受益者が信託財産に係る給付を受ける旨の定めのある信託」（2号）を定め，いずれにおいても，委託者は受益者を変更する権利を有することにしている*, **。なお，そのような信託において，委託者の生前から信託財産からの給付を受ける受益者が並存しているときは，委託者の死亡時に受益権を取得する者・委託者の死亡時以後に給付を受ける受益者についてのみ，本条1項による受益者変更権が認められる[23]。

ただし，信託行為の別段の定めにより変更権を排除・制限することもできる。とりわけ排除が認められることによって，遺言や死因贈与と異なり，権利を安定させることができる点が重要だとの指摘もある[24]。

この変更権は，先に述べた受益者変更権にほかならず，信託法89条1項にいう定めがなくても変更権が認められるということである。したがって，遺言による変更も可能である（同条2項）。

> **＊ 原因行為との関係** 本文では，遺言と死因贈与の双方を挙げたが，遺言代用信託は，委託者の意思表示が遺言のかたちをとって行われるわけではないから，死因贈与により近いというべきであろう。そうすると，死因贈与の取消しに関する判例法理が，負担付死因贈与において受贈者がすでに負担の全部またはそれに類する程度の履行をしている場合[25]や裁判上の和解として死因贈与がされた場合[26]には，当該死因贈与の取消しができないとしていることと

---

22) 最判昭和47・5・25民集26巻4号805頁。
23) 条解・468〜469頁〔山下純司〕参照。
24) 小出篤「『遺産動機』実現スキームとしての信託」前田庸喜寿『企業法の変遷』181頁（有斐閣，2009），セミナー(3)・64頁〔田中和明〕。
25) 最判昭和57・4・30民集36巻4号763頁。
26) 最判昭和58・1・24民集37巻1号21頁。

の関係が問題となる。つまり，信託法90条1項の規定にもかかわらず，一定の場合には受益者の変更が認められないと解すべきではないか，ということである。

しかし，死因贈与と異なり，遺言代用信託において受益者となるべき者として指定された者（同項1号）や受益者（同項2号）は，信託契約の当事者ではなく，委託者による受益者の変更に何らの関与もしない（死因贈与の取消しにおいては，取消しは贈与者に対する意思表示によって行われる。同項2号に該当する信託の場合には，受託者からの通知は受けるが（同89条4項），いずれにせよ取消しの意思表示の相手方ではない）。そうすると，死因贈与の取消しに関する判例法理のように，事案に応じた解決は適合せず，受益者変更権の行使が制約されることはないと解すべきである。受益権となるべき者として指定された者や受益者は，既履行の負担につき不当利得として返還請求をしたり，和解に基づく委託者の債務の不履行につき損害賠償を請求したりするといった救済を受けるにとどまる。

＊＊　**成年後見人による受益者変更権・信託終了権の行使**　委託者について成年後見開始の審判があり，選任された成年後見人が受益者変更権や信託行為の定めによる信託終了権を行使すると，実質的には成年後見人が成年被後見人の遺言内容を変更しうることになり，妥当でない。一身専属性を有する権利行使であり，成年後見人の権限は及ばないと解する見解[27]が有力である。しかし，成年後見人は，成年被後見人の意思を尊重するとともに，その福祉を図らなければならず，終了権限については，委託者の生活を維持するために必要なときに行使することは認められるというべきであろう[28]。

(2)　第1号と第2号との違い

「委託者の死亡の時に受益者となるべき者として指定された者が受益権を取得する旨の定めのある信託」（信託90条1項1号）＊では，指定された者は，委託者の死亡まで受益者ではない。したがって，受益者としての権利を有しないことは当然である。

これに対して，「委託者の死亡の時以後に受益者が信託財産に係る給付を受ける旨の定めのある信託」（同項2号）では，委託者の死亡の前から受

---

27)　能見・前出注19) 145頁，中田直茂「遺言代用信託の法務」金法2074号14頁（2017）。

28)　佐久間毅「遺言代用の信託・後継ぎ遺贈型受益者連続信託」田中和明編『新類型の信託ハンドブック』239頁（日本加除出版，2017）。なお，問題点の検討として，木村仁「信託の委託者の権利と後見人による代理行使について」関学70巻1号61頁以下（2019）。

益者が存在しており、ただ給付を受けないというだけであるから、その者が受益者としての権利、たとえば、受託者に対する監督権や信託の変更についての同意権を有することになりそうである。しかし、委託者が受益者を変更する権利を有している以上、その者の権利は確定的でないから、受益者に様々な権利を与えることは委託者の通常の意思に反する。そこで、信託行為に別段の定めのない限り、その受益者は、委託者の死亡までは、受益者としての権利を有しないこととされている（同条2項）。

しかし、そうすると、第1号の信託はもちろん、第2号の信託においても、受託者による信託事務執行について監督権能を有する者がいないことになる。そこで、遺言代用信託においては、委託者の死亡までは、通常ならば受益者のみが有する権利のうち、信託法145条2項列挙の権利、すなわち受託者の信託事務執行の監督に関わる権利を委託者に与え、受託者が受益者に対して通知・報告・承認を求める義務を負う場合につき、委託者に対して義務を負うこととしている（信託148条）[29]。委託者には受益者変更権があるとともに、自分の遺言が的確に実現されるように受託者を監督するインセンティブを有するのである。

* 委託者の死亡後、1年経過した時点で受益権を取得する旨の定めがある場合や、委託者の死亡時点で受益者指定権を有する者が受益者を指定する旨の定めがある場合は、文言上は、「委託者の死亡の時に受益者となるべき者として指定された者が受益権を取得する旨の定めのある信託」に該当しない。しかし、そのような信託についても利益状況は同じであり、信託法90条1項1号の信託は、「委託者の死亡を機縁として、委託者の死亡後」に受益権が取得される場合を含むと解すべきである。そうしないと、同項2号が、「委託者の死亡の時以後」（死亡後1年を経過した時点で給付を受けるというタイプの信託が、文言上も含まれる）としているのに比較して、不均衡であることも指摘できる[30]。

---

[29] 小出・前出注24) 177〜179頁。
[30] セミナー(3)・62〜63頁参照。

4 受益者連続信託（受益者の死亡により他の者が新たに受益権を取得する旨の定めのある信託）

(1) 総　　説

すでに述べたように（→313頁），受益権について，たとえば，5年間はAに与え，その後，5年間はBに与えるといった信託行為の定めをすることも可能である。このような信託を**受益者連続信託**という。

もっとも，このような連続受益者と不特定受益者を組み合わせると，信託がきわめて長期間続いていくことも考えられる。たとえば，「信託法学会会員のうち最年長の者を受益者とする」としておけば，信託法学会が消滅しない限り，継続することになる。そして，この信託において，信託財産に属する不動産について処分が禁止されているとすると，当該不動産については取引の対象とならない状態が長期間継続することになる。そこで，このような信託は，あまりに長い間，財産を拘束し，物資の流通を阻害するものであり，公序良俗に反するのではないか，が問題になる（民90条）。

この問題がより先鋭なかたちで現れるのが，後継ぎ遺贈の目的を達成しようとする信託の場合である。後継ぎ遺贈とは，ある者が，自分の財産を承継する者を定めたうえ，その者の死亡後の当該財産の帰趨をあらかじめ決めておくタイプの遺贈である。

後継ぎ遺贈の有効性については議論があるが[31]，信託においては，期限付の受益権が認められ，また，未存在の者を受益者となるべき者とすることが可能であるから，その有効性は否定できないという意見が強くなり，現行信託法は，明文で，これを認めることとした。このような信託を，**後継ぎ遺贈型信託**または**後継ぎ遺贈型受益者連続信託**という。

具体的には，委託者が，自己所有の土地・家屋を信託財産として信託を設定し，B_1の生存中は，その土地・家屋に対する居住権の付与を受益内容とする受益権をB_1に与え，B_1の死亡時には，今度は，B_2が同様の受益権を取得する，と定める例が考えられる。ただし，この例で，B_2が死亡したときはB_2の長子B_3，さらにB_3が死亡したときはその長子であるB_4

---

[31] 石綿はる美「遺言における受遺者の処分権の制限(1)」法協131巻2号281〜292頁（2014）参照。

といったかたちで，委託者が延々と受益者を指定することを認めると，死亡した者が，自己の死亡後における財産の帰趨にあまりに大きな権限を有してしまうことになるし，特定の財産を不当に長期に拘束し，物資の流通を阻害するおそれもある。これは妥当ではなく，適切な規律が必要となる。

(2) 存続期間の限界

(ｱ) そこで，信託法 91 条は，「受益者の死亡により，当該受益者の有する受益権が消滅し，他の者が新たな受益権を取得する旨の定め（受益者の死亡により順次他の者が受益権を取得する旨の定めを含む。）のある信託は，当該信託がされた時から 30 年を経過した時以後に現に存する受益者が当該定めにより受益権を取得した場合であって当該受益者が死亡するまで又は当該受益権が消滅するまでの間，その効力を有する。」と定めた。

わかりにくい条文であり，解釈論が分かれているが，信託設定時から 30 年経過した後に，ある生存者が受益権を取得すると，その者の死亡またはその受益権の消滅によって信託は終了するのであり，それ以上は，連続受益者の定めがあっても効力を有しないと読むべきであろう[32]＊。すなわち，上記の例でいえば，B_1 が信託設定から 30 年以上長生きをし，その時点で B_2 が生きており，さらにはその長子 B_3 が生まれていたとしても，B_2 が受益権を取得することが，「当該信託がされた時から 30 年を経過した時以後に現に存する受益者が当該定めにより受益権を取得した場合」に当たるから，その信託は B_2 が「死亡するまで又は当該受益権が消滅するまでの間」のみ効力を有し，B_3 は受益者とはなれない。しかし，信託設定から 30 年が経過する前に B_1 が死亡し，その時点で B_2 が生きており，受益者となれば，その後，B_2 の死亡時に生まれている長子 B_3 が受益権を取得することが，「当該信託がされた時から 30 年を経過した時以後に現に存する受益者が当該定めにより受益権を取得した場合」となるので，B_3 が受益者となる，というわけである。

　　＊　反対説[33]は，信託設定時から 30 年を経過したときに生存している者は，その後，順次，受益権を取得できるとする。すなわち，B_1 が信託設定から 30

[32] 寺本・261 頁注(7)，村松ほか・218～219 頁，新井・512 頁，道垣内・175 頁。
[33] 沖野眞已「受益者連続型信託について」信研 33 号 67～70 頁（2008）。

年以上長生きをし，その時点で B_2 が生きており，さらにはその長子 B_3 が生まれていれば，B_3 も，B_2 の死亡後に受益権を取得しうるというわけである。本文で述べた見解が，「30 年を経過した時以後に」が「取得した」に係っていると解するのに対し，反対説は，「30 年を経過した時以後に」は「現に存する」に係っていると考えている。しかし，そうすると，30 年経過以後であれば，100 年後でも「現に存する」のであればよいことになり，限界は画せなくなりそうである。また，「現に存する受益者」というのは，「受益者が現に存しない」（信託 43 条 3 項，52 条 3 項・4 項，102 条 2 項，123 条 1 項・4 項）との対概念である「受益者が現に存する」という言葉を，体言である「受益者」と修飾節の組み合わせのかたちで表すものであり，ひとかたまりの用語として理解すべきであろう。

(イ) もっとも，上記の例で，B_1 が 30 年の経過前に死亡し，その時点で B_2 が生きており，受益者となったところ，B_2 の死亡時には長子は胎児であった場合には，「現に存する」という文言にもかかわらず，その後生まれた B_3 は，受益権を取得できるというべきである。民法 886 条 1 項は，「胎児は，相続については，既に生まれたものとみなす。」としており，その趣旨は，相続開始前に出生が必要だとすると，不適切な陣痛促進剤の投与・帝王切開などが行われ，胎児や母体に危険を及ぼすおそれがあるから，と理解すべきである[34]。そして，このおそれは，胎児の受益権取得を認めないときも生じるのであり，民法 886 条 1 項と同様の趣旨から，信託法 91 条との関係では，胎児をもって「現に存する受益者」に当たると解することが必要になる。

(ウ) なお，遺留分との関係は，すでに述べたところに譲る（→66 頁）。

(3) 受益者の死亡以外の事由による受益者連続

信託法 91 条は，受益者の死亡を理由として新たな受益者が登場する場合を取り上げ，期間制限を行っているが，一定の信託財産の処分禁止と結びつくことによって物資の流通を阻害し，また，委託者が，自らの死後も長期間にわたり一定の財産の帰趨を定めることになるという問題点は，同条の規定するタイプの受益者連続信託に限らず，存在し得る。

不当に長期間にわたる拘束を一定の財産についてもたらす信託は，公序

---

[34] 道垣内弘人『リーガルベイシス民法入門〔第 3 版〕』52～53 頁（日本経済新聞出版社，2019）。

良俗（民90条）に反し無効となり得ると解すべきであるが、その際、信託法91条の示す価値判断は参考になる。同条は、委託者が孫の世代までは配慮することを認めるものであり、これによって全体の有効期間は100年程度にとどまることになると理解されている[35]。信託行為の内容により財産拘束の度合いが異なるので一義的には定まらないが、1つの基準として参考にされるべきである[36]。

5 受益者の権利・義務

(1) 総　説

(ｱ) 受益者は、後に述べるように、信託財産に係る給付を信託行為に従って受けることができる。この受益者の権利を**受益債権**という（信託2条7項）。しかし、信託法上、それ以外にも様々な受益者の権利が認められている。また、わずかではあるが、義務についての規定もある。

(ｲ) これらの権利は、大きく、利害関係人の権利として認められているところ、受益者が、その利害関係人に該当することを理由にして認められるものと、受益者であることそれ自体を理由にして認められるものとがある。前者の例は少なく、遺言信託において受託者となるべき者として指定されている者に対する引受けの諾否の催告権（信託5条1項）などである（他に、同6条1項、38条6項、62条2項・4項、63条1項、74条2項、123条2項・4項、131条2項・4項、138条2項、172条1項〜3項）。

そして、この両方の種類の権利ともに、信託行為の定めにより制限できない権利（同92条。ただし、受益証券発行信託については若干の例外がある（同213条））と、制限可能な権利とがある。どのような権利が制限できないとされているかは、それぞれの権利の機能と密接に関係しており、以下、個別的に説明する[37]。信託行為の定めにより制限できない権利は、複数の

---

35) 寺本・262頁注(8)。
36) 沖野・前出注33) 67頁は、端的に適用ないし類推適用を主張する。
37) 信託法92条に挙げられている権利は、受託者に対する監督に係る権利であるといわれることがあるが（寺本・264頁）、それほど単純ではない。純粋な自益権（たとえば、受益権取得請求権）も含まれる。

受益者が存在するときも，多数決等によって意思を統一する必要はなく，個々の受益者が単独で行使できる（同105条1項かっこ書）。そこで，**単独受益者権**とよばれる。

(2) 受益者の権利の機能[38]

(ア) 受益者の権利は大きく4つに分けることができる。権利行使の前提として自らの地位に関係する情報を取得する権利，信託目的の達成のために信託事務処理を進めるための権利，受託者などの事務執行が適切か否かを監視し，自らの利益を守るための権利，自己固有の利益を守るための権利，である。順に説明する。

(イ) 第1に，権利行使の前提として自らの地位に関係する情報を取得する権利である。

具体的には，受益者には，自らの権利行使の前提として，受託者から受益者であること等を知らされ（信託88条2項，109条1項），自らの地位を確保し（同187条1項，198条1項），さらに，他の受益者との共同での権利行使のために，他の受益者について知らされる権利が認められる（同39条1項，190条2項）。そして，自らの権利内容についての変更があれば，受託者からその通知を受ける権利がある（同89条4項，149条2項本文後段，151条2項本文後段，155条2項本文後段，159条2項本文後段）。

受益証券発行信託（→351頁）に関する信託法187条1項，190条2項，198条1項の定める権利も同種のものだが，これらは単独受益者権とされている（同92条21号～23号）。これは，それぞれ，受益証券不発行の場合の権利証明手段としての重要性，受益者が多数になる性質を有する受益証券発行信託における受益者権行使のための重要性，受益権取得の対抗要件具備の重要性に鑑みるものである（それぞれ会社法122条1項，125条2項，133条2項の定める株主の権利に対応している）。

(ウ) 第2に，信託目的の達成のために信託事務処理を進めるための権利が認められる。

(a) まず，受託者等，信託事務の遂行に重要な役割を果たす者に就任の

---

[38] 整理の仕方は異なるが，中村康江「受益者の権利とその保護」金判1261号80頁以下（2007）も参照。

諾否を催告する権利がある（信託5条1項，62条2項（135条1項，142条1項によって準用），131条2項，138条2項）。そして，受益者代理人を除き（もっとも，別異に解する余地もある。→399頁＊），就任の拒絶があったときには，裁判所に代わりの者の選任を求めることができる（同6条1項，62条4項，131条4項）。これらは，単独受益者権となっている（同92条2号・16号・19号・20号）。信託の遂行のために重要な権利だからである。

また，共同的な意思決定をすべき受益者集会の招集を受託者に請求することができる（同107条1項）。

(b) 次に，受益者が単独で信託財産を守る権利が認められるときがある。信託財産に属する財産に対する強制執行等・国税滞納処分に対する異議申立て権であり（信託23条5項・6項），このとき，異議訴訟に要した費用を信託財産から支弁するよう求める権利が認められる（同24条1項）。いずれも単独受益者権である（同92条3号・4号）。信託財産を守るために基本となる権利だからである。

(c) 委託者・受託者等，それぞれの規定で定められた者と受益者とが合意をすることによって，信託事務処理のあり方を決定する権利もある。信託財産に属する財産が共有状態になったときの分割（信託19条1項2号・3項2号），受託者等の解任（同58条1項（同134条2項，141条2項，251条によって準用））・新受託者等の選任（同62条1項（135条1項，142条1項で準用），250条1項）である。また，合意に達しないときは，裁判所に決定を求める申立てが認められる（同19条2項・4項，58条4項（同134条2項，141条2項によって準用）。さらには，同63条1項，74条2項）（ただし，同250条2項は，受益者のみでの選任を認める）。

裁判所への申立権は，単独受益者権となっている（同92条1号）。デッドロックに乗り上げたときの権利であり，受託者等の監督のためにも，信託事務の執行を促進するためにも必須の権利だからである。

信託の変更・終了についても，受益者が合意の当事者となることがある（同149条1項・2項1号，164条1項）。合意が調わないときで，一定の場合には，裁判所に決定を求める申立てが認められる（同150条1項，165条1項，166条1項。さらに，同169条1項，172条1項・2項，173条）。

裁判所への申立権は，単独受益者権となっている（同92条1号）。裁判所の裁判によって信託の変更・終了がされる場合としては，信託行為の当時に予見できなかった事情に対処する場合（同150条，165条）のほか，公益上必要な場合（同166条）があるが，後者が信託行為の定めによって制限されるべきものでないことは明らかである。また，前者は，裁判所の後見的介入を要件・効果を限定したうえで認めたものであり（→419，434頁），受益者の最終手段を保障する趣旨であろう。

　これに対して，信託の併合・分割でも，受益者が合意の当事者となることがあるが（同151条1項・2項1号，155条1項・2項1号，159条1項・2項1号），このときは合意が調わないときの裁判所への申立ては認められていない。もっぱら信託から生じる利益の増進方法についての判断にすぎないからである。

　(d)　さらに，受益者に同意権が与えられていることもある。受託者等の辞任（信託57条1項（同134条2項，141条2項，251条によって準用）），委託者の地位の移転（同146条1項），信託の清算における条件付き債権に係る債務等の弁済（同180条6項）である。

　(エ)　第3に，受託者などの事務執行が適切か否かを監視し，自らの利益を守るための権利がある。

　(a)　その前提として，受託者等から一定の事項につき報告・通知を受ける権利がある。受益者の権利行使のためにも重要なものである。具体的には，受託者の利益相反行為などの通知を受けること（信託31条3項，32条3項），受託者等から信託帳簿や事務処理の内容の報告を受けること（同37条3項，47条4項・5項，77条1項（72条・78条によって準用），129条3項，130条2項，135条2項，136条2項，142条2項，143条2項，178条3項，222条5項。さらに，同35条3項），費用償還・信託報酬に関する通知（同48条3項，54条3項），受託者の任務終了の通知（同59条1項，60条1項），消滅時効援用の通知（同102条3項1号），信託の重要な変更に関する通知（同103条4項），がある。なお，受託者の費用償還等のためには信託財産が不足していることの通知も受けるが（同52条1項），これは，受益者が財産不足による信託終了を妨げることのできる権利の前提と位置づけられる

(→436頁)。

　受益者が自らのイニシアティブで報告を求めることができる場合もある。信託事務処理状況の報告を求め（同36条），信託帳簿・財産状況開示資料などの閲覧等を請求できる（同38条1項）。さらには，一定の場合，裁判所に検査役の選任を求めることができる（同46条1項）。これらの権利は，単独受益者権である（同92条1号・7号・8号）。受託者の通知義務などについては，信託事務の簡素化のために信託行為の定めによって免除等ができるところ，受益者からの請求権は，受益者の最低限の監視権能のために重要な意味を有するから，信託行為の定めによって制限できないのである。

　(b)　以上のような通知・報告を受け，受益者は，利益相反行為等を承認・追認することができる（信託31条2項2号・5項，32条2項2号）。また，清算受託者らの計算の結果を承認することができる（同77条1項（72条，78条によって準用），184条1項）。

　不適切な行為があったときは，受託者等に，損失てん補責任等を追及でき（同40条1項，41条，226条1項1号，228条1項1号，254条1項。さらに，過剰な給付を受けた受益者に対する請求も認められる（226条1項2号，228条1項2号）），また，行為の差止めを求めることができる（同44条，59条5項，60条3項・5項）（損失てん補責任等の追及，差止め等に要した費用につき信託財産からの支弁を請求できる（同45条1項，61条1項））。受託者の行為を取り消す権利が認められることもある（同27条，31条6項・7項）。

　これらの責任追及の権利は，信託事務の適正な執行のために重要なものであり，単独受益者権であり，信託行為の定めにより制限することはできない（同92条9号・10号・24号・25号・26号，同条11号・13号・14号，同条12号・15号，同条5号・6号）。

　さらに，受益者は，これらの責任の全部または一部の免除ができる（同42条，226条4項，228条4項）。承認・追認や免除が単独受益者権とされないのは，一部の受益者による承認には意味がないからである。受託者の競合行為については，受益者に介入権の行使が認められるが（同32条4項），これが単独受益者権とされない理由はすでに述べた（→92頁）。

　(c)　それでは，受託者が適切な信託事務執行を進めないとき，受益者に

その履行を強制する権限があるか。適切な裁量権を行使して，それに基づいて事務執行をすべきことを，受託者に強制することは不可能である（受託者の解任の手続をとるほかはない）。A社の株式を購入することといったように行為の特定性があるときは，強制できそうだが，代替執行を行っても，代替執行実施者の取得した当該株式を，強制的に信託財産に属する財産にする方法はない。せいぜい間接強制を行うことができるにとどまる。

受託者が，損失てん補または原状回復を履行しないときはどうか。損失てん補については，受託者の金銭を信託財産に組み入れろ，という請求であり，これは間接強制しかできない。また，原状回復についても，受託者所有財産に対する措置であるから，代替執行も困難であり，やはり間接強制しかできない（→264頁）[39]。

(オ) 第4に，受益者が，自己固有の利益を守るために認められている権利がある。受益権を放棄する権利（信託99条1項），受益権取得請求権（同103条1項・2項），受益証券不所持の申出（同208条1項），記名式受益証券と無記名式受益証券との間の転換（同210条）である。

このうち，前二者は単独受益者権である（同92条17号・18号）。放棄権は，受益者として指定された者が，受益の意思表示なく当然に受益権を取得するとした以上（同88条1項本文。→313頁），その者の意思を重んじるために必須の権利であるし，受益者全員の同意がなくても，受益権の内容等に変化をもたらす信託の変更・併合・分割を認める以上（→380頁），受益権取得請求権も意思に反して権利変更を受けた受益者のために重要な権利である。

受益債権に係る債務を受託者が履行しないときには，受益債権者が信託財産に属する財産を差し押さえることができるが，これは，受益債権者としての権利であり（受益債権のみを譲り受けた受益者以外の者も行使できる権利である），受益者の独自の権利ではない。

(3) 受益者の義務

受益者に義務が課される場合として，信託法上に規定されているのは，

---

[39] 道垣内・問題状況501～508頁参照。条解・171頁〔沖野眞已〕は，行為が特定しているときは強制履行が可能だとするが，賛成できない。

受託者等を不利な時期で解任したときの損害賠償義務（信託58条2項（251条によって準用)），および，限定責任信託において過剰に給付を受けたときの返還義務（同226条1項2号，228条1項2号）である。また，信託法48条5項は，受益者が受託者との間で，費用等の償還・前払をする旨の合意をしたときについて規定するが（同48条5項），これは信託外での合意である（→287頁）。

6 受益者の定めのない信託（目的信託）

(1) 目的信託の理論的根拠と必要性

(ｱ) ここまでは，たとえ現存していなくても，受益者として信託の利益の給付を受ける者が存在することを前提としてきた。しかし，実は，旧信託法においても，特定された受益者の存在しない信託が認められていた。**公益信託***である。たとえば神戸市出身で東京の大学で勉強する者に一定の額を給付するという公益信託を考えると，多くの場合，運営委員会が作られ，そこで具体的な受給者を決めることになる。そこで決定されて初めて具体的な受給者が登場するのであり，特定された受給者があらかじめ存在するわけではない。また，それらの者には受益者としての受託者監督権限などは認められない。

そして，旧信託法については，受益者が存在しない信託は，公益信託に限って認められると解されてきた。しかし，理論的に次のように考えることができる。

信託の重要なポイントは，受託者が，自分に帰属している財産のうち，ある一定の財産について，それを信託財産に属する財産として別扱いするということである。それゆえに，受託者は，委託者と異なる者である必然性はなく，信託宣言による信託設定が理論的にも是認されることになる（→72頁）。これと同様に，一定の財産を別扱いすることがポイントとするならば，そこから利益を受ける者が存在する必要はない。受益者の存在は不可欠ではないのである（→310頁）。もちろん，受益者がいないからといって，受託者がその財産からの利益を自由に受けられるというのでは，そもそも信託財産に属する財産を別扱いすることが正当化できない（→18

頁)。しかし，受託者がその財産からの利益を受けないことが確保されていれば，受益者が存在しなくても，その財産を別扱いすることに正当化根拠があり，信託の設定を認めることが可能になるはずである。

そこで，信託法は，258条以下に，「受益者の定めのない信託の特例」という章を置き，受益者の定めのない信託を一般的に許容することにした。このような信託を**目的信託**とよぶこともある。つまり，受益者の利益のためではなく，一定の目的に資するための信託というわけである。

> ＊ **公益信託** 公益信託については，新信託法の立法時に，公益法人制度の改革が並行して進んでおり，これと平仄の合った立法が要請された。そこで，さしあたり旧信託法の規定をそのまま残し，「公益信託ニ関スル法律」とすることにより，従来の規律を維持することとした。しかし，2008年12月に公益法人制度改革3法が施行され，また，旧来の財団法人・社団法人が新たな公益法人制度に移行するための期間が2013年11月末に満了したことから，2016年6月に，法制審議会信託法部会を再開し，同部会での審議を経て，2019年2月に，法制審議会において，「公益信託法の見直しに関する要綱」が決定された。しかし，まだ法制定は行われていない。

(イ) 目的信託の利用例としては，たとえば，ある一定の財産を運用して，特定の町内会の祭りのために必要な支出（公益目的とはならない）を，各人からの申請に基づいて給付するとか，自分の死後，ペットのために食料・医療を給付するとか[40]，いろいろなものがありうるが，日本版チャリタブル・トラストという利用方法がよく論じられる。

ケイマン諸島などを利用する資産流動化の枠組み（自己信託に関連して，すでに述べた。→73頁）においては，慈善信託（チャリタブル・トラスト）というものが用いられる。資産流動化のために，流動化される資産を保有する主体として，特別目的会社を設立するが，この会社の株式を誰かに保有させると，当該特別目的会社の運営方法の決定などにつき，当該株主が一定の発言権を有することになる。しかし，流動化の安定のためには，当該特別目的会社は，最初の設定どおりに運営される必要があり，株主の発言

---

40) 今泉邦子「アメリカにおける飼主の死後ペット動物を飼育するための信託」法研82巻12号654頁以下（2009），長谷川貞之「目的信託としてのペット信託の現状と課題」日法81巻4号43頁以下（2016）参照。

権を封じることが要請される。そこで,株式を信託財産とする信託を設定することになるが,それでも,受益者が存在すると,その受益者が信託財産に属する財産である株式の運用等について一定の権限を有することになる。それゆえ,慈善信託という方法が用いられ,信託終了時に残っている財産は教会等に寄付されるが,それまでの間は受益者が存在しないように仕組まれるのである。そして,日本においても,この慈善信託に対応する制度が必要ではないかと指摘され,この目的に資するものとして目的信託の制度が要望された[41]。

(2) 目的信託の設定

(ア) 目的信託の特殊性は受益者がいない点に存する。それ以外の点は,基本的には受益者の存在する信託と同じである(信託法2条1項の「信託」の定義,3条1号・2号の設定方法において,受益者に言及していないのは,まさに目的信託の設定も含めて適用対象としているからである)。

「目的」が定められなければならないことは,受益者の存する信託と同じである(→46頁)。ただし,たとえば,「生活困窮者を数人選んで救貧に必要な給付を行う」という目的設定では,受託者の行動のコントロールが不可能であるから,目的信託の有効な成立は認められないと指摘されている(→317頁＊)[42]。信託の有効な成立を認めるためには受託者が信託財産を自由に支配できないという状況が確保されていることが必要であり(それが確保されていないときは,信託設定意思が認められない。→54頁),受益者の存しない信託では,信託の目的によって受託者の自由な支配を妨げることが必要になってくる。しかるに,上記のような目的設定ではそれが不十分だからである。

(イ) しかし,目的信託は,信託宣言の方法(信託3条3号)によって自己信託として設定することはできない(同258条1項)。次に見るように,目的信託では,受託者の監督を委託者に委ねることになる。しかるに,受益者が存しない信託において,受託者と委託者が一致すると,受託者の信

---

41) 詳しくは,井上・172～176頁。また,田中和明「新信託法下における日本版チャリタブル・トラスト」法時81巻8号119～121頁(2009)も参照。
42) 佐久間・29頁。

託事務を監督する者はいないことになる。そこで，自己信託として設定することは認められないのである。

　(ウ)　受益者の定めのある信託においても，委託者は，財産状況開示資料の閲覧等請求権（信託38条6項）など，受託者の信託事務執行を監督するために，一定の権限を有する（→406頁）。しかし，信託帳簿の閲覧等請求権，損失てん補請求権など，受託者を監督し，信託の運営を円滑にするための多くの権利は，原則として，受益者のみに帰属しており，信託行為における定めによって委託者にも付与で・き・る・仕組みになっている（同145条2項・4項。→408頁）。しかるに，目的信託においては受益者が存在しないから，受託者の信託事務執行に対する監督は，委託者に期待されることになる。

　そこで，信託契約によって目的信託が設定された場合には，委託者に上記の権利が与えられる旨の信託行為の定めがされたものとみなすことにしている（同260条1項前段。同145条2項6号は，受益者が存する場合の規定であるから除かれる）。また，委託者が2人以上ある場合には，すべての委託者に上記の権利が与えられる（同260条1項前段かっこ書。同145条5項参照）。これは，受託者の監督について重要な規律なので，信託の変更によって変更することができない（同260条1項後段）。

　委託者が死亡すると，その地位は相続される（同147条の反対解釈。→62，411頁）。それによって，監督権限を有する者が確保されることになる。

　(エ)　ところが，遺言によって目的信託が設定された場合には，委託者はすでに死亡しており，相続人にもその地位は承継されない（信託147条）。そこで，遺言による設定の場合には，信託管理人（→387頁）に監督を期待することになり，信託管理人を指定する定めを置かねばならないとされている（同258条4項前段）。信託管理人は受益者の権利に関する一切の裁判上・裁判外の行為をする権限を有するので（同125条1項），受益者に代わって受託者に対する監督等の権限を行使することができることになる。この権限は，信託行為によっても，委託者が有する範囲では制限することができず（同258条4項後段），信託の変更によって制限することができない（同260条2項）。

信託管理人の指定の定めのないとき，遺言執行者の定めがあれば，遺言執行者が信託管理人を選任する（同258条5項）。さらに，遺言執行者もいなければ，裁判所が，利害関係人の申立てにより信託管理人を選任する（同条6項。さらに7項）。ここで「利害関係人」とは，目的信託の目的達成に利害関係を有する者であり，委託者の相続人，受託者がこれに当たる。遺言信託において，委託者の地位は相続されないのが原則であるが（同147条），相続人は遺言の実現には利害関係を有するといってよかろう。また，たとえば，特定の大学における法学研究のために適宜，当該大学の法学研究者に資金を供与する（公益信託にはならない）という目的信託において，当該大学の法学研究者が「利害関係人」に該当するかが問題になるが，確定的な受給権者ではないのだから，該当しないと解すべきである。これに対して，すでに信託事務執行が開始され，信託財産責任負担債務に係る債権の債権者がいる場合，当該債権者は「利害関係人」である。

　信託管理人の定めがない場合・指定された者が就任を承諾しなかった場合や信託管理人の任務が終了したときで次の信託管理人の定めがない場合において，利害関係人の申立てがなく，信託管理人が就任しない状態が1年間継続したときは，当該信託は終了する（同258条8項）。監督者のいない信託を継続することは妥当ではないという判断である。逆に，信託管理人が存在しない場合でも，信託は有効に成立し，1年間は継続することになる。

　(オ)　なお，委託者が現に存する場合でも，信託管理人を置くことは可能である*。委託者の判断能力の低下にも対応できることになる。なお，信託管理人を置くときも委託者の権限は制限できない（同260条参照）。

　　＊　信託管理人は，受益者の利益を図る機関であり，受益者が将来的にも存しない目的信託においては，信託法258条4項以下が規定する場合（すなわち遺言信託の場合）以外に，一般的には選任できないのではないか，と思われるかもしれない。しかし，信託法261条は，たとえば，同法57条1項の読み替えにおいて，「委託者（信託管理人が現に存する場合にあっては，委託者及び信託管理人）」としており，目的信託において委託者と信託管理人が併存しうることを前提としている。この信託管理人は，遺言信託である目的信託における信託管理人（つまり，委託者が死亡しているときの信託管理人）ではないから，

同法258条4項後段による制限はかからず、信託行為の別段の定めによって権限を制約できる（同125条1項ただし書。→391頁）。

(3) 目的信託の事務執行

基本的には、受益者の定めのある信託と同じであるが、信託法261条に必要に応じた読み替え規定が置かれている。

① 受益者の利益を基準にしている規律を、目的の達成を基準にするように読み替えるもの（信託19条1項3号・3項3号、30条、31条1項4号・2項4号、32条1項、38条2項3号、125条1項、126条2項、149条2項2号、150条1項、151条2項2号、155条2項2号、159条2項2号。なお、同261条1項は、同165条1項の「受益者の利益に適合する」という文言を「相当となる」と読み替える）。

② 受益者が関与しているところ、その関与を不要とするもの（信託37条4項ただし書・6項ただし書、57条1項、58条1項・2項、62条1項・3項・4項、146条1項・2項、149条1項・2項本文後段、149条3項1号、151条1項・2項本文後段、155条1項・2項本文後段、159条1項・2項本文後段、164条1項、222条6項ただし書・8項ただし書、243条1項2号イ）。

　ただし、同法146条1項・2項を除き、信託管理人のいるときは、信託管理人が受益者に代わって関与する。また、同法37条4項ただし書・6項ただし書、222条6項ただし書・8項ただし書に関しては、受益者に代わって委託者が権利を有するが、信託管理人がいるときは、信託管理人のみが権利を有する。

③ 信託管理人が受益者の代わりとなるもの（信託19条3項2号、62条8項、149条5項、151条4項、155条4項、159条4項）。

　したがって、信託管理人が存在しないときは、以下の条文の規律する制度は働かない。なお、信託管理人は、通常は受益者に与えられている権利の一切を、「信託の目的の達成のために」行使しうるから（同261条1項による125条1項の読み替え。→390頁）、上記の条文は、とくに読み替えの必要なものに限られる。

④ 委託者と受益者とが義務を負うところ、委託者のみが義務を負うものとするもの（信託58条2項、164条2項）。

以上は，同法 261 条 1 項の表に定められている。さらに，

⑤　受益者がいないために認められないもの（信託 48 条 5 項，149 条 2 項 1 号・3 項 2 号，151 条 2 項 1 号，155 条 2 項 1 号・159 条 2 項 1 号）。

それぞれ，同法 261 条 2 項から 5 項に定められている。

(4)　目的信託の制限

(ア)　目的信託については弊害も指摘されている。すなわち，委託者が自益信託を設定したとき，委託者に対する債権者は信託財産に属する財産を差し押さえることはできなくなるが，その受益権は差し押さえることができる。ところが，目的信託が設定されると，差し押さえるべき受益権も存在しない。そうすると，都合のよいときだけ自分の財産を安全地帯に置いておこうとする悪用も考えられるわけである。

それ以外にも弊害は存在しうるので，信託法は目的信託について一定の制限を加えている。

(イ)　受益者の定めのない信託につき，信託の変更によって受益者の定めを設けることはできないし（信託 258 条 2 項），その逆も認められない（同条 3 項）。かなり性格の違う信託であるので，変更で対応することは，法律関係を錯綜させ，妥当でないと考えられたからである。加えて，たとえば，ある口座の預金残高を基準にして，それが一定の額を下回れば目的信託となり，上回れば受益者の権利が復活することができるとすると，常に一定額を取り置いておくことが可能になり，債権者は被害を受けうる。このような利用形態を防止しようとする目的もあろう*。

> *　受益者の定めのある信託において，一定事由が発生するまでは，受益者に対する給付をせず，一定の目的のために信託財産からの支出を行うこと，あるいは，その逆，さらには，その組み合わせも可能である[43]。しかし，そのときは，受益権は存在するのであり，受益権の差押え（→344 頁）も可能である。

(ウ)　さらに，目的信託を認めると，ある財産が長い間，流通から隔離された状態になることも問題となる。ある財産を永久に管理することを目的とする，受益者の定めのない信託を認めると，処分不能な財産ができてし

---

43)　村松ほか・380 頁注(3)。

まい，妥当でないというわけである。通常の信託でも，あまりに長期のものは，公序良俗違反として無効（一部無効）とされる可能性はあるが（→327頁），目的信託の場合には，処分対象となる受益権も存在しないし，弊害は大きい。たしかに，目的信託については，委託者はいつでも信託を終了することができ（信託261条1項による164条1項の読替え），委託者に対する債権者が，この権利を債権者代位権（民423条）に基づいて行使することは可能であるから，信託終了時の残余財産帰属権利者が委託者の場合には，信託財産を委託者の固有財産に戻すことができる。しかし，委託者が現に存しない場合はそれも不可能である（信託164条4項）。

そこで，信託法259条は，目的信託の存続期間につき，20年を超えることができない，としている[44]。

(エ) さらに，信託法附則3項は，目的信託は，別に法律で定める日までの間，当該信託に関する信託事務を適正に処理するに足りる財産的基礎および人的構成を有する者として，政令で定める法人以外のものを受託者としてすることができない，とし，具体的には，信託法施行令3条が，純資産額が5000万円以上であること，取締役等に禁錮以上の刑を執行された後，5年を経過しない者がないこと等の要件を定めている。受託者を制約することによって，債権者詐害的な目的信託が設定されにくくしているということができる。

第3節　受益権等

1　受益権の移転

(1)　総　説

(ア)　受益権は，譲渡可能であるのが原則である（信託93条1項本文）。例

---

[44] もっとも，とりわけ後継ぎ遺贈型遺言信託との比較（→326頁）において，20年という期間には合理性があるとはいいにくい，と指摘されている（後藤元「目的信託の存続期間の制限とその根拠の再検討」信託研究奨励金論集34号1頁以下（2013））。

外となるのは，①受益権の性質が譲渡を許さないとき（同項ただし書），および，②信託行為に譲渡制限の定めがあるとき（同条2項），である。

①は，たとえば，委託者が障害者である自分の子を受益者として，特別障害者扶養信託[45]が設定されているときである。当該信託における受益者への給付内容が特定の受益者と結びついているので，当該受益権は譲渡ができない[46]。

②の譲渡制限については，そのような信託行為の定めを知っているか，重大な過失によって知らなかった「譲受人その他の第三者」*にのみ対抗できる（同項）**。譲受人等が悪意または重過失であることの立証責任が譲渡の効力を否定する側に課されることになる。

　　* **譲受人以外の「第三者」**　譲渡制限特約の効力について，悪意または重過失の「譲受人その他の第三者」に対してのみ一定の効力を認めるのは，民法466条3項も同様である。しかし，同項については，譲受人以外の「第三者」として質権者があげられるのが一般的であるところ，信託法においては，質入制限の定めについて別個の条文（信託96条2項）があるため（民法は，譲渡制限の定めをもって質入制限の定めを兼ねると考えている。民法343条参照），質権者は信託法93条2項の対象とはならないのではないかとも思われる。質入制限の定めがあるときは信託法96条2項が適用されることは当然であるが，譲渡制限の定めがあり，それが民法343条を介して質入制限の定めの意味を有するときは，質権者が信託法93条2項の「第三者」に該当し，同項の対象となると解すべきことになろう。

　　** **株式譲渡との関係**　受益権と類似の内容を含む株式については，定款によって，全部または一部の株式について譲渡制限（譲渡について会社の承認を要する旨の定め。会社2条17号，107条1項1号，108条1項4号）を定めることができ，その定めがあるときは，譲受人が善意者であっても，株式の譲渡が有効になるためには会社の承認を要する。そうすると，とりわけ，事業目的の信託の受益権について，信託法の規律は，株式との比較で不均衡なのではないかとも思われる。

　　しかし，会社法上は，譲渡制限特約の第三者効を前提とし，譲渡承認請求（会社138条），および，会社・指定買取人による買取り（同140条）の制度を定めているところ，信託法には，このような制度がないので，善意（無重過

---

45)　三菱UFJ信託銀行編『信託の法務と実務〔6訂版〕』711頁以下（金融財政事情研究会，2015）参照。
46)　新井監修・300頁〔及川富美子〕。

失）の譲受人との関係でも譲渡制限が当然に有効だとはしにくいのであり，不均衡とは評しえない。
　後に述べる差押えについても同じである。

　(イ)　受益権の一部を分割して譲渡することはできない。受益権の分割は信託の変更であり（信託97条3号参照。→413頁），譲渡の前提として，その手続が必要である[47]。なお，受益権の単位は信託行為によって定めることができ[48]，ある受益者が複数の受益権を有しているとき，その一部を譲渡できるのは当然である。

　(ウ)　受益権の譲渡と区別される受益債権の譲渡については，後に述べる（→367頁）。

(2)　性質上の譲渡不可についての解釈

　(ア)　受益権は受益債権とは異なり，信託の履行の推進，受託者等に対する監督といった様々な権利を含む地位である（→329頁）。そして，契約上の地位の移転については，当該契約の他方当事者の同意がなければ譲渡できないのが原則である（民539条の2）。さらに，譲渡自体を認めたとしても，その結果，信託目的に反する事態が生じ，信託の終了とならざるを得ない場合もある（信託163条1号参照。→427頁）。先に挙げた特別障害者扶養信託における受益権の譲渡も，受益者の受益内容が定期の一定額の給付であるとき，債権譲渡についての解釈に従えば，性質上の譲渡不可とはいいにくく，むしろ当該障害者以外が受益者となることが信託目的に反し，それによって信託目的が達成できなくなると考えることができる。しかし，だからといって，譲渡を認めたうえで，当該信託を終了させるのも妥当ではない。

　受益権譲渡については，このような特殊性があり，金銭債権の譲渡と安直に同一視して論じることはできない。むしろ，受益権譲渡については，受益権が様々な権利の集合体であることに鑑み，受益権の「性質がこれを許さないとき」（同93条1項ただし書）には，譲渡により信託目的に反する

---

[47]　村松ほか・226頁注(8)。
[48]　受益権の単位がいかなるものかは，信託行為の解釈問題である（村松ほか・255頁注(17)）。

事態が生じ，当該信託の終了事由（同163条1号）が発生することになるときを含み，そのような理由によって譲渡ができない場合は，そのことにつき善意かつ無重過失の譲受人にも対抗できるというべきである[49][50]。

さらに，受益債権の譲渡が性質上許されないときは，受益権の譲渡も性質上許されない[51]。

(イ) また，受益権の差押えとの関係は次のように解される。民法上，債権譲渡制限特約があっても，当該債権に対する差押えは可能であり，かつ，このとき差押債権者の当該特約についての善意・悪意は問わない（民466条の4第1項）。当事者間で差押禁止財産を作ることは認められない，という理由である。受益権についても同様であるが，すでに述べたように，性質上の譲渡不可の場合は金銭債権よりも広く解されるべきであり，かつ，その場合には差押えもできないと解すべきである[52]。

(ウ) 性質上の譲渡不可の場合を広く解することについては，信託行為の定めによる譲渡制限の存在について善意かつ無重過失の譲受人を保護しようとする規律（信託93条2項）や，約定（信託行為の定めを含む）による差押禁止財産の創出を認めないという規律（民466条の4第1項）に見る価値判断に反するのではないか，と思われるかもしれない。

しかし，性質上の譲渡不可の場合を金銭債権についてよりも広く解するのは，受益者の利益や信託目的の達成に資そうとするためではない。譲渡を認めても，また，差押えを認めても，そのことによって信託が終了することになるのだとすると，それらを認めることに意味がないからにすぎない。受益権の移転が信託の終了事由の発生をもたらすか否かの解釈は厳格

---

49) 村松ほか・226頁注(7)，田中・363頁は，目的との関係で，黙示の譲渡禁止合意があるとする。しかし，それでは，当該合意について善意・無重過失の譲受人に対抗できない。

50) この解釈論を適用するためには，どのような場合に受益権譲渡が信託目的に反する事態をもたらすのかという判断が重要になる。この点については，加毛明「受益権の譲渡性・差押可能性の制限」樋口範雄＝神作裕之『現代の信託法』92頁以下（弘文堂，2018）参照。

51) 村松ほか・225頁。

52) 佐藤勤「信託の利用方法の再考」南山40巻2号104頁（2017），信託協会・前出注20) 6〜14頁参照。

にされる必要があるし，受益債権の差押えは妨げられない（→367頁）。

　また，受益者が，信託を終了させる権限を有し，かつ，信託終了時の残余財産受益者または帰属権利者であるときは，そもそも性質上の譲渡不可には該当せず，また，仮に該当するとしても，受益者に信託財産の利益の全部が帰属しているのであるから，受益者に対する債権者は，残余財産の給付を受けることを内容とする債権を差し押さえ，その取立権の行使の内容として，信託を終了させることができると解される[53]。

(3) 譲渡の対抗要件

(ア) 受益権譲渡の対抗要件は，譲渡人から受託者に対する通知，または，受託者の承諾であり，この通知・承諾は確定日付のある証書によってされなければ，受託者以外の第三者には対抗できない（信託94条）。民法上の債権譲渡と同じである（民467条）。また，産業競争力強化法11条の2第1項・第4項は，受益権譲渡の通知・承諾が，同法の認定新事業活動実施者が提供する情報システムを利用してされたときは，確定日付のある証書による通知・承諾とみなすとしている。なお，受益権は金銭債権ではないので，動産及び債権の譲渡の対抗要件に関する民法の特例等に関する法律は適用されない。

(イ) 受託者は，上記の通知・承諾までに譲渡人に対して生じた事由をもって譲受人に対抗することができる（信託95条）。債権譲渡に関する民法468条1項と同様の規定だが，そこでは，債務者の有する抗弁事由が念頭に置かれている（民468条見出し参照）。しかし，受益権の譲渡にあたっては，通知・承諾があるまでは，受託者は譲渡人を受益者と扱ってよく，譲渡人に対して受益債権に係る債務を履行したことはもとより，受益者の同意が必要となるとき，譲渡人を受益者として合意等をすれば有効であり，たとえば，譲渡人が譲渡後，通知・承諾前に信託の変更について委託者・受託者と合意したときには（信託149条1項），譲受人は変更された内容の受益権を取得することになる，ということを意味する[54]。

(ウ) また，受託者が，「通知・承諾までに譲渡人に対して生じた事由」

---

53) 最判平成11・9・9民集53巻7号1173頁参照。
54) セミナー(3)・104〜116頁参照。

を，譲受人に対して，個別に放棄したとしても，受託者には単独で当該受益権の内容を変更する権利はないから，効力は生じない。

(4) 受益権の相続

(ア) 受益権には原則として譲渡性が認められるのであるから，相続性も有することになる。ただし，当該受益権が被相続人の一身専属権とされれば，相続の対象とならない（民896条ただし書）。

ここにいう「一身専属権」と，譲渡に関して述べた「性質上の譲渡不可」との関係は微妙である。たとえば，特定障害者扶養信託を考えると，たしかに，受益者の生存中にその受益権の譲渡を認めることは，当該信託の趣旨に反し，当該受益権の性質上，妥当でない。しかし，受益者が当該信託の終了時の残余財産受益者または帰属権利者となっているときは，この権利については相続性を肯定して差し支えない。受益者が1人であり，受益権が性質上，譲渡不可である場合には，受益者の死亡によって必然的に信託は終了するが，受益者の相続人は，被相続人が残余財産受益者権または帰属権利者として有していた権利を相続することになる（→443頁）。

また，受益者が複数の信託で，受益者の脱退によって支払請求権が発生するタイプの信託において，受益権自体が性質上，譲渡不可とされても，死亡による脱退によって発生する支払請求権については相続性を肯定すべきである。

(イ) 1つの受益権の分割は信託の変更によってのみ可能であるから（→343頁），共同相続の場合でも当然分割にはならない[55]。受益権の個数が共同相続人の数で割りきれるときには当然分割に支障はないともいえるが，権利の性質とは無関係に，場合ごとに当然分割になるか共有になるかが決まるのは妥当でないから，やはり当然には分割されないと考えるべきである。もっとも，一定の個数の受益権を特定の相続人に帰属させるかたちで，

---

[55] 最判平成26・2・25民集68巻2号173頁。なお，中田裕康「投資信託の共同相続」現代民事判例研究会編『民事判例Ⅶ』6頁以下（日本評論社，2013），同「投資信託の共同相続——補論とともに」金融法務研究会『近時の預金等に係る取引を巡る諸問題（金融法務研究会報告書(25)）』22頁以下（2015），角谷昌毅「判批」曹時68巻4号1048頁以下（2016）参照。

遺産分割をすることは可能である。

(ウ) 受益権の相続に係る対抗要件については，民法899条の2第1項が適用されるが，受益権は債権ではないので，同条2項は適用されない。そこで，同趣旨の条文を信託法95条の2として置いている。

2 受益権の質入れ

(1) 総　　説

受益権については，受益者が質権を設定することができる（信託96条1項本文）。例外となるのは，①受益権の性質が質権設定を許さないとき（同項ただし書），および，②信託行為に質入制限の定めがあるとき（当該定めが，その定めがされたことについて悪意または善意重過失の質権者その他の第三者に対抗できる）（同条2項），である。受益権譲渡についてと同様の制限であり，そこでの解釈に準じることになる（→341頁）。

また，質入制限の定めが明示的には存在しなくても，譲渡制限の定めがあるときには，民法343条から，質権設定も制限されていると解すべきである（→342頁＊）。

(2) 対抗要件

信託法には，受益権質の対抗要件について規定がなく（受益証券化された受益権の場合については，→354頁），権利質に関する民法の条文が適用される。そして，信託法は，受益権の譲渡に関して，民法の債権譲渡の規定と同様の規定を置いているから，それとの均衡上，債権を目的とする質権の対抗要件の条文である民法364条が適用されるというべきである[56]。したがって，受益権の譲渡と同様になる。

(3) 実行前の効力

質権設定者は，質権者のために受益権を健全に維持する義務を負う。そのため，受益権の放棄はできない。しかし，信託の変更に対する同意，受託者の責任の免除などについては，善良な管理者の注意をもってする限りにおいて，質権者に対する義務違反とはならない。

---

[56] これに対して，早坂文高「受益権の譲渡」新井誠編『キーワードで読む信託法』150頁（有斐閣，2007）は，受益権譲渡の規定が類推適用されるとする。

質権設定者が指図権を有するとき，それに対しても質権の効力が及び，指図権行使にあたって質権者の同意が必要となるとする見解[57]もあるが，質権設定者には，質権の目的たる受益権を毀損しないよう，善良な管理者の注意に基づいて指図権を行使する義務があるにとどまると解すべきである。

(4) 実　　行[58]

　質権者は，債務者である受益者の債務不履行時に，質権を実行し，受益権を競売に付することができる（民執193条）。簡易な弁済充当も認められよう（民362条2項，354条）。また，商行為によって生じた債権を被担保債権とする質権については，流質特約も可能である（商515条）。なお，信託財産に属する債権の担保のために，当該信託の受益権について設定された質権が実行され，受益権が信託財産に属するに至ったときは，一時的に自己受益権とすることが認められよう（→386頁＊）。

　受益権に質権が設定されたとき，信託法97条は，受益権そのものだけでなく，受益債権に基づく金銭等（金銭その他の財産）（1号），受益権取得請求権の対価である金銭等（2号），受益権の併合・分割で受益者が受ける金銭等（3号），信託の併合・分割で受益者が受ける金銭等（4号），その他，受益者が質権の目的である受益権に代わるものとして受ける金銭等（5号）にも，質権の効力が及ぶとする。条文上，「金銭等（金銭その他の財産……）」となっているが，民法304条1項における「金銭その他の物」と同じく，その請求権のことである（なお，信託法97条1号が「受けた金銭等」とされ，2号以下が「受ける金銭等」とされているのは，1号の規定する権利（請求権）は信託設定時にすでに発生しているからである）。

　質権者は，自己の債権の範囲で，当該金銭債権等の請求権を直接に取り立てて，自己の債権の弁済に充当することができる（信託98条1項）。被

---

[57]　金融法委員会「信託受益権に対して設定された質権の効力」金法1722号73頁（2014），長谷川貞之「受益権化された財産権の担保と受益権質権の効力」日法80巻2号398頁（2014）。

[58]　中村克利ほか「信託受益権質権の実行」事業再生と債権管理130号26頁以下（2010）も参照。

担保債権の弁済期が到来しないうちに，質権の効力が及んでいる請求権の弁済期が到来したら，質権者は，受託者に供託を請求でき，そのときは供託金（還付請求権）上に質権が存続する（同98条2項）。信託法97条は物上代位の規定であると一般に理解されているが，金銭債権質の本来的目的物について認められている直接取立権（民366条）が，代償物である金銭等について認められているわけである＊。民法366条の解釈としては，第三債務者は，質権設定者はもとより，差押債権者に弁済しても，質権者に対抗できないと解されており[59]，信託法97条所定の債権についても，同様に解することになろう。

＊　信託法97条・98条のみを見ると，これらの条文は，物上代位の規定と見るよりも，端的に受益権質の効力の及ぶ範囲の規定だと考えた方が妥当なようにも思われる。しかし，結論としては，物上代位の規定というべきである。
　株式については，略式質と登録質とがあるところ，いずれにおいても，会社法151条に規定されている金銭等について質権は「存在する」。そして，登録質の場合には，質権者が株主名簿に記載されているので，会社にその存在がわかる。そこで，登録質権者には同条規定の金銭等について直接の取立権が認められることになる（会社154条）。これに対して，略式質では，会社に質権者の存在がわからないので，質権設定者に対してそれらの金銭等の引渡し・払渡しがされる可能性がある。そこで，略式質権者は，質権設定者への引渡し・払渡し前に，その請求権を差し押さえる必要がある（民304条1項）。つまり，略式質権者の権利は物上代位権と見ざるを得ないのであり，そこで，登録質権者の有する同様の権利も物上代位権（しかし，その行使には差押えが不要）と見るべきことになる。
　それでも，受益権に対する質権設定の方式が，民法364条によって対抗要件を具備するタイプのものだけであるならば，株式質に関する会社法151条とは異なり，信託法97条は物上代位の規定ではない，ということも可能である。ところが，受益権質についても，受益権について受益証券が発行されている場合には，質権としての対抗要件を備えた略式質が存在しうる（信託201条2項）。そして，その場合にも，信託法97条は適用され，その際，権利行使にあたって，略式質権者は，質権設定者への引渡し・払渡し前に，その請求権を差し押さえる必要があると解される。その結果，信託法97条についても，会社法151条と同じく，物上代位の規定だと性質決定されるべきことになるのである。

---

[59]　道垣内弘人『担保物権法〔第4版〕』119頁（有斐閣，2017）参照。

3 受益権の放棄

(1) 受益権の遡及的放棄

受益者として指定された者は，受益の意思表示なく当然に受益権を取得するが（信託88条1項。→313頁），受益者となることを拒絶するという選択肢が与えられないのは適切ではない*。そこで，信託法99条は，受益権の放棄を認めている（同99条1項）。このとき，受益者は，当初から受益権を有していなかったものとみなされる（同条2項）。つまり，遡及効を有するわけである。受託者に対する意思表示によって行う。

しかし，同条の趣旨を，意に反して受益権を取得させられないようにするものだととらえると，受益者が信託行為の当事者であるときは，自らの意思で受益者となっているわけだから，遡及的放棄を認める必要はないことになる。信託法99条1項ただし書がそれを規定する。そして，この趣旨からすると，受益者であることがわかった上で，すでに信託財産に係る給付を受領したり，受益権に質権を設定したりしたときには，もはや遡及的放棄はできないというべきである。受益権の譲受人も同様である[60]。また，信託行為の当事者そのものではなくても，信託のスキーム組成に関わっている場合などは，遡及的放棄はできない。

なお，信託法99条2項ただし書は，第三者の権利を害するときは遡及的放棄ができないとするが，これは，すでに第三者のための権利を設定した場合や受益者に対する債権者がすでに受益権を差し押さえている場合（このとき，受益者の意思的な承認はないが，差押えにまで至れば，遡及的放棄を制限してもよかろう）などを典型例としていると考えられる[61]**。

> ＊ **受益権放棄と詐害行為取消し** 受益者が受益権を遡及的に放棄したとき，当該受益者に対する債権者は，その放棄を詐害行為として取り消すことができるか。結論としてはできないというべきである。受益権の遡及的放棄は，すでに受益者が有している財産権の放棄ではなく，責任財産が増殖する行為を拒絶するものにすぎないからである。判例上，相続放棄は詐害行為取消しの対象とならないとされており[62]，学説上は，相続放棄が外部からの財産帰属の拒絶

---

60) 新井・231〜232頁。
61) セミナー(3)・135〜140頁参照。佐久間・146頁は，差押えがあっただけでは遡及的放棄の権限は失われないとする。

にすぎず，責任財産の減少行為ではないことが指摘されている[63]。これと同様に考えるべきである。

＊＊　信託法99条2項ただし書にいう「第三者」に他の受益者や受託者も含まれるという見解[64]があるが，他の受益者や受託者の利害が絡む限り受益者となるのを拒絶できないことになり，明らかに妥当ではない。また，受益権の放棄によって当該信託のスキームが壊れ，それを組み込んだ金融商品のスキームも壊れてしまう場合も，第三者の権利を害するとの見解[65]があるが，これは，受益者となるべき者がスキーム組成に関与している場合には受益権の放棄ができないということにとどまる。自らのあずかり知らぬかたちで受益者に指定されている者が，他者の利益を守る義務を負うことはない。

(2)　受益権の非遡及的放棄

一般的に財産権の放棄が認められる以上，受益権を将来に向かって放棄することも認められる[66]。受託者に対する意思表示によって行う。このときは，放棄の時点から，受益権を失い，受益者ではなくなる。

4　受益証券発行信託

(1)　総　　説

(ア)　受益権は譲渡可能であるが，受益権が投資対象となるような場合には，受益権の譲渡が頻繁になり，処理の迅速性が要求されることになる。債権譲渡の方法によるのは面倒であり，より簡易な譲渡方法が求められるわけである。また，たとえば，信託財産に属する財産である工場を受託者が稼働させるといった事業信託を考えると，受益権は株式会社の株式に近づいてくるので，株式と同様な譲渡方法を可能にしたいというニーズも出てくる。

このようなニーズに対応するためには，受益権を有価証券に化体させる

---

62)　最判昭和49・9・20民集28巻6号1202頁。
63)　吉田邦彦「判批」久貴忠彦＝米倉明編『家族法判例百選〔第4版〕』205頁（1988），道垣内弘人「判批」法教233号147頁（2000）。
64)　村松ほか・208頁。
65)　村松ほか・209頁注(4)。
66)　セミナー(3)・133〜134, 140〜144頁。なお，福田ほか・343頁は，将来の受益債権をすべて放棄することによって，受益権を消滅させることができるとする（→371頁参照）。

ことが考えられる*。実際，これまでも投資信託や貸付信託などの受益権は有価証券とされてきた。しかし，それらについては，個々的な法律によって，受益権を有価証券化することが明文で認められていた（投信 6 条・50 条，貸付信託法 8 条など）。そして，受益権を有価証券化するためには法律上の規定が存在しなければならないといった見解も有力であったために，信託一般について受益権を有価証券化することは認められないのではないかという疑念が存在した。

　そこで，信託法は，185 条 1 項で，「信託行為においては，この章の定めるところにより，一又は二以上の受益権を表示する証券（以下「受益証券」という。）を発行する旨を定めることができる。」と定めた。このようにして受益権が有価証券化されたときの証券を**受益証券**とよび，そのような信託のことを**受益証券発行信託**とよぶ[67]。

　　*　なお，金融商品取引法 2 条 2 項 1 号・2 号は，広く信託受益権を有価証券とみなしている。しかし，これは，その取引について，金融商品取引法の定める開示規制・行為規制が課されるというのみであり，受益権が，私法上，有価証券に化体された権利になるわけではない（だからこそ，「みなし有価証券」である）。もっとも，信託には様々な種類のものがあるので，受益権を一律に「みなし有価証券」とすることには批判もある[68]。

（イ）概念的に注意を要するのは，信託法 185 条以下，つまり第 8 章の規定が適用されるのは，信託法を根拠にして受益証券を発行する旨を定める信託のみだということである。たとえば，投資信託については，すでに述べたように特別法によって受益証券が発行されるのであり，それは，ここでいう受益証券発行信託ではない（したがって，それらの特別法においては，信託法第 8 章の規定について，適宜，準用されることが明記されている（投信 6 条 7 項・50 条 4 項，貸付信託法 8 条 5 項））。

---

[67]　活用事例につき，田中和明「受益証券発行信託」同編『新類型の信託ハンドブック』108〜114 頁（日本加除出版，2017）参照。

[68]　小野傑「商事信託法の諸問題」田原睦夫古稀・退官『現代民事法の実務と理論（上）』829 頁（金融財政事情研究会，2013）。問題のわかりやすい整理として，藤田友敬「有価証券の範囲」日本証券経済研究所金融商品取引法研究会研究記録 25 号 9〜13 頁（2008）。

また，受益証券発行信託は，受益証券を発行する旨の定めのある信託のことであり，現実に受益証券が発行されているか否かを問わない。実際，実務における受益証券発行信託においては，振替制度を利用しているので，受益証券は発行されない（社債株式振替127条の3第1項）。以下では，振替制度の規律についても適宜触れることにする。

(2) 設定：受益証券発行に関する信託行為の定め

(ア) 受益証券発行信託とするには，その旨の信託行為の定めが必要である（信託185条1項，207条，209条）。もっとも，受益証券を発行するという定めがあっても，すべての受益権について発行しなければならないわけではない。特定の内容の受益権については発行しない旨を定めることができる（同185条2項）。ただし，同種の受益権については，受益権ごとに権利内容が異なるのは妥当でなく，受益権発行か不発行かに統一されなければならない。

　また，発行される受益証券は，記名式の場合と無記名式の場合とがある。

　さらに，すべての種類の受益権について，受益証券を発行しない旨を定めることもできる。受益証券発行信託のポイントは，受益者原簿による受益者管理などにあるのであって，その目的達成のために，受益証券不発行の受益権と並んで，ほぼ無内容の内容である受益権を別種のものとして1つだけ設定し，それについて受益証券を発行させる（そして，委託者等に保管させることによって流通しないようにする）のは無意味だからである。

　受益証券発行信託の受益権で振替機関が取り扱うもの（社債株式振替3条）については，振替受益権とされ，受益証券を発行することができない（同127条の3第1項）。ペーパーレス化された受益証券となるのであり（同127条の30），いわば「受益証券の発行されない受益証券発行信託」となる。振替受益権とするためには，信託行為の定めによって，振替機関に対して取扱いの同意をしなければならない（同13条，127条の2第2項）。

　つまり，受益証券発行信託の受益権には，
　・　受益証券が記名式で発行されている受益権，
　・　受益証券が無記名式で発行されている受益権（無記名受益権という（信託110条3項）），

・　受益証券が発行されていない受益権で，振替受益権でないもの，
・　振替受益権，

の4種があり，それぞれで以下の規律が変化することになる。

(イ)　信託の変更によって，受益証券発行信託について，全種類または特定種類の受益権につき受益証券を発行しないこと，逆に，信託行為に受益証券を発行する旨の定めがないときに，全種類または特定種類の受益権につき受益証券を発行することにはできない（信託185条3項・4項）。途中で権利内容が大きく変わるのは相当でないし，法律関係が錯綜することを防ぐためである。株式会社では，株券発行会社が株券を発行する旨の定款の定めを廃止することがあるが，株主の権利内容の変化が小さい点に，規律の違いの理由を求めることができる。

これに対して，記名式と無記名式の一方から他方への変更は，受益者の請求によりいつでも可能である（同210条本文）。ただし，信託行為に別段の定めをすることはできる（同条ただし書）。受託者の手間になることなので，信託行為で禁止されることも多いと思われる[69]。

(3)　受益権の譲渡と受益権を行使できる者

(ア)　受益証券が発行されている場合[70]

受益証券が発行されている場合，その譲渡は，受益証券の交付が効力発生要件となる（信託194条）。そして，受益証券の占有者は，当該受益証券に係る受益権を適法に有するものと推定され[71]，交付を受けた者は，悪意・重過失がない限り，受益権を取得する（同196条）＊。

しかし，受益証券を誰が占有しているかは，受託者にはわからない。

そこで，まず，無記名受益証券の場合には，権利行使にあたって受益証券を提示しなければならない（同192条。なお，189条2項，195条3項，197条4項，198条3項，201条2項）。無記名受益権の受益者の氏名・名称，住

---

69)　証券発行新株予約権に関する同様の条文についての実務に関して，長島・大野・常松法律事務所編『アドバンス会社法』313頁（商事法務，2016）。

70)　発行が遅滞しているときの権利行使について，条解・850〜851頁〔弥永真生〕。

71)　このことの意味につき，道垣内弘人「会社法131条1項による権利の推定について」星野英一追悼『日本民法学の新たな時代』511頁以下（有斐閣，2015）参照。

所は，後に述べる受益権原簿には記載・記録されない（同186条3号かっこ書）。

　次に，記名受益証券の場合には，受益権原簿に記載されている者が受益者として扱われる。受益権の譲渡があったときは，受益権原簿に記載・記録されなければ，当該譲渡を受託者に対抗できない（同195条1項）。また，集会における議決権の行使権者などについては，一定期日（基準日）を定め，その時点で受益権原簿に記載・記録されている者を受益者の権利を行使できる者とすることができる（同189条)[72]。受託者からの通知や催告も，受益権原簿に記載・記録された受益者の住所に宛ててすれば足りる（同191条1項・2項）。

　その前提として，受託者は受益者の名称や権利内容等を記載・記録した受益権原簿を作成しなければならないし（同186条），受託者自らが受益者となったときや，受託者が有する受益権が処分されたときには，受託者の責任で受益権原簿の記載・記録をしなければならない（同197条1項。さらに，受益権の併合・分割があったときも同様（同条2項・3項））。受益権を受託者以外から取得した者は，記録・記載を受託者に求めることができる（同198条1項・2項）。

＊　**受益証券不所持の申出・受益権原簿管理人**　このように，受益証券が発行されている場合には，受益者の権利は証券の占有と結びついている。これは譲渡などに便利であるが，受益権を譲渡せず，長期に保有しようとしている者にとっては，危険な面もある。受益証券を喪失した者のために，公示催告手続が用意されているが（信託211条），それも面倒である。そこで，受益証券の不所持を受託者に申し出ることもでき，受託者に受益証券が提出され，その旨が受益権原簿に記載・記録されると受益証券は無効となる（同208条1項〜5項）。ただし，受益者は譲渡などのために，再度，受益証券の発行を求めることもできる（同条6項）。

　他方，受益権原簿の管理は，受託者にも負担である。そこで，受託者は，受託者に代わって受益権原簿の作成・管理を行う者（受益権原簿管理人）を定め，事務の委託ができる（同188条）。この費用は，信託事務処理費用であるから，受益権原簿管理人に対する報酬は信託財産から支弁できる。

---

[72]　基準日を定めることのできる事項の範囲につき，条解・825頁〔弥永真生〕参照。

(イ) 受益証券が発行されていない場合（振替受益権以外）

受益証券が発行されていない場合には，合意によって受益権譲渡が可能である。しかし，受託者その他の第三者への対抗要件は，通常の受益権のように債権譲渡と同様の仕組み（→345頁）が適用されるのではなく，受益権原簿への記載・記録が受託者その他の第三者への対抗要件となっている（信託195条1項・2項）。受託者にとっての事務の簡素化が図られているといえる。

受託者が受益権原簿の記載を基準に受益権を行使しうる者を決めることができるのは，記名式受益証券が発行されている場合と同様である。受益者は，権利行使のために，受託者に対し，受益権原簿の記載内容を記した書面の交付または電磁的記録の提供を受託者に求めることができる（同187条）。

(ウ) 振替受益権の場合

振替受益権の権利関係は，振替機関の管理する振替口座簿の記載・記録によって定まる（社債株式振替127条の2第1項）。受益者は，振替機関の振替口座簿に直接に加入者として口座を有することもあれば，上位の振替機関に対して口座を有する下位の口座管理機関に対して加入者としての口座を有し，上位の振替機関の振替口座簿には下位の口座管理機関の名称だけが記録されていることもある[73]。

このように，受益者が口座を有しているのは，振替機関における場合もあるし，その下位にある口座管理機関における場合もあるが，振替受益権の譲渡は，譲受人が自らの口座に増加の記載・記録を受けなければ，その効力を生じない（同127条の16）。そして，記録を受けると，振替受益権についての権利を適法に有するものと推定され（同127条の19），また，増加の記載・記録を受けた者は，悪意・重過失がない限り，振替受益権についての権利を取得する（同127条の20）。

下位にある口座管理機関の口座にいかなる記載・記録がされているかは，受託者にはわからない。最上位の振替機関の口座の内容も当然にはわから

---

[73] 高橋康文編・尾﨑輝宏『逐条解説・新社債，株式等振替法』145頁（参考9）（金融財政事情研究会，2006）参照。

ない。そこで，まず，受益債権以外の権利については，受益者は，自分の口座のある振替機関または口座管理機関に対して，受益者であることとその内容を証明した書面の交付を請求でき，その書面を受託者に提示しなければ権利行使（受益債権の行使を除く）ができないとされる（同 127 条の 27 第 1 項〜3 項）。しかし，書面交付後，受益者が変動すると，受託者の負担は大きくなる。そこで，書面交付以降は書面が返還されるまでは振替ができないこととしている（同条 4 項）。記名受益証券が発行されている受益権や受益証券が発行されていない受益権についての基準日制度と同一の機能であるが，振替受益権については基準日が認められていない（同 127 条の 31 により，信託法 189 条は適用されないとされる）。

受益債権については，証明書制度はなく，各受益者が行使できる。また，受益者集会における議決権行使なども同様である。株式に関しては，法律上，総株主通知の制度（社債株式振替 151 条，152 条）が存在し，基準日の制度と結びついて会社が権利者を確定することができるが，振替受益権については，証券保管振替機構の株式等の振替に関する業務規程 285 条の 56 以下が，同機構の通知義務・受託者の通知請求権を定めることによって，対処している。

振替機関・口座管理機関が振替口座簿を作成すること，移転があったときの口座簿への記載・記録，受益権の併合・分割があったときの規律などについては，受益権原簿の規律とほぼ同様である（社債株式振替 127 条の 4 以下）*。

＊ **受益証券発行信託における受益権の共有** 受益権が共有の場合，通常では，民法 249 条以下の適用によって権利関係は定まる。これに対して，受益権発行信託では，多数の受益者が存在することも多いと思われるので，受託者の便宜のため，共有者は，通知・催告の受領者を 1 人定め，それを受託者に通知しなければならず（信託 191 条 3 項），定めの通知がないときは，受託者は共有者の 1 人に通知・催告をすれば足りる，とされている（同条 4 項）。さらに，受益者としての権利行使のためにも，共有者は，権利行使者を 1 人定め，それを受託者に通知しなければならない（同 193 条本文）。ただし，権利行使については，通知がなくても，「当該受託者が当該権利を行使することに同意した場合は，この限りでない」とされている（同条ただし書）。しかし，その趣旨は，共有者間で共有の規定に従って適法に権利行使者が定められたのに，その

ことを受託者に通知をしていないとき，受託者が適法に定められた権利行使者の権利行使を認めてよい，ということにすぎず，適法に定められた者でない者の権利行使を認めてよいというものではない（株式共有に関する会社法106条ただし書に関して，判例74））。

(4) 譲渡の容易性と受益者の多数性

(ア) 受益証券発行信託においては，受託者の善管注意執行義務について注意水準の軽減（→183頁）ができず，また，信託事務を委託した第三者が不適任であること等が判明したときの行為義務（→198頁）も信託行為によって変更できないとされている（信託212条1項・2項）。様々な種類（能力）の投資家に受益権が譲渡されることが予想され，受託者への信頼性を確保することが必要だからである。

(イ) 他方，受益者が多数となる信託においては，受益者の一部が，全体の利益に反して，あえてその権限を行使しようとするのを制約する必要がある。もっとも，権限を制約しすぎると，受益者の利益が害される。

そこで，受益証券発行信託では，会社法上の株主の権利に準じて，受託者の権限違反行為の取消権，帳簿等の閲覧・謄写請求権，検査役の選任申立権については，議決権または受益権総数の100分の3以上を有する受益者に限って行使できるという定めを信託行為に置くことを可能にしている（信託213条1項）。また，信託の変更・終了を命ずる裁判の申立権については，議決権または受益権総数の10分の1以上を有する受益者に限って行使できるとすることも可能である（同条2項）。

また，受益者が2人以上ある受益証券発行信託においては，信託行為に別段の定めがない限り，受益者集会による多数決により受益者の意思を決定する定めがあるとみなされる（同214条）。通常の場合と比べ，原則と例外が逆転している（同105条1項・2項。→372頁）。

そうすると，各受益者は，権利の行使のために，他の受益者についての情報を得る必要が生じる。このこと自体は，通常の信託において，受益者の全員や多数決での決定を求めるときにも必要であり，そのために，各受益者は，他の受益者の氏名等について，受託者に開示を請求できる（同39

---

74) 最判平成27・2・19民集69巻1号25頁。

条1項・2項）（→216頁）。受益証券発行信託においても，この開示請求権は認められるが，同請求権は信託行為における別段の定めによって制限できるところ（同条3項），制限があるときには，議決権または受益権総数の一定割合以上を有する受益者に限って取消権等を有するといった制限を信託行為に定めることができないとされている（同213条3項）。開示請求権が制限されているときは，他の受益者に働きかけができず，一定割合以上を有する受益者が共同で権利行使をすることが困難になりうるからである[75]。しかし，受益権原簿からは，無記名受益権や振替受益権について，その受益者が誰であるかは受託者にわからず，限界がある*。振替受益権の受益者については，先に述べたように（→357頁），受託者は，証券保管振替機構に対して，受益者が誰であるかの通知を求めることができるが，受益者の開示請求があったからといって，受託者が同機構に対して通知請求をして，受益者を確認しなければならないわけではない。

* **受益権原簿の閲覧等の請求権** 受益者その他の利害関係人は，受益権原簿の閲覧等を請求できる（信託190条1項〜3項）。もちろん，受益者は，この請求権を通じて，他の受益者についての情報を取得することもできるし，受益者からの他の受益者の氏名等の開示請求に対して，受託者は，受益権原簿を閲覧させることによって，対応することもできよう。しかし，受益権原簿の閲覧等の請求権は，受益者の権利行使のためだけのものではない（そうであるならば，同39条の権利で足りる）。だからこそ，信託法39条の開示請求の主体が，受益者に限られるのに対し，受益権原簿閲覧等の請求主体は，「委託者，受益者その他の利害関係人」とされているのである（同190条2項）。したがって，ここにいう「利害関係人」の範囲には，たとえば，受益権の譲渡を受けようとする者（相手方が真に受益者であるか否かを確認するために閲覧を請求する）も含まれると解される。

　ただし，自分が受益者であることを他の受益者等に知られたくない者もいる。そして，受益証券の発行されている受益権については，たとえば，譲受人は，証書の占有者から交付を受ければ，権利を取得するのであるから（同194条，196条），受益権原簿の記載を確認できなくても，いちおう支障はない。そこで，受益証券の発行されている受益権については，その受益者の氏名等を開示しない，という信託行為の定めが可能であるとされている（同190条4項）。

---

75) なお，100分の3以上，10分の1以上といった要件が課されているとき，その要件は単独の受益者で満たしても，数人の受益者で満たしてもよい。上柳克郎ほか編『新版注釈会社法(13)』24頁〔谷川久〕（有斐閣，1990）参照。

(ウ) さらに，受益証券発行信託においては，自らの目的を達成するために信託を設定し，信託設定後も当該目的が達成されることについて委託者が利害関係を持ち続けるというのではなく，設定後，委託者は当該信託につき利害関係を失い，もっぱら経済的権利としての受益証券を有する受益者だけが，受託者の義務履行に関心を有することが多くなる。受益者が，自らの権利に関わる事柄につき，委託者に介入されないことを望むことも多い。そこで，

・ 受託者に対する信託事務処理報告請求権（信託36条），保全処分に関する資料の閲覧等請求権（同172条1項~3項），受益権原簿の閲覧等請求権（同190条2項），

・ 裁判所への受託者・信託監督人・受益者代理人の解任申立権（同58条4項，134条2項，141条2項），特別な事情による信託の変更・終了の申立権（同150条1項，165条1項），公益確保のための信託の終了の申立権（同166条1項。さらに，169条1項），

・ 裁判所への新受託者・新信託監督人・新受益者代理人の選任申立権（同62条4項，135条1項，142条1項），裁判所への清算受託者の選任申立権（173条1項），信託財産管理命令・信託財産法人管理命令の申立権（同63条1項，74条2項），信託監督人の選任申立権（同131条4項），

・ 新受託者・信託監督人・受益者代理人についての就任の催告権（同62条2項，131条2項，138条2項），

については，委託者の権利を受益者が行使するとされている（同215条）。

(5) 受益権の担保化

(ア) 受益権に質権が設定される場合も，

① 受益証券が記名式で発行されている受益権，

② 受益証券が無記名式で発行されている受益権，

③ 受益証券が発行されていない受益権で，振替受益権でないもの，

④ 振替受益権，

によって，規律が分かれる。

(イ) ①，②については，受益証券の質権者への交付が，質権の効力発生事由となる（信託199条）。質権者による受益証券の占有があれば，質権を

受託者その他の第三者に対抗できる（同200条1項）。ただし，質権の目的が記名受益証券であれば，設定者は，受託者に対して，質権者について受益権原簿への記載・記録を求めることができ（同201条1項。さらに，204条，205条），また，質権者は記載・記録事項を記載した書面の交付を受託者に求めることができる（同202条）。登録質になるわけだが，その効果は，受託者は質権者を受益者として扱わなければならないというものである。すなわち，受託者は，信託法97条によって質権の効力が及ぶ受益債権等につき，それに関する通知を質権者に対して行わねばならず（同203条参照），質権者は受益債権等を直接に取り立てる権利が認められ（同98条1項），被担保債権の弁済期が到来しないうちは，その供託請求に応じなければならない（同条2項）。さらに，受益者に対して，上記の債権に係る債務を弁済しても，質権者に対抗できない。

これに対して，記名受益証券を占有している質権者が受益権名簿に登録されていないとき（略式質），および無記名受益証券が質権の目的であるとき（この場合，受益権原簿へは質権の記載・記録ができない。同201条2項）は，質権者は，権利行使にあたって受益証券を提示しなければならない（同192条参照）。信託法97条は適用されるが，その際，質権設定者への引渡し・払渡し前に，略式質権者は，その請求権を差し押さえる必要がある（→349頁＊）。

　(ウ)　③について，受益証券が発行されていない場合には，合意によって質権設定が可能である。そして，受託者その他の第三者への対抗要件は，通常の受益権についての質権設定と同じように民法364条が適用される（→347頁）（信託法97条の適用について，→349頁＊参照）。

　(エ)　④について，振替受益権が質権の目的となったときは，口座における質権の欄に増加記録がされなければ，効力が生じない（社債株式振替127条の17）。第三者への対抗要件も，それによって具備される。

　受託者との関係は，証券保管振替機構の株式等の振替に関する業務規程に基づく同機構の通知義務・受託者の通知請求権によって対処される。

5 受益証券発行限定責任信託

(1) 総　説

限定責任信託についてはすでに述べたが（→163頁），限定責任信託の信託行為において受益証券を発行する旨が定められると，受益証券発行限定責任信託となる。

限定責任信託については，債権者に対する責任財産が信託財産に属する財産に限定されるため，債権者に不当な損害を及ぼさないように，いくつかの手当てがされていた。そして，受益証券発行信託においては，受益権が一般公衆に流通する可能性があるため，権利移転の信頼性を高める規律が置かれていた（→354頁）。受益証券発行限定責任信託においては，この両者の要請が重なって生じる。

そこで，両者の規律が適用されることは当然であることに加え，受益証券発行限定責任信託においては，貸借対照表上の負債額が200億円以上であるときは，会計監査人を置かねばならず，それに達しないときも，会計監査人を置くことができるとされている（信託248条1項，2項）。会計監査人を指定する定めは信託行為に設けなければならないので（同条3項），結局，貸借対照表上の負債額が200億円以上になる可能性のある信託においては，信託行為に会計監査人を指定する定めを置くべきことになる。

また，会計監査人の氏名・名称は登記事項となる（同232条7号）。

(2) 会計監査人

会計監査人は公認会計士または監査法人でなければならず，後者の場合，会計監査人の職務を行う者を選任し，受託者に通知をしなければならない（信託249条1項・2項）。利害関係等を有する者は会計監査人になれず，また，社員の半数が欠格であるときは，当該監査法人は会計監査人になれない（同条3項）。会計監査人は，その職務を行うにあたって，利害関係者を使用することも禁じられている（同252条3項）。会計監査人が欠けた場合や辞任・解任については，受託者のそれと同様である（同250条，251条）。

会計監査人は，会計監査書類を作成しなければならず（同252条1項。さらに，信託計算規則30条以下），そのために受託者に関係書類の閲覧等や報告を求めることができる（信託252条2項）。受益者集会（→375頁）に出席

し，意見を述べる権利があり，招集権者から出席を求められることもある（同257条）。また，会計監査人が選任されているときは，限定責任信託の受託者の負う計算義務についても，会計監査を受けなければならない，受益者への報告にあたって会計監査報告も含めねばならない，会計監査報告についても保存義務が課される等の強化がされる（同252条4項）。

会計監査人は，上記の職務を善良な管理者の注意をもってしなければならず（同253条），任務懈怠の場合には損失てん補責任等を負い，第三者にも責任を負う場合がある（同254条，255条）。費用等の求償，損害賠償請求，報酬請求については，信託管理人に準じる（→392頁）（同256条）。

第4節 受益債権

1 総　説

受益債権とは，「信託行為に基づいて受託者が受益者に対し負う債務であって信託財産に属する財産の引渡しその他の信託財産に係る給付をすべきものに係る債権」（信託2条7項）であり，受益者が有する自益権の1つである（→309頁＊）。

受益債権の内容は信託行為によって定まる。「月々10万円を給付する」と確定的に決まっていることもあるし，「期間中，1年ごとに信託財産増加額を金銭で給付する」というように，不確定だが計算によって確定額が定まることもある。また，「受託者の判断で，受益者が教育を受けるのに必要な額を給付する」というように，受益債権の具体的内容を受託者の裁量に係らせることもできる（→317頁＊）[76]。さらには，期間中は一切の給付をせず，「終了時に信託財産に属する財産を現物のままで給付する」と

---

[76] 遺言執行者兼受託者とされた者が，受贈者相互間の配分率の決定を委ねられていても，信託目的の確定に欠けるところはないとしたものとして，大阪高判昭和48・7・12民集28巻10号2164頁がある。この判決につき，藤池智則＝冨松宏之「遺言信託における受託者の裁量権」みずほ信託銀行＝堀総合法律事務所編『詳解信託判例』41頁以下（金融財政事情研究会，2014）参照。

いうこともありうる。

　複数の受益者につき，その受益債権の内容を変えることもできる。たとえば，期間中の収益を，まず優先受益者に定めに従って交付し，余りがあれば劣後受益者に給付する，というものである。また，ある受益者には，信託財産に属する財産である特定の不動産に居住できるという利益を給付し，別の受益者には，他の財産からの収益を現金で給付する，という定めもできる。

　また，たとえば，委託者の孫を受益者とし，その学費のために，適切な支出をする義務を受託者が負っているとき，受益者は受託者に対して自らへの支払を求めうるわけではない。受託者は，当該受益者が在学する学校等，適切な者に支払をすることになる。このような場合，受益者の有する権利が信託法2条7項の定義に合致するかが問題になるが，受益者は受益債権として「信託財産に属する財産の引渡しその他の信託財産に係る給付をすべきものに係る債権」を有し，その給付が，当該学校等に対する支払という方法によってされると解すべきであろう（→314頁注6））。受益者はそのことを受託者に求めうることになる。

2　受託者の責任の範囲等

　(1)　受益債権は，受託者から見ると，信託事務執行の内容として負う債務であり，受益債権に係る債務は信託財産責任負担債務となる（信託21条1項1号）。

　信託財産責任負担債務については，限定責任信託の場合を除き，信託財産だけでなく，受託者は，その固有財産によっても責任を負うのが原則である（→79頁）。しかし，この原則が生じる理由の1つは，信託財産には法人格がないために，信託事務執行としての取引は，受託者が当事者となって行われ，かつ，相手方には受託者がその取引を信託事務として行っているのか，自己の計算で行っているのか，がわからない場合もあること（したがって，受託者の固有財産を自らの債権の引き当てとして期待する）にある。しかるに，受益債権については，このような事態は生じない。まさに，「信託財産に属する財産の引渡しその他の信託財産に係る給付をすべきも

のに係る債権」（同2条7項）なのである。そこで，信託法100条（同21条2項1号も同旨）は，受託者は，受益債権に係る債務については，信託財産に属する財産をもってのみ履行の責任を負う，としている（物的有限責任）。

(2) 信託法100条は，受益債権の内容の計算方法について述べるものではない。たしかに，「期間中，1年ごとに信託財産増加額を金銭で給付する」といった受益債権の内容の定めがあるときは，受益債権が信託財産に属する財産のみをもって履行できないことは考えにくい（もっとも，基準時等の問題はある）。しかし，受益債権は，信託行為の定めにより確定額の債権ともなり得るのであって，受益債権に係る債務が信託財産に属する財産だけでは履行できない場合もある*。このとき，受益債権は確定額の債権として生じるが，受託者は，不足額については履行の責任を負わないし，また，受益債権に係る債務が履行されず，受益者が受託者を相手にして支払請求訴訟を提起したとき[77]も，その判決は，「信託財産の限度で支払え」というものになる[78]。この確定判決を債務名義にして受託者の固有財産に執行することはできない。

　　* 受益者に最低限度として保障された受益債権額を支払うために信託財産が不足するときに備えて，信託行為またはそれ以外によって，受託者・委託者などが元本補てん義務を負うことが定められることがある。これも受益債権の額が，信託財産に属する財産の総額を超過する事態を想定するものである。このときは，義務者が信託財産に対して補てんをし，受益者には補塡された信託財産から給付されるのが通常である（もっとも，受益者に直接に支払う契約も有効である）。また，受益債権に係る債務について保証がされるときもあり，これも同様になる。

(3) 受益債権は，このように，信託事務執行の結果として存する信託財産の状況に依存している。そうすると，信託事務執行の過程で生じた債権者の債権などは，受益債権に優先するとしなければ，不合理である。極端な場合，信託事務処理として金銭の借入れを行えば，貸主の負担で受益者に対する弁済額を増加させることができてしまうのは妥当でない。そこで，

---

77) なお，受益債権に係る債務の履行遅滞による損害賠償債務も，受益債権に係る債務である（村松ほか・230頁注(3)）。
78) 相続の限定承認の場合について，大判昭和7・6・2民集11巻1099頁。

信託法101条は，受益債権は信託債権に後れる，としている（信託債権については，信託法21条2項2号に定義があり，「信託財産責任負担債務に係る債権であって，受益債権でないもの」をいう）。

ただし，注意すべき点もある。

第1に，限定責任信託の場合や信託債権が責任財産限定特約（受託者の固有財産を責任財産から除外する内容のもの）付債権である場合には，受益債権者と同じく，信託債権者は受託者の固有財産から弁済を受けることができない。したがって，信託法101条の定める優劣関係が，そのままそれぞれの債権者の最終的な回収額に影響を与える。しかるに，そうでないときには，信託債権者は，受託者の固有財産からも弁済を受けることのできる地位にいるわけだから，信託財産に属する財産が差し押さえられ，競売されるときに，あえて信託債権者を優先しなくてもよいようにも思われる。しかし，そうすると，結局，受託者は自らの固有財産の負担で，受益債権の回収割合を増加させていることになり，信託法100条の趣旨に反することになる。やはり同法101条の規律が必要となる。

第2に，実務上，むしろ受益債権と信託債権とが同等であるのが妥当な場合もある。ある企業が，遊休地を信託財産とする信託を設定し，受託者が信託事務処理の内容としてそこにビルを建て，賃貸によって運用することで利益を得る，という流動化スキームを考える。このとき，ビル建設に至るまでのすべての仕組みが最初に整えられ，当初の受益者である委託者から受益権を購入する者，および，ビル建設資金の融資をする者があらかじめ契約によって定められる。両者は，いずれにせよこのスキームから生じる利益に着目して一定の投資を行っているのであり，それが，受益権の購入というかたちで支出するという方法と，金銭の貸出しというかたちで支出するという方法とに分かれているにすぎない。そうであるならば，両者は同等に扱うのが妥当である。そこで，このような場合には，金銭の借入れにあたって，貸主との間で，「受益債権と同等に扱う」という特約を結ぶことになる[79]。信託法101条は，このような特約を排除するもので

---

[79] たとえば，伊藤勝「金銭債権流動化における『信託勘定借入（責任財産限定特約付）スキーム』の検討」能見善久編『信託の実務と理論』67頁以下（有斐

はない。

第3に，受益債権は信託債権に後れるといっても，限定責任信託の場合と異なり，受益者に対する過剰給付に関する規律（同225条以下。→172頁）があるわけでも，信託の清算時のように，受益債権に係る債務の履行は信託債権に係る債務の弁済の後に行われると解すべき根拠もない（→440頁＊，442頁）。そうすると，信託債権の優先性が実現される場合は限定されている。実際には，差押えの場面などに限られることになろう。

(4) なお，受益債権の内容が特定物を給付するというものであるとき，その所有権がどの時点で受託者から受益者に移転するか，という問題がある。物権行為の独自性を否定する限りは，給付義務の効果によって権利移転は生じるのであり，給付目的物が特定した段階で受益者に帰属するに至るというべきである（信託の終了に即して，より詳しく述べる。→445頁）。

3 受益債権の譲渡等

受益債権は，受益権と異なり，単純な債権にすぎない。したがって，民法上の債権譲渡の方法によって，譲渡することが可能であるし，受益者に対する債権者が，これを差し押さえることもできる。

しかし，信託期間の満了時までのすべての受益債権が，将来債権も含め譲渡され，あるいは，差し押さえられることになると，受益権の質的な分離が生じることになるので，認められないという見解もある[80]。しかし，信託行為によって，本来は受益者の有する各種の権限を受益者代理人に与えることも可能であり（信託139条参照）（→399頁），受益権の質的分離が一概に許されないわけではない。受益権の譲渡の場合と同じく（→343頁），当該信託の目的との関係で限界を画するほかなかろう[81]。

なお，受益債権の性質によっては，民事執行法152条1項の趣旨により，

閣，2009）参照。信託財産破産における当該特約の効力につき，小野＝深山編・137頁〔大串淳子〕は否定される可能性を提示するが，効力を肯定してよいと思われる（伊藤眞ほか『条解破産法〔第3版〕』1632頁（弘文堂，2020））。

80) 村松ほか・225頁注(3)，新井監修・301頁〔及川富美子〕，田中・364頁。
81) 同じ方向にあると思われるものとして，渡辺宏之「研究・信託法(6)」信託282号37頁（2020）。

差押えの範囲が制限されうるというべきであろう[82]。

4 消滅時効

(1) 総　説

　受益債権は，通常の債権であるから，債権の消滅時効の規律に従って時効により消滅する（信託102条1項）。したがって，時効期間は，「権利を行使することができることを知った時から5年間」または「権利を行使することができる時から10年間」（民166条1項）ということになるが，受益者として指定された者は，受益の意思表示なく当然に受益権を取得するので（信託88条1項。→313頁），受益者が自らが受益者になったことを知らないままに，受益債権の消滅時効が進行してしまうおそれがある。そこで，受益者が受益者としての指定を受けたことを知るに至るまでは，時効期間が進行しないこととしている（同102条2項）＊。

　また，このように時効期間の進行を，受益者の知・不知に係らせると，場合によっては，いつまでも受益債権が消滅しないこともあり得る。そこで，知・不知にかかわらず，行使できる時から20年を経過すると消滅するとされている（同条4項）。これは，除斥期間と解すべきである。

　　＊　信託法102条2項かっこ書は，受益者自身が不知であっても，信託管理人が選任されると時効期間が進行するとしている。信託管理人は受益者が存在しないときに選任される者であり（→387頁），そうすると，同かっこ書は，未存在の受益者のために信託債権が発生し，その債権に係る債務の履行期が到来する事態を想定していることになる。しかし，未存在の受益者に代わって信託管理人が受益債権に係る債務の履行を受けることを認めると，給付された財産は，倒産隔離などの保護を受け得ない財産となる。未存在の受益者に対する受益債権に係る債務の給付に必要な財産は，信託財産に属する財産として扱われ，受託者のもとにとどまると解するのが妥当であり，同かっこ書は適用される場合がないと考えるべきである[83]。

　82）福井修「信託に関わる強制執行」信託フォーラム13号59頁（2020），佐藤勤「受益権への質権設定をめぐる法的問題」信託フォーラム13号67頁（2020）。なお，新井・504頁はていねいな分析を行うが，受益権の問題ではなく，受益債権の問題ではないか。

　83）佐久間毅「信託管理人，信託監督人，受益者代理人に関する諸問題」信託234号23頁（2008）。

(2) 時効の援用

(ｱ) しかしながら，受託者は，受益者のために忠実義務を負っており（信託30条），時効期間が経過したからといって，当然に消滅時効を援用できるとするのも妥当でない＊。他方，未払いの受益債権について，長期間，受託者に管理を要求するのも不当である。そこで，信託法102条3項本文・1号は，消滅時効期間の経過後，遅滞なく＊＊，受益者に対し，相当の期間を定めて，履行請求を催告することを受託者に求め，その期間内に受益者から履行請求を受けなかったときに限り，消滅時効を援用し得ることとし，そのバランスをとっている。

ただし，受益者に対して履行請求の催告をしないことについて正当な理由があるときは，催告をしないままで消滅時効を援用できる。正当な理由があるか否かは，受益者の所在不明のほか，信託行為の定め，受益者の状況，関係資料の滅失（資料がなく，正当な受益者を確定できないときを含む）その他の事情に照らして判断される（同102条3項2号）。

受託者が受益債権に係る債務をすでに履行した（と考えている）ときは，消滅時効の援用の意思は生じない。したがって，履行請求の催告もされないことになるが，このような場合にも，正当な理由があると考えるべきである[84]。消滅時効の援用は，受益債権者からの履行請求に対する防御方法となるが，その際，受託者が履行済みであることを示す資料を提示できればそれでよく，実際，援用が問題になるのは，その資料が存在しない場合である。これは，信託法102条3項2号が考慮要素として挙げる「関係資料の滅失」に該当する。

＊ **受託者の義務との関係**[85]　受託者は，他の受益者に対しても忠実義務（信託30条）を負っているところ，ある受益者の有する受益債権について消滅時効を援用することは，信託財産を増加させ，他の受益者の利益になるので，援用の義務があるかが問題になる。しかし，受益債権の履行を受けていない受益者に損害を被らせてまで他の受益者に利益を図るべき義務が，忠実義務の内容として課されることはないというべきである。また，時効期間が満了した相手方たる受益者が複数存在するとき，公平義務（同33条）との関係で，1人

---

[84] 寺本・281頁注(10)，村松ほか・236頁注(8)。
[85] セミナー(3)・169頁。

に対して消滅時効を援用すると，他の受益者に対しても援用しなければならないか，も問題とされる。しかし，受益債権に係る債務をすでに履行した蓋然性などが異なり，既履行の蓋然性の高い受益者に対して時効を援用したからといって，未履行の蓋然性の高い受益者に対して債務を履行することは，何ら問題はない。ただ，受託者が一部の受益者の利益を図るために選択的に時効を援用することは，公平義務に反するというべきである。

＊＊　受託者が，消滅時効期間経過後，「遅滞なく」催告することを怠ったときはどうなるか。遅滞しても，相当の期間を定めて請求すればよいが，その場合には，より長い期間を「相当の期間」として与える必要がある，とする見解がある[86]。しかし，催告が遅れたからといって，受益債権者が履行請求の準備に要する期間が変化するとも思われず，後半部分には賛成できない[87]。結局，「遅滞なく」催告しなくても，消滅時効援用前に相当の期間を定めて催告すればそれでよいことになる[88]。

そもそも，消滅時効の起算点がいつになるかは受益権者の主観的態様が影響するので（同102条2項，民166条1項1号），受託者は消滅時効の完成時期を明確に判断することはできないのである。

なお，履行請求の催告にあたって，受益者に対し，受益債権の存在を告げるかたちになるが，これは債務の承認等にはならない[89]。

(イ)　信託行為において，受益債権の消滅時効を援用しないことを定めることを認める見解もあるが[90]，民法146条に抵触し，妥当でない[91]。

(ウ)　受益債権について保証人が存在する場合などは，保証人にも受益債権の消滅時効について援用権がある[92]。受託者以外の時効援用権者は，受益者に対して忠実義務を負わないので，援用にあたって，信託法102条3項の要件を満たしている必要はない[93]。

(3)　効　　果

(ア)　たとえば，期間ごとに発生する受益債権について，ある期間に発生した受益債権が時効によって消滅したとしても，受益権自体は消滅しない。

---

86) 村松ほか・236頁注(6)。
87) 田中・376頁。
88) 条解・509頁〔佐久間毅〕，佐久間・167頁。
89) 条解・510頁〔佐久間毅〕。
90) 田中・377頁。
91) 条解・512頁〔佐久間毅〕。
92) 大判昭和8・10・13民集12巻2520頁。
93) セミナー(3)・168〜169頁参照。

これに対して，1回限りである受益債権に係る債務が時効により消滅したり，民法168条1項によって受益債権のすべてが消滅したりしたときは，受益権自体が消滅すると解される。受益債権は受益権の最も基本的な構成要素だからである[94]。

そして，すべての受益権が消滅すると，信託は終了し，清算に入ると解すべきである（→428頁）。

(イ) 消滅時効の効果は，起算日に遡る（民144条）。そうすると，たとえば，同質の受益権を有する10人の受益者に対して給付すべき額の総額が90であり，9人の受益者には9ずつを給付したが，ある1人の受益者が有する受益債権は時効により消滅したとき，90の財産を9人の受益者に平等に分配すべきであったこととなり，追加的に9人に対して1の財産を給付すべきかが問題とされる[95]。

しかし，給付額の算定の時点までに遡って消滅するわけではないので，10を信託財産に組み入れれば足りると解すべきである。

第5節　複数の受益者の意思決定

1　総　説

(1)　全員一致の原則

すでに述べたように，受益者には様々な権利が認められるが，受益者が複数のとき*，その権利の行使にあたっての受益者の意思決定は，全員一致によるのが原則である（信託105条1項本文）。その例外が，信託法92条の各号に挙げる権利であり，それ故，単独受益者権といわれるのである（それぞれが単独受益者権とされている理由については，すでに述べた（→329

---

[94]　中田裕康「信託受益権の消滅時効」道垣内弘人ほか編『信託取引と民法法理』289頁以下（有斐閣，2003）。また，寺本・278頁，村松ほか・233頁（ゴルフ会員権に含まれるゴルフ場施設利用権が「時効により消滅すると，ゴルフ会員権は，その基本的な部分を構成する権利が失われることにより，もはや包括的権利としては存続し得ない」とする最判平成7・9・5民集49巻8号2733頁を挙げる）。

[95]　セミナー(3)・170～171頁。実務上考えられる約定の例として，田中・376頁。

頁))。

　しかし，全員一致によらなければ，単独受益者権以外の権利行使はできないとすると，実際には行使が妨げられる場合も多くなる。これは，受益者の利益の確保のためにも，また，信託事務執行を進めていくためにも支障となる。

　そこで，信託法は，複数の受益者が，全員一致以外のかたちで，受益者としての意思を決定する方法を認めている。

　　　＊　**受益者複数と受益権の共有**　　受益者が複数存在していても，それらの者が1つの受益権を共有しているときには，ここでいう複数の受益者が存在する場合に該当しない96)。受益権を共有している者が，当該受益権に基づく権利を行使するに際しては，民法249条以下の共有の規定による（→357頁＊）。ここでいう，受益者が複数である場合とは，複数の受益権があり，かつ，それらの受益権が別の主体に帰属していることをいう。また，2つの受益権があり，1つがAとBの共有であり，もう1つがCの単独所有であるとき，以下に述べる複数受益者の規定は，〔AとB〕とCの2人の受益者が存在するとして適用される。

(2)　3つの方法

　認められている方法は，3つに分かれる。

　第1は，受益者が複数存在する場合に限られないが，信託監督人・受益者代理人を定め，それらの者に意思決定を委ねるという方法である。これについては，後に説明する（→395頁）。

　第2は，意思決定方法を信託行為によって定める方法である。この内容は，信託行為によって定まるが，まったく自由であるわけではない。限界もある。2で説明する。

　第3は，多数決によることを信託行為において定めるとともに，それを受益者集会における多数決とする方法である。このときは，信託法の定めている受益者集会に関する枠組みが適用されることになる。3で説明する。

　第1と第3は，信託行為における定めを補完するために，合理的な規律を信託法が準備していると理解することができる。

---

96)　村松ほか・245頁注(3)，新井監修・322頁注(3)〔西脇英司＝吉田泉〕。

(3) 一定の方法の強制

　信託法40条による受託者の損失てん補等の責任の全部を免除することは，受益者の全員一致が必要であり（信託105条4項1号），一部の免除でも，受託者に悪意または重過失があるときには，全員一致が要求される（同項2号）。また，信託法41条による法人受託者の理事等の連帯責任の全部または一部を免除することについても同様である（同105条4項1号・3号）（なお，理事等は，悪意または重過失についてのみ責任を負う。→267頁）。受託者の軽過失による責任の一部免除については，全員一致によるほかは，受益者集会による特別多数決の定めのみが有効とされる（同条3項，113条2項1号）（→378頁）。

　全部免除に厳しい要件が課されているのは，各受益者に与える影響が大きいからであり，悪意・重過失の受託者および受託者法人の役員の責任の免除については，それらの者の悪性に鑑み，一部であっても，簡易な方法による免除を認める必要がないからである。これに対して，軽過失の受託者の責任の一部免除については，そこまでの必要はないが，信託財産に損失を生じさせないことの重要性に鑑み，慎重な手続をとらせようとしていると評価できる。

2　受益者集会における多数決以外の定め

(1) 総　　説

　信託行為においては，信託法92条の各号に挙げる権利，すなわち単独受益者権の行使以外の場面における受益者の意思決定のために，別段の定めを置くことができる（信託105条1項ただし書）。この定めがあれば，受益者の意思決定はそれに従って行われることになる。

(2) 定めの限界

　信託行為における定めとしては，様々なものが考えられる。

　実務上，典型的なのは，受託者からの提案に対して，一定数の受益者からの反対の意思表示がなければ，提案通りの意思決定がされたことにする，という「みなし賛成」*の制度である。もっとも，合理性は必要であり，「9割以上の受益者からの反対がない限り，賛成とみなす」という定めは

認めることができない[97]。同様に，受益者代表を決め，その者の判断に従う，という定めも，合理性を欠くものとして，有効であるとは解し得ない[98]（少なくとも，事項の特定性は必要であろう）。もっとも，各受益者の権利は最終的には受益権取得請求権（→380頁）によって保護される仕組みになっており，また，最重要と思われる権利については単独受益者権とされているのだから，信託行為の定めの有効性は比較的広く肯定してもよいと思われる[99]。

また，多数決での決定を定めるとともに，その方法について，受益者集会ではなく，書面決議，ウェブ会議の方法を定めることは有効である[100]。

＊ **特別法におけるみなし賛成制度** 金融機関の信託業務の兼営等に関する法律5条は，「信託業務を営む金融機関は，多数人を委託者又は受益者とする定型的信託契約（貸付信託又は投資信託に係る信託契約を除く。）について約款の変更をしようとするときは」，「内閣総理大臣の認可を受けて，当該変更に異議のある委託者又は受益者は一定の期間内にその異議を述べるべき旨を公告する方法によりすることができ」（一定の期間は，1か月を下ることができない），「委託者又は受益者が第一項の期間内に異議を述べなかった場合には，当該委託者又は受益者は，当該契約の変更を承諾したものとみなす」ことを認めている。また，投資信託及び投資法人に関する法律17条7項は，「知れている受益者が議決権を行使しないときは，当該知れている受益者は書面による決議について賛成するものとみなす旨の定めをすることができる」としている。

---

97) 村松ほか・247頁は，「受益者の10分の1が同意すれば，当該意思決定がされたものと扱うとすることも可能である」というが，これが，10分の9近くの反対があってよい，とするのであれば，妥当でない。なお，信託業法29条の2の規律は後述する（→418頁＊）。

98) 反対，田中・347頁。

99) これに対して，セミナー(3)・205頁〔能見善久〕は，出発点は全員一致であり，信託法が定める典型規定は多数決なのであるから，これとあまり乖離することは認められないとする。

100) 村松ほか・247頁，新井監修・323頁〔西脇英司＝吉田泉〕。信託業法29条の2第4項2号も，多数者からの承認を得る方法として，受益者集会における多数決以外の方法の存在を前提としている。

3　多数決の定め：受益者集会

(1)　総　　説

　複数受益者の意思決定の方法として，信託行為において，受益者集会での多数決による旨が定められているときは，信託法106条以下が適用される。

　信託法が合理的な枠組みの例を示す意味は大きく，信託行為においては，「受益者の意思決定は受益者集会における多数決による」とだけ定めれば足りることになる[101]。ただし，受益者集会に関する規定は，あくまでひな形を示すものであるから，信託行為において別段の定めをすることもできる（信託105条2項ただし書）。しかしながら，法の定める合理的な規定を変えるには，それなりの合理性が要求されるというべきである。たとえば，招集につき2週間とされている通知期間を1週間とすること，定足数を一定程度緩和することなどは認められるが，出席受益者の過半数を下回る賛成数で足りるとすることは許されない[102]＊。

　＊　**投資法人における規律との関係**　　投資信託については書面決議が前提になっているので，そのような制度はないが，同様の投資スキームを投資法人によって行ったときには，「投資主が投資主総会に出席せず，かつ，議決権を行使しないときは，当該投資主はその投資主総会に提出された議案（……）について賛成するものとみなす旨」を規約に定めることができる，としており（投信93条1項），その合理性について，「投資法人は仕組み金融商品であり，その性質上，議決権行使に関心のない投資主も多数にのぼると考えられるため」と説明されている[103]。そうすると，信託においても，同様の定めが可能なのではないか，という問題が生じる。しかし，信託一般について，投資法人と同様の性格であるとすることには無理があるし，問題となっている信託ごとに上記の定めの有効性を判断することも安定性に欠ける。信託法には明文の規定もなく，認められないというべきである。

---

101)　村松ほか・248頁。
102)　寺本・304頁注(2)，条解・525頁〔弥永真生〕。そもそも，受益者集会に関する規定が適用されるのは，「受益者集会における多数決による旨の定め」があるときである。
103)　森・濱田松本法律事務所編『投資信託・投資法人の法務』353頁（商事法務，2016）。

(2) 招　集　者

(ア)　受益者集会を招集することができるのは，受託者であり，信託監督人がいるときは，信託監督人も招集権限を有する（信託106条2項）。これらの者は，必要があると判断したときには，いつでも招集可能である（同条1項）。ただし，客観的な必要性もないのに費用（信託財産が負担する。同122条）をかけて招集することが，受託者の義務違反となり，損失てん補等の責任が生じることはある。

(イ)　しかし，原則として受託者のみを招集者とし，信託監督人がいるときのみ，その者にも招集権を与えるのでは，とりわけ受託者の責任を追及しようとしている場合などには不十分である。そこで，各受益者は，上記の招集者に対し，受益者集会の目的である事項および招集の理由を示して，受益者集会の招集を請求できる（信託107条1項）。もっとも，招集者は，この請求があったとき，当然に受益者集会を招集しなければならないわけではない（招集が必要であるのに招集をしなかったときに，招集者の善管注意執行義務違反による責任が発生するのは別問題である。同29条2項，133条1項）。そこで，受益者は，信託財産に著しい損害が生じるおそれがあれば[104]，請求があった後，招集者が遅滞なく招集をせず，または，請求から8週間以内の日を受益者集会の日とする招集通知をしないときには，自らで受益者集会の招集ができる（同107条2項）。

(3) 招集手続

(2)(イ)の場合における受益者を含め，招集者は，開催の日時・場所，目的事項（信託113条5項参照），電磁的方法による議決権行使ができるときはその旨（書面により行使できることは，信託法115条が定めているので不要），その他，信託法施行規則6条・7条に規定される事項を定め，その内容を記載した通知を，受益者集会の日の2週間前までに，知れている受益者*（無記名受益証券が発行されているときには，受益者集会の日の3週間前までに，同様の公告をすることが求められる。信託109条4項），受託者，さらに信託監督人がいるときは信託監督人に通知しなければならない（同108条，109条）。

---

[104]　この要件についての立法論的な批判として，セミナー(3)・219頁〔藤田友敬〕参照。

また，知れている受益者には，議決権行使について参考となる事項を記載した書類（受益者集会参考書類），および，書面あるいは（それが認められるときには）電磁的方法による議決権行使を保障するために，そのための書面（議決権行使書面）を交付しなければならない（同110条，111条）。さらに，書面あるいは（それが認めるときには）電磁的方法による議決権行使を保障するために，そのための書面等を交付することが求められる（同110条，111条）。

信託法施行規則6条・7条に規定される事項は，一般的事項（6条）と議案の種類ごとの事項（7条）に分かれる。前者は，書面による議決の期限（通知の発信から2週間以降に限る）等であり，後者は，新受託者の選任が議案であるときは，新受託者の氏名・略歴等，信託の変更が議案のときは，変更後の信託行為の内容等，議案の詳細である。これらは，受益者が事前に検討するためや，出欠を決定するにあたり，重要な情報だからである。

なお，受益者集会で，延期または続行が決議されたときは，再度の通知は不要である（信託119条）。

　　＊　「知れている受益者」とされるが，無記名受益権の受益者のように調査をしてもわからないことがありうる場合を除き，受託者が招集者のときには受益者がわかるはずである。また，受益者が招集者であるときは，他の受益者の氏名等の開示請求権（信託39条）を用いて，氏名等の把握に努めるべきである[105]。それをしないで，一部の受益者に通知が欠けたときは，招集した受益者は不法行為責任を負いうる。ただし，招集通知に瑕疵があり，無効となるとまでは評価できないと思われる。

(4)　議決権の行使

(ア)　受益者の有する議決権は，各受益権の内容が均質であるときは受益権の個数（→343頁）により，それ以外の場合には，招集決定時における各受益権の価格に応じて定められる（信託112条1項）。なお，信託財産に属する受益権には，議決権が与えられない（同条2項）＊。受託者の監督等について公正を欠くことになるからである。

---

[105]　村松ほか・252頁注(11)。

＊　信託行為における別段の定めの可否　受益者の有する議決権について，信託行為における別段の定めを置くことは可能か。信託法105条2項ただし書は，受益者集会における多数決による定めがあるときの規律一般について信託行為における別段の定めを置くことを許容しているので，形式的には可能である。実際，受益権の価格決定については，簡易な決定方法を定めておかなければ困難であろう。それでは，議決権の個数を受益者の頭数による旨の定めや，議決権を有しない受益権の定めは認められるであろうか。認められるとの見解[106]もあるが，そうなると，もはや「受益者集会における多数決による旨の定めがあるとき」ではなくなり，決定方法一般の限界の問題になる。そして，そこにおけると同じく，別段の定めについて，一定の合理性が要求されるべきである（→373頁）。

　(イ)　定足数は議決権の過半数であり，出席した受益者の議決権の過半数をもって決議が行われる（信託113条1項）。代理人による議決権行使（同114条）や書面による議決権の行使も認められ，そのときには定足数にも算入される（同115条）。電磁的方法による行使が認められているときも同様である（同116条）。代理人による行使の場合，代理権の授与が受益者集会ごとに行われなければならないとされているのは（同114条2項），会社法310条2項に従うものであり，受託者の関係者が，常時，代理権を有するようにすることによって，受益者集会を形骸化することを防ごうとする趣旨である。信託においては，受益者代理人制度（→397頁）があり，受益者集会における議決権行使についてのみ制限を置いても意義が小さいように思われるが，受益者代理人は委託者と受益者との合意によって解任し（信託141条2項→58条1項），または，その権限を終了させることができるので（同143条1項1号）（→401頁），受託者に支配されるおそれが相対的に小さいと考えられる。そこで，とくに受益者集会における議決権行使についての代理人について規定を置いているのである。

　ただし，一定の事項については，出席受益者の議決権の3分の2以上の多数で議決しなければならない。具体的には，軽過失の受託者の責任の一部免除（同113条2項1号），信託監督人・受益者代理人の任務終了の合意（同項2号・3号），信託の変更・併合・分割にあたっての合意（同項4号～7

---

[106]　寺本・304頁注(4)。

号），信託終了の合意（同項8号）である。また，議決権を行使しうる受益者の半数以上であり，かつ，議決権の3分の2以上の多数でもって行わなければならないものとして，信託の変更のうち，受益権の譲渡の制限，受託者の義務の全部または一部の減免，受益債権の内容の変更で受益者間の権衡に変更を及ぼさないもの，がある（同条3項）。さらに，信託の目的の変更，受益債権の内容の変更で，受益者間の権衡に変更を及ぼすものについては，総受益者の半数以上で，総受益者の議決権の4分の3にあたる多数をもって行わなければならない（同条4項）。

いずれも，各受益者の権利内容に大きな変動を生じさせるので，慎重な決議要件にしている。

ただし，信託行為において異なる方法を定めることは可能である。反対する受益者には，原則として，次に述べる受益権取得請求権が認められるので，その者の保護が図られているといえるからである。

(ウ) 複数の受益権を有している者は，受益者集会の日の3日前までに，招集者に対し，理由を付して通知すれば，議決権の不統一行使ができる（信託117条1項）。不統一行使が必要となる典型例は，受益権を信託財産に属する財産とする複数の信託を受託している受託者である。各信託で，受益者のためにどのように議決権を行使すべきかが異なる可能性がある。それ以外の場合にも不統一行使は可能だが，事務が繁雑になる不利益と比較し，不統一行使の必要性は乏しいので，招集者は，受益者が「他人のために受益権を有する者でないときは」[107]，不統一行使を拒むことができる（同条2項）。

(エ) 決議事項は信託の運営に深く関わるものであるから，招集者は，受託者に出席を求めることができる。このときは，受益者集会で，それを認める決議をしなければならない（信託118条2項）。たとえば信託事務執行の状況を説明するために，受託者が，自らの意思で，受益者集会に出席し，または，書面によって意見を述べることもできる（同条1項）。

---

[107] この意義については，会社法313条の議論が参照されるべきである。たとえば，岩原紳作編『会社法コンメンタール7』237〜239頁〔松尾健一〕（商事法務，2013）参照。

(5) 決　議

受益者集会の決議は，すべての受益者に効力を有し，受益者の意思として決定されたものとなる（信託121条）。そして，招集者は，議事録の作成義務が課されている（同120条。信託則11条）。

4　受益権取得請求権

(1) 総　説

(ア) 以上述べてきたように，複数の受益者が存在する場合，多数決等によって，個々の受益者にとっては，自己の意に反して，受益者の意思が決定されることがある。このように，意に反して自らの権利の変更を受けた受益者に対する救済方法として，信託法103条以下は，**受益権取得請求権**，つまり，自己の有する受益権を公正な価格で取得することを受託者に対して請求できる権利を，単独受益者権として認めている（同92条18号）*,**。

> ＊　単独受益者権であるから，信託行為の定めによっては制限できないところ，受益者が受託者と個別の合意をして，受益権取得請求権を放棄することは可能であるとする見解がある[108]。しかし，受益権取得請求権が，意に反する権利の変更を受ける受益者にとっての最終手段であることに鑑みると，請求権発生前の合意を有効とするのは，妥当でない。受託者がそのような契約を締結すること自体が，善管注意執行義務違反（信託29条2項）・公平義務違反（同33条），場合によっては忠実義務違反（同30条）になると思われる。これに対して，個別の受益者が，他の受益者との間で，受益権取得請求権を行使する前に当該他の受益者に先買権を与える旨の契約は有効であろうが，価格決定の仕組みに合理性が必要である。

> ＊＊　なお，金融機関の信託業務の兼営等に関する法律5条4項，貸付信託法6条4項，投資信託及び投資法人に関する法律18条も，信託約款の変更にあたって，それを承諾しなかった受益者に，受益権買取請求権を認めている。

(イ) 受益者が1人だけの場合にも，信託行為の定めによって，受益者が関与しないかたちで，(2)(ア)で述べる①から③の信託の変更がされることが

---

[108] 寺本・286頁注(1)，村松ほか・240頁注(7)。田中・356頁は，「資産流動化等で信用補完をするためにオリジネーターが劣後受益権を保有しているような場合について」は，信用補完の構造を崩壊させないために，受益権取得請求権の排除が必要になる，とする。

ありうる。このとき，受益者には，一般的には，信託を終了するという手段はない（信託163条，164条参照）。そうすると，受益権取得請求権が認められてよさそうでもある。ただし，受益者が受益権取得請求権を行使し，その受益権が信託財産に属するに至ったときは，その受益権は消滅するのが原則であるから（同104条13項本文），受益者が単独であるときは，その結果，信託は終了することになる（後発的に目的信託とはできない。同258条3項）。信託行為において，または，①から③の意思決定がされるにあたり，別段の定めをすることはできそうだが（同104条13項ただし書），受益権が信託財産に帰属するという事態は例外的であり，他に受益者が存在しないときには受益権不消滅の定めは認められるべきではない（→386頁＊）。したがって，受益者が1人の場合には，受益権取得請求権が認められないというべきである。

　もっとも，受益者が第三者に対する取得請求権を有する旨を信託行為によって別途定めることは可能であり，そのときは，上記の問題は生じない。しかし，それは信託法上の受益者取得請求権ではない＊。

　　＊　受益権取得請求の対価支払義務を，信託行為の定めによって，または，①から③の意思決定において，特定の第三者に負わせることは可能である。しかし，それは第三者の併存的債務引受によって可能になるものであり，受益者はあくまで受託者に対して請求権を有している。当該第三者が引受債務を履行したとき，受益権が受託者から当該第三者に移転するという定めは可能であるが，あくまで受託者と当該第三者との関係であり，請求権を行使した受益者とは無関係である。

(2)　要　　件

(ア)　受益権取得請求権が認められるのは，①信託の目的の変更・受益権の譲渡の制限に係る信託の変更がされた場合，②受託者の義務の全部または一部の減免・受益債権の内容の変更・信託行為において定めた事項に係る信託の変更がされた場合，③次に，信託の併合または分割がされた場合，である（信託103条1項）。なお，①，②を合わせ，「重要な信託の変更」という（同項本文かっこ書）。

　①のうち，信託の目的の変更は，当該信託の趣旨そのものに関わる変更

であり、したがって、受益者は、自らが損害を受けるおそれがなくても、受益権取得請求権が認められる（同項本文ただし書、同項1号・2号）＊。また、受益権の譲渡の制限に係る信託の変更は、定型的に受益者に（少なくとも抽象的な）損害が生じるから、あえて損害を受けるおそれを立証しなくてもよいこととされている[109]。

②も、受益者の権利内容に変更を及ぼすが、このときは、一般には経済的な問題であるので、当該受益者が損害を受けるおそれがある場合にだけ、受益権取得請求権が認められる（同条1項本文、同項3号・4号）＊＊。「受託者の義務の全部又は一部の減免」（同項3号）とは、信託の変更によって行われるものであり、すでに発生した受託者の損失てん補等の責任の免除のことではない。信託事務執行として行うべき内容の変更のことである。

ただし、②については、変更される範囲およびその意思決定の方法について信託行為に定めがある場合は除かれている（同項3号かっこ書・4号かっこ書）。受益者は、そのような変更のあり得る受益権を有しているにすぎないと考えられるからである。しかし、変更の度合い・手続について受益者が理解している必要があるため、変更される範囲・意思決定の方法（受益者集会における多数決による旨の定めを含む[110]）が定められていることを要するのである。

③も、いわば信託の運用の仕方であり、もっぱら経済的な問題であるので、当該受益者が損害を受けるおそれがある場合にだけ、受益権取得請求権が認められる（同条2項本文）。ただし、信託の併合または分割にともなって、信託の目的の変更・受益権の譲渡の制限が行われたときは、①に該当することになるから、損害を受けるおそれは必要とされない（同条2項ただし書）。

　　＊　もっとも、受益者には受益権の放棄が認められるのだから（→350頁）、それで十分ではないか、と思われるかもしれない。しかし、受益権は有償で取得することもあるし、そうでなくても、受益者はすでに受益権という一定の価値のある財産を有しているのだから、意に反した権利変更によって、無償でそ

---

109) 寺本・284頁、村松・241頁。
110) セミナー(3)・180～183頁参照。

れを放棄せざるを得ない事態になるのは妥当ではない。

　＊＊　信託行為において定めた事項　　信託目的も「信託行為において定めた事項」であるが，信託目的の変更は①に該当する。また，一見，受託者の投資方法だけを変更しているように見えても，たとえば，「信託財産は日本国債への投資によって運用する」という条項が，「信託財産は外国国債への投資によって運用する」と変更されたとき，信託の目的自体が変容したと見るべき場合もある（なお，信託目的の機能につき，→47頁）。

　(イ)　意に反した変更を受けた受益者の保護が目的の制度であるから，①から③の変更につき，その意思決定に関与し，その際に賛成の意思を表示した者には，権利が認められない（信託103条3項）。①から③の変更について，受益者が意思表示をする機会を与えられない場合もあること，みなし賛成制度（→373頁）によるときは熟慮をしないまま期限を徒過することもあることから，関与に基づく賛成の意思表示があったときだけ，権利が否定されるわけである。

　(3)　権利行使の手続

　(ア)　まず，受託者は，受益者に権利行使を保障するため，①から③の事由が生じたときは，20日以内に，受益者に対し，①から③の変更がある旨，その効力を生じる日，変更の中止に関する条件を定めたときは，その条件，を通知しなければならない（同条4項）。受託者が受益者の連絡先を知り得ないときや多数で費用がかさむときなどのために[111]，官報による公告も認められている（同条5項）。ただし，そのような事情のないとき，官報による公告の方法を用いることは認められないというべきである。

　(イ)　受益権取得請求権を行使しようとする受益者は，上記の通知・公告の日から20日以内に，取得を請求する対象の受益権の内容を明らかにして，受託者に取得を請求する（同条6項）。上記の通知・公告がされないときはこの期間が経過しない。逆に，この期間が経過すると，受益者は受益権取得請求権を失う。

　この請求は，受託者の同意がなければ撤回できない（同条7項）。とりあ

111）　村松ほか・242頁注(10)は，無記名式の受益証券が発行されており，受益者の連絡先がわからないときを例としてあげるが，その際は，受益権原簿の名称・住所に宛てて通知すれば足りると思われる（信託195条1項参照）。

えず取得請求権を行使したうえで，受益権価格の動向によっては，市場での売却を選択するといった投機的な行為を防ぐためである（会社法の制定によって導入された規律（会社117条3項など）に合わせるもの）。

　また，①から③の信託の変更等が中止されたときは，受益権取得請求は効力を失う（信託103条8項）。①から③についての意思決定については条件を付することができ（同条4項3号参照），たとえば，一定数以上の受益権取得請求権の行使があれば信託に与える影響が大きいので中止する，といった条件も付加可能である。

　(ウ)　権利行使がされると，受益権の価格が決定されることになる。

　まず，受託者と取得請求をした受益者との協議による（信託104条1項）。この協議が30日以内に調わないときは，受託者または受益者は，その期間の満了後30日以内に，裁判所に対し，価格の決定の申立てをすることができる（同条2項。さらに，3項～6項）。受益者は自らでも申立てができるが，受託者が期間内に申立てをしないときには，受益権取得請求を撤回することができる（同条7項）。

　裁判所の価格決定[112]の基準時は取得請求権行使時である。後に述べるように，裁判所による価格決定前に，受託者には「公正な価格と認める額」を仮払いすることが認められ，その額が後に裁判所で決定された額に満たなかった場合，その差額については，受託者に利息の支払義務が生じる以上，裁判所による価格決定の基準時を決定時とすることは不当である（受託者の仮払時には，受託者の支払った額が公正な価格と等しかったのに，その後の変動があったとき，受託者に追加の支出をさせるのはおかしい）。また，受託者による支払が常にされるわけではないので，支払時とすることもできない（そうすると，受託者が市場動向を見ながら価格を選択できることになり，妥当でない）。したがって，取得請求権行使時とするほかはないのである。

　「公正な価格」の意味について，会社法上の株式買取請求権に関する判例[113]は，「吸収合併等によりシナジーその他の企業価値の増加が生じない

　112）　決定にあたっては，専門員（非訟33条）の活用が予定されている（金子修編『一問一答・非訟事件手続法』29，71頁（商事法務，2012））。

　113）　最決平成23・4・19民集65巻3号1311頁。最決平成23・4・26判時2120

場合には，増加した企業価値の適切な分配を考慮する余地はないから，吸収合併契約等を承認する旨の株主総会の決議がされることがなければその株式が有したであろう価格（……）を算定し，これをもって『公正な価格』を定めるべきである」が，「シナジーその他の企業価値の増加が生ずる場合」には，「これを適切に分配し得るものとすることにより」，退出を選択した株主の「利益を一定の範囲で保障する」としている。受益権取得請求権についても，これと同様に，原則として，①から③の意思決定がされなければ，当該受益権が有したはずの価格になるが，信託の併合の場合には，併合から生ずる相乗効果（シナジー）がプラスであるとき，シナジーを含めた価格決定が要請されよう[114]。

　(エ)　受託者と受益者による協議が調ったときは，受託者は，受益権取得請求の日から 60 日以内（その日まで，①から③の変更の効力が生じていないときは，効力発生日まで[115]）に，その額を受益者に支払わなければならない（信託 104 条 1 項）。

　上記の期日まで受託者の価格支払債務の弁済は猶予されているが，その期日を途過すると，受託者は遅延損害金の支払義務を負う。このことは，その後に，裁判所による価格決定がされる場合も同じである。期日以降，裁判所による価格決定が行われるまでの間は，将来，裁判所によって決定される額の支払義務が，すでに弁済期が到来したかたちで発生していることになる。したがって，裁判所の価格決定に従って価格を支払うときには，受託者は上記の期日以降の利息（債務不履行ではないので，遅延損害金ではない）を支払わなければならない（同条 8 項）（利息は法定利率による）。そうしないと，受託者があえて協議を不調としたとき，当該受益者に不当な損害が生じるからである。しかし，そうすると，逆に，裁判所の価格決定までの間に高額な利息支払義務が生じることもありえ，受益者が受託者との協

　　　号 126 頁，最決平成 24・2・29 民集 66 巻 3 号 1784 頁も同旨。
114)　田中・357 頁。会社法上の議論について，江頭憲治郎『株式会社法〔第 8 版〕』910～912 頁（有斐閣，2021），田中亘『会社法〔第 3 版〕』673～679 頁（東京大学出版会，2021）参照。
115)　それまでは内容に変更がないから，当該受益者にも損害は生じないという理解による（村松ほか・243 頁注(11)）。

議をあえて不調にして，その利息を取得しようとするおそれが生じる。そこで，受託者は，その前に，当該受託者が公正な価格と認める額を仮払いすることができることとされている＊（同条9項）。

 ＊ 会社法上の株式買取請求権についても同じ問題があり，その弊害を防ぐために，2014（平成26）年会社法改正において，仮払いの制度が導入された[116]。その際，同時に，信託法104条9項が改正により付加され，会社法改正と平仄を合わせることとした（その結果，従前の第9項から第12項までが，第10項から第13項となったことに注意）。

(オ) 受託者からの価格支払時に受益権は受託者に移転し（信託104条10項），信託財産に属する財産となる（同16条1号）。したがって，受益権取得請求権の行使の意思表示の後であっても，移転までに発生した受益債権等は請求権を行使した受益者に帰属する。受益証券が発行されている場合には，その引渡しと価格の支払とは，同時履行関係になる（同104条11項）。

そして，価格支払の時点で，原則として，当該受益権は消滅する＊（同104条13項本文）。このように受益権取得請求権の行使は，脱退組合員に対する持分の払戻しに類似するものであり，したがって，受託者は，信託財産に属する財産のみをもって対価の支払義務を負うのが原則であるが，信託行為または当該重要な信託の変更等の意思決定において別段の定めができる（同条12項）。

 ＊ 信託行為または①から③についての意思決定における「別段の定め」が認められており（信託104条13項ただし書），また，受益権がその信託の信託財産に属する事態があることを前提とする規律もある（同112条2項）。しかし，別段の定めによって受益権が消滅しないとすることが認められるのは，他に受益者が存在し，かつ，受託者が購入した受益権の転売先があらかじめ決められ，速やかな転売がされることになっているように，自己受益権を取得している状況がきわめて短期間になることが保障されている場合に限られるというべきであろう[117]。

---

116) たとえば，小出篤「組織再編等における株式買取請求」商事2065号10～11頁（2015）参照。
117) 佐藤勤『信託法概論』174～175頁（経済法令研究会，2009）は，より広く認めるようである。

第6節　信託管理人等

1　総　　説

(1)　すでに見てきたように，受益者は信託からの利益を享受する地位にあり，その利益を守るために様々な権利を有する。

しかし，たとえば，未出生の子が受益者になっていたり，将来，ノーベル賞を受賞した日本人女性が現れたとき，その者に給付をするという信託が設定されたりしたときには，受益者自身が権利を行使して利益を守ることはできず，どのようにすべきかが問題になる。また，受益者が現存するけれども，高齢者や未成年者であって，受託者を監督するのに十分な能力を有していないこともある。さらに，信託受益権を投資商品として仕組むような場合，受託者の行動にいつも目を光らせているのは投資家にとっても負担であり，代わりに監督してくれる人がいると便利である。

(2)　そこで，信託法では，**信託管理人**，**信託監督人**，**受益者代理人**という3つの制度を置いている。

信託管理人制度は，受益者が現に存しない信託において受益者となる者を保護するためのもの，信託監督人制度は，受益者が受託者を適切に監督できないときに受益者を保護するためのもの，受益者代理人制度は，受益者が多数であったり，受託者を監督する能力がなかったりするときに，受益者を保護し，また，信託の運営をスムーズに行うための制度，である。

2　信託管理人

(1)　選任と就任

(ア)　信託管理人は，受益者が現に存しない場合に，信託行為によって指定される者である（信託123条1項）。受益者の利益を保護する役割を負うが（→390頁），受益者の定めのない信託（目的信託）においても選任されることができる（→338頁＊)[118]。

---

[118]　その利用が考えられる場合につき，商事信託法研究会「受益者の定めのない信託における委託者の権限と信託管理人の選任」信託286号45頁以下（2021）。

信託行為に信託管理人となるべき者を指定する定めがあっても，その者が信託管理人になるためには，その者の承諾が必要になる。そこで，利害関係人は，その者に，相当の期間を定めて，引受けの諾否を確答すべき旨を催告することができ（同条2項本文），その者が期間内に委託者（委託者が現に存しないときは，受託者）に確答しないときは，就任を承諾しなかったものとみなされる（同条3項）。

　また，信託管理人となるべき者を指定する信託行為の定めには，停止条件または始期を付することができる。受託者となるべき者の定めについては，このような停止条件または始期を付与することは認められていないが，それは受託者が必須の機関だからである。これに対して，信託管理人については，信託財産の状況や受益者が現存に至る時期を考慮して，信託管理人の必要性を決め，「委託者が死亡した時点で」とか，「信託設定後5年を経過した時点で」とかといった停止条件・始期の付与が認められる。このとき，上記の催告ができるのは，停止条件の成就・始期の到来後のみであるのは当然である（同条2項ただし書）。また，信託行為において，信託管理人の定め方についての定めを置くことも認められよう[119]。

　指定がないとき（信託管理人を置くという定めはあるが指定がないときと，そのような定めがない場合の双方を含む）や，指定された者が就任しないときには，裁判所は，利害関係人の申立てにより，選任することができる（同条4項。さらに，5項〜8項）。

　信託管理人は，未成年者であってはならず，また，受託者は信託管理人になれない（同124条）。前者は，受託者の資格と同様の規律であり，その趣旨等は前述したところに譲る（→57頁）。後者は，受託者を監督するのに不適切だからである。

　(イ)　「受益者が現に存しない場合」というのは，受益者がその後に指定されることになっている場合だけでなく，まだ生まれていない者を受益者にするといった場合を含む。また，「受益者が現に存しない場合」とは，現存する受益者が1人も存在しないことを意味し，1人でも受益者が現存

---

[119]　条解・567〜568頁〔佐久間毅〕。

第6節　信託管理人等　389

すると信託管理人は選任されない[120]*。

　就任の催告・選任の申立てができる「利害関係人」とは，現に存しない受益者の利益について利害関係を有する者および信託管理人の就任承諾が自己の職務に影響する者であり，信託法 123 条 7 項で即時抗告権が認められている委託者（当該受益者に利益を享受させることを望んだ），受託者，すでに存する信託管理人のほか，委託者の相続人，出生後に受益者となる胎児を懐胎している母などが，これに当たる[121]。

　　＊　この点は，少なくとも立法論としては批判が大きい[122]。幾人かの受益者は現存するが，一部はまだ不特定（未指定）または未存在（以下，「未存在」とのみ述べる）であるというときに，後者の利益を守るための機関が存在し得ないことになるからである。たとえば，企業年金信託を考えると，現在の受益者である退職者たちは，現在の信託財産を取り崩してでも多くの給付を得たいが，将来に受益者となる者，つまり現在（および将来）の従業員たちは，なるべく信託財産を残しておくことを望む。このように利益が対立するとき，将来の受益者の利益をとくに守るための機関も必要だと考えられる。

　　　いくつかの方策が考えられる。
　　　第 1 に，解釈論として，一部の受益者が未存在であるとき，その者のために信託管理人を選任できるとすることは可能か[123]。まず，その信託管理人が現に存在している受益者のためにも行為できると解すると，信託管理人の権限が受益者の権利に関する一切の行為に及び，現に存在する受益者の自主性があまりに害され，妥当ではない。そこで，未存在の受益者のみのために行為する信託管理人を観念すべきところ，信託法上，そのような信託管理人の行為について必要な規律が欠けている。たとえば，受益者集会における多数決の定めがあるとき，当該信託管理人はどのような数の議決権を有するのかは決められていない。そのような信託管理人は，受益者としての意思決定には関与できず，ただ単独受益者権のみを有すると解するのも 1 つの方法であるが，そのことは明らかではない。さらには，未存在の受益者のみの利益を図る信託管理人についての費用や報酬を信託財産が負担するというのも（信託 127 条），正当化が困

---

120)　寺本・313 頁注(1)。
121)　条解・568〜569 頁〔佐久間毅〕。
122)　この問題を通じて，信託管理人の制度意義を批判的に分析するものとして，佐久間・前出注 83) 21 頁，条解・565〜566 頁〔佐久間毅〕。
123)　肯定説として，セミナー(3)・223〜224 頁〔能見善久〕，小野傑「信託法における受益者代理人制度の意義と課題」信託フォーラム 16 号 60 頁（2021）。また，星野・前出注 2) 215 頁も同旨のようだが，同・98〜100 頁は立法論として述べている。

難である[124]）。

　第2に，後に述べる受益者代理人（→397頁）を未存在の受益者のために選任できないか。これは，代理行為の効果帰属主体が不存在である代理を認めることはできないというべきであり，否定すべきである[125]）。

　第3に，後に述べる信託監督人に，未存在の受益者の利益の保護も期待することはどうか。信託監督人が，その権限を行使するにあたっては，未存在の受益者の利益も配慮しなければならないとするのは正当である。しかし，信託監督人の権限は，単独受益者権に属する権利の一部を行使することに限られ（同132条1項），信託行為の定めによっても，それ以外には拡大できないと考えるべきである（→396頁）。また，信託監督人が選任されていても，受益者は自らの権利を行使することができるから，現に存在する受益者が，未存在の受益者の利益に配慮しないまま，信託の変更等について合意することはあり得るが，その際，信託監督人を含めたかたちでの意思決定の仕組みは準備されていない。

　また，現に存しない受益者のための職務に特化した信託監督人を選任することは，信託監督人を受益者集会の招集者としていること（同106条2項，250条3項），および，信託監督人についての費用や報酬を信託財産が負担すること（同137条→127条）とそぐわず，信託法の予定するところではない[126]）。

　結局，解釈論としては受託者の公平義務（同33条）の適切な履行に期待するほかはない。また，年金信託の場合などは，委託者としては，信託の設定において，現在の従業員たちの利益も守れるような仕組みを講じておくことが妥当である。たとえば，退職者である受益者に対する給付額が不当に高くならないように，労働組合などをもメンバーに加えた「給付額決定機関」を設け，受託者がその決定に従わなくてはならないとしておくといったことが考えられる。

(2) 権限と義務

(ア) 信託管理人は，受益者のために自己の名をもって受益者の権利に関する一切の裁判上または裁判外の行為をする権限を有し（信託125条1項），受託者から受益者への通知がされる場面では，受益者に代わって通知を受ける（同条3項）。2人以上の信託管理人がいるときは，2人以上を選任したことの趣旨が慎重な行動を求めることであるという推定から，合手的行動義務を負う。しかし，信託行為で別段の定めをすることは許容される

---

124) 佐久間・前出注83) 21頁。
125) 佐久間・前出注83) 19頁。反対説もあるが（岡田健二「受益者代理制度について」信研32号15頁（2007)，田中・392頁，小野・前出注123) 64頁)，妥当でない。
126) 佐久間・前出注83) 22頁。

(同条2項)。そして，その権限行使にあたっては，善良な管理者の注意をもって行う義務を負い，また，受益者のために誠実・公平にする義務を負う（同126条）。

　(イ)　信託管理人は，自己の名をもって権限を行使するのであるから，受益者の代理人ではない。受益者の利益を保護する者として，受益者と同等の権限を与えられているわけである。

　ただし，信託行為の定めにより受益者が現存しない間も抽象的には受益債権が発生する仕組みとなっていても，信託管理人は受益債権の履行を請求する権利・受領をする権利を有しない（→400頁＊＊）。信託管理人が受領することにより，とりわけ受益債権の内容が金銭の交付であるときには，倒産隔離性を失い，信託財産中に残っている場合に比べ，受益者の利益は害されることになるからである。また，受益権取得請求権の行使も，未存在の受益者の受益権について行われると，それは当該受益権を取得するはずであった者を受益者としないという判断であり，信託管理人に認められる権利ではない。

　以上の権利については，信託行為の別段の定めによっても，付加することはできず，別段の定めによってできるのは，一部の権限を除外することだけである（信託125条1項ただし書）[127]。受益者以上の権利を有することは論理的にありえない。

　なお，裁判所によって選任された信託管理人は，信託行為の定めにより信託管理人に指定された者が就任を承諾しなかったときに選任された者であっても，権限範囲に関する信託行為の定めは適用されない[128]。特定の者を前提に範囲を限定しているなどの場合が考えられ，もはや前提が異なりうるからである。

　(ウ)　善管注意執行義務については，受託者の場合と異なり（→183頁），信託行為による別段の定めは許容されていない（信託29条2項と126条1項を比較せよ）。軽減が可能であるという見解[129]もあるが，注意水準が軽減さ

---

[127]　以上，佐久間・前出注83) 23〜24頁。
[128]　佐久間・前出注83) 26頁。
[129]　新井監修・356頁〔大和弘幸〕。

れた義務しか負わない信託管理人が存在し，権限を行使することは，受益者にかえって迷惑であり，文言通り軽減は認められないと解すべきである。

誠実義務は，信託管理人は受益者の利益を犠牲にして自己または第三者の利益を図ってはならない，というものであり，受託者の負う忠実義務（同 30 条）（→219 頁）と基本的に異なるものではない。ただし，受託者と異なり，自己取引や競合行為がされることは考えにくく，それ故に，異なる言葉が用いられていると考えるべきであろう。

公平義務は，当該信託の受益者間の公平義務だが，たとえば，同一会社の複数の種類の従業員のために複数の年金信託が設定され，同一の信託管理人が存在するとき，複数の信託の受益者間での公平が問題になることがある。複数の信託のうち 1 つの信託の受益者を他の信託の受益者と比べて不利益に扱うことは，前者の信託の受益者に対する誠実義務違反となるから，結局，複数の信託の受益者間における公平も求められることになる（→250 頁）[130]。

(3) 費用等と報酬

(ア) 信託管理人は，事務処理に必要な費用を受託者に請求でき，自らで支出したときは，支出日以後の利息を受託者に請求できる（信託 127 条 1 項）。未存在の受益者に請求することはおよそ不可能であり，未存在の受益者の利益を守ることも，信託事務執行の 1 つと考えられるからである。

一見すると，受託者と異なり（同 48 条 2 項。→280 頁），前払請求権が認められていないようであるが，そうではない[131]。受託者については，費用償還請求権が「支出した場合」にだけ認められているので，別途，前払請求権を規定する必要があるが，信託管理人の請求権は，「その事務を処理するのに必要と認められる費用」について認められるものであるから，必要な前払請求は当然に認められる。信託財産に属する財産について直接的な支出権限のある受託者と比較するとき，前払請求権が真に必要になるのは，信託管理人である。

---

130) 神田秀樹「忠実義務の周辺」竹内昭夫追悼『商事法の展望』307～308 頁（商事法務研究会，1998）。
131) 反対，新井監修・358 頁〔大和弘幸〕。

(イ) 信託管理人は，その事務を処理するために被った損害について損害の賠償を受ける権利を有する（信託127条2項）。受託者の有する同等の権利と同様に解される（→289頁）。受託者に請求できるのであり，その正当化は，未存在の受益者の利益を守ることも，信託事務執行の1つであることに求められる。

(ウ) 商法512条の適用があるときは，信託管理人は受託者に相当な報酬を請求できるが，そうでないときは，信託行為に報酬の定めがあるときにだけ認められる（信託127条3項）。報酬の額またはその算定方法について定めがないときは，相当の額となる（同条5項）。また，裁判所が信託管理人を選任したときは，裁判所は信託管理人の報酬を定めることができる（同条6項。さらに，8項・9項）。

(エ) 信託管理人が有する上記の請求権に係る債務については，受託者は，信託財産に属する財産のみをもってこれを履行する責任を負う（信託127条4項）。信託管理人が裁判所によって選任され，その者に報酬請求権が認められるときも同様である（同条7項参照）。信託財産責任負担債務について受託者が固有財産でも債務を負担するのは，受託者が第三者との間の契約の当事者・信託財産の所有者だからであるところ，信託管理人との間には契約もなく，受託者がその固有財産で費用・報酬等を負担する理由はない。

(4) 任務の終了と新信託管理人の選任

(ア) 信託管理人の任務の終了は，当該特定の信託管理人についての任務の終了と，信託管理人の設置自体の終了とに分かれる。

(イ) 前者は，受託者と同様の終了事由の発生で終了し，辞任・解任についても受託者の規律と同様になる（信託128条，56条〜58条。→290頁）。

このとき，次の信託管理人についての定めが信託行為に存在すれば，それに従って新信託管理人が定まる（同129条1項→62条1項・2項）。そのとき，利害関係人に催告の権利があること，その者が就任を承諾しなかったときの規律については，当初の信託管理人の場合と同様である（同129条1項，62条2項・3項。→388頁）。新受託者の選任の場合と異なるのは，受益者が現に存しないので，受益者と委託者の合意による新信託管理人の選

任が認められないことである（同62条1項参照。→303頁）。したがって，信託行為に次の信託管理人について定めのない限り，裁判所が利害関係人の申立てによって，新信託管理人を決定することになる（同129条1項→62条4項以下）。

　新信託管理人が就任したときは，前信託管理人は，遅滞なく，事務の引継ぎをしなければならない（同129条2項）（訴訟の受継について，民訴124条1項4号ロ）。そして，その事務の引継ぎをした後でも，受益者が存するに至った後において受益者となった者を知ったときは，遅滞なく，当該受益者に，自分が信託管理人であった期間における事務の経過・結果を報告しなければならない（信託129条3項）。受益者は，かつての信託管理人が就任していた時期には不存在であったのだから，受益者の権利行使（かつての信託管理人に対する責任追及）のためには，受益者が存在した後に報告を受けることが妥当だからである。

　(ウ)　信託管理人は，受益者が現に存しないときに権限を行使する者であるから，受益者が現に存するに至ったときは，事務処理が終了する（同130条1項1号）。

　また，「委託者が信託管理人に対し事務の処理を終了する旨の意思表示をしたこと」（ただし，信託行為で委託者に終了権限がないと定められている場合は別），および，「信託行為において定めた事由」の発生によっても終了するとされているが（同項本文ただし書，2号・3号），これは，信託行為によって信託管理人となるべき者が指定された場合に限られる。利害関係人の申立てによって裁判所が信託管理人を選任したのに，委託者がその事務処理を終了させることができるとは解し得ないからである。

　さらに，新信託管理人の選任が裁判所に申し立てられたとき，裁判所が，その選任を不要と判断したときも終了することになる。

　事務が終了したときは，信託管理人であった者は，遅滞なく，受益者に，事務の経過・結果を報告しなければならない。ただし，事務の終了は受益者が現に存するに至った場合にだけ生じるわけではなく，現に存しない時点で終了した場合には，受益者が存するに至った後，もとの信託管理人がその受益者を知ったときに，遅滞なく当該受益者に対して報告をすべきこ

とになる（同条2項）。

3　信託監督人

(1)　選任と就任，費用・報酬

信託監督人は，「受益者が現に存する場合」に，信託行為によって指定される（信託行為において，信託監督人の定め方について定めを置くことも有効であると解される[132]）。停止条件・始期の付与，利害関係人の催告権，資格要件，利害関係人の就任催告権，指定がないときや，指定された者が就任しないときにおける利害関係人の申立てによる裁判所の選任権，費用償還請求・報酬の規定など，信託管理人と広く同様の規律になっている（信託131条，137条）。

ただし，裁判所による選任は，「受益者が受託者の監督を適切に行うことができない特別の事情がある場合」に限られる＊（同131条4項）。

受益者のうちの一部のみが監督能力を欠く者であるとき，この要件の充足性を否定する見解[133]もあるが，肯定すべきである[134]。監督能力がある受益者は，自らの利益のためにのみその権能を行使すればよいから，監督能力のない受益者の保護は期待できないし，また，選任された信託監督人は，すべての受益者の利益のために行動する義務を負うので，受益者集会の招集権を認めたり，費用・報酬を信託財産から支弁したりしても，矛盾とはいえないからである。

　＊　ここで「特別の事情」とされているところから，裁判所による信託監督人の選任が認められるのは，信託行為で選任できるのにそれをしなかった委託者の意思に反しない場合でなければならず，信託行為の当時には委託者に予見できなかった「特別の事情」が生じたために，受益者が受託者の監督を適切に行うことが困難になったときに限ると解する見解も強い[135]。しかし，信託監督人を選任せず，受益者の監督に委ねるという委託者の意思が明確でないときは，裁判所による選任を認めてよいように思われる[136]。

---

132)　条解・593頁〔佐久間毅〕。
133)　寺本・317頁注(1)。
134)　佐久間・前出注83) 30～31頁注(14)，条解・592頁〔佐久間毅〕。
135)　寺本・317頁注 (1)，神田＝折原・164頁。
136)　条解・594～595頁〔佐久間毅〕。

(2) 権限と義務

(ア) 信託監督人は，受益者のために自己の名をもって，信託法92条各号の権利，すなわち，単独受益者権を行使することができる（信託132条1項）。ただし，受益権の放棄（同92条17号），受益権取得請求権（同条18号），受益証券発行信託において自らが受益者であることの受益権原簿への記載請求権・同原簿の記載事項を記録した書面の請求権（同条21号・23号）は除外される。個々の受益者が自己の権利を確保するための権利だからである。権限範囲について，信託行為における別段の定めは許容されているが（同132条1項ただし書），各受益者の自益的な権利についてまで信託監督人の権限とすることはできず，結局，より制約する定めのみが許されるというべきである[137]。裁判所による選任の場合は，権限範囲に関する信託行為の定めは適用されない（信託管理人と同様。→391頁）。

また，受益者集会について，信託監督人はその招集権限を有する（同106条2項，250条3項）。

(イ) 以上のことからわかるように，信託監督人は，一部の受益者のために選任されるものではなく，すべての受益者のために受託者に対する監督的権能等を行使する。そして，その権限行使にあたっては，善管注意執行義務を負い，また，受益者のために誠実公平義務を負う（信託133条。→392頁）。複数の信託監督人が存在するときは，信託管理人と同じく，合手的行動義務がある（同132条2項。→390頁）。

(ウ) なお，信託監督人は，受益者の権限行使を補完するのであり，信託監督人が選任されていても，受益者は自らの権利を行使することができる*。

＊ **受益者への通知** 信託管理人が選任されているときには，現存する受益者は存在しないわけだから，受益者に対してすべき通知が信託管理人に対してされることはすでに述べた（信託125条3項。→390頁）。これに対して，信託監督人についてはそのような規定はなく，単独受益者権の一部を行使する権限のみが認められているから，受益者に対する通知は，受益者のみに対してされることになる。しかし，監督権限の行使のためには，たとえば，利益相反行

---

[137] 佐久間・前出注83) 24～26頁，条解・597～598頁〔佐久間毅〕。

為がされた旨の通知（同31条3項）は信託監督人に対してもされるべきではないかと考えられ，受託者の善管注意執行義務の内容として信託監督人への通知の義務が課される場合もあると説かれている138)。信託監督人の制度が受益者に十分な監督能力がない場合を想定するものであることから，この見解に賛成すべきである。

(3) 費用等と報酬

信託管理人の場合と同じである（信託137条→127条）。

(4) 任務の終了と新信託監督人の選任

当該特定の信託監督人についての任務の終了，辞任・解任については，信託管理人と同様であり，解釈論もそのまま妥当する（信託134条，135条。→393頁）。

信託監督人による事務そのものの終了についても，信託管理人とほぼ同様である。しかし，受益者が現に存する場合なので，受益者が存することが終了事由にならないのは当然であるし，委託者の一方的意思表示による終了は認められず，委託者と受益者の合意となる（同136条1項1号。委託者が現に存しないときには，この規定の適用はない（同条3項））。受益者が現に存しなくなった場合は，要件が欠け，任務が終了すると解さざるを得ない139)。

4 受益者代理人

(1) 選任と就任

(ア) 信託管理人・信託監督人の制度が，（受益者が現に存しない場合も含め）すべての受益者のための制度であるのに対し，受益者代理人は，自らが代理する受益者のために行為をする者である。代理であるから，本人が現存しなければならない（→389頁*）。

もちろん，個々の受益者は，自らで代理人を選任し，委任契約を締結して，代理権を授与することができる。しかしながら，ここでいう受益者代理人とは，信託行為の定めに基づくものであり，委託者の意思に基づくも

---

138) 佐久間・前出注83) 29頁。
139) 岡田・前出注125) 16頁。

のである。

　その目的は，大きく，受益者保護の場合と信託の運営をスムーズに行うための場合＊とに分かれる。前者としては，たとえば，幼い子を受益者として信託を設定しようとする場合が考えられる。後者としては，受益者が変動したり，多数であったりするために，受益者による権利行使や受託者の信託事務処理がスムーズに行われないおそれがあると思われる場合が考えられる。実際，多くの受益者が存在する信託では，受益者が個別に権利を行使すると受託者も応対が困難であり，このことは，受託者に信託事務を円滑に進めさせるという，受益者にとっても重要な利益にも反してしまう。また，たとえば，投資のためだけに受益権を有している受益者は，自分が目を光らせていなくても，システム上，受託者がきちんと監督されていることを望む。そこで，受益者代理人に受益者の権利の行使を集中させる必要が出てくるわけである。多数の受益者が存在する場合でも，たとえば，受益権の種類が異なる場合などには，種類ごとに複数の受益者代理人を指定することもできる。

　　＊　この点に関連して，信託業法では，重要な信託の変更（→418頁＊），信託の併合・分割をすることを，もっぱら目的として，受益者代理人を指定することを禁止している（信託業29条1項4号，信託業法施行規則41条2項5号）。

　(イ)　受益者代理人は，すでに述べたように，信託行為によって指定される（信託138条1項）（信託行為において，受益者代理人の定め方について定めを置くことも有効であると解される[140]）。停止条件・始期の付与，利害関係人の催告権，資格要件などは，信託管理人・信託監督人と同様の規律となっているが（同138条2項・3項，144条，124条。→388頁），信託行為において受益者代理人として指定された者が就任を承諾しなかったり，そもそも信託行為に定めがなかったりした場合について，裁判所が選任することは認められていない。後に述べるように，受益者代理人がいる場合には，その代理権の範囲内の権利については，単独受益者権を除き，各受益者は権利

---

140)　条解・609頁〔佐久間毅〕。

行使をすることができなくなる。そのような強い権限を有する者を，委託者の意思に基づかず裁判所が選任することは妥当でない，という判断による[141]。しかし，受益者代理人の任務終了時には，委託者または受益者代理人に代理される受益者の申立てにより，裁判所が新受益者代理人を選任する権限が認められており（同142条1項，62条4項），不整合な感は拭えない*。

> ＊　この矛盾は，信託行為において受益者代理人として指定された者の就任拒絶の場合と信託行為に定めがない場合とを同じに扱い，前者においても裁判所による選任を認めていないことから生じている。受益者代理人の任務終了時における裁判所による新受託者の選任については，委託者が信託行為において受益者代理人を置く意思を有していることを示しており，その意思を尊重するため，という正当化が可能であるが，そうであるならば，就任拒絶の場合にも選任が認められるはずである。信託法142条が，同法62条を準用するにあたり，「受益者代理人の任務が終了した場合における新たな受益者代理人（……）の選任」としているので，解釈論としてはいささか困難ではあるが，就任拒絶を辞任に準じるものとして扱い，裁判所による選任を認めることが妥当であろう[142]。

(2) 権限と義務

(ア)　受益者代理人は，自らが代理する受益者のために，当該受益者の権利に関する一切の裁判上または裁判外の行為をする権限を有する（信託139条1項本文）*。これは代理権限の行使であるから，顕名が原則となるが，多数の，かつ，変動しうる受益者のすべてを示すことは手間であるので，代理する受益者の範囲を示せば足りる，とされている（同条2項）。同一の受益者について2人以上の受益者代理人がいるときは，合手的行動義務を負う（同条3項本文）。しかし，権限範囲および合手的行動義務について，信託行為で別段の定めをすることは許容される（同条1項ただし書・3項ただし書）。

これに対して，受託者および法人受託者の役員の負う損失てん補等の責任の免除については，受益者本人の意思を尊重するため，代理権の範囲外

---

141)　寺本・323頁注(1)。
142)　岡田・前出注125) 26頁（ただし，立法論として）。

とされている。受益者の損失てん補等の請求権は，受益者代理人があるときも自らで行使できる権利とされており（同139条4項，92条9号・10号），その権利を失わせることになる免除を受益者代理人がすることは認めるべきではないからである[143]**。

受益者代理人は，その権限行使にあたって，善管注意執行義務を負い，また，代理する受益者のために誠実公平義務を負う（同140条）。義務違反により受益者に損害を生じさせたときには，受益者に対し賠償責任を負うが，その性質は不法行為責任となろう。

＊　**受益者への通知**　受益者代理人は，受益者の有する権利につき，一部を除き，行使権限を有するから，信託法上，受託者から受益者に対してされる通知についても受領権限がある。通知の受領が「受益者の権利（……）に関する……行為」（信託139条1項）といえるかには若干の問題もあるが，受益者代理人が，多数の変動する受益者が存在する場合の信託事務執行を簡便にする目的を有している以上，受領権限を認めるのが妥当である。そして，通知の受領を「受益者の権利（……）に関する……行為」と解する以上は，受益者の通知受領権限はなくなることになる（同条4項）。しかし，受益者は単独受益者権の行使はできるのであり，その機会を保障するため，通知を受けた受益者代理人は，その善管注意執行義務の内容として，受益者に通知の内容を伝える義務を負うというべきである。

＊＊　これ以外にも，受益債権に係る債務の弁済受領，受益権の放棄（同99条1項），受益権取得請求権（同103条1項・2項）などについて，受益者代理人が代理権限を有するかが問題にされる。信託管理人については，その者が受益債権に係る債務の弁済として金銭を受領すると，当該金銭は倒産隔離性を失い，受益者の利益は害されることになるから，弁済受領権限を否定すべきであるとした（→391頁）。これと同様に考え，弁済受領権限を否定する見解[144]もあるが，委託者が信託行為において受益者代理人を定め，弁済受領権限をとくに否定しなかった場合には，信託の運営をスムーズに行うという利益のために，そのようなアレンジを行ったととらえ，弁済受領権限を肯定すべきであろう。また，受益権の放棄・受益権取得請求権の行使など，受益者に受益権を失わせることとなる行為についても権限を否定する見解がある[145]。しかし，受益者代理人に受益者の利益の実現を適切に判断させるというスキームも考えられ，委託者が受益者代理人を定め，その権限を否定しなかった以上，これらの権限を肯定してよいと思われる。

---

143)　佐久間・前出注83) 24頁。
144)　条解・611頁〔佐久間毅〕。
145)　条解・611頁〔佐久間毅〕。

(イ) 受益者代理人によって代理される受益者は，単独受益者権および信託行為で定めた権利を除き，権利を行使することができなくなる（信託139条4項）。とりわけ，信託運営の便宜のために受益者代理人に権限を集中しているときには，受益者の権利行使を制限することが重要になる。また，受益者代理人が代理権限を有しない権利の行使は，当然，受益者によってなされる。

(3) 費用等と報酬

費用および報酬が，信託財産から支払われうることについても，信託管理人・信託監督人と同様になっているが（信託144条，127条1項～5項），一部の受益者についての受益者代理人の存在が信託全体の利益をもたらすとは限らない。委託者の意思に正当化根拠を求めるべきであろう。

(4) 任務の終了と新受益者代理人の選任

受益者代理人の任務は，受託者・信託管理人・信託監督人と同様の終了事由の発生で終了し，辞任・解任についても受託者等の規律と同様になる（信託141条，56条～58条。→290頁）。

このときの新受益者代理人の選任については，新受託者の場合と同じであるが（同142条1項，62条），新受益者代理人に対する就任の催告権・裁判所への選任申立権は，利害関係人一般ではなく，委託者と代理される受益者に与えられている*。

また，受益者代理人の職務は，信託の清算の結了，委託者と代理される受益者との合意（委託者が現に存在しないときは合意ができないので，この事由は適用されない。同143条3項），信託行為の定めによって終了する（同条1項）。このときは，新受益者代理人は選任されない。

信託の清算の結了は，信託管理人・信託監督人については終了事由としてあげられていないが，信託の終了後も受益者の権利行使がありうるので，清算が結了するまでは受益者代理人の権限が存続することを明らかにしたものであろう。また，委託者と代理される受益者との合意については，信託行為における別段の定めが許容されているが，これは，委託者の意思のみによることなどを許容する趣旨である。

事務の経過・結果の報告義務は，信託管理人・信託監督人と同じである

(同142条2項，143条2項。→394頁)。

　　＊　たしかに，新受益者代理人を選任するか否かは，委託者・受益者の意思に委ねられるべき事柄であるが，新受益者代理人として指名された者が就任を承諾するか否かは，受託者その他の利害関係人にとっても重要な事項である（だからこそ，信託法138条2項は，当初の受益者代理人については，利害関係人一般に就任催告権を与えている）。就任催告権を委託者と代理される受益者についてしか認めないのは立法として矛盾があるように思われる。

5　併任と競合

(1)　信託管理人は，現存する受益者が1人もいない場合に選任され，これに対して，信託監督人・受益者代理人は現存する受益者の存在を前提とするから，これらの間には競合は生じない。しかし，同一人が信託監督人と受益者代理人を兼ねること，別人である信託監督人が受益者代理人と競合することは生じそうである。

(2)　まず，同一人が信託監督人と受益者代理人を兼ねることは可能か。受益者代理人は，特定の受益者のみの代理人となることが可能であり，そのときは，当該特定の受益者のみの利益を図るべく行為すればよい。これに対して，信託監督人は，受益者全員の利益を図るべく行為する義務を負うのであり，この両者の地位は矛盾する。したがって，同一人が両者を兼務するためには，受益者代理人が受益者全員の代理人であることを求めるべきであるが，そうすると，信託監督人の権限はすべて受益者代理人の権限に吸収されることになり，同一人の兼務を認めることには意味がないことになる。以上から，同一人の兼務は認めるべきではない。

(3)　別人である信託監督人と受益者代理人が存在するときは，両者が同一事項につき権限を有することがある。しかしながら，信託監督人が存在するとき，受益者が自らで権利行使をすることは妨げられないのであり，そうすると，信託監督人と受益者との権限は通常，競合している。受益者代理人の権限との競合は，この受益者の権限が受益者代理人に帰属しているというだけであり，先にされた権利行使の効力が認められる。信託監督人・受益者代理人と受益者本人との権利行使が競合した場合も同じである[146]。

6 信託管理人等の責任

　信託管理人・信託監督人・受益者代理人の制度は、(受益者が現に存しない場合を含め) 受益者のために (目的信託における信託管理人は、目的の達成のために) 置かれているものであり、それらの者と受益者との間には契約関係がない。したがって、信託管理人等の義務違反によって受益者が損害を被ったときは、受益者は、信託管理人等の不法行為責任を追及できるにとどまる。目的信託における信託管理人の責任を追及することは困難である。

---

146) 佐久間・前出注83) 27〜28頁は、受託者は、競合する権限を有する一方からの権限行使があったとき、他方に通知する義務を負い、調整を求めるべきであり、権限行使の撤回も受け入れるべきだとする。

第6章 委託者

1 信託設定後の委託者

　委託者は，信託の設定主体であり，設定の場面では大きな役割を有する。それでは，信託設定後はどうか。

　旧信託法では，たとえば，信託財産の管理方法の変更請求権や，信託事務についての説明請求権，受託者の解任請求権など，いくつかの権限が，委託者に対して明示的に与えられていた。これはこれで一定の合理性のある規律であり，委託者が自分の有する財産を受託者に移転し，処分・管理させるのであり，したがって委託者がその後もいろいろと指示ができるはずである，という考え方に基づく。

　しかし，たとえば，資産流動化のための信託を考えてみると，委託者は，受益権を第三者に取得させることによって資金を調達する。このとき，信託の成立後も委託者が受託者にいろいろと指示できるならば，そのことによって，受益者の権利が不安定なものになってしまうおそれが生じ，妥当ではない。そうなると，このような信託においては，委託者の権利を制限しなければならないことになる。また，理論的に考えても，信託が成立してしまえば，委託者はもはや不可欠の存在ではない。受託者が信託事務を執行し，受益者が利益を取得すればよいのである。

　そこで，現行信託法では，たとえば，受託者に対する損失てん補等の請求権については，その権利者を受益者のみにするなど（信託40条1項。旧信託法27条では，委託者本人ばかりか，その相続人も権利者であった），委託者に原則的に認められる権利を縮小したうえで，一方で，いくつかの権利については，委託者がその権利を有することを信託行為に定めることもできるとし（信託145条2項。損失てん補・原状回復請求権はその例），他方で，委託者に対し原則的に与えられている権利についても，その権利の全部または一部を有しない旨を信託行為に定めることを可能にした（同条1項）。

　原則的に縮小するが，信託の性格に応じて，さらに縮小することも，逆

に拡大することもできるようにしたわけである。

2 委託者が原則的に有する権利

(1) 委託者が原則として有する権利は，その機能から，①信託事務処理状況の報告請求権など，②受託者・信託監督人の選解任，辞任の承認などの権利，③信託の変更・終了などに関する権利，④その他，に分けることができる。また，α利害関係人一般に認められている権利であり，かつ，委託者が当該利害関係人に該当すると考えられるもの，と，β信託の設定者であるが故に認められていると考えられる権利，とに分けることができる。

(2) 具体的には，①として，

αに属するものとして，

・財産目録の閲覧等請求権（信託38条6項），

・信託財産の保全処分に関する資料の閲覧等請求権（同172条1項），

βに属するものとして，

・委任事務の処理の状況等に関する報告請求権（同36条），

・受益証券発行信託における受益権原簿の閲覧等請求権（同190条2項），

②として，

αに属するものとして，

・新受託者・信託管理人・新信託管理人・信託監督人・新信託監督人に対する就任の諾否の催告権（それぞれ，同62条2項，123条2項，129条1項，131条2項，135条1項），

・裁判所に対する新受託者・信託管理人・新信託管理人・信託監督人・新信託監督人の選任申立権（それぞれ，同62条4項，123条4項，129条1項，131条4項，135条1項），

・受益者代理人に対する就任の諾否の催告権（同138条2項），

・裁判所に対する信託財産管理命令・信託財産法人管理命令の申立権（それぞれ，同63条1項，74条2項），

βに属するものとして，

・新受益者代理人に対する就任の諾否の催告権（同142条1項），

・受託者・信託管理人・信託監督人・受益者代理人の辞任に対する同意権（それぞれ，同57条1項，128条2項，134条2項，141条2項），
・受益者との合意による受託者・信託管理人・信託監督人・受益者代理人の解任権（それぞれ，同58条1項，128条2項，134条2項，141条2項），
・受益者との合意による新受託者・新信託管理人・新信託監督人・新受益者代理人・新会計監査人の選任権（それぞれ，同62条1項，129条1項，135条2項，142条1項，250条1項），
・裁判所に対する受託者・信託財産管理者・信託財産法人管理人・信託管理人・信託監督人・受益者代理人の解任申立権（それぞれ，同58条4項，70条，74条6項，128条2項，134条2項，141条2項），
・裁判所に対する新受益者代理人の選任申立権（同142条1項），

③は，すべてβに属し，

・信託の変更の合意または受託者に対する意思表示（同149条1項・3項1号），
・信託の併合，吸収信託分割，新規信託分割の合意（それぞれ，同151条1項，155条1項，159条1項），
・裁判所に対する信託の変更・終了の申立権（それぞれ，同150条1項，165条1項）
・裁判所に対する公益確保のための信託終了申立権，保全処分，新受託者選任の申立権（それぞれ，同166条1項，169条1項，173条1項），
・受益者との合意による信託終了権（同164条1項），
・自らが関与しないで決定された信託の変更・信託の併合・吸収信託分割・新規信託分割についての通知受領（それぞれ，同149条2項本文後段・3項本文後段，151条2項本文後段，155条2項本文後段，159条2項本文後段），

④も，βに属し，

・信託の終了時の法定帰属権利者（同182条2項），

ということになる。

　(3)　それぞれの趣旨は，それぞれの箇所での説明に譲るが，委託者は，財産を出捐し，信託を設定した者であるから，当該信託の遂行につき，監

視・監督する権利を有し，また，信託の基礎的な変更に関与することができるとともに，監視・監督権限の行使の結果として，基礎的な変更を求めうるといえる。

(4) これらの権利は，信託行為において，委託者がその権利の全部または一部を有しないことを定めることができる（信託 145 条 1 項）。信託行為の作成主体は委託者であり，委託者自身の意思に基づいて権利を制限することを認めても支障がないからである。

3　信託行為の定めにより認められる権利

(1) 上記の権利以外にも，委託者が一定の権利を有することを，信託行為に定めることができる（信託 145 条 2 項）。具体的には，信託帳簿の閲覧等請求権，損失てん補請求権など，受託者を監督し，信託の運営を円滑にするための権利である。

また，信託行為においては，受託者が，受益者に対して通知または報告すべき事項を委託者にも通知または報告する義務，受託者の交代時・信託終了時の計算の承認を委託者にも求める義務を定めることができる（同 145 条 4 項）。これも，委託者に監督権能を付与するためのものである。

(2) 信託法 145 条 2 項は，受益者に与えられている権利のうち，委託者にもあわせて付与することが可能な権利をあげたものであり（同 145 条 3 項参照），列挙されている以外の権利を委託者が持ち得ないわけではない。たとえば，受益者指定権・変更権が与えられる者については，信託法 89 条がその資格を制限をしておらず，委託者がそれらの権利を有することも可能である。また，信託行為における別の定めが許容されている規律において，委託者の承認が必要である旨を定めることは可能である。さらには，信託法に明示の規律はないが，受託者は信託財産の投資を委託者の指示に基づいて行わなければならないとする信託行為の定めも可能である（委託者が指図権者になる。→187 頁＊）。

逆に，委託者に義務を負わせることもできる。たとえば，受託者に対する信託報酬を委託者が支払うことにしたり，信託財産について土壌汚染がない等の保証を委託者が行い，土壌汚染があった場合には，委託者が定め

に従って受託者に損害賠償を支払うことにしたりすることも可能である。

(3) 委託者に与えられている権利・課されている義務については、委託者である地位と不可分のものと、委託者の個人的な権利・義務にすぎないものがある。前者は、委託者の地位の移転があったときに当然に随伴するが、後者は当然には随伴せず、新委託者との合意がなければ、新委託者の権利・義務とはならない。そして、随伴性が否定されるとき、旧委託者にその権利・義務が残るか、たんに消滅するか、という問題が生じる。

まず、信託法145条1項・2項による権利の縮小・拡大については、そのまま新委託者に引き継がれると解すべきである。信託行為によって、そのような縮小・拡大がある信託として設定されており、委託者の変更があっても、信託自体の性質は変容しないからである。

次に、性質上、信託行為の範囲内に含まれず、別途の契約によらざるを得ないものについては（そのような定めは、信託行為と同一の書面に記載されていても、信託行為の内容とはならない）、委託者が契約当事者であるにすぎず、委託者の地位の移転に随伴するわけではない。先に挙げた受託者の信託報酬支払約定は、これに当たる。これは、委託者が契約上、受託者個人に対して支払義務を負うものにすぎず、その支払請求は受託者の信託事務執行とはならない。もちろん、委託者の地位の移転に伴い、旧委託者・新委託者の合意の下に、契約上の地位の移転を行うことは可能であるし、委託者が一定の義務を負うときは、信託行為において、その引受けをする者に対してのみ委託者の地位の譲渡のみを認める旨を定めておくこともできる（同146条1項参照）。

当初信託財産についての性質保証約定は、当該財産が一定の性質を欠くために、信託目的の達成が不可能となり、それによって受託者が信託報酬を得られない等、固有財産について被る損害を賠償するものであれば、信託報酬支払約定と同性質である。これに対し、信託財産を確保し、受益者の利益を守るためのものであれば、当該約定に基づいて支払われた金銭は信託財産に帰属し、受託者のその履行請求は信託事務執行となるが、委託者の義務は原則的には委託者の地位に随伴しないと解すべきであろう。

受益者指名・変更権の定めや委託者が何らかの指図権を有しているとき

は微妙である。いずれも第三者がその権利を有することが可能であるから，委託者がその地位を失っても，当該権利を有する第三者としての地位にはとどまるとも考えられるからである。しかし，原則としては随伴すると解すべきであろう。ただし，実務的には，新委託者にその権利を移転することを明記すべきである。

4 委託者の地位の移転

(1) 委託者の地位は，受託者および受益者の同意を得て（委託者が複数存するとき*は，他の委託者も含む），または，信託行為に定めた方法に従って，第三者に移転することができる（信託 146 条）。

投資目的の信託などにおいては，受益者が，自己の権利に関連して，委託者が一定の権利を有し，変動を生ぜしめる可能性を有することを嫌うため，自益信託以外では（後発的に，受益権が委託者兼受益者から第三者に譲渡される場合も含み）委託者の地位を受益者に移転することが行われるといわれる[1]。また，貸付信託法 10 条，投資信託及び投資法人に関する法律 51 条，資産の流動化に関する法律 237 条が，受益証券を取得する者は，委託者の権利義務または地位を承継するとしているのも，同様の趣旨である[2]。委託者の地位が移転することは，多くの場合，信託設定者としての委託者の意思のもつ重要性が否定され，アレンジメントとしての信託の側面が表に出ることを意味する（→22 頁）。

明示の移転行為・信託行為の定めがなく，また，特別法が適用されない場合でも，一般に自益信託の受益権が委託者から第三者に譲渡されたときは，委託者の地位もあわせて譲渡されたと解釈すべきだとの見解もある[3]。委託者と第三者との間では，当事者意思の解釈の問題であるし，受託者についても黙示の同意があるということが妥当な場合もある。ただし，自益信託一般についてこのような解釈準則が成立するわけではなく，投資目的

---

1) セミナー(3)・265 頁〔井上聡〕。
2) 長崎幸太郎＝額田雄一郎『逐条解説資産流動化法〔改訂版〕』585 頁（金融財政事情研究会，2009）。
3) 能見・214 頁。

の信託であること，委託者が受益権の売却によって資金の調達を行えたことなどの認定が必要となろう。

＊　**委託者が複数存するとき**　1つの信託を共同で設定した場合，委託者の地位につき共同相続が生じた等が考えられるが，その権利行使の仕方については，受益者・受託者が複数の場合には細かな規定があるにもかかわらず，信託法上，手がかりとなる規定はない。委託者の地位が，信託設定契約から生じるものと考えるならば，契約が1つである以上，全員によって行使し，他者からの意思表示は全員に対してのみすることができることになろう。契約解除に関する民法544条1項が原則規定となる[4]。

(2)　受託者および受益者の同意が原則として必要とされるのは，委託者として権利を行使する者が誰であるかは，受託者・受益者にも一定の利害関係があるからであるが，立法論として十分な根拠があるのかは疑問である[5]。

5　委託者の地位の相続

(1)　委託者の地位は，原則として相続される（信託147条本文の反対解釈）。たとえば，財産出捐者として受託者の監督等の権限を有しうることは，出捐者の相続人にも認められて然るべきだからである。

(2)　これに対して，遺言信託（信託3条2号）の場合には，法定相続とは異なる財産承継を信託をもって行おうとするものであるから，委託者の相続人と受益者との利害は類型的に対立する。したがって，遺言によって信託が設定された場合については，委託者の地位は相続されないこととしている（同147条本文）。

信託法147条ただし書は，信託行為における別段の定めを許容している。委託者が相続人に監督権能等を行使させようとしたとき，それを否定する理由はないからである。

(3)　なお，遺言信託の委託者の相続人も，受託者に引受けを催告する権

---

[4]　平野裕之『民法総合5契約法〔第3版〕』190〜191頁注(43)（信山社，2007）は，民法544条1項を，契約が1つであるということから導かれる派生的な原則にすぎず，他の場面にも類推されるとする。

[5]　セミナー(3)・273頁〔道垣内弘人〕参照。

利,および,受託者が指定されていないとき,または,指定された者が引受けをしないときに,裁判所に対して受託者の選任を申し立てる権利は認められる(信託5条,6条)。遺言信託の信託財産の帰趨を確定させることは相続人にも利害関係があるから,利害関係人としてそのような権利を有することになる[6]。

さらに,相続人は,信託の終了時の法定帰属権利者(同182条2項)としての地位は有する。委託者が法定帰属権利者になっているのは,信託終了後は元の権利者に財産を戻すためであり,その地位は相続人に承継されているからである。

---

[6] これらの権利は相続によって相続人に承継されるわけではなく,相続人が利害関係人として有するものである。したがって,寺本・330頁が,これらの権利を委託者が有する権利として挙げるのは妥当でない。

■ 第7章　信託の変更・併合・分割

第1節　信託の変更

(1) 総　　説

(ア) 旧信託法は，予見不能な特別の事情により信託財産の管理方法が受益者の利益に適さなくなったときに，裁判所が管理方法の変更を認めるという制度を置いていた。しかし，変化の激しい現代社会においては，ただ管理方法を変更するだけでなく，受益者に対する給付内容の変更や投資方針の変更，受託者の権限の変更など，様々な対応が必要になる。そこで，現行信託法では，管理方法の変更に限定せず，「信託の変更」という一般的な規律とし，信託行為の事後的変更を柔軟に行えるようにしている。信託の変更が行われると，信託行為が変更されたことになる*。

＊　**兼営法等における信託約款の変更**　　信託銀行等，金融機関の信託業務の兼営等に関する法律によって信託業務を行っている者が受託者である場合，多数人が委託者または受益者となる定型的信託契約（貸付信託または投資信託に係る信託契約を除く）については，同法5条が，約款の変更手続を定めており，多くの場合，この手続によって信託の変更がされる。みなし賛成制度が明文をもって認められており，実務上は，この制度を利用して信託の変更が行われることが通常である。
　貸付信託法5条・6条，投資信託及び投資法人に関する法律17条も，同様の手続を定めている。
　また，民法548条の4の定める方法による定型約款の変更も可能である[1]。

(イ) ただ，まったく自由というわけにはいかない。
　委託者は，ある一定の目的を定めて信託を設定した。この目的の達成のために必要な変更ならばともかく，目的を変更されてしまうと，信託設定

---

1) 商事信託法研究会「民法（債権関係）改正が信託契約約款に与える影響」信託280号4頁以下（2019）参照。

図

	a	b	c	d	e
委託者	○	—	—	○	—
受益者	○	○	—	○	○
受託者	○	○	○	—	—
	1項	2項1号	2項2号	3項1号	3項2号

の意図が達成できなくなる。受益者も，自らの受ける給付等が変わってくるような変更を勝手にされては困る。また，受託者も，信託事務の手間を考えて報酬額が定まっているのに，報酬は据え置きのまま負担だけが増えるのはでは困る。

そこで，信託法は，行おうとしている変更に三者の利益がどのように関係してくるかに応じて，信託の変更方法を異ならせている（上図参照）。

なお，裁判所に変更を命じる裁判を求めうる場合もある。

(ウ) もっとも，限定責任信託の定めを廃止する旨の信託の変更は，登記が効力要件となる（信託221条。→170頁）。また，受益証券発行信託においては，受益証券を発行する旨，および，特定の内容の受益権について受益証券を発行しない旨の信託行為の定めに関する変更は認められないとされている（同185条3項・4項。→354頁）。

(2) 関係当事者の意思による変更

(ア) 三者の合意

まず，図のa欄である。三者が合意をすれば，信託の変更ができるのは当然である（信託149条1項）。

委託者と受益者が同一の場合（自益信託）や，委託者と受託者が同一の場合（自己信託）には，残りの一者との合意で足りるが，委託者が現に存しないときには，三者の合意による変更はできないのであり（同条5項），委託者の同意が不要になるわけではない。信託の内容を自由に変更することは，委託者の意思に反する可能性があるからである。ただし，投資によって資産を運用するなど，もっぱら経済的利益の取得を目的とする自益信託において，委託者が受益権を第三者に売却したとき，委託者たる地位が同時に受益者に移転すると解される場合があることは，すでに述べた

（→410頁）。

　なお，受益者が単独で信託を終了できる権限を有する場合等，委託者がもはや信託の帰趨に関与しないことを明らかにしているときには，信託の変更にあたっても，委託者の関与は不要であるとする見解[2]があるが，これを信託法149条1項に該当すると解釈することには無理がある（同条5項参照）。むしろ，受益者がそのような権限を有することを踏まえて信託目的を解釈し，次の(イ)に該当するとすべきであろう。

　(イ)　信託の目的に反しないことが明らかであるとき

　図のb欄であり，このときは委託者の利益に配慮する必要がないので，受託者＊と受益者の合意で変更ができる（信託149条2項1号）。変更をしたときは，受託者は，遅滞なく委託者に通知しなければならないとされているが（同条2項本文後段），委託者への通知が欠けても，変更の効果は生じる。そして，その変更は，信託目的に反しないのだから，委託者には損害が生じず，結局，通知懈怠による法的効果は原則として存在しないことになる[3]。信託の変更の必要性があると考えていた委託者が弁護士に相談するなどしていたとき，その費用相当額の損害につき，受託者が不法行為による委託者に対して損害賠償責任を負担することが考えられるくらいであろう。

　委託者が現に存しないときには通知の必要はない（同条5項）。

　ここでいう「信託の目的」＊＊とは，受託者の行為（運用方針など）を決定する基準のことではなく，「実現しよう，到達しようとして目指す事柄」のことである（→47頁）。そのような目的達成のために，たとえば，信託財産に属する財産の運用方針を変更することは，ここでいう「信託の目的に反しない」変更に該当する。

　　＊　**受託者の提案義務**　信託の変更を行わないと信託財産に損失等が生じ，信託目的の達成が困難になるとき，積極的に信託の変更を提案する義務が受託者にあるか。(イ)にも関係するし，次の(ウ)においては，受託者が変更の意思表示をする義務を負うか，という問題になる。受託者の義務内容に関する信託行為

---

2)　片岡雅「信託の変更に関する実務上の問題点の検討」信研33号134頁（2008）。
3)　セミナー(4)・8〜10頁。

の解釈問題ではあるが，義務を認めるべき場合もあると思われる[4]。

　＊＊　解釈による信託行為の具体化との関係　　もっとも，信託目的に反しない信託の変更による効果は，具体的な事情に応じた信託行為の内容の具体化・確定によっても達成できる場合が多い，という指摘もある[5]。

　(ウ)　信託の目的に反しないこと，および，受益者の利益に適合することが明らかであるとき

　図の c 欄であり，このときは，委託者・受益者の利益を配慮する必要がない。そこで，受託者が単独で変更ができるとされている。しかし，受託者だけで変更すると，変更されたことがはっきりしないので，受託者は，変更の意思表示を書面または電磁的記録によって行うとともに（信託 149 条 2 項 2 号），委託者および受益者に変更内容を遅滞なく通知しなければならない（同項本文後段）。委託者が現に存しないときには委託者への通知の必要はない（同条 5 項）。変更の意思表示は，相手方のない意思表示であり，宣言に近いこと，通知の懈怠によって受託者が責任を負う場合が限られていることは，(イ)と同様である。

　旧信託法の下では，信託の変更について，裁判所の命令以外の方法が規定されていなかったために，緊急の場合には，裁判所の許可なく受託者が信託行為を逸脱してもよい，との見解[6]もあった。しかし，現行信託法では(ウ)に該当するから，解釈によって，そのような緊急の権限を認める必要はない。

　(エ)　受託者の利益を害しないことが明らかであるとき

　図の d 欄であり，このときは，受託者の利益に配慮する必要がないから，委託者と受益者の合意を，受託者に伝えると変更がされたことになる（信託 149 条 3 項本文前段・1 号）。委託者が現に存しないときには，この方法による変更はできないが（同条 5 項），委託者の地位が受益者に移転していれば，委託者兼受益者が単独で変更を行うことができる。

---

[4]　義務を肯定する見解として，木村仁「委託者の意思と信託の変更について」信研 33 号 112 頁（2008）。さらに，セミナー(4)・10〜13 頁参照。
[5]　吉政知広「信託の変更と継続的契約関係の調整」ジュリ 1450 号 61 頁（2013）。
[6]　四宮・212〜213 頁注(1)。

(オ)　信託の目的に反しないこと，および，受益者の利益を害しないことが明らかであるとき

　図のe欄である。このときは，委託者・受託者の利益を考慮しなくてよいので，受益者が受託者に意思を表示すれば変更が生じる（信託149条3項本文前段・2号）。受託者はその変更内容を委託者に通知することとされているが（同項本文後段），通知の懈怠によって受託者が責任を負う場合が限られていることは，(イ)と同様である。委託者が現に存しないときには委託者への通知の必要はない。

　(カ)　信託行為の定め

　当事者の意思による変更については，信託行為に別段の定めをすることができる（信託149条4項）＊，＊＊。ただし，一定の合理性の存する定めであることが必要である。

　まず，信託目的・受益者の利益の一方または双方に反する変更を，受託者が単独で自由にできるといった定めは認められない。これに対して，信託法149条2項2号は，「信託の目的に反しないこと及び受益者の利益に適合することが明らかであるとき」としているところ，その判断を受託者が善良な管理者の注意をもって判断したり，中立の第三者の判断に委ねたりする旨の定めは認められるであろう。

　次に，委託者が単独で自由に変更できるといった定めはどうか。委託者は，信託のあり方を自由に決定して，設定することができ，そのような変更権限が委託者にあるときは，受益者も変更されうる信託の受益権を有しているだけだと考えられるので，受託者の利益を害しない，または，受託者が一定の範囲での変更がありうることに合意して受託者に就任しているときには有効と解してよかろう。

　以上の二者の権限については，指図権・裁量権の有効性の範囲も参照されるべきである（→187頁＊，317頁＊）。

　また，受益者が単独で自由に変更できるという定めは，委託者の意思によりそのように定められているのだから，受託者の利益を害しない，または，受託者が一定の範囲での変更がありうることに合意して受託者に就任しているときには有効と解してよかろう。

ただし，いずれも，変更によって，信託自体の有効性（→48頁）に欠けることがあってはならないことは当然である。

＊　**信託業法による規律**　信託会社・信託銀行が受託者であるとき，受益権取得請求権（→380頁）が発生するような信託の変更（「重要な信託の変更」），さらに，信託の併合・分割（→420頁）については，信託業法が，強行規定として，一定の制約を定めている。

すなわち，まず，予定される変更（併合・分割。以下，同様）の内容・理由・予定日など，さらに，異議のある受益者は一定の期間（1か月以上）内に異議を述べるべき旨を，新聞広告・電子公告などの方法により公告するか，各受益者に催告しなければならない。そして，異議を述べた受益者が受益権の総個数の2分の1を超えるとき（受益権の内容が均等でないときは，受益権価格総額の2分の1を超えるとき，または，受益権の信託財産に対する持分の2分の1を超えるとき）は，信託の変更ができない（信託業29条の2第1項〜第3項，信託業法施行規則41条の3〜同条の6）。受益者の多数意思を考慮しないで信託の変更が行われうるような信託行為の定めがある場合，信託法上は，当該信託行為の定めに基づいて信託の変更を行うことが可能であり，賛成の意思を表示しなかった受益者が受益権取得請求権で保護されるだけになるが，それでは保護に不十分であると考えられたためである[7]。

したがって，受益者集会における多数決による定めがあるときは，受益者の意思が反映されるので，信託業法に従った公告・催告などは不要である。また，受益権の総個数の2分の1を超える（受益権の内容が均等でないときは，受益権価格総額の2分の1を超える，または，受益権の信託財産に対する持分の2分の1を超える）受益者の承認を得たときも同様である（信託業29条の2第4項，信託業法施行規則41条の7）。

また，委託者指図型投資信託（投信2条1項），特定目的信託（資産流動化2条13項）など，それぞれの法令において受益者保護手続が置かれているものについては，それぞれの法令による（信託業29条の2第1項，信託業法施行規則41条の2）。

＊＊　**合同運用の場合の信託の変更**　信託財産について合同運用（→96頁＊＊）がされているとき，信託ごとに信託の変更の可否が異なると，合同運用がされている財産の一部についてのみ異なる取扱いをしなければならない事態が生じかねず，不都合である。そこで，信託業法29条の2第5項は，「一個の信託約款に基づいて，信託会社が多数の委託者との間に締結する信託契約にあっては，当該信託契約の定めにより当該信託約款に係る信託を一の信託とみなして」，信託の変更の手続を行う，としている。つまり，信託の変更がされるか否かは，信託財産について合同運用がされている複数の信託について，それ

---

[7]　小出卓哉『逐条解説・信託業法』158〜159頁（清文社，2008）。

らの信託の受益者全体での多数決等で決し，異議を述べる受益者には受益権取得請求権を与えることで，合同運用財産の一体性を守ろうとしているわけである。同条文が適用されない場合にも当てはまるべき法理と思われるが，やはり信託行為における別段の定めが必要であるといわざるを得ないだろう。

(キ) 受益権取得請求権

信託の変更があるとき，受益者に受益権取得請求権が認められる場合がある（→380頁）。

(3) 裁判所による変更を命じる裁判

信託事務の処理の方法に係る信託行為の定めが，信託の目的・信託財産の状況その他の事情に照らして受益者の利益に適合しなくなったのに，(2)に述べた方法での変更ができないときは，委託者・受託者・受益者は，裁判所に対して信託の変更を求める申立てができる。ただし，信託行為の内容を，委託者・受託者・受益者のうち一部の意思に反して変更するわけであるから，信託行為の当時予見することのできなかった特別の事情が存することが必要である（信託150条1項）*。たとえば，受託者の信託事務処理を第三者に委託してはならない旨の定めがあるときに，信託行為の当時には予想できなかった技術変化により，受託者自身による管理が不適切になり，受益者の利益に適合しなくなった場合などが例として考えられる[8]。

裁判所による変更を通じて受益者の利益が保護されるべきか否かは，信託目的との関係で判断されるわけだから，信託目的自体の変更はできない[9]。また，信託事務の処理の方法に係る信託行為の定めの不適合を問題としているのだから，受益権の内容の変更，受益者の変更なども対象とならない[10]。

もっとも，すべての事情を踏まえ，適切な変更方法を裁判所で考案することを認めるのは無理があり，申立ては，変更後の信託行為の定めを明らかにしてされなければならない（同条2項。さらに，3項〜6項）。

---

[8] 寺本・344頁注(1)。
[9] 新井監修・407頁〔千葉恵介〕，佐久間・35頁。
[10] 村松ほか・284頁注(14)。なお，木村・前出注4) 109〜111頁は区別の合理性を批判する。

＊ **事情変更の原則との関係**　裁判所による変更を命じる裁判は，民法上の事情変更の原則に似ている。しかし，受益者の利益を中心とする点で，関係当事者の利益を調整しようとする民法上の事情変更の原則とは適用領域に違いがあり，一般法理としての事情変更の原則は，別途，適用される場面があると指摘されている[11]。

第2節　信託の併合・分割

(1)　総　　説

1つの信託の中で受託者を変えたり，内容を変更したりするほかに，複数の信託を1つの新たな信託としたり，逆に，複数の信託に分割することも考えられる。

信託の併合とは，「受託者を同一とする二以上の信託の信託財産の全部を一の新たな信託の信託財産とすること」であり（信託2条10項），たとえば，会社の合併に伴い，別々に存在していた年金信託を1つに併合する場合などが具体的なニーズとしてあげられる。また，受託者である法人の合併にともなって行われることもある[12]。「新たな信託」とされていることからわかるように，併合により従来の信託は終了し（同163条5号。→430頁），新たな信託が設立されたことになる。

また，信託の分割には，「ある信託の信託財産の一部を受託者を同一とする他の信託の信託財産として移転する」という**吸収信託分割**と，「ある信託の信託財産の一部を受託者を同一とする新たな信託の信託財産として移転する」という**新規信託分割**とがある（同2条11項）。

前者の例としては，営業譲渡にともなって，年金信託を分割したうえで，その一方を他の年金信託と合体させる必要が生じた場合，後者の例として

---

11)　吉政・前出注5）63〜64頁。事情変更の原則と，裁判所により命じられる信託の変更との効力発生基準時の問題につき，セミナー(4)・16〜19頁参照。さらに，組織の再編成の問題としてとらえる視点について，神作裕之「組織──信託の基礎的変更を素材として」NBL 791号26頁以下（2004）。

12)　田中和明「信託兼営銀行の営業譲渡及び合併に関する一考察」信研24号55〜59頁（1999），セミナー(4)・24頁〔田中和明〕。

は，会社分割にともなって，年金信託を分割する必要が生じた場合などがあげられる。

(2) 信託の併合＊

(ア) 信託の併合も，変更と同じような手続で行われる。従前の各信託の委託者・受託者（もっとも，受託者が同一であるときに限られる）・受益者の合意でされるほか（信託151条1項）（委託者と受益者が同一の場合（自益信託）や，委託者と受託者が同一の場合（自己信託）には，残りの一者との合意で足りる），「信託の目的に反しないことが明らかであるとき」には委託者と受託者の合意で足り（同条2項1号），「信託の目的に反しないこと及び受益者の利益に適合することが明らかであるとき」は，受託者が単独で変更ができる（同項2号）＊＊。信託行為における別段の定めも許容されるが（同条3項），信託の変更と同じく，一定の限界がある（→417頁）。

ただし，信託財産は受託者に帰属しているのであるから，受託者の関与なく信託の併合はできない。また，委託者・受託者・受益者の合意によるとき，とりわけ受益者が自らの権利内容への影響について理解しやすくなるように，併合の理由，併合後の信託行為の内容，受益権の内容変更があるときはその内容および理由，各信託の直近の財産状況開示資料等（→210頁），その後の重大な変動について，明らかにしたうえで合意をしなければならない（同条1項1号〜5号，信託則12条）。この点についても，信託行為における別段の定めが許容されるが（信託151条3項），とりわけ，受益者の意思の真摯性を確保するためには，省略できる資料は限られると思われる。

信託の併合にあたって，それぞれの信託における受益者の有する権利が異なるとき，その内容を金銭等の給付によって調整することもできるし，また，一方の信託の受益者に金銭等を給付して，受益者でなくすことも可能である（同条1項3号が，それを予定する）＊＊＊。

＊ **追加信託** 実務上，既存の信託に対して，委託者から財産を追加的に支出することがあるが，その法的構成は必ずしも明確ではない。まず考えられるのは，信託は諾成的に成立するところ，委託者の出資義務が時期的・量的に分割されたものとなっているという分析である。これは，当初の信託契約におい

て財産の追加が確定的に定められているときには当てはまりやすいが，追加するか否かが委託者の判断に委ねられているときには妥当しない。また，追加時期，追加額などが不確定のとき，既存の信託の信託財産を自由に増加させることができるとすると，詐害信託としての規律（→129頁）も複雑になる。少なくとも，信託法11条は，追加的な支出について適切な規律を用意しているとはいえない。また，委託者＝受託者のときは自己信託における規律（いつ，どのような財産が信託財産になったかを公正証書等で明らかにする。→75頁）が潜脱されることになる。当事者の意識としては，既存の信託の信託財産の増加行為であっても，法的には，新たな信託設定と信託の併合を同時に行うものと考えるべきである[13]。なお，第三者による追加で，当該第三者が委託者としての地位を取得しないときは，信託財産に対する贈与と解される。

＊＊　**裁判所の命令による信託の併合・分割**　信託の変更については，信託法150条に，特別な事情があるとき，裁判所が信託の変更を命じる制度が置かれていた（→419頁）。信託の併合・分割については，制度が明示的に置かれているわけではないが，信託の併合・分割も信託の変更の一種であり，同条の適用を認めるべきだとする見解があり[14]，これに賛成したい。

＊＊＊　2005（平成17）年改正前商法409条4号は，「合併ニ因リテ消滅スル会社ノ株主ニ支払ヲ為スベキ金額ヲ定メタルトキハ其ノ規定」としており，合併の際，消滅会社の株主に金銭だけを支払い，合併後の会社の株式は与えないという選択はできないようにも読めた。これに対して，会社法749条1項2号等は，「株式又は持分に代わる金銭等を交付するときは」とし，株式を割り当てないで，金銭交付のみを行うことも可能であることを明確にした。しかるに，信託の併合について，信託法151条1項3号は，「信託の併合に際して受益者に対し金銭その他の財産を交付するときは，当該財産の内容及びその価額」という文言になっており，むしろ会社法制定前の商法の文言に近い。そうすると，信託の併合においては，一方の信託の受益者に金銭等を給付して，受益者でなくすることはできないと解するほうが条文の文言に整合しているとも思われる[15]。しかし，会社法と異なる規律にする必要は必ずしもなく，結論として，受益者でなくすことも認められると解してよいと思われる。

(イ)　信託の併合は，債権者にも大きな影響を与える。たとえば，甲信託にはG_1を債権者とする信託財産責任負担債務（債務額100）および，信託

---

[13]　同旨，伊庭潔編『信託法からみた民事信託の手引き』68頁（日本加除出版，2021）。また，遠藤英嗣『家族信託契約』122～125頁（日本加除出版，2017）も参照。

[14]　田中・429頁。反対，寺本・347頁注(3)，354頁注(2)。

[15]　以上，セミナー(4)・27～28頁〔とくに，藤田友敬〕。

財産120が存在しており，他方，乙信託にはG₂を債権者とする信託財産責任負担債務（債務額100）が存在し，信託財産は30しかないとする。そして，受託者には資産がないとする。

併合前の状態で，G₁は全額の弁済が受けられるはずであるが，信託の併合が行われると，甲と乙とが併合された丙信託は信託財産が150となり，各信託の信託財産責任負担債務は，併合後の信託の信託財産責任負担債務となるから（信託153条。さらに，154条），債権者はG₁（100），G₂（100）の2名となる。そのため，いざというとき，G₁は信託財産から75の弁済しか受けられなくなる。このように，併合によって債権者が損害を受ける場合がある。

そこで，信託の併合にあたっては，当該債権者を害するおそれのないことが明らかでない限り，当該債権者に異議を述べる権利が認められている（同152条1項）＊。異議を述べる債権者がいるときで，当該信託の併合をしても当該債権者を害するおそれ[16]がないとはいえない場合には，受託者は，当該債権者に対し，弁済し，もしくは相当の担保を提供するか，または当該債権者に弁済を受けさせることを目的として信託会社等に相当の財産を信託しなければならない＊＊（同条5項）。債権者保護のための信託の設定においては，当該債権者に対する弁済のために必要な資金が取り置かれることが重要なのであるから，受託者となる信託会社等は，併合する信託の受託者であってもよい。また，受託者の上記の義務は信託事務執行であり，弁済，担保提供，信託設定に必要な財産は，信託財産から支出される。

なお，ここでいう債権者には，受益債権を有する受益者は含まれない。原則として信託の併合の意思決定に関与できるし，損害を受けるおそれのある受益者には受益権取得請求権が認められるからである[17]。

債権者の異議権を保障するため，受託者は，債権者の全部または一部が異議を述べ得るときには，併合の状況（各信託の特定，債権者への履行の見込

---

16) その判断につき，森本滋編『会社法コンメンタール18』176頁〔伊藤壽英〕（商事法務，2010）参照。

17) 寺本・249頁注(2)。

み）を明らかにして，異議を述べ得る期間（1か月以上）（この期間を徒過すると，当該債権者は信託の併合を承認したものとみなされる。同条4項）を，官報に公告するとともに，知れている債権者には各別に催告をしなければならない（同152条2項，信託則13条）。なお，受託者が法人であるときは，各別の催告に代えて，日刊新聞紙や電磁的方法による公告も認められている（信託152条3項）。個人が受託者の場合には，債権者も多くなく，各別の催告もさほど負担とはならないと思われるが，受託者が法人である場合には，債権者も多数に上りうることに配慮したものである[18]。適式な催告が行われていないときは，債権者の異議申立期間は経過しない。

　　＊　**信託の併合・分割無効の訴え**　　会社法上は，会社合併・分割について無効の訴えが認められている（会社828条1項7号〜10号）。これに対して，信託の併合・分割は受託者が同一である信託の間で行われ，債権者にとって債務者が変更するわけではないので，影響は限定的なものにとどまるとして，無効の訴えの規定は置かれていない。しかし，受託者が固有財産をほとんど有しない法人であるときなどは，債務者が変更しなくても，債権者の被害は大きく，立法論的には批判がある[19]。ただし，適式な催告が行われていないときは，債権者の異議申立期間は経過しない。

　　＊＊　**「信託する」という言葉について**　　信託法152条5項・156条5項・160条5項は，「信託しなければならない」としており，「信託」という名詞に「する」を付けて動詞にしている。同じ用法は，会社法799条5項・810条5項など，いくつかの法令に見られるが，名詞に「する」を付けて動詞にできるのは，動作性の名詞についてだけであり，「信託」がそれに該当するとは思えないし，そのような動詞を作るのであれば，信託法中，「信託する」という言葉が用いられるべき箇所が多々存在するはずである。「当該債権者に弁済を受けさせることを目的とし，相当の財産を信託財産とする信託を，信託会社等（……）を受託者として設定しなければならない」とすべきであったように思われる。

(3)　信託の分割

(ア)　新規信託分割・吸収信託分割の手続や債権者の異議権も，信託の併合の場合とほぼ同一である（信託155条以下，信託則14条以下。さらに，信託

---

[18]　ただし，逆に，個人である受託者の手間こそを軽減すべきではないか，との考え方もあろう（セミナー(4)・32〜33頁参照）。

[19]　新井監修・414頁注(6)〔千葉恵介〕。

174条)。

(イ) 若干注意すべきなのは，債権者の扱いである*。

吸収信託分割の場合，各債権者が，分割される信託 (**分割信託**) の信託財産責任負担債務の債権者にとどまるのか，分割信託からその信託財産の一部の移転を受ける信託 (**承継信託**) の信託財産責任負担債務の債権者になるのかを定め (信託155条1項6号)，それを明らかにしたうえで，債権者への催告を行わなければならない (同156条，信託則15条4号・5号)。

そして，催告を受けるべき債権者で，催告を受けなかった者には保護が与えられる。すなわち，分割信託の信託財産責任負担債務に係る債権を有していた者は，分割信託から承継信託に財産が移転された不利益を被らないように，承継信託が吸収信託から移転を受けた財産の価額を限度にして，承継信託の信託財産に属する財産からも債務の履行を受けるべく，受託者に請求できる (信託158条1号)。また，承継信託の信託財産責任負担債務に係る債権を有していた者は，承継信託から多くの負債が承継信託に移転されることによる不利益を被らないように，分割の効力が生じた日の分割信託の信託財産の価額を限度として，分割信託の信託財産からも債務の履行を受けるべく，受託者に請求できる (同条2号)。前者では，吸収分割がなかったかのような救済を与えられるのに対し，後者では，吸収信託のすべての財産が承継信託に移転されたかのような救済を与えるのである。

新規信託分割の場合も，従前の信託の信託財産責任負担債務の債権者にとどまるのか，新たな信託の信託財産責任負担債務の債権者になるのかを定め (同159条1項6号)，それを明らかにしたうえで，債権者への催告を行わなければならない (同160条，信託則17条4号)。催告を受けるべき債権者で，催告を受けなかった者は，従前の信託の信託財産責任負担債務の債権者にとどまっているときには，新規信託分割が効力を生じた日の新たな信託の信託財産の価額を限度として，新たな信託の信託財産に属する財産からも債務の履行を受けるべく，受託者に請求できる (信託162条1号)。新たな信託に信託財産責任負担債務の債権者になったときは，新規信託分割が効力を生じた日の従前の信託の信託財産の価額を限度として，従前の信託の信託財産に属する財産からも債務の履行を受けるべく，受託者に請

求できる(同条2号)。分割の結果として，いずれの信託の信託財産責任負担債務に係る債権者とされようと，分割がなかったかのような救済を受けることになる。

＊　不法行為債権者の扱い　　信託の分割の場合も，官報に公告するとともに，知れている債権者には各別に催告をしなければならない(信託156条2項，160条2項)。しかし，すでに発生しているが，受託者には知れていない不法行為に基づいて損害賠償請求権を有する債権者は，各別の催告からは除外される。そして，催告がなかった場合の債権者保護は，受託者が催告をしなければならなかった債権者に限られるため(同158条本文かっこ書，162条本文かっこ書)，不法行為債権者はその保護を受けられず，吸収信託分割の場合には分割信託の信託財産に属する財産，新規信託分割の場合には従前の信託の信託財産に属する財産からしか弁済を受け得ないことになりそうである。会社法においては，同法789条3項かっこ書・810条3項かっこ書が不法行為に基づく債権者について言及しており，それを根拠にしながら，不法行為債権者にも本来ならば個別の催告が必要とされている(したがって，債権者保護の対象となる)という解釈論を展開することが可能となっているが[20]，信託法上は，不法行為債権者に対する一定の特別扱いを示す条文が存在しないので，結論として，保護は困難である。不法行為に基づく損害賠償債務については，限定責任信託においても，受託者が固有財産で責任を負うことによって(信託217条1項，21条1項8号。→125頁＊)，最後の救済が図られていることから，会社法との違いを正当化せざるを得ない。

---

[20]　森本滋編『会社法コンメンタール17』341〜342頁〔神作裕之〕(商事法務，2010)参照。

第8章　終了・清算・倒産

第1節　信託の終了

1　総説

信託の終了とは，信託が清算の手続に入ることである。終了しても，清算が結了するまで信託は存続するのであり（信託 176 条。同条は，「存続するものとみなす」とするが，たんに「存続している」といえば足りる），終了によって信託の関係が消滅するわけではない[1]。もっとも，信託の併合を理由とする終了では，新たな信託として存続していくことになるので，清算は行われない（同 175 条かっこ書）。

その意味での「終了」原因は，信託法 163 条から 166 条に規定されているが，このうち，公益確保のための信託終了命令を理由とする終了は，かなり性格が異なる。また，同法 52 条も，受託者の意思表示により信託が終了する場合があることを規定している。まず，同法 163 条から 166 条の定める終了原因を，公益確保のための信託終了命令とそれ以外の場合とに分けて説明し，次に，同法 52 条について説明する。

2　公益確保のための信託終了命令以外の事由による終了

(1)　信託の目的を達成したとき，または，達成ができなくなったとき（信託 163 条 1 号）

(ア)　ここでいう「目的」とは，信託の存続可能性を判断する際の基準となる概念であり，「実現しよう，到達しようとして目指す事柄」のことである（→48 頁）。たとえば，特定の受益者のために大学での教育資金を援助するために信託を設定したところ，大学を卒業したという場合がこれに

---

[1]　その意味で，「信託の終了」という概念を立てること自体の有用性にも疑問を呈する余地がある。セミナー(4)・44〜48 頁参照。

あたる。目的達成不能とは，上記の例において，当該受益者が死亡したときが典型となる。

　後に述べる「信託行為において定めた事由が生じたとき」（信託163条9号）と重なることも多く，信託行為に明示の定めがないときも，黙示の定めとして，目的達成・達成不能は終了原因となっていると考えられる。

　(イ) 信託財産が，受託者の費用等の償還に不足しているだけでは，目的達成不能には該当しない。信託法52条に基づいて，受託者が委託者・受益者に費用償還等の請求をした後，それが実現しなかったときにはじめて目的達成不能となる（→436頁）。受託者が信託財産から賠償を受けられるとき，および，信託財産から信託報酬を受け得る定めのあるときも同様である（同53条2項・54条4項）。

　これに対して，委託者との契約により，委託者の財産から信託報酬の支払を受ける旨が合意されていたときはどうか。後に述べるように，委託者につき倒産手続が開始したときに，信託報酬の支払が信託契約の未履行債務とされるか（同163条8号参照），ということにも関係するが，報酬の支払合意は，信託契約とは別個の契約であり，その不履行は信託契約の解除原因とはならない。しかし，信託報酬の支払のないまま受託者に信託事務執行を継続させるのも酷であるから，受託者に履行拒絶権が発生し，それによって信託目的の達成が不能になり，信託法163条1号の定める終了原因が生じたと考えるべきである。

　(ウ) さらに，受益権のすべてが消滅したときも，信託は終了する（→371頁）。信託目的の達成または達成不能に該当すると考えるべきであろう。

　(エ) 他の終了原因とは異なり，信託目的の達成または達成不能は，その事由が発生した時期を一義的に判断することが困難な場合がある[2]。当該事由が発生したと受託者が判断し，清算手続に入ったところ，後になって裁判上，当該事由の不存在が認定されたとすると，受託者に酷になる場合

---

2) 星野豊『信託法』231頁（信山社，2011）。2003（平成15）年改正前の民法398条ノ20第1項1号が，「取引ノ終了」を被担保債権の確定事由としていたことから生じた問題と同じである。道垣内弘人「根抵当権者の信用不安と根抵当権の確定」金法1483号6頁以下（1997）参照。

がある。存否の判断は受託者の信託事務執行であり，善良な管理者の注意に基づいて判断している限り，受託者は責任を問われないと考える必要がある（→196頁）。

(2) 受託者が受益権の全部を固有財産で有する状態が1年間継続したとき＊（信託163条2号）

受託者が受益権の全部を固有財産で有している状態になると，結局，自分の財産の一部を自分自身の一定の目的のために取り分けているというだけであり，信託財産の独立性を正当化できなくなる（→18頁）。しかし，資産流動化を目的とする信託などにおいて，一時的に，受託者が受益権を全部保有し，そのうえで，他に売却するといったスキームが必要になると指摘され，1年間の継続は認められるようになった。ただし，その状態の解消が予定されていない場合には，当初の段階であれば，信託は有効に成立しないし（→48頁），後発的にその状態になったときは，その時点で目的達成不能と評価され，信託は終了すると解される（→427頁）。信託目的は，もっぱら受託者自身の利益を図る目的であってはならないから，有効な目的達成は不能になるわけである（同2条1項かっこ書参照）。

むしろ，1年間という制限は，1年間を超えると，主観的意図はどうあれ，もっぱら受託者自身の利益を図る目的であるとみなされ，有効な目的達成は不能になるということを意味し，信託法163条2号の終了事由は，同条1号に定める事由の具体化であるといえる。

＊ ある状態が「受託者が受益権の全部を固有財産で有する状態」に該当するかについて，いくつか議論がある。

まず，共同受託者のうちの1人が単独受益者であるときも，これに該当するとされる。文言上は該当性を否定できないし，このような状態を1年間を超えて認めると，忠実義務を負わない受託者が存在することを認めることになるので，妥当ではないからである[3]。

次に，信託法90条1項各号に定める遺言代用信託が自己信託のかたちで設定され，委託者が第1受益権を有している場合で，委託者の死亡時まで1年以上経過したときはどうか。第2受益権を受託者（＝委託者）が有しているのだから，信託法163条2号の状態には該当しないという見解がある[4]。しかし，

---

3) 寺本・362～363頁注(2)。
4) 田中和明「自己信託による遺言代用信託の設定」井上聡監修『信託の80の難

そのように解すると、委託者はその死亡時まで一定の財産を自らが受益しながら、自らの責任財産から離脱させることができることになる（さらには、受益者の変更も自由にできる（同90条1項本文））。妥当ではなく、賛成できない。

(3) 受託者が欠けた場合であって、新受託者が就任しない状態が1年間継続したとき（信託163条3号）

信託事務執行がされない状態になり、それを継続することは、関係当事者の利益に資さないばかりか、目的達成不能となるからであり、この事由も同条1号に定める事由の具体化である。また、受託者がいないままに放置されることになると、信託財産に属する財産が、たんに差押禁止財産となるだけになり、その効果を認める正当性が欠けることになるからでもある。

受託者が複数のときは、一部が欠けても、他の受託者が権利義務を承継し、職務を行うから（同86条4項）、すべての受託者が欠けるまで、信託は終了しない（同87条1項）。ただし、欠けた受託者の職務を他の受託者が行わず、かつ、新受託者が就任しない状態が1年間継続したときは、信託が終了する（同条2項）。

(4) 信託財産が費用等の償還等に不足している場合で、委託者・受益者が受託者の求めに応じて支払をしないために、受託者が信託を終了させたとき（信託163条4号）

別に述べる（→436頁）。

(5) 信託の併合がされたとき（信託163条5号）

信託の併合があったときは、新たな信託が成立するので、以前の信託が終了するのは当然である（→420頁）。この場合、後に述べる清算手続は行われない（同175条かっこ書）。

(6) 信託財産について破産手続の開始の決定があったとき（信託163条7号）

いわゆる信託財産破産*であり、このときは、さしあたり破産手続において清算がされることになるので、信託は終了する。

問に挑戦します！』205頁（日本加除出版、2021）。

＊　**信託財産破産**5)　　(ⅰ)　信託財産そのものは法人格を有しないので，倒産することはありえない，と伝統的には考えられてきた。信託財産責任負担債務についても，受託者が固有財産をもって弁済する義務があるのが原則だから，債権者に対して完全な弁済ができなくなるという場合とは，受託者の倒産が生じる場面にほかならず，信託財産のみの倒産は考えなくてよいということである。しかし，限定責任信託では，債権者は信託財産しか引き当てにできないし，より一般的には，受託者の固有財産がわずかである場合も考えられる。このときには，信託財産に属する財産が債権者に公平に分配されることを確保することが重要であり，いくら善管注意執行義務を負っているからといって，受託者は債務者自身であるから，受託者に任せておくのは妥当でないと考えられるようになった。そこで，現行信託法の制定に合わせて破産法が改正され，同法244条の2以下に「信託財産の破産に関する特則」が置かれるに至った。ただし，再生手続・更生手続といった再建型倒産処理手続は，信託財産については認められていない。

以下，破産手続の規律の概要と若干の問題点を述べる。

(ⅱ)　破産手続の開始原因は，支払不能または債務超過である（破244条の3）。その判断においては，信託債権者の債権だけでなく，受益債権も含まれる（ただし，一定期間ごとの収益に応じて発生するような受益債権で，その期間が未到来の受益債権は含まれない6)）。申立権者は，信託財産責任負担債務の債権者（受益債権の債権者を含む）のほか，信託財産の適切な管理について責任を負う者，すなわち，受託者・信託財産管理者・信託財産法人管理人・管理命令に基づく管理人（信託170条1項）である（破244条の4第1項～第3項）。受託者等の管理者，さらに会計監査人は，破産管財人等から請求があったときには，必要な説明をする義務も負う（同244条の6）。

(ⅲ)　信託終了後であっても，残余財産の給付が終了するまでは，破産手続開始の申立てができる（同244条の4第4項）。破産原因があれば，公平な分配が確保される手続を開始すべきことは，清算が開始していても同じだからである7)。むしろ，清算受託者は，債務を完済できないことが清算中に明らかになったときは，直ちに信託財産についての破産手続開始の申立てをしなければならない（信託179条1項）。そして，破産手続が開始されると，清算受託者がすでにした債権者に対する弁済を，破産管財人は取り戻すことができる（同条2項）。

信託財産についての破産手続開始決定により信託が終了したときは，当該破

---

5)　竹下守夫編代『大コンメンタール破産法』1012～1040頁（青林書院，2007），山本克己ほか編『新基本法コンメンタール破産法』551～585頁〔沖野眞已〕（日本評論社，2014），伊藤眞ほか『条解破産法〔第3版〕』1605～1642頁（弘文堂，2020），条解・688～692頁〔沖野眞已〕参照。
6)　学説について，山本ほか編・前出注5) 560～561頁〔沖野眞已〕参照。
7)　竹下編代・前出注5) 1024頁〔村松秀樹〕。

産手続が終了するまで信託法による信託の清算は行われない（同175条かっこ書）。破産手続が終了したときに積極財産が残っていれば信託の清算が行われる。信託法175条の文言上は，破産手続終了によって積極財産の残りがない場合にも，なお観念的には清算手続が開始し，清算受託者から受益者や帰属権利者に最終計算の承認を求める義務があるとも読めるが，その必要はない[8]。

(iv) 信託債権者は，限定責任信託の場合や責任財産限定特約がある場合を除いて，受託者に対しても債務の弁済を請求できる。そこで，受託者についての破産手続が並行する場合には，その破産手続にも参加でき，両方の破産手続で手続開始時の債権全額について手続参加ができる。受託者の保証人的地位に鑑み主たる債務者と保証人とについて破産手続が並行する場合の規律（破104条1項・2項）に準じたという説明もあるが，信託債権者が有するのは受託者を債務者とする1つの債権であり，債務者が異なる2つの債権を行使するときとはメカニズムが異なる[9]。

受託者は，費用等の償還を信託財産から受けることができる権利を有するが，信託財産の破産手続においては，それらの権利は金銭債権とみなされる（同244条の8）。受託者が許容される自己取引（→226頁）を行ったときに，その対価を信託財産から取得できる権利を有しているときも，同様に解すべきであろう[10]。

(7) 委託者が破産手続・再生手続・更生手続の開始決定を受けた場合において，双方未履行双務契約の規定により信託契約の解除がされたとき（信託163条8号）

信託財産に属する財産は委託者の財産から離脱しており，委託者について倒産手続が開始されても，信託は何ら影響を受けないのが原則である。また，委託者が受託者と信託契約を締結し，財産を受託者に移転すれば，それで信託の設定は完了することになり，信託契約自体は履行済みとなる。したがって，信託契約が双方未履行双務契約に該当するのは，信託契約が締結され，信託が設定された後（同4条1項），信託財産に属する財産につき，委託者から受託者への移転についての対抗要件が具備されず，あるいは，引渡しがされない間に，委託者につき倒産手続が開始した場合に限られる＊。信託報酬の未履行は，ここにいう双務契約の未履行にあたらない（→129頁）。

---

8) セミナー(4)・141～142頁参照。
9) セミナー(4)・182～183頁〔道垣内弘人〕。
10) セミナー(4)・168～174頁参照。

問題は，信託契約において，委託者から受託者への移転が確約されている財産（このことの意味は，→61頁）の一部につき移転・引渡しが未履行のときはどうか，であり，すでに履行された部分で信託目的の達成が可能である場合には，信託自体は終了せず，委託者の未履行部分とそれに対応する受託者の信託事務処理義務との間にのみ双方未履行双務契約性を認め，一部解除の対象となるという見解がある[11]。受託者に酷にならないよう認定が慎重にされる必要があるが，賛成すべきであろう。

なお，双方未履行双務契約として解除が選択されたときも，信託が終了し，次に信託の清算が行われることになり，解除には遡及効はない[12]。

＊　もっとも，この場合ですら，受託者は受益者のために信託事務を執行する義務を負うのであって，委託者の義務と受託者の義務との間に対価関係は存在しないという見解もあり得る。しかし，信託契約は委託者と受託者との間の契約であり，かつ，実質的には未だ信託が始まっていないのだから，受益者の利益に配慮する必要はなく，結論としては双方未履行双務契約の規律に従うべきである[13]。

(8) 信託行為において定めた事由が生じたとき（信託163条9号）

これは当然であり，典型的には期間の定めがあるときが考えられる。それ以外にも，自由に終了事由を定めることができるが，委託者が自己を残余財産受益者または帰属権利者としているときに，委託者がいつでも自由に終了できると定めているときなどには，委託者からの財産分離が不完全であると評価される場合もあろう（→18頁）。

(9) 委託者・受益者の合意による終了（信託164条1項）

信託において，委託者は自ら設定した信託目的の達成について利益を有し，受益者はまさに信託から利益を受ける。これに対し，受託者は信託か

---

11) 沖野眞已「信託と破産」山本克己ほか編『新破産法の理論と実務』46～47頁（判例タイムズ社，2008）。
12) 村松ほか・311頁注(12)。
13) 中森亘＝堀野桂子「信託関係者の倒産および黙示の信託に関する検討」銀法760号25～26頁（2013）。精緻な考察として，小野傑「委託者破産の場合の破産管財人による信託契約に対する破産法53条1項に基づく解除権行使の可否」西村利郎追悼『グローバリゼーションの中の日本法』133頁以下（商事法務，2008）。

ら利益を受けることができない。そこで、委託者と受益者との合意があれば、いつでも信託を終了することができるとされる。委託者と受託者が同一者であるときは、その者が単独で信託を終了させることができる。受益者が現に存しないとき、信託管理人が就任していれば（同 123 条）、信託管理人が受益者に代わって委託者と合意することができる（同 125 条 1 項）[14]。これに対して、委託者が現に存しないときは、委託者の意思に反するおそれがあるので、合意による終了はできない（同 164 条 4 項）。

受託者に不利な時期に信託を終了したときは、やむを得ない事由があったときを除き、委託者・受益者は受託者の損害を賠償しなければならない（同条 2 項）。損害の算定および「やむを得ない事由」の解釈については、受託者の解任について述べたところと同様である（→294 頁）。

これは当事者自治による終了であるから、信託行為に別段の定めをすることができる（同条 3 項）。ただし、(8)で述べたところが当てはまる。

(10) 特別の事情による信託終了を命じる裁判があったとき（信託 165 条 1 項、163 条 6 号）

信託を終了することが信託の目的および信託財産の状況その他の事情に照らして受益者の利益に適合するに至ったことが明らかであるときには、委託者、受託者、受益者[15]の申立てにより、裁判所は信託の終了を命じ

---

14) 一部の受益者は現存するが、一部の受益者が不特定（未指定）・未存在の場合には、信託管理人は選任できない（→388 頁）。したがって、合意による終了はできないことになる。これらの問題につき、条解・704～708 頁〔沖野眞已〕参照。

15) なお、寺本・369 頁注(4)は、申立権の不行使に関する特約を認めるが、合意の当事者が問題である。受益者の場合、受託者と特約を締結するならば、受益債権を有する受益者の権利を信託行為の定めなく制限する行為であり、受託者の忠実義務違反になる可能性がある。そうなると、結局、信託行為で定めざるを得ないが、信託行為の当時には予見することのできなかった特別の事情があるときは、信託行為における当該定めの効力が及ばない事態になっているように思われる。債権者が SPC の倒産申立権を放棄することは、債権の効力を自ら制限するものとして認められようが（山本和彦「債権流動化スキームにおける SPC の倒産手続防止措置」金融研究 17 巻 2 号 120～124 頁（1998）。さらに、同「証券化のスキームにおける SPV の倒産手続防止措置」同『倒産法制の現代的課題』331～335 頁（有斐閣、2014））、信託法 165 条 1 項の申立権を放棄し、または、不行使

うる（さらに，同165条2項〜5項）。このような場合，委託者と受益者の終了合意が成立するのが通常であろうが，委託者が現に存しないときなどには，合意による終了ができないので，裁判所が介入するのである。一部の関係者の意思に反する終了であるおそれもあるので，裁判所が終了を命じうるのは，信託行為の当時予見することのできなかった特別の事情が原因となって，上記の状況が生じた場合に限られる[16]。

たとえば，受益者に安定した生活を保障するために徐々に受益させるようにしていたが，受益者が大きな病気にかかり，多額の治療費を必要とするといった場合で，受益者が後に述べる残余財産受益者または帰属権利者であるときは，信託を終了させ，一時に財産を取得できるようにすることが，受益者の生活保障という目的にも合致すると思われる。

なお，これはやむを得ない事由による終了であり，かつ，委託者・受益者の意思による終了ではないから，受託者に対する損害賠償義務は生じない。

3 公益確保のために信託終了を命じる裁判による終了

(1) 不法な目的に基づいて信託がされたとき，および，受託者が，法令または信託行為で定める権限を逸脱・濫用する行為や刑罰法令に触れる行為をした場合で，法務大臣から書面による警告を受けたにもかかわらず，なお継続的にまたは反覆して当該行為をしたときには，法務大臣，委託者，受益者，信託債権者その他の利害関係人の申立てにより，裁判所は，公益維持の観点から，信託の終了を命じることができる（信託166条1項。さらに，2項〜8項，168条）。この命令により，信託は終了する（同163条6号）。一般社団法人及び一般財団法人に関する法律261条1項，会社法824条1項などに同様の規定がある。

の合意をすることは，その有効性を認めにくいように思われる。

[16] なお，資産流動化を目的とする信託において，オリジネーターが破産したときに，裁判所により信託の終了が命じられる可能性を危惧する見解もあるが，そのような終了は信託目的に反するので，要件を満たさない（井上聡「金融取引実務が信託に期待するもの」信研30号66〜67頁（2005），寺本・368頁注(2)）。

(2) 公益維持が目的であるから，利害関係人の範囲は広く解してよく，信託財産責任負担債務の債権者だけでなく，財産の隠匿を目的とした信託の設定の場合には，委託者に対する債権者も利害関係人となる。

不法な目的で信託が設定されたときは，公序良俗違反（民90条）として無効ではあるが，公序良俗違反による無効は，たとえば，委託者に対する債権者が，個々の訴訟において，その前提として主張しなければならないのに対し，裁判による確定的な終了をもたらすことができる点に意義がある。また，ここでいう受託者の権限違反は，それにより公益が害される場合が想定されており，個々的な行為の取消し（信託27条。→85頁）や受託者等に対する損失てん補等の請求（同40条，41条。→252頁）や解任（同58条1項・4項。→294頁）では適切な対処ができないものに限られる。

なお，裁判所その他の官庁，検察官または吏員は，その職務上，公益確保のための信託終了の申立てや受託者に対する警告をすべき事由があることを知ったときは，法務大臣にその旨を通知しなければならない（同167条）。

(3) 裁判の申立てがあったときは，裁判所は，信託財産の管理命令（管理人による管理を命じる処分），その他の必要な保全処分を命じうる（信託169条1項。さらに，170条～172条）。

信託が終了すると清算となるが，公益確保のための裁判による信託終了の場合は，元の受託者に清算をさせるのは不適切なので，清算のための新受託者が選任される（同173条）。

4 信託財産が費用等の償還等に不足している場合の受託者の信託終了権限

(1) すでに述べたように，受託者は，信託財産から費用と利息の償還を受けることができ，必要な費用の前払を受ける権利を有する（信託48条1項・2項。→280頁）。また，信託事務を処理するにあたって受けた損害について，一定の要件の下で，信託財産から賠償を受けることができる（同53条1項。→289頁）。さらに，信託財産から信託報酬を受けることができる場合がある（同54条1項～3項。→288頁）。このような権利が実現されない

まま信託事務執行を継続しなければならないとすると，受託者に酷であるが，信託財産が，受託者の費用等の償還等に不足しているだけで，即時に信託が終了するというのも，委託者・受益者の利益に反する。そこで，信託法52条（および，同法53条2項，54条4項による準用）は次のような規律を置き，委託者・受益者に，いわば信託を終了させないようにする選択権を与えている。費用等の償還等の場合と，費用の前払，損害賠償，信託報酬の各場合に共通する規律（費用等の償還等・費用の前払に即して，同法52条が規定され，同法53条2項，54条4項で，損害賠償・信託報酬に準用されている）であるので，以下，費用償還に即して説明する。

(2) 信託財産から費用の償還を受ける権利があるにもかかわらず，信託財産が不足しているために償還を受けられないときは，受託者は，委託者および受益者（委託者が現に存しないときは受益者のみ。信託52条2項）に，信託財産が償還に不足している旨を告げ，相当の期間を定め，委託者または受益者から償還を受けられないときは信託を終了させる旨を通知する。そして，実際，償還を受けられないときには，信託を終了させることができる（同条1項，163条4号）。

信託財産に属する財産の中には，当該財産を処分すると信託目的が達成できなくなるものもある（ある建物の保存が目的となっているときなど）。そのような場合には，当該財産を処分して償還を受けることは，信託を終了させることにほかならないので，上記の信託財産の不足の判断の際に，除外される（同52条1項かっこ書）（→282頁）。

償還を得られれば，信託は継続するが，得られないときは，受託者は信託終了の意思表示をすることになる。相手方は，委託者および受益者となる。

(3) 委託者および受益者が現に存しないときは，信託財産の不足という事実だけで，受託者は信託を終了させることができる。このときは，信託の変更に関する信託法149条2項2号を類推し，書面または電磁的記録によってする意思表示を要求すべきであろう。

(4) 催告期間が経過する前に，信託財産の不足が解消されれば，委託者または受益者からの償還がなくても，終了事由がなくなるというべきであ

る。したがって，信託財産に属する財産の中に信託目的達成に必須の財産であるために処分できないものがあり，それが原因で受託者が償還を受け得なくなっているときには，委託者・受益者には，信託の変更（→413頁）を行い，受託者による処分を可能にするという選択肢もある。

ただし，処分のために適切な財産がないとき，受託者が，信託財産の状況の改善を待つ義務の存在は，否定すべきである（→283頁＊＊）。委託者および受益者は，自らで償還原資を支出し，信託を継続するか，信託を終了するかの選択肢を有するというのが信託法の構造であり，受託者による待機は予定されていない。

第2節　信託の清算

1　信託の存続

(1)　信託は，終了すると，清算の手続に入る（信託175条）。ただし，信託の併合を理由とする終了の場合（→430頁），および，信託財産についての破産手続開始決定による終了で，当該破産手続が終了していない場合（→430頁）を除く。

終了しても，清算が結了するまで信託は存続するが（同176条），受託者は**清算受託者**と称され，信託の清算の職務を行うことになる。公益確保のために信託終了を命じる裁判があったことによって終了した場合を除いて（同173条），従来の受託者とは異なる者が清算受託者に選任されるわけではない。とりわけ債権者にとっては，限定責任信託の場合を除いて，受託者の固有財産も引き当てにできているところ，債務者が代わることは，その期待を害し，一般には認められないのである。清算受託者を別の者にするためには，受託者変更の要件（→290頁）を満たしていることが必要である。

(2)　もっとも，当該信託は清算のために存続しているのであり，その性格が一切変化しないわけではない。しかし，信託の清算においては，たとえば，当該信託が，A社の安定株主となるべく信託財産に属する財産を

A社の株式に投資し，受益者に株式配当相当額を給付する，というものであれば，清算において，A社の株式を対立するB社に売却することはできない。当該信託で達成しようとしていた目的に反するからである。だからこそ，信託法178条1項は，清算受託者の権限を，「信託の清算のために必要な一切の行為をする権限」としながら，信託行為における別段の定めを許容しているのである。この別段の定めは，とくに清算段階の権限に特化したものであることを要しない。終了前の段階での権限の定めがそのまま適用される。もっとも，終了事由や権限の定めの意味によっても異なってくる（→446頁）。

2 清算受託者の職務と権限

(1) 職　　務

(ｱ)　清算受託者の職務は，①現務の結了（信託177条1号），②信託財産に属する債権の取立ておよび信託債権に係る債務の弁済（同条2号），③受益債権（残余財産の給付を内容とするものを除く）に係る債務の弁済（同条3号），④残余財産の給付（同条4号），である[17]。

(ｲ)　①の「現務の結了」とは，信託の終了当時，未了の状態にある事務の後始末をつけることである[18]。現務の結了に必要であれば，新規の取引もすることができる。事業目的の信託であるとき，棚卸資産の売却や，契約履行に必要な物品の購入も可能である。また，信託財産の換価のために事業譲渡をする予定の場合には，事業の減価を防止するために，事業の継続も可能である[19]。

もっとも，株式会社の清算などと違い，第三者との間の契約の主体である受託者は法人格を失わないので，特殊な問題が生じる。すなわち，継続的な契約は当然には終了しない[20]。

---

[17]　以下については，会社法481条の解釈が参考になる。たとえば，落合誠一編『会社法コンメンタール12』186〜189頁〔畠田公明〕（商事法務，2009）参照。

[18]　なお，継続中の訴訟について，栗田隆「信託と訴訟手続の中断・受継」関法58巻3号1頁以下（2008），同「管理信託の終了と受託者が追行中の訴訟」関法62巻3号72頁以下（2012）。

[19]　株式会社の清算に関して，大阪地判昭和35・1・14下民集11巻1号15頁。

たとえば，不動産賃貸借契約を考えると，受託者が貸主のときには，賃貸目的物を譲渡し，貸主たる地位を新所有者に引き継がせることが可能であるが，借主であるときには，受託者であった者がそのまま借主の地位にとどまることになる。この点では，まず，賃借権の譲渡を試みるべきであるが，それができない場合で，損害賠償義務を負うものの中途解約権が認められているときには，現務の結了として中途解約をし，損害賠償を支払う権利が受託者に認められるというべきである（そして，その額は信託財産から支出でき，あるいは，固有財産から支出したことによって生じた費用は信託財産から償還を受けうる）。もっとも，信託の終了事由の発生が近づいているのに（たとえば，定められた期間の経過），あえて長期間の契約をしたときには，その契約締結が受託者の善管注意執行義務違反となることがある。次に，中途解約ができないときで，受託者であった者が借主の地位にとどまることによって損害を被るときは，受託者は費用償還請求権の行使として，信託財産から損害相当額の償還を受けうる。いわばマイナス財産の換価なのである。

　受託者が動産賃貸借における貸主であるときで，新所有者が貸主たる地位を引き継がない場合や，ファイナンス・リースに関しても同様である。

　(ウ)　②の「信託財産に属する債権の取立て及び信託債権に係る債務の弁済」における「債権の取立て」に関しては，和解や債権譲渡による回収も含まれる＊。受託者が善良な管理者の注意に基づいて適切な取立てをすればよい。弁済期の到来していない債権については，履行期の到来を待つか，債権譲渡をするほかはない。

> ＊　**清算受託者による職務執行の順序**　　「債権の取立て」，さらには，「信託債権に係る債務の弁済」も「現務の結了」の1つであり，信託法177条において別項目とされているのは奇妙な感じもする。しかし，受益債権は信託債権に劣後する（同101条）ので，受益債権の弁済前に，支出を原則として停止し，積極財産を確定した上で，信託債権に係る債務を弁済しなければならない。そして，残余財産の給付は，受益債権まで支払った後の残余財産が確定しなければ不可能である。そうすると，未了状態の事務の後始末を付け（現務の結了），債権を回収した上で，信託債権に係る債務の弁済をし，残余財産の給付を行う

---

20)　以下については，セミナー(4)・68〜70頁参照。

べきことになり，信託法 177 条の 1 号から 4 号までは，清算受託者による職務執行の順序を意味していることになる。そして，現務の結了から，信託債権・受益債権に係る債務の弁済を取り出したことには意味があることになる。

(エ) (a) **信託債権**（つまり，信託財産責任負担債務に係る債権で，受益債権以外のもの（信託 21 条 2 項 2 号））に係る債務弁済については，まず，弁済期未到来の債務であっても，債務者は期限の利益を放棄できるのが原則であり（民 136 条），期限が債権者のための利益にもなっているときでも，債務者は，約定返還期限までの利息を支払うなど，債権者の不利益をてん補すれば，期限の利益の放棄ができるから[21]，そのような方法で弁済をすることになる*。

(b) 条件付債権，存続期間が不確定な債権その他その額が不確定な債権に係る債務については，清算受託者は，清算受託者・受益者・帰属権利者・債権者**に合意が成立すればその方法により（信託 180 条 6 項），そうでないときは，裁判所に鑑定人の選任を申し立て，その鑑定人の評価に従い弁済する（同条 1 項・2 項。さらに，3 項から 5 項）***。

(c) 限定責任信託の場合については，後に述べる（→448 頁）。

* **公益確保のための信託の終了を命じる裁判による場合**　債権者との間の契約，さらには受益者による受益債権の取得も，公益に反することがあり得る。しかし，当該裁判で信託が終了したというだけで，信託財産責任負担債務の弁済に不当性が生じるわけではない。必要に応じて，個別に公序良俗違反を問題とせざるを得ない。

** **合意の当事者**　まず，残余財産受益者・帰属権利者は，条件付債権等の信託債権者を含めた債権者に弁済した残余について権利を有するのであるから，どのような額で弁済がされるのかについて確定的な利害関係を有する。したがって，合意の当事者となる。また，残余財産受益者としての受益債権以外の受益債権を有する受益者も，一定期間の収益に連動した給付を受ける場合は，もちろん利害関係を有するし，確定額での給付を受ける場合も，信託が債務超過のときには，信託債権に劣後することになるので（信託 101 条），不当に多額の支払がされ，そのために債務超過の危険が発生することをチェックする利益がある。

さらに，ここでいう「債権者」は，当該条件付債権等を有する債権者だけで

---

21) 大判昭和 9・9・15 民集 13 巻 1839 頁。

はなく，他の債権者も含まれる。信託が債務超過のときには，破産手続開始申立てがされることになり（同179条1項），すでに弁済を受けた債権者もその返還請求を受けるが（同条2項），無資力になっている危険性があり，そうなると，他の債権者も損害を被りうる。すでに弁済を受けた債権者も，信託財産につき破産手続が開始したとき，自らは返還能力があるが，返還能力のない債権者が存在するときには損害を被り得るので，やはり合意の当事者になるというべきである[22]）。

＊＊＊　**制度の正当性**　条件付債権，存続期間が不確定な債権その他その額が不確定な債権に係る債務を鑑定人の評価に従って弁済することのできる権利が清算受託者に与えられるのは，なぜなのか。受託者は，信託財産責任負担債務を負担するにあたっても，その負担行為が信託事務執行であることを相手方に示す必要があるわけではなく，債権者は自らの債権が信託財産責任負担債務に係る債権であると知り得る仕組みにはなっていない。債権者は，あくまで受託者を債務者とする債権を有しているだけなのである（→79頁）。にもかかわらず，信託財産責任負担債務に係る債権だと事後的に知らされ，だから鑑定人の評価に従って弁済されるというのでは，不当な不利益を被りうる（債務者の法人格が消滅する場合はもとより，限定承認についても同様の規定があるが（民930条2項），自らに対する債務者が死亡した場合に生じるものであり，信託の終了とは異なる）。

　結論としては，限定責任信託では責任財産全体が清算されるので，債務者の法人格が消滅する場合と同じ扱いにすることで仕方がないが，限定責任信託以外では，もとの約定に従って，受託者の固有財産に対して不足分の権利行使ができるとともに，受託者はそれに備えて費用の前払請求（→280頁）ができると解すべきであろう（信託48条2項本文）[23]）。

(オ)　③の「受益債権（残余財産の給付を内容とするものを除く。）に係る債務の弁済」については，信託債権に係る債務の弁済を行った後にすべきである（→440頁＊）。もっとも，問題となるのは，信託が債務超過であり，受益者に受けた給付を返還する資力がなく，受託者に固有財産から弁済する資力がないときに限られる。

(カ)　④の「残余財産の給付」については，いくつか問題がある。

(a)　まず，権利者は，**残余財産受益者**（信託行為において残余財産の給付を内容とする受益債権に係る受益者）となるべき者として指定された者，または，**帰属権利者**（信託行為において残余財産の帰属すべき者となるべき者とし

---

22)　セミナー(4)・86～88頁参照（ただし，私見に一部修正がある）。
23)　本書初版・418頁とは説明を変えた。

て指定された者）であることが原則である（信託182条1項）。両者の違いは，前者はあくまで受益者であるので，信託終了前も受益者としての権利を有するが，後者には権利がないということにある。なお，それぞれ複数の者を指定することも可能である。

　前者の残余財産受益者は，当然に受益権を取得し，知らないときは受託者から通知を受け得ること（終了後に通知を受けるわけではなく，信託の設定とともに通知を受ける。それ以降，残余財産受益者には受益者としての権利がある）（同88条。→315頁），放棄ができること（同99条。→350頁）等，信託終了前の受益者と同じである。後者の帰属権利者については，受益者に関する条文の適用がないので，個別的に規定・準用規定が置かれ，権利取得・通知については，残余財産受益者と同様の規律になっている（同183条1項・2項）。帰属権利者の権利放棄については後に述べる。

　信託の終了前には帰属権利者には権利はなく，信託の清算に至って受益者とみなされるが（同条6項。したがって，清算中は，清算受託者の事務執行の監督等につき，受益者と同じ権限を有する），あらかじめの放棄を認めるため，信託の設定とともに通知を受けると解すべきであろう。また，帰属権利者は信託の終了前は権利を有しないのであり，信託の変更（→413頁）によって帰属権利者を変更することができ，かつ，そのことについて帰属権利者には異議を申し述べる権利はない。

　(b)　信託行為に残余財産受益者もしくは帰属権利者の指定に関する定めがない場合または信託行為の定めにより指定を受けた者のすべてがその権利を放棄した場合には，信託行為に委託者またはその相続人その他の一般承継人を帰属権利者として指定する旨の定めがあったものとみなされる（信託182条2項）。それが委託者の意思に合致していると考えられるからである。

　委託者またはその相続人その他の一般承継人がいないときは，清算受託者に帰属する（同条3項）*。

　なお，委託者が残余財産受益者または帰属権利者になっているときは，信託法182条2項にいう「定めがない場合」には該当しないが，委託者の死亡が信託終了原因となっていたり，委託者の死亡の後に信託が終了した

りした場合には，委託者の相続人が残余財産受益者または帰属権利者という地位を相続すると解される（→346頁）。

* **清算受託者を残余財産受益者または帰属権利者にする定め**[24] 清算受託者を複数の残余財産受益者や帰属権利者の1人とする定めも有効である。これに対して，同人を単独の残余財産受益者や帰属権利者とすることについては，清算受託者がもっぱら自己の利益のために清算をすることになるのではないか，という問題が生じる。しかし，結論としては，そのような定めも有効と解すべきである。信託法182条3項は，残余財産の帰属が決まらないときに，清算受託者に帰属させることにしており，清算受託者に残余財産が帰属する事態を避けようとはしていないし，また，同法183条3項が，帰属権利者の権利放棄を規律するに際して，「委託者」ではなく，あえて「信託行為の当事者」という言葉を用いていることからすると，受託者が帰属権利者になることを想定しているともいえるからである。

(c) 帰属権利者の権利放棄については，少し細かな規定がある。まず，放棄が認められるのは，信託行為の定めによって帰属権利者となった者であり，かつ，信託行為の当事者でない者である。

信託法182条2項によって委託者またはその相続人が帰属権利者になったときにも，信託行為に「定めがあったものとみな」されているのであるから，信託行為の定めによって帰属権利者となった者に該当する。しかし，委託者は信託行為の当事者であるから放棄はできない。これに対して，委託者の相続人は信託行為の当事者ではないから，放棄は可能である。

また，同条3項によって，残余財産が清算受託者に帰属することになったときは，信託行為の定めによる者ではないので，その権利の放棄はできないことになる。最終的に誰にも帰属しなくなるという事態は避けなければならないからである。

なお，放棄についての解釈論は，受益権の放棄と同様に考えられる（たとえば，同183条4項にいう「第三者」の意義。→350頁）。

(d) 残余財産受益者・帰属権利者は，債務の弁済した残余財産について給付を受ける権利を有するわけであり，それらの者に給付をしたために，債権者への完全な給付ができない事態となっては困る。そこで，受託者は，

---

24) セミナー(4)・110，113〜114頁参照。

信託債権に係る債務の弁済・受益債権（残余財産の給付を内容とするものを除く）に係る債務の弁済の後にしか，残余財産受益者・帰属権利者への給付ができないとされている（同 181 条本文）。ただし，債務の弁済に必要な財産を留保したときは別である（同条ただし書）。

また，残余財産受益者・帰属権利者の権利については，その性質上，受託者は信託財産に属する財産のみをもってこれを履行する責任を負う（同 183 条 5 項→100 条）（→364 頁）。また，消滅時効についても受益債権の規定が準用される（同 183 条 5 項→102 条）（→368 頁）[25]。

残余財産受益者・帰属権利者への給付の後に，未払債務の存在が明らかになったときについては後述する（→447 頁）。

(e) 信託債権に係る債務の弁済・受益債権（残余財産の給付を内容とするものを除く）に係る債務の弁済の後，残余財産があり，そのうちの特定物を特定の残余財産受益者または帰属権利者に給付すべき場合に，当該残余財産受益者等は，どの時点で当該特定物についての権利を取得するか。

旧法下の通説は，受託者による一定の意思表示があって初めて移転の効果が生じるとしていたが，物権行為の独自性を否定する限りは，給付義務の効果によって権利移転は生じるのであり，給付目的物が特定した段階で当該残余財産受益者等に帰属するに至るというべきである[26]。

ただし，特定が必要であることはいうまでもなく，信託債権等の債務の弁済もされたことが必要である（同 181 条本文）（→440 頁＊）。

(2) 権　　限

(ア) 上記の職務を行うために，清算受託者は必要な一切の行為をする権

---

[25] なお，信託期間中の受益者が残余財産受益者または帰属権利者であるとき，信託期間中の受益権が時効により消滅しても，残余財産受益者または帰属権利者としての権利は行使できると解すべきである（堂園昇平「受益権の時効」新井誠編『キーワードで読む信託法』156 頁（有斐閣，2007））。

[26] 同旨，安藤朝規「請負者の破産と預金債権の帰属」新井誠編『信託法実務判例研究』11〜12 頁（有斐閣，2015），岸本雄次郎「信託の終了事由発生後の残余財産等の移転時期」新井編・同書 405 頁。なお，この問題については，道垣内・問題状況 279〜283 頁，能見善久「信託の終了・清算をめぐる諸問題」トラスト未来フォーラム編『信託の理論的深化を求めて』100〜111 頁（トラスト未来フォーラム，2017）参照。

限を有する（信託178条1項本文）。ただし，清算のために必要な行為に限られるとともに，あくまで従来の信託が継続しているのであるから，信託の目的によって権限範囲が限定される（→82頁）。しかし，具体的に，どのような権限が認められるのかは，信託の終了事由とも関係し，具体的に考える必要がある[27]。

　たとえば，文化的な価値のある建物を管理し，入場料・使用料を取って運用することが求められている信託において，清算段階に入ったとき，いくら更地の方が高価に売却できるとしても，当該建物を壊す権限は清算受託者に認められるべきではない。しかし，当初の目的が当該建物の効果的な保存であったとしても，維持費が高額となり，当該建物の保存が難しくなったために，目的達成不能となって信託が終了したときには，当該建物の取り壊しも認められよう。受託者の費用等の償還に信託財産に属する財産が不足し，委託者・受益者からの支払もなかったことによって終了したときは，少なくとも費用等の償還に足りるだけの価格での換価が求められるのであり，清算受託者の権限はその分広くなる。

　また，公益の確保のために信託を終了させる裁判によって終了したときには，従前の目的を維持すべきでないときもあり，その際は，信託行為の別段の定めにも効力はないというべきである。

　権限違反行為や善管注意執行義務違反の効果は，清算受託者の行為であっても，受託者の行為と同じである（→85，252頁）。また，費用等の償還権・前払受領権，信託報酬，信託財産からの損害の賠償についても同様である（→278，288，289頁）。

　(ｲ)　清算受託者が，特定物を受益者・残余財産受益者・帰属権利者に引き渡す義務を負っているとき，それらの者が給付を受領することを拒み，または，受領ができないときに，清算受託者がそのまま当該特定物を保管し続けなければならないとするのは不当である。そこで，清算受託者は，相当の期間を定めて，それらの者に受領を催告し，その期間内に受領がないときは，当該財産を競売することができる（信託178条2項1号）[28]。受

---

[27]　セミナー(4)・56〜63頁参照。

益者等の所在が不明（善管注意執行義務に従った調査ではわからない）である場合，受益者等の所在がわかっても，催告をしていたのでは損傷その他の事由による価格の低落のおそれがあるときには，催告は不要である（同項2号，同条4項）。

受益者等の所在が不明であるときを除き，上記の競売がされたら，その旨を受益者等に遅滞なく通知しなければならない（同条3項）。

3 清算の終了
(1) 最終計算義務

清算受託者は，その職務を終了したときは，遅滞なく，信託事務に関する最終の計算を行い，信託が終了した時における受益者（残余財産等受益者も含む。また，信託管理人が現に存する場合にあっては，信託管理人）および帰属権利者のすべてに対し，その承認を求めなければならない（信託184条1項）。

異議のある受益者等は1か月以内に異議を述べなければならず，そうでなければ承認したものとみなされる（同条3項）。積極的に承認したときはもちろんである。そして，清算受託者の責任は，免除されたものとみなされる（同条2項）。しかし，清算受託者の職務の執行に不正行為があったときは，この限りでない（同項ただし書）。責任免除の範囲，不正行為の意味については，前受託者について述べたところと同様である（→303頁）。

(2) 信託財産責任負担債務の発見

最終計算がされ，承認を得ても，その後に信託財産責任負担債務が残存していることが発見されれば，清算は終了していないことになる。信託財産に属する財産はすでにないわけだから，清算受託者は固有財産から弁済の責任を負う。信託の終了にあたって，委託者等が債務を引き受けていても，債権者の同意がない限り，併存的債務引受にしかならないから，清算受託者の責任は消滅しない。

このとき，残余財産受益者または帰属権利者，さらに，残余財産がなか

---

28) 清算受託者の権限との関係について，セミナー(4)・79～80頁。

った場合には，受益債権の債権者は，給付を受けていれば，清算受託者の固有財産に対して不当利得返還義務を負うことになろう[29]。

4 限定責任信託の場合

限定責任信託の場合，清算受託者は，信託債権者の債務の弁済につき固有財産では責任を負わない（→163頁）。そうすると，最終計算の承認後に見つかった債権者についても，清算受託者が固有財産で弁済の責任を負わないことになる。そこで，清算手続について，いくつかの特則が置かれている。

まず，限定責任信託の清算受託者は，その就任後遅滞なく，信託債権者に対し，当該信託債権者が期間内に申出をしないときは清算から除斥される旨を付記したうえで，一定の期間内（2か月以上）にその債権を申し出るべき旨を官報に公告し，かつ，知れている信託債権者には，各別にこれを催告しなければならない（信託229条）。この期間内は，清算受託者は債務の弁済をすることができないが，これは信託のために総債権額を確定するための期間であり，信託債権者がそれによって損害を被るいわれはない。したがって，その債務の不履行による責任は生じる（同230条1項）。

少額の債権，信託財産に属する財産上の担保権の被担保債権など，これを弁済しても他の債権者を害するおそれがない債権に係る債務について，裁判所の許可を得て，弁済ができる（同条2項前段。さらに，3項～5項）。ただし，慎重を期すために，清算受託者が2人以上あるときは，その全員の同意によって，裁判所への申立てをしなければならないとされる（同条2項後段）。

そして，催告期間内にその債権の申出をしなかったものは，清算受託者に知れている債権者を除き，清算から除斥される（同231条1項）。ただし，まだ財産があるのに除斥されるのも酷であるから，残余財産からの弁済は請求できる（同条2項）。もっとも，他の信託債権者への弁済が終わり，残余財産を受益者に給付する手続に入っているときで，まだ一部の受益者に

---

[29] セミナー(4)・93～104頁。さらに，能見・前出注26）116頁。

しか給付していないときには受益者間の公平の問題もある。つまり，除斥された債権者は残余財産についてしか権利が行使できないから，給付を受けた受益者に劣後するところ，当該給付を受けた受益者と権利はあるのに未給付の受益者とは同等に扱われるべきである。そこで，当該受益者の受けた給付と同一の割合の給付を当該受益者以外の受益者に対してするために必要な財産をまず残余財産から控除したうえで，その残りについて除斥された債権者が権利を行使できることとしている（同条3項）。

■ 第9章 罰　　則

1　総　説

信託法 267 条から 271 条は，罰則について定めている[1]。

2　受益証券発行限定責任信託の受託者等

受益証券発行限定責任信託（→362 頁）においては，受託者は，固有財産で責任を負わないし，受益証券の発行が定められる信託においては，受益者が多数に上る大規模な信託であることが多いと考えられるので，とくに贈収賄罪の規定を置いている（信託 267 条）。収賄につき刑罰を受ける者として定められているのは，受託者だけでなく，信託財産管理者，信託管理人等，広く受益証券発行限定責任信託の管理者である。

これ以外の信託においては，贈収賄罪の規定はなく，また，会社法のような特別背任罪の規定もない（会社 960 条〜962 条）。ただし，一般の背任罪・横領罪の適用は考えられよう[2]。

3　過　料

信託法 270 条・271 条は，過料に処せられる行為類型について規定している。規定されているのは，善管注意執行義務違反・公平義務違反・忠実義務違反など，行為基準に幅があり，違反があったか否かの判断が一義的にできないものではない。「この法律の規定による公告若しくは通知をすることを怠ったとき，又は不正の公告若しくは通知をしたとき」（信託 270 条 1 項 1 号），「この法律の規定による開示をすることを怠ったとき」（同項 2 号）など形式的に判断できるものが中心である。ただし，「この法律の規定に違反して，正当な理由がないのに，書類又は電磁的記録に記録された

---

1)　全体として，条解・1014〜1021 頁〔佐伯仁志〕。
2)　濱田俊郎「信託に関する犯罪」西田典之編『金融業務と刑事法』151〜162 頁（有斐閣，1997）参照。

事項を法務省令で定める方法により表示したものの閲覧又は謄写を拒んだとき」(同項3号),「清算の結了を遅延させる目的で,第229条第1項の期間を不当に定めたとき」(同条3項3号)など,評価の必要なものもいくつか存在する。

■ 条文索引

【一般社団法人及び一般財団法人に関する法律】
- 80条 ……………………………267
- 117条 ……………………………177
  - 1項 …………………………269
- 198条 ……………………………177
- 261条1項 ………………………435

【会社更生法】
- 41条 ……………………………292

【会社法】
- 2条17号 …………………………342
- 27条1号 …………………………166
- 106条 ……………………………358
- 107条1項1号 …………………342
- 108条1項4号 …………………342
- 117条3項 ………………………384
- 122条1項 ………………………329
- 125条2項 ………………………329
- 133条2項 ………………………329
- 138条 ……………………………342
- 140条 ……………………………342
- 151条 ……………………………349
- 154条 ……………………………349
- 154条の2 ………………………150
- 272条の2 ………………………150
- 281条1項 …………………………45
- 310条2項 ………………………378
- 313条 ……………………………379
- 331条
  - 1項 ……………………………57
  - 1項1号 ………………………240
- 332条2項 ………………………295
- 339条2項 ………………………295
- 346条2項 ………………………267
- 349条4項 ………………………101
- 355条 ………………………186, 243
- 356条
  - 1項1号 …………………226, 240
  - 1項2号 ………………………226
- 358条 ……………………………217
- 360条1項 ………………………274
- 423条 ……………………………270
  - 1項 …………………………256
  - 2項 …………………………265
- 429条 …………………177, 268, 274
  - 1項 ………………………177, 269
- 440条1項 ………………………214
- 442条3項 ………………………214
- 455条 ……………………………173
- 462条 ………………………173, 175
  - 1項 …………………………175
  - 2項 …………………………175
- 471条5号 ………………………293
- 481条 ……………………………439
- 590条3項 …………………………99
- 596条 ……………………………269
- 597条 ……………………………177
- 598条
  - 1項 …………………………269
  - 2項 …………………………269
- 695条の2 ………………………150
- 749条 ……………………………291
  - 1項2号 ………………………422
- 753条 ……………………………291
- 758条 ……………………………291
- 762条 ……………………………292
- 789条3項 ………………………426
- 799条5項 ………………………424
- 810条
  - 3項 …………………………426
  - 5項 …………………………424
- 824条1項 ………………………435
- 828条
  - 1項7号 ………………………424
  - 1項8号 ………………………424
  - 1項9号 ………………………424

1項10号…………………………424
847条
　　3項……………………………255
　　5項……………………………255
849条
　　1項……………………………255
　　4項……………………………255
852条……………………………120
　　2項……………………………121
853条……………………………255
908条……………………………169
911条……………………………168
　　3項1号………………………166
960条……………………………451
961条……………………………451
962条……………………………451
976条1号………………………169

【会社法施行規則】
2条3項17号……………………45

【貸付信託法】
3条4項……………………………164
5条………………………………413
6条………………………………413
　　4項……………………………380
8条………………………………352
　　5項……………………………352
10条………………………………410

【仮登記担保契約に関する法律】
5条1項……………………………233

【行政事件訴訟法】
37条の4第2項…………………275

【金融機関等の更生手続の特例等に関する法律】
31条………………………………292
196条……………………………292

【金融機関の信託業務の兼営等に関する法律】
5条…………………………374, 413
　　4項……………………………380

【金融商品取引法】
2条
　　2項1号………………………352
　　2項2号………………………352

【公益信託ニ関スル法律】
2条…………………………………27
9条…………………………………21

【鉱業法】
17条…………………………………50

【航空機登録令】
49条………………………………146
50条1項…………………………206

【国税通則法】
75条………………………………120

【産業競争力強化法】
11条の2
　　1項……………………………345
　　4項……………………………345

【資産の流動化に関する法律】
2条13項…………………………418
237条……………………………410

【自動車損害賠償保障法】
3条………………………………126

【自動車登録令】
61条………………………………146
62条1項…………………………206

【借地借家法】
2条1号……………………………147
10条1項…………………………147

条文索引　455

11条 …………………………………………225

【社債，株式等の振替に関する法律】
3条 …………………………………………353
13条 …………………………………………353
75条 …………………………………150, 203
100条 ………………………………………150
127条の2
　1項 ………………………………………356
　2項 ………………………………………353
127条の3第1項 ……………………………353
127条の4 ……………………………………357
127条の16 …………………………………356
127条の17 …………………………………361
127条の18 …………………………………150
127条の19 …………………………………356
127条の20 …………………………………356
127条の27
　1項 ………………………………………357
　2項 ………………………………………357
　3項 ………………………………………357
　4項 ………………………………………357
127条の30 …………………………………353
142条 ………………………………………150
151条 ………………………………………357
152条 ………………………………………357
207条 ………………………………………150

【社債，株式等の振替に関する法律施行令】
8条 …………………………………………150

【証券保管振替機構の株式等の振替に関する業務規程】
285条の56 …………………………………357

【商法】
512条 …………………………………288, 393
521条 ………………………………………284

【商法（平成17年改正前）】
254条ノ2第2号 ………………………………57
256条 …………………………………95, 295

264条 …………………………………………92
290条2項 ……………………………………175
409条4号 …………………………………422

【信託業法】
2条3項1号 …………………………………54
22条 ……………………………2, 191, 192
　1項1号 ……………………………………191
　1項2号 ……………………………………191
　2項 …………………………………191, 200
　3項 ………………………………………191
　3項1号 ……………………………………191
　3項2号 ……………………………………191
23条 ……………………………………………2
　1項 ………………………………………200
　2項 ………………………………………200
　2項1号 ……………………………………200
　2項2号 ……………………………………200
　2項3号 ……………………………………200
24条の2 ……………………………………59
25条 ………………………………………59
26条 ………………………………………59
27条 ………………………………………210
28条 ……………………………2, 191, 200
　1項 ………………………………………248
　2項 ………………………………………183
29条 ……………………………2, 191, 200
　1項3号 ……………………………………223
　1項4号 …………………………………237, 398
　2項 …………………………………236, 237
　2項1号 ……………………………………237
　2項2号 ……………………………………237
　2項3号 ……………………………………237
　3項 ………………………………………237
29条の2 ……………………………………2, 374
　1項 ………………………………………418
　2項 ………………………………………418
　3項 ………………………………………418
　4項 ………………………………………418
　4項2号 ……………………………………374
　5項 ………………………………………418
29条の3 ……………………………………289
30条 ……………………………………………2

31条 …………………………………… 2
50条の2 ……………………… 27, 72
65条 ………………………………… 188
66条 ………………………………… 188

【信託業法施行規則】
29条 ………………………………… 191
　1号 …………………………… 191, 192
　2号 …………………………… 191, 192
　3号 …………………………… 191, 192
33条2項2号 ………………………… 96
37条 ………………………………… 210
41条
　1項3号 …………………………… 223
　1項4号 …………………………… 223
　2項4号 …………………………… 237
　2項5号 …………………………… 398
　3項 ………………………………… 237
　5項 ………………………………… 237
41条の2 …………………………… 418
41条の3 …………………………… 418
41条の4 …………………………… 418
41条の5 …………………………… 418
41条の6 …………………………… 418
41条の7 …………………………… 418

【信託業法施行令】
14条 ………………………………… 237

【信託計算規則】
12条3項 …………………………… 172

【信託法】
2条 …………………………………… 20
　1項 ……………… 1, 3, 29, 30, 35, 38, 48, 49, 53,
　　　　　　134, 165, 194, 220, 310, 336, 429
　2項 ………………………………… 30
　3項 ………………………………… 19
　4項 ………………………………… 1
　5項 ………………………… 1, 19, 46, 47
　6項 ……………………… 1, 309, 314
　7項 ………… 1, 127, 309, 328, 363, 364, 365
　8項 ………………………………… 19

9項 ………………………………… 122
10項 ………………………………… 420
11項 ………………………………… 420
12項 ………………………………… 164
3条 …………………… 1, 20, 27, 29, 53, 58
　1号 ……… 38, 39, 42, 43, 47, 58, 60, 179, 336
　2号 ……… 38, 42, 43, 47, 62, 336, 411
　3号 …… 42, 44, 47, 72, 75, 76, 179, 336
4条 ………………………………… 168
　1項 …………………………… 60, 432
　2項 ………………………………… 69
　3項1号 …………………………… 75
　3項2号 …………………… 75, 77, 314
　4項 ………………………………… 61
5条 …………………………… 62, 179, 412
　1項 …………………… 69, 328, 330
　2項 ………………………………… 70
　3項 ………………………………… 70
6条 …………………………… 62, 167, 412
　1項 ……………… 58, 71, 303, 328, 330
　2項 ………………………………… 71
　3項 ………………………………… 71
7条 …………………………………… 57, 71
7条（令和元年改正前） ………… 291
8条 ………… 50, 107, 131, 219, 220, 294, 310
9条 ………………………………… 50, 51
10条 ……………………………… 48, 52, 53
11条 ………………………………… 422
　1項 ……………… 31, 76, 131, 133, 134,
　　　　　　　　　135, 137, 141, 142
　2項 …………………………… 138, 139
　3項 …………………………… 138, 229
　4項 …… 131, 136, 137, 141, 142, 143, 144
　5項 ………………………………… 144
　6項 ………………………………… 144
　7項 …………………… 134, 140, 142, 144
　8項 …………………… 134, 140, 142, 144
12条
　1項 ………………………………… 144
　2項 ………………………………… 144
　3項 ………………………………… 144
　4項 ………………………………… 144
　5項 ………………………………… 144

条文索引　457

13条 ……………………………………209
14条 …………145, 203, 204, 235, 236
15条 ………………………24, 31, 32, 33, 35
16条 ……………………………………117
　1号 …………………21, 37, 88, 107, 108, 386
　2号 ………………………………21, 108, 117
17条 ……………………………21, 108, 111
18条 …………………………21, 96, 109, 111
　1項 ……………………………………109, 110
　2項 ……………………………………110
　3項 ……………………………………109
19条
　1項 ……………………………………111
　1項1号 ………………………………111
　1項2号 …………………112, 115, 320, 330
　1項3号 ……………47, 112, 115, 311, 339
　2項 ……………………111, 112, 115, 330
　3項1号 ………………………………114
　3項2号 …………………………114, 330, 339
　3項3号 ……………47, 114, 115, 311, 339
　4項 ……………………………………114, 330
20条 ……………………………………225
　1項 ……………………………………115
　2項 ……………………………………116
　3項 ……………………………………19, 229
　3項1号 ………………………………116
　3項2号 ………………………………116
　3項3号 ………………………………116
　3項4号 ………………………………116
21条
　1項 ……………………………………122
　1項1号 ……………………………122, 127, 364
　1項2号 ……………………………122, 124, 128
　1項3号 ………………………………122, 128
　1項4号 ………………………………122, 128
　1項5号 ……………………………122, 124, 127, 196
　1項6号 ……………………87, 104, 122, 124, 127
　1項6号イ ………………………………81, 86, 123
　1項6号ロ ………………………………123
　1項7号 ……………104, 122, 123, 124, 125, 127
　1項8号 ……………104, 122, 125, 126, 127, 164, 171, 426
　1項9号 ……………67, 104, 122, 124, 125,

126, 127, 138, 171
　2項1号 ………………………………103, 128, 365
　2項2号 ………………164, 174, 285, 286, 366, 441
　2項3号 ………………………………136
　2項4号 ………………………………163, 174
22条 ……………………………………19, 35
　1項 ……………………………………153, 155
　1項ただし書1号 ………………………155
　1項ただし書2号 …………………85, 155, 156
　2項 ……………………………………156, 157
　3項 ……………………………………159
　4項 ……………………………………159
23条
　1項 ……………………119, 120, 122, 139, 153
　2項 ……………………………………76, 139, 140
　3項 ……………………………………140
　4項 ……………………………………141
　5項 ……………………………………120, 140, 330
　6項 ……………………………………120, 330
24条 ……………………………………278
　1項 ……………………………………121, 330
　2項 ……………………………………121
25条
　1項 ……………………………………122, 292
　4項 ……………………………………122, 293
　7項 ……………………………………122, 293
26条 ……………………………46, 47, 82, 113
27条 ………82, 85, 101, 196, 235, 252, 258, 262, 275, 276, 300, 302, 320, 332, 436
　1項 ……………………82, 84, 85, 86, 87, 107, 122
　1項1号 ………………………………86, 87, 88
　1項2号 ………………………………86, 87
　2項 ……………………82, 84, 87, 107, 122, 147
　2項1号 ……………87, 123, 149, 150, 235, 236
　2項2号 ………………………………87, 150
　3項 ……………………………………87, 89, 236
　4項 ……………………………………89, 161, 233, 236
28条 ……………………………99, 189, 190, 196
　1号 ……………………………………194
　2号 ……………………………47, 190, 194, 196
　3号 ……………………………47, 99, 195, 196
29条 ……………………………………253
　1項 ……………………………79, 120, 179, 180

2項 ………55, 180, 183, 194, 195, 196, 198, 199, 228, 239, 244, 376, 380, 391
29条の2第5項 ……………………419
30条 ……………37, 160, 219, 220, 228, 238, 239, 242, 244, 246, 247, 248, 257, 339, 369, 380, 392
31条 ……………56, 160, 220, 237, 245, 275
　1項 ………………………220, 230, 237
　1項1号 …………42, 113, 221, 222, 223, 224, 234, 249, 250
　1項2号 …………………114, 162, 202, 221, 224, 234, 250, 280
　1項3号 ………………………221, 236
　1項4号 ………160, 221, 236, 238, 311, 339
　2項………………42, 156, 222, 223, 227, 230, 231, 233, 243, 257, 280, 283
　2項1号 ……………19, 56, 157, 161, 205, 227, 230, 237, 239, 249
　2項2号 …………157, 161, 223, 227, 230, 233, 237, 248, 320, 332
　2項3号 ………………………156, 227
　2項4号 …………47, 113, 157, 161, 162, 222, 223, 225, 228, 230, 231, 232, 237, 248, 311, 339
　3項 …114, 158, 233, 248, 283, 320, 331, 397
　4項 …………………124, 224, 226, 234, 235, 243, 252, 257, 262
　5項 ………………………161, 234, 243, 332
　6項 ………124, 234, 235, 243, 252, 257, 332
　7項 …………………123, 158, 160, 161, 226, 233, 236, 243, 252, 257, 332
32条 ……………………………90, 220
　1項 ………………90, 94, 238, 240, 241, 242, 243, 250, 311, 339
　2項 ……………………………………240
　2項1号 …………………………………239
　2項2号 ……………………………239, 332
　3項 …………………91, 240, 248, 320, 331
　4項 …81, 91, 92, 93, 107, 242, 246, 252, 332
　5項 ……………………………………93
33条 …………181, 201, 202, 253, 369, 380, 390
34条 ……………………………56, 181, 203
　1項 ……………………………56, 205, 206
　1項1号 ……………………………203
　1項2号イ ……………………………203
　1項2号ロ ……………………152, 203
　1項3号 ……………………150, 203
　2項 ……………………………………205
35条 ……………………………181, 253
　1項 ……………………………47, 195, 197
　2項 ……………………………47, 197, 198
　3項 ……………184, 198, 199, 320, 331
　3項1号 ……………………………198
　3項2号 ……………………………198, 320
　4項 ……………………………………199
36条 ……………33, 181, 207, 208, 253, 320, 332, 359, 406
37条 ……………………172, 181, 207, 253
　1項 ……………………172, 208, 209, 210
　2項 ……………………………172, 208, 210
　3項 ……………………………210, 320, 331
　4項 ……………………………209, 210, 339
　5項 ……………………209, 211, 213, 219
　6項 ……………………………210, 339
38条 ……………………172, 207, 210, 253
　1項 ……………………211, 219, 320, 332
　2項 ……………………97, 208, 212, 216
　2項1号 ……………………………211, 212
　2項2号 ……………………………211
　2項3号 ……………………211, 212, 339
　2項4号 ……………………………211, 212
　2項5号 ……………………………211, 212
　2項6号 ……………………………212
　3項 ……………………………………212
　4項 ……………………………………213
　5項 ……………………………………213
　6項 ……………………214, 328, 337, 406
39条 ……………………………207, 359, 377
　1項 ……………………………216, 329, 358
　2項 ……………………………208, 216, 359
　3項 ……………………………………359
40条 ……37, 91, 103, 105, 176, 177, 188, 197, 233, 239, 243, 246, 252, 253, 262, 267, 270, 271, 272, 273, 274, 275, 282, 301, 307, 373, 436
　1項…………88, 117, 252, 255, 256, 259, 260,

条文索引　459

	261, 263, 264, 268, 279, 332, 405
1項1号	127, 253, 255
1項2号	251, 253
2項	196, 253, 259, 260
3項	223, 242, 243, 258, 261, 265, 266
4項	260
41条	176, 267, 268, 269, 270, 271, 273, 307, 332, 373, 436
42条	188, 270, 320, 332
1号	176
43条	176, 253
1項	272, 273
2項	274
3項	272, 274, 327
4項	273
44条	252, 274, 332
1項	274, 276, 277
2項	274, 276, 277
45条	174, 278
1項	215, 332
2項	215
46条	208
1項	217, 332
2項	218
3項	218
4項	218
5項	218
6項	218
7項	218
47条	
1項	218
2項	218
3項	218
4項	218, 331
5項	219, 331
6項	219
48条	119, 120, 122, 163, 273, 280
1項	67, 93, 127, 138, 160, 279, 280, 436
2項	279, 281, 392, 436, 442
3項	281, 282, 331
4項	282, 289, 290
5項	24, 287, 289, 290, 334, 340
49条	280, 289, 290, 308
1項	282, 283
2項	47, 282, 283
3項	283
4項	229, 284, 285, 286
5項	284
6項	280, 284, 285, 289, 290
7項	280, 289, 290
7項1号	284
7項2号	284
50条	285, 286
1項	229
51条	282, 289, 290
52条	283, 289, 290, 427, 428, 437
1項	331, 437
2項	437
3項	327
4項	327
53条	308
1項	289, 436
1項1号	289
1項2号	289
2項	290, 428, 437
54条	308
1項	288, 436
2項	288, 436
3項	288, 320, 331, 436
4項	289, 428, 437
55条	40
56条	393, 401
1項	58, 71, 291
1項1号	290
1項2号	58, 290
1項3号	291, 293
1項4号	291, 293
1項5号	294
1項6号	294
1項7号	296
2項	291
3項	292
4項	291
5項	292, 293
6項	293
7項	71, 292, 293

57条 …………………………195, 393, 401
　1項 ……………293, 331, 338, 339, 407
　2項 ……………………………294, 302
　3項 ……………………………………294
　4項 ……………………………………294
　5項 ……………………………………294
　6項 ……………………………………293
58条 …………………………265, 393, 401
　1項 ……………294, 330, 339, 378, 407, 436
　2項 ……………………294, 295, 334, 339
　3項 ……………………………294, 295
　4項 ……………223, 295, 330, 360, 407, 436
　5項 ……………………………………295
　6項 ……………………………………295
　7項 ……………………………………295
　8項 ……………………………………294
59条
　1項 ……………………………296, 301, 331
　2項 ……………………………………296
　3項 ……………297, 298, 300, 301, 303, 305
　4項 ……………………297, 298, 300, 305
　5項 ……………………………298, 332
60条
　1項 ……………………………297, 301, 303, 331
　2項 ……………………………292, 297, 301, 305
　3項 ……………………………298, 332
　4項 ……………201, 292, 293, 296, 297, 305
　5項 ……………………………298, 332
　6項 ……………………………………299
　7項 ……………………………………299
61条 ……………………………………298
　1項 ……………………………………332
62条 …………………………………399, 401
　1項 ……………303, 330, 339, 393, 394, 407
　2項 ……………303, 328, 330, 360, 393, 406
　3項 ……………………………303, 339, 393
　4項 ……………303, 328, 330, 339,
　　　　　　　　　360, 394, 399, 406
　5項 ……………………………………303
　6項 ……………………………………71, 303
　7項 ……………………………………303
　8項 ……………………………303, 339
63条

　1項 …………………299, 328, 330, 360, 406
　2項 ……………………………………299
　3項 ……………………………300, 302
　4項 ……………………………………299
64条
　1項 ……………………………………299
　2項 ……………………………………299
　3項 ……………………………………301
　4項 ……………………………………301
　5項 ……………………………300, 301
　6項 ……………………………………301
65条
　1項 ……………………………………300
　2項 ……………………………………300
66条
　1項 ……………………………………302
　2項 ……………………………………302
　3項 ……………………………………302
　4項 ……………………………302, 306
　5項 ……………………………………302
　6項 ……………………………………302
　7項 ……………………………………302
　8項 ……………………………………302
67条 ……………………………………302
68条 ……………………………………302
69条 ……………………………302, 304, 305
70条 ……………………………302, 407
71条 ……………………………………303
72条 ……………………………304, 331, 332
73条 ……………………………………299
74条 ……………………………………34
　1項 ……………………………122, 298
　2項 …………………299, 328, 330, 360, 406
　3項 ……………………………………299
　4項 ……………………………299, 305
　5項 ……………………………………305
　6項 ……………………299, 302, 303, 407
75条
　1項 ……………………………298, 301, 305
　2項 ……………………………298, 305
　3項 ……………………………………306
　4項 ……………………………123, 300
　5項 ……………………………265, 307

6項	306, 308	89条		408
7項	308	1項	315, 316, 318, 322
8項	307	2項	319, 322
9項	308	3項	320
76条		4項	318, 320, 323, 329
1項	306	5項	316, 317
2項	306	6項	314, 316, 317, 318
77条		90条	
1項	303, 304, 331, 332	1項	322, 323, 429, 430
2項	304	1項1号	313, 314, 322, 323, 324
3項	304	1項2号	322, 323, 324
78条	301, 303, 304, 331, 332	2項	324
79条	94, 151	91条	313, 326, 327, 328
80条	97, 115	92条	88, 93, 328, 371, 373, 396
1項	95, 99	1号	71, 295, 330, 331, 332
2項	99	2号	70, 330
3項	95, 99, 100	3号	120, 330
4項	95, 100	4号	330
5項	95, 97, 100, 101, 104	5号	87, 88, 332
6項	99, 100	6号	236, 332
7項	102, 103	7号	208, 332
81条	98, 102	8号	210, 212, 332
82条	99, 193	9号	254, 271, 332, 400
83条	101	10号	267, 271, 332, 400
1項	97, 102, 103, 104	11号	274, 332
2項	98, 103, 104, 105, 278	12号	332
84条	114, 115	13号	332
85条	103, 188	14号	332
1項	105, 262	15号	332
2項	183, 254, 268, 271	16号	330
3項	271	17号	333, 396
4項	183, 274, 277	18号	333, 380, 396
86条		19号	330
1項	297	20号	330
2項	297	21号	329, 396
3項	298	22号	329
4項	297, 300, 305, 430	23号	329, 396
87条		24号	332
1項	430	25号	332
2項	430	26号	332
88条	24, 443	93条	
1項	61, 313, 314, 333, 350, 368	1項	39, 341, 342, 343
2項	314, 315, 318, 320, 329	2項	342, 344

94条 …………………………………345
95条 ……………………………213, 345
95条の2 …………………………347
96条
　1項 …………………………347
　2項 ……………………342, 347
97条 ………………………348, 349, 361
　1号 …………………………348
　2号 …………………………348
　3号 ……………………343, 348
　4号 …………………………348
　5号 …………………………348
98条 ………………………………349
　1項 ……………………348, 361
　2項 ……………………349, 361
99条 …………………………24, 350, 443
　1項 ……………………333, 350, 400
　2項 ……………………350, 351
100条 ……………103, 128, 282, 285, 365, 366, 445
101条 ………………………366, 440, 441
102条 ……………………………445
　1項 …………………………368
　2項 ……………………327, 368, 370
　3項 ……………………272, 369, 370
　3項1号 ……………………331, 369
　3項2号 ……………………369
　4項 …………………………368
103条 …………………………128, 380
　1項 ……………320, 333, 381, 382, 400
　1項1号 ……………………47, 382
　1項2号 ……………………382
　1項3号 ……………………382
　1項4号 ……………………382
　2項 ……………………333, 382, 400
　3項 …………………………383
　4項 ……………………331, 383
　4項3号 ……………………384
　5項 …………………………383
　6項 …………………………383
　7項 …………………………383
　8項 …………………………384
104条
　1項 ……………………384, 385

2項 …………………………384
3項 …………………………384
4項 …………………………384
5項 …………………………384
6項 …………………………384
7項 …………………………384
8項 …………………………385
9項 …………………………386
10項 …………………………386
11項 …………………………386
12項 ……………………128, 386
13項 ……………………381, 386
105条 ……………………230, 239
　1項 ……………88, 93, 208, 215, 254, 267,
　　　　　　270, 274, 329, 358, 371, 373
　2項 ……………………215, 358, 375, 378
　2項2号 ……………………216
　3項 ……………………216, 373
　4項 …………………………270
　4項1号 ……………………373
　4項2号 ……………………373
　4項3号 ……………………373
106条 ……………………………375
　1項 …………………………376
　2項 ……………………376, 390, 396
107条
　1項 ……………………330, 376
　2項 …………………………376
108条 ……………………………376
109条 ……………………………376
　1項 …………………………329
　4項 …………………………376
110条 ……………………………377
　3項 …………………………353
111条 ……………………………377
112条
　1項 …………………………377
　2項 ……………………377, 386
113条
　1項 …………………………378
　2項1号 ……………………270, 373, 378
　2項2号 ……………………378
　2項3号 ……………………378

2項4号	378	3項	393, 401
2項5号	378	4項	393, 401
2項6号	378	5項	393, 401
2項7号	378	6項	393
2項8号	379	7項	393
3項	379	8項	393
4項	379	9項	393
5項	376	128条	393
114条	378	2項	407
2項	378	129条	
115条	376, 378	1項	393, 394, 406, 407
116条	378	2項	394
117条		3項	331, 394
1項	379	130条	
2項	379	1項	394
118条		1項1号	394
1項	379	1項2号	394
2項	379	1項3号	394
119条	377	2項	331, 395
120条	380	131条	395
121条	380	2項	328, 330, 360, 406
122条	376	4項	328, 330, 360, 395, 406
123条	434	7項	71
1項	327, 387	132条	
2項	328, 388, 406	1項	390, 396
3項	388	2項	396
4項	327, 328, 388, 406	133条	396
5項	388	1項	376
6項	388	134条	397
7項	71, 388, 389	2項	330, 331, 360, 407
8項	388	135条	397
124条	388, 398	1項	330, 360, 406
1項4号ロ	394	2項	331, 407
125条	89	136条	
1項	87, 337, 339, 390, 391, 434	1項1号	397
2項	391	2項	331
3項	390, 396	3項	397
126条	391	137条	390, 395, 397
1項	391	138条	
2項	339	1項	398
127条	389, 390, 397	2項	328, 330, 360, 398, 402, 406
1項	392, 401	3項	398
2項	393, 401	139条	367

1項 ……………………………………399, 400
　2項 ………………………………………399
　3項 ………………………………………399
　4項 …………………………………254, 400, 401
140条 ………………………………………400
141条 ………………………………………401
　2項 …………………………330, 331, 360, 378, 407
142条 ………………………………………399
　1項 ……………………330, 360, 399, 401, 406, 407
　2項 ……………………………………331, 402
143条
　1項 ………………………………………401
　1項1号 ……………………………………378
　2項 ……………………………………331, 402
　3項 ………………………………………401
144条 ……………………………………398, 401
145条
　1項 …………………………………405, 408, 409
　2項 ………………212, 214, 324, 337, 405, 408, 409
　2項2号 ……………………………………88
　2項5号 …………………………………212, 214
　2項6号 ……………………………………337
　2項7号 …………………………………254, 271
　2項8号 ……………………………………271
　2項10号 ……………………………………217
　3項 ………………………………………408
　4項 …………………………………………337, 408
　5項 ………………………………………337
146条 ………………………………………410
　1項 ……………………………………331, 339, 409
　2項 ………………………………………339
147条 …………………………62, 63, 64, 294, 337, 411
148条 ………………………………………324
149条 ……………………………………136, 170
　1項 ………………194, 320, 330, 339, 345, 407, 414
　2項 ……………………………329, 339, 407, 414, 416
　2項1号 …………………………………47, 330, 340, 414
　2項2号 ……………47, 311, 339, 414, 416, 417, 437
　3項 ……………………………………407, 416, 417
　3項1号 …………………………339, 407, 414, 416
　3項2号 ………………………………47, 340, 414, 417
　4項 ………………………………………417
　5項 ………………………………293, 339, 414, 416

150条 …………………………………136, 331, 422
　1項 ……………47, 311, 330, 339, 360, 407, 419
　2項 ………………………………………419
　3項 ………………………………………419
　4項 ………………………………………419
　5項 ………………………………………419
　6項 ………………………………………419
151条
　1項 …………………………320, 331, 339, 407, 421
　1項1号 ……………………………………421
　1項2号 ……………………………………421
　1項3号 …………………………………421, 422
　1項4号 ……………………………………421
　1項5号 ……………………………………421
　2項 ……………………………………329, 339, 407
　2項1号 …………………………47, 331, 340, 421
　2項2号 …………………………47, 311, 339, 421
　3項 ………………………………………421
　4項 ………………………………………339
152条
　1項 ………………………………………423
　2項 ………………………………………424
　3項 ………………………………………424
　4項 ………………………………………424
　5項 ……………………………………423, 424
153条 ………………………………………423
154条 ………………………………………423
155条 ………………………………………424
　1項 ……………………………………331, 339, 407
　1項6号 ……………………………………425
　2項 ……………………………………329, 339, 407
　2項1号 ……………………………………331, 340
　2項2号 ……………………………………311, 339
　4項 ………………………………………339
156条 ………………………………………425
　2項 ………………………………………426
　5項 ………………………………………424
158条 ………………………………………426
　1号 ………………………………………425
　2号 ………………………………………425
159条
　1項 ……………………………………331, 339, 407
　1項6号 ……………………………………425

条文索引　465

2項	329, 339, 407
2項1号	47, 331, 340
2項2号	47, 311, 339
4項	339
160条	425
2項	426
5項	424
162条	426
1号	425
2号	426
163条	381, 427
1号	37, 42, 47, 49, 51, 53, 64, 136, 317, 343, 344, 427, 428, 429, 430
2号	48, 49, 77, 310, 429
3号	430
4号	430, 437
5号	420, 430
6号	434, 435
7号	430
8号	129, 428, 432
9号	168, 428, 433
164条	24, 381, 427
1項	330, 339, 341, 407, 433
2項	339, 434
3項	434
4項	341, 434
165条	24, 331, 427
1項	47, 311, 330, 339, 360, 407, 434
2項	435
3項	435
4項	435
5項	435
166条	331, 427
1項	330, 360, 407, 435
1項1号	48
2項	435
3項	435
4項	71, 435
5項	435
6項	435
7項	435
8項	435
167条	436
168条	435
169条1項	330, 360, 407, 436
170条	436
1項	431
171条	436
172条	436
1項	328, 330, 360, 406
2項	328, 330, 360
3項	328, 360
173条	330, 436, 438
1項	360, 407
174条	425
175条	427, 430, 432, 438
176条	427, 438
177条	440
1号	439, 441
2号	439, 441
3号	439, 441
4号	439, 441
178条	
1項	439, 446
2項1号	446
2項2号	447
3項	331, 447
4項	447
179条	
1項	431, 442
2項	431, 442
180条	
1項	441
2項	441
3項	441
4項	441
5項	441
6項	331, 441
181条	445
182条	
1項	282, 443
1項2号	296
2項	407, 412, 443
3項	443
183条	
1項	443

2項	443
3項	444
4項	444
6項	443
184条	
1項	332, 447
2項	447
3項	447
185条	352
1項	352, 353
2項	353
3項	354, 414
4項	354, 414
186条	355
3号	355
187条	356
1項	329
188条	355
189条	355, 357
2項	354
190条	
1項	359
2項	329, 359, 360, 406
3項	359
4項	359
191条	
1項	355
2項	355
3項	357
4項	357
192条	354, 361
193条	357
194条	354, 359
195条	
1項	355, 356, 383
2項	356
3項	354
196条	354, 359
197条	
1項	355
2項	355
3項	355
4項	354
198条	
1項	329, 355
2項	355
3項	354
199条	360
200条1項	361
201条	
1項	361
1項2号	47
2項	349, 354, 361
202条	361
203条	361
204条	361
205条	361
206条	150
1項	203
207条	353
208条	
1項	333, 355
2項	355
3項	355
4項	355
5項	355
6項	355
209条	353
210条	333, 354
211条	355
212条	
1項	358
2項	199, 358
213条	328
1項	358
1項1号	88
2項	358
3項	216, 359
214条	358
215条	360
216条	165, 278
1項	165, 168
2項1号	47, 165
2項2号	166
2項3号	167
2項4号	167

条文索引　467

2項5号 …………………………167	5項 ………………………………175
2項6号 …………………………168	6項 ………………………………175
217条 ……………………………164, 278	229条 ……………………………448
1項 …………………126, 138, 170, 426	230条
218条	1項 ……………………………448
1項 ……………………………166	2項 ……………………………448
2項 ……………………………166	3項 ……………………………448
3項 ……………………………166	4項 ……………………………448
4項 ……………………………166	5項 ……………………………448
219条 ………………91, 159, 166, 171	231条
220条	1項 ……………………………448
1項 ……………………………169	2項 ……………………………448
2項 ……………………………169	3項 ……………………………449
221条 ……………………………170, 414	232条 ……………………………165, 168
222条	1号 …………………………47, 165, 168
2項 ……………………………172	2号 ……………………………166, 168
3項 ……………………………172	3号 ……………………………167, 168
4項 ……………………………173	4号 ……………………………168
5項 ……………………………331	5号 ……………………………169
6項 ……………………………339	6号 ……………………………168
8項 …………………………172, 176, 339	7号 ……………………………362
224条	233条 ……………………………169
1項 ……………………………176, 177	235条 ……………………………169
2項 ……………………………176	236条 ……………………………169
2項1号 ………………………176	237条 ……………………………169
225条 ……………………………172, 367	238条1項 ………………………167
226条 ……………………………174, 176	239条
1項 ……………………………174, 175, 278	1項 ……………………………168, 169
1項1号 ………………………173, 332	2項 ……………………………169
1項2号 ………………173, 277, 332, 334	240条 ……………………………169
2項 ……………………………174	241条 ……………………………169
3項 ……………………………117, 173	242条 ……………………………169
4項 ……………………………173, 176, 332	243条 ……………………………169
6項 ……………………………174	1項2号イ ……………………339
227条	244条 ……………………………169
1項 ……………………………174	245条 ……………………………169
2項 ……………………………174	246条 ……………………………169
228条	247条 ……………………………169
1項1号 ………………………175, 332	248条
1項2号 ………………………175, 332, 334	1項 ……………………………362
2項 ……………………………175	2項 ……………………………362
3項 ……………………………117, 175	3項 ……………………………362
4項 ……………………………176, 332	249条

1項	362
2項	362
3項	362
250条	362
1項	330, 407
2項	330
3項	390, 396
251条	330, 331, 334, 362
252条	
1項	362
2項	362
3項	362
4項	363
253条	363
254条	363
1項	332
2項	117
255条	363
256条	363
257条	363
258条	335
1項	76, 165, 336
2項	340
3項	340, 381
4項	337, 338
5項	338
6項	338
7項	338
8項	338
259条	341
260条	338
1項	76, 337
2項	337
261条	47, 311, 338, 339
1項	339, 340, 341
2項	340
3項	340
4項	340
5項	340
267条	451
268条	451
269条	451
270条	304, 451
1項1号	451
1項2号	451
1項3号	452
3項3号	452
271条	451
附則	
2項	27, 72
3項	341

【旧信託法】

1条	53, 59
9条	219
17条	33
24条2項	98
25条	103
26条1項	189
27条	405
34条	268
36条2項	287
44条	296
49条3項	71

【信託計算規則】

3条	209
4条	
1項	208
3項	172, 210
4項	172, 210
6項	209
5条	209
6条	172
7条	172
8条	172
9条	172
10条	172
11条	172
12条	
2項	172
3項	173
23条	172
24条	
1項	172
1項1号	173

条文索引　469

【信託法施行規則】
30条 …………………………………362

【信託法施行規則】
3条 ……………………………76, 167
4条 …………………………150, 203
　1項 ………………………151, 204
　2項 ………………………………204
5条 …………………………………296
6条 ……………………………376, 377
7条 ……………………………376, 377
11条 …………………………………380
12条 …………………………………421
13条 …………………………………424
14条 …………………………………424
15条
　4号 ………………………………425
　5号 ………………………………425
17条4号 ……………………………425
24条 …………………………………168
25条 ……………………………75, 208
27条 …………………………………209
29条
　1項 ………………………………218
　2項 ………………………………218

【信託法施行令】
3条 …………………………………341

【製造物責任法】
3条 …………………………………126

【船舶登記令】
35条1項 ………………………146, 206

【地球温暖化対策の推進に関する法律】
52条 …………………………………150

【地所質入書入規則（旧法）】
11条 …………………………………11

【地方税法】
343条1項 ……………………………34
359条 …………………………………34

【著作権法】
17条2項 ……………………………148
77条1号 ……………………………148

【著作権法施行令】
36条 …………………………………148

【投資事業有限責任組合契約に関する法律】
9条2項 ………………………………9

【投資信託及び投資法人に関する法律】
2条1項 ……………………………418
6条 …………………………………352
　7項 ………………………………352
8条3項 ……………………………164
17条 …………………………………413
　7項 ………………………………374
18条 …………………………………380
50条 …………………………………352
　4項 ………………………………352
51条 …………………………………410
52条2項 ……………………………164
93条1項 ……………………………375

【登録免許税法】
別表第1 ……………………………27

【土壌汚染対策法】
7条 …………………………………126

【特許登録令】
60条 …………………………………206

【特許法】
98条1項1号 ………………………145
102条2項 …………………………265

【日本興業銀行法（旧法）】
9条4号 ………………………………10

【破産法】
47条1項 ……………………………319

62 条 ……………………………292
65 条 1 項 …………………………285
98 条 1 項 …………………………285
104 条
  1 項 ……………………………432
  2 項 ……………………………432
244 条の 2 ………………………431
244 条の 3 ………………………431
244 条の 4
  1 項 ……………………………431
  2 項 ……………………………431
  3 項 ……………………………431
  4 項 ……………………………431
244 条の 6 ………………………431
244 条の 8 …………………281, 432

【非訟事件手続法】
33 条 ………………………………384

【不正競争防止法】
5 条 2 項 …………………………265

【不動産登記法】
97 条
  1 項 …………………………145, 146
  3 項 ……………………………146
98 条
  1 項 …………………………146, 206
  2 項 ……………………………146
  3 項 ……………………………146

【法人税法】
2 条 29 の 2 号 …………………127
4 条の 6 …………………………127
4 条の 7 …………………………127
4 条の 8 …………………………127

【民事再生法】
33 条 ………………………………292

【民事執行法】
38 条 ………………………………120
41 条 1 項 …………………………307

145 条 1 項 ………………………319
152 条 1 項 ………………………367
193 条 ……………………………348
196 条 ……………………………214

【民事訴訟法】
42 条 ………………………………255
61 条 ………………………………121
115 条 1 項 2 号 …………………255
124 条 1 項 4 号イ ………………302
267 条 ……………………………255

【民事保全法】
45 条 ………………………………120
56 条 ………………………………299

【民法】
3 条 1 項 …………………………313
9 条 …………………………………57
13 条 ………………………………57
33 条 1 項 ……………………………6
34 条 ……………………………166
90 条 ……………50, 52, 53, 325, 328, 436
93 条 1 項 …………………………83
94 条 2 項 ……………31, 32, 33, 89
96 条 3 項 …………………………32
99 条 ……………………………101
100 条 …………………………101
104 条 …………………………189
107 条 ……………………………83, 84
116 条 …………………………158
121 条 ……………………………89
127 条 1 項 ………………………61
136 条 …………………………441
144 条 …………………………371
146 条 …………………………370
162 条 ……………………………31
166 条
  1 項 ………………176, 272, 368
  1 項 1 号 ………………………370
  1 項 2 号 …………………272, 273
  2 項 ……………………………273
168 条 1 項 ………………………371

176 条	62
177 条	31, 32, 89, 147, 148, 170
178 条	31
179 条	
1 項	43, 115
2 項	116
187 条 2 項	31
192 条	31, 33, 89
196 条 2 項	280
242 条	108
243 条	108
244 条	108
245 条	108, 109, 110
246 条	108
247 条	108
248 条	108
249 条	357, 372
252 条	
5 項	99, 100
256 条	111
258 条	
1 項	112
2 項	112
295 条	60
1 項	284
304 条 1 項	348, 349
306 条 1 号	284
307 条	284
311 条 4 号	284
320 条	284
325 条 1 号	284
326 条	284
337 条	285
339 条	285
343 条	342, 347
354 条	348
362 条 2 項	348
364 条	347, 349, 361
366 条	349
369 条	38
398 条の 4	149
398 条の 7 第 1 項	149
398 条の 12	149
398 条の 13	149
404 条	280
416 条	253, 261
418 条	264
422 条	177
423 条	174, 286, 341
423 条の 2	174
423 条の 3	174
424 条	130
1 項	134
3 項	135, 142
424 条の 2	132, 133
424 条の 3	132, 133
424 条の 5	134, 137, 143
424 条の 6 第 1 項	136
424 条の 7 第 2 項	135
424 条の 8	135
425 条	135
425 条の 2	136
425 条の 3	136
426 条	135, 143
442 条	269
466 条	
2 項	35
3 項	35, 342
466 条の 4 第 1 項	344
466 条の 6 第 1 項	36
467 条	345
468 条	345
1 項	345
469 条	35
470 条	
2 項	129
3 項	129
472 条	
2 項	129
3 項	129
478 条	156
488 条	244, 246
489 条	42, 244, 246
490 条	42, 246
491 条	246
506 条 2 項	158

537条3項 …………………………314
539条の2 …………………………343
544条1項 …………………………411
545条
　1項 ………………………………92
　3項 ……………………………259
548条の4 …………………………413
550条 ………………………………59
554条 ……………………………322
562条 ……………………………225
605条 ……………………………148
605条の2
　1項 ……………………………128
　4項 ………………………………34
644条 ……………………6, 180, 243
644条の2 ……………………………6
645条 ………………………………6
646条 ……………………………7, 94
648条
　2項 ……………………………289
　3項 ……………………………289
648条の2 ………………………289
649条 ……………………………281
650条 ……………………………288
　1項 …………………………7, 288
　2項 ………………………………7
　3項 ……………………………289
651条
　2項 ……………………………295
　2項2号 ………………………295
652条 ………………………………60
653条 ………………………………7
665条の2 ………………………110
　2項 ……………………………111
670条5項 …………………………99

675条2項 …………………………7
679条1号 …………………………7
681条 ………………………………7
703条 ……………………………175
704条 ……………………………175
709条 …………………121, 126, 255
715条 ……………………………125
717条1項 ………………………126
827条 ……………………………181
886条1項 ………………………327
896条 ……………………………346
899条の2 …………………………63
　1項 ……………………………347
　2項 …………………………64, 347
930条2項 ………………………442
941条 ……………………………129
985条 ………………………………69
986条 ………………………………63
　2項 ………………………………69
1008条 ……………………………70
1022条 …………………………322
1046条1項 ………………………67
1047条 ……………………………68

【民法（平成15年改正前）】
398条ノ20第1項1号 ……………428

【民法（平成29年改正前）】
105条2項 ………………………199
166条1項 ………………………272

【有限責任事業組合契約に関する法律】
15条 …………………………………9
20条 …………………………………9

■ 判例索引

大判明治 38・5・16 刑録 11 輯 497 頁 ………7
大判大正 4・10・16 民録 21 輯 1705 頁 ……7
大判大正 5・10・12 民録 22 輯 1735 頁 …304
大判大正 5・11・8 民録 22 輯 2078 頁 ……63
大判大正 7・4・29 民録 24 輯 785 頁 ………7
大判大正 11・3・13 民集 1 巻 93 頁………304
大判昭和 6・11・24 民集 10 巻 1103 頁 …222
大判昭和 7・6・2 民集 11 巻 1099 頁 ……365
大判昭和 8・10・13 民集 12 巻 2520 頁 …370
大判昭和 9・9・15 民集 13 巻 1839 頁……441
大判昭和 13・9・21 民集 17 巻 1854 頁……55
最判昭和 29・11・16 判時 41 号 11 頁 ……59
最判昭和 32・3・5 民集 11 巻 3 号 395 頁…83
大阪地判昭和 35・1・14 下民集 11 巻 1 号 15 頁………………………………………439
最判昭和 36・3・14 民集 15 巻 3 号 444 頁 ………………………………………………52
最判昭和 39・3・6 民集 18 巻 3 号 437 頁…63
最判昭和 40・9・22 民集 19 巻 6 号 1656 頁 ……………………………………………101
最判昭和 44・3・27 民集 23 巻 3 号 601 頁 ………………………………………………52
最判昭和 44・11・26 民集 23 巻 11 号 2150 頁 …………………………………177, 268
最大判昭和 45・6・24 民集 24 巻 6 号 625 頁 ……………………………………………243
最判昭和 47・5・25 民集 26 巻 4 号 805 頁 ……………………………………………322
最判昭和 48・6・15 民集 27 巻 6 号 700 頁 ………………………………………………37
大阪高判昭和 48・7・12 民集 28 巻 10 号 2164 頁 ………………………………363
最判昭和 49・9・20 民集 28 巻 6 号 1202 頁 ………………………………………70, 351
最判昭和 49・12・17 民集 28 巻 10 号 2059 頁 ……………………………………………274
最判昭和 51・3・23 金判 503 号 14 頁……186
最判昭和 54・5・1 判時 931 号 112 頁 ……83
最判昭和 57・4・30 民集 36 巻 4 号 763 頁

………………………………………………322
最判昭和 58・1・24 民集 37 巻 1 号 21 頁 ………………………………………………322
大阪高決昭和 58・10・27 高民集 36 巻 3 号 250 頁 ………………………………………37
最判昭和 59・2・23 民集 38 巻 3 号 445 頁 ……………………………………………156
大阪高決昭和 60・4・16 判タ 561 号 159 頁 ………………………………………………37
最判昭和 61・4・11 民集 40 巻 3 号 584 頁 ……………………………………………233
最判昭和 62・12・18 民集 41 巻 8 号 1592 頁 ……………………………………………244
最判平成 4・12・10 民集 46 巻 9 号 2727 頁 ……………………………………………248
最判平成 5・1・19 民集 47 巻 1 号 1 頁 …318
最判平成 5・12・16 民集 47 巻 10 号 5423 頁 ……………………………………………276
最判平成 7・9・5 民集 49 巻 8 号 2733 頁 ……………………………………………371
最判平成 9・1・20 民集 51 巻 1 号 1 頁 ………………………………………42, 244
最判平成 9・6・5 民集 51 巻 5 号 2053 頁 ……………………………………………158
最判平成 11・1・29 民集 53 巻 1 号 151 頁 ………………………………………………36
最判平成 11・3・25 判時 1674 号 61 頁……34
最判平成 11・9・9 民集 53 巻 7 号 1173 頁 …………………………………………130, 345
東京地判平成 13・2・1 判タ 1074 号 249 頁 …………………………………………214, 250
最判平成 14・1・17 民集 56 巻 1 号 20 頁 …………………………………15, 55, 59, 314
最判平成 14・11・5 民集 56 巻 8 号 2069 頁 ………………………………………………66
最判平成 16・7・1 民集 58 巻 5 号 1214 頁 ……………………………………………211
東京地判平成 16・8・27 判時 1890 号 64 頁 ……………………………………………250

大阪高判平成 20・9・24 判タ 1290 号 284 頁……………………………………57
最決平成 21・1・15 民集 63 巻 1 号 1 頁…212
最判平成 21・4・17 民集 63 巻 4 号 535 頁 ………………………………………101
東京地判平成 21・6・29 判時 2061 号 96 頁 ………………………………………288
最決平成 23・4・19 民集 65 巻 3 号 1311 頁 ………………………………………384
最決平成 23・4・26 判時 2120 号 126 頁…384
最決平成 24・2・29 民集 66 巻 3 号 1784 頁 ………………………………………384
東京地判平成 24・6・15 判時 2166 号 73 頁 ………………………………………55, 59
最判平成 26・2・25 民集 68 巻 2 号 173 頁 ………………………………………346
最判平成 27・2・19 民集 69 巻 1 号 25 頁 ………………………………………358
東京地判平成 27・7・3 (LEX/DB 25530845, 2015WLJPCA07038004) …185
東京高判平成 28・1・21 (LEX/DB 25542150, 2016WLJPCA01216003) …186
東京高判平成 28・10・19 判時 2325 号 41 頁…………………………………………37
東京地判平成 30・9・12 金法 2104 号 78 頁 ………………………………50, 68, 220

■ 事項索引

ア 行

後継ぎ遺贈型信託 ·····················325
ESG 投資 ·····························181
遺言信託 ·····················27, 62, 129
　——遺留分 ···························66
　——権利移転のプロセス ···············63
遺言代用信託 ·························321
　——受益者変更権 ···················322
　——成年後見人の権限 ···············323
委託者 ···························1, 405
　——拠出義務 ·························61
　——原則的に有する権利 ·············406
　——信託行為の定めにより認められる権
　　利 ································408
委託者が複数存するとき ···············411
委託者からの分離 ················18, 130
委託者の死亡の時以後に受益者が信託財産
　に係る給付を受ける旨の定めのある信託
　····································321
委託者の死亡の時に受益権を取得する旨の
　定めのある信託 ·····················321
委託者の地位の移転 ···················410
委託者の地位の相続 ···················411
委託者の倒産 ·························432
一般社団法人及び一般財団法人に関する法
　律 ····································9
一般的忠実義務 ·······················247
　——違反の効果 ·····················252
　——固有財産等と信託財産との利益衝突
　　································249
　——受益者の承認 ···················248
　——受託者と受益者との利益衝突 ····251
　——消滅時効の援用 ·················369
　——信託行為の定め ·················249
　——信託財産間の利益衝突 ··········250
　——第三者と信託財産との利益衝突 ···250
委任の不十分さ ·························6
遺留分 ································66

営業信託 ······························28

カ 行

会計監査人 ···························362
会計帳簿 ·····························172
介入権 ·······························246
閣僚信託 ·····························51
加　工 ······························108
貸付信託 ······························14
貸付信託法 ·····························3
過失相殺 ····························264
過払い金 ·····························80
株式等の振替に関する業務規程 ···357, 361
過　料 ······························451
間接強制 ························265, 333
議決権信託 ····························36
基準日 ······························355
帰属権利者 ··························442
吸収信託分割 ························420
競合行為 ························90, 238
　——効果 ···························246
　——受益者の承認 ···················239
　——信託業法 ·······················238
　——信託行為の定め ·················239
共同受託者 ······················94, 223
　——顕名の要否 ·····················101
　——債務の負担 ·····················103
　——職務分掌に関する定め ···········99
　——信託事務の処理 ·················98
　——相互監視義務 ···············95, 182
　——訴訟当事者 ·····················102
　——代理権限 ·······················100
　——他の受託者への委託 ·············98
　——単独所有 ·······················98
　——に対する意思表示 ··············102
「共有財産」の分割 ···················111
　——複数の受託者がいるとき ········114
金外信託 ·····························28
金銭信託 ·····························28

金銭信託以外の金銭の信託……………28
金銭の信託……………………………28
金融機関の信託業務の兼営等に関する法律
　………………………………………2
組合の不十分さ…………………………7
契約信託………………………………27
権限違反行為の取消し…………………85
検査役………………………………216
原状回復請求権の制限 ………………263
原状回復責任
　──合同運用財産………………………97
原状回復の内容 ………………………262
限定責任信託……………………125, 163
　──相手方に対する明示 ……………171
　──会計帳簿等 ………………………172
　──故意・過失を要件としない不法行為
　　責任………………………………126
　──定めの廃止 ………………………170
　──受益者に対する給付の制限 ……172
　──受託者の第三者に対する責任 …176
　──清算……………………………448
　──設定……………………………165
　──相殺……………………………158
　──登記……………………………168
　──必要性…………………………163
　──不法行為によって生じた権利に係る
　　債務………………………………164
　──目的……………………………165
権利能力なき社団 ………………………9
公益確保のために信託終了を命じる裁判
　……………………………………435
公益信託………………………20, 27, 334
公益信託ニ関スル法律…………………13
合手的行動義務…………………………98
公序良俗による制限……………………50
合同運用財産……………………………96
公平義務…………………………201, 276
　──消滅時効の援用…………………369
合　　有………………………………94
合有とされることの意味………………97
「固有財産」と「固有財産に属する財産」…19
混　　同……………………………115
混　　和……………………………109

サ　行

財産状況開示資料 ………………210, 214
債務の信託財産性………………………33
債務引受…………………………………128
裁量信託……………………………202, 317
詐害信託
　──自己信託についての特例 ………139
　──受益権の譲渡請求 ………………144
　──受益者からの給付の取戻し ……141
詐害信託の取消し ……………………129
　──遺言信託 ………………………129
　──効果……………………………135
　──信託債権者の保護 ………………137
　──当初信託財産に属する財産の転得者
　　との関係 …………………………137
　──取消しの対象 ……………………134
　──被告……………………………135
　──要件……………………………131
詐害信託の否認………………………144
指図権………………………………348
指図権者…………………………95, 185, 187
　──費用償還義務……………………287
残余財産受益者 ………………………442
私益信託………………………………27
自益信託………………………………20, 27
自益信託と他益信託の区別……………23
識別不能……………………………109
自己執行義務…………………………189
自己信託……………………20, 27, 72, 139
　──実務上のニーズ…………………73
　──担保権信託………………………42
　──認められる理論的根拠 …………72
自己取引における債権の成立…………228
資産の流動化に関する法律…………3, 15
事情変更の原則………………………420
執行免脱………………………………75
実質的法主体性…………………………21
受益権………………………………309
　──受託者による全部の保有 ………429
受益権原簿…………………………355, 359
受益権原簿管理人……………………355
受益権取得請求権……………………380, 419

──受益権価格の決定 ……………384
　　──放棄 ……………………………380
　　──要件 ……………………………381
受益権に関連する債務 ……………127
受益権の移転 ………………………341
　　──譲渡制限の定め ……………342
　　──譲渡の対抗要件 ……………345
　　──性質上の譲渡不可 …………343
　　──分割譲渡 ……………………343
受益権の共有 …………………357, 372
受益権の質入れ ……………………347
　　──物上代位 ……………………349
受益権の取得 ………………………313
受益権の譲渡 ………………………354
受益権の相続 ………………………346
受益権の担保化 ……………………360
受益権の放棄 ………………………350
　　──詐害行為取消し ……………350
受益債権 ………………309, 328, 363
　　──譲渡 …………………………367
　　──消滅時効 ……………………368
　　──物的有限責任 ………………364
受益債権との相殺 …………………251
受益者 …………………………1, 309
　　──位置づけ ……………………310
　　──第三者異議 …………………120
受益者からの費用償還 ……………287
受益者指定権 ………………………315
受益者指定権等 ……………………316
　　──遺言による行使 ……………319
　　──限界 …………………………317
　　──行使 …………………………318
　　──差押え・代位行使 …………318
　　──取得 …………………………316
受益者集会 …………………………375
　　──議決権 ………………………377
　　──議決権の不統一行使 ………379
　　──招集者 ………………………376
　　──招集手続 ……………………376
　　──特別多数決 …………………378
受益者代理人 ………………………397
　　──権限 …………………………399
　　──受益債権に係る給付の受領権限 …400

　　──信託監督人との併任・競合 ………402
　　──誠実公平義務 ………………400
　　──任務の終了 …………………401
受益者となるべき者 ………………314
受益者の義務 ………………………333
受益者の決定 ………………………313
受益者の権利 ………………………328
　　──機能 …………………………329
　　──検査役の選任申立 …………216
　　──受託者の行為の差止め ……274
　　──信託帳簿の閲覧等の請求 …211
　　──他の受益者の氏名等の開示請求 …215
受益者の定めのない信託……………20, 334
受益者の死亡以外の事由による受益者連続
　…………………………………327
受益者の死亡により他の者が新たに受益権
　を取得する旨の定めのある信託 ………325
受益者の承諾 ………………………194
受益者の同意 ………………………188
受益者変更権（→受益者指定権等）………322
受益者変更権の行使
　　──詐害行為としての取消し …319
受益者連続信託 ……………………325
　　──受益者の死亡以外の事由を定めると
　　　き …………………………………327
　　──存続期間 ……………………326
受益証券 ……………………………352
受益証券発行限定責任信託 ………362
受益証券発行信託 …………………351
　　──委託者の権利 ………………360
　　──受益権の共有 ………………357
　　──受益権の譲渡 ………………354
　　──受益債権の行使 ……………357
　　──受益者の権利行使 …………358
　　──受託者の善管注意執行義務 …199, 358
受益証券不所持の申出 ……………355
受託時の義務 ………………………179
受託者 ………………………………1
　　──解任 …………………………294
　　──解任時の損害賠償 …………294
　　──裁判所による選任 …………71
　　──資格 …………………………57
　　──事前の承諾 …………………70

――辞任 …………………………293
　　――能力喪失 ………………………290
　　――破産手続の開始 ………………291
　　――引受けの催告 ……………………69
　　――複数の場合 ………………………94
受託者が欠けた場合 …………………430
受託者からの貸付け …………………228
受託者の帰責事由 ……………………256
受託者の義務 …………………………179
　　――新たに受益者になった者に対する通
　　　知 ……………………………………318
　　――委託の相手方の選任・監督義務 …197
　　――一般的忠実義務 ………………247
　　――違反に対する責任 ……………252
　　――競合行為の禁止 ………………90, 238
　　――競合行為の通知 ………………240
　　――公平義務 ………………………201, 276
　　――受益権取得者に対する通知 …315
　　――受託時の義務 …………………179
　　――消滅時効の援用 ………………369
　　――信託事務処理義務 ……………179
　　――信託の変更の提案 ……………415
　　――善管注意執行義務 ……………181
　　――損失てん補・原状回復 ………252
　　――待機義務 ………………………283
　　――忠実義務 ………………………219
　　――帳簿等作成・報告義務 ………208
　　――発生根拠 ………………………179
　　――分別管理義務 …………………203
　　――報告義務 ………………………208
　　――利益相反行為の制限 …………220
　　――利益相反行為の通知 …………233
受託者の権限
　　――競合行為 ………………………238
　　――縮減 ……………………………184
　　――第三者への委託 ………………189
　　――範囲 ………………………………81
　　――利益相反行為 …………………220
受託者の権利
　　――信託財産からの損害の賠償 …289
　　――費用償還請求権 ………………279
　　――費用前払請求権 ………………280
受託者の行為

　　――権限外行為 ………………………85
　　――権限濫用 …………………………83
　　――信託財産に属する財産を直接に目的
　　　とする取引 …………………………86
　　――信託のためにする意思のない権限外
　　　行為 …………………………………84
　　――信託のためにする意思のない行為…90
受託者の行為の差止め ………………274
　　――公平義務違反 …………………276
受託者の行為の履行強制 ……………264, 333
受託者の信託事務執行にともなって発生し
　た債務 ………………………………122
受託者の地位の二面性 …………………79
受託者の任務懈怠 ……………………256
受託者の任務終了 ……………………290
　　――手続 ……………………………296
受託者の破産 …………………………292
受託者の変更 …………………………290
受託者への貸付け ……………………228
受働信託 …………………………………54
承継信託 ………………………………425
証券投資信託及び証券投資法人に関する法
　律 ………………………………………3
証券投資信託法 …………………………3
証券保管振替機構 ……………………357, 361
商事信託 …………………………………22
譲渡禁止・制限特約付債権 ……………35
情　報 …………………………………37, 223
将来債権 …………………………………36
人格権 ……………………………………35
新規信託分割 …………………………420
新受益者代理人の選任 ………………401
新受託者 ………………………………430
　　――権利義務の承継 ………………305
　　――選任 ……………………………303
　　――引継ぎ …………………………303
新信託管理人の選任 …………………393
信託概況報告 …………………………172
信託型ライフプラン ……………………45
信託監督人 ……………………………395
　　――受益者代理人との併任・競合 ……402
信託管理人 ……………………………337, 387
　　――権限 ……………………………390

──受益債権に係る給付の受領権限
　　　　……………………………368, 391
　　──誠実公平義務 ………………392
　　──善管注意執行義務 …………391
　　──任務の終了 …………………393
　　──費用についての請求権 ……392
　　──立法論的批判 ………………389
信託管理人等の責任 ………………403
信託業法 ………………………………1
信託口座 ……………………………152
信託契約 ………………………………58
　　──無効・取消し…………………60
信託行為 ………………………………30
信託行為において信託財産に属すべきもの
　と定められた財産 ………………117
信託財産
　　──合同運用……………………96, 418
　　──合有 …………………………94
　　──債務 …………………………33
　　──費用償還等に不足している場合
　　　　…………………………430, 436
　　──変動 …………………………105
信託財産管理者 ……………………299
信託財産管理命令 …………………299
信託財産責任負担債務 ……………122
　　──債務引受 ……………………128
　　──受益権に関連する債務 ……127
　　──受託者の信託事務執行にともなって
　　　　発生した債務 ………………122
　　──信託財産に属する財産について信託
　　　　前の原因によって生じた債務 ……128
　　──信託事務の処理について生じた権利
　　　　（包括条項）……………………127
　　──第三者への対抗（合同運用財産）
　　　　…………………………………87, 96
　　──登記・登録 ……………………87
　　──取引による変動 ……………106
　　──不法行為による債務 ………125
「信託財産」と「信託財産に属する財産」…19
信託財産に属する財産
　　──共同受託の場合 ……………150
　　──金銭債権 ……………………148
　　──固有財産に属する財産との区別 …150

　　──混同 …………………………115
　　──差押え ………………………120
　　──質権設定の場合 ……………150
　　──信託行為において信託財産に属すべ
　　　　きものと定められた財産 ……117
　　──信託財産に対する給付 ……116
　　──第三者への対抗 ……………145
　　──他の信託の信託財産に属する財産と
　　　　の区別 …………………………150
　　──他の法律による対抗要件 …150
　　──地上権 ………………………147
　　──著作権 ………………………148
　　──賃借権 ………………………148
　　──抵当権 ………………………148
　　──添付・混同・識別不能 ……108
　　──登記・登録 …………………145
　　──登記・登録が不要な財産 …151
　　──動産 …………………………148
　　──根抵当権 ……………………149
　　──滅失・損傷等 ………………107
信託財産に属する財産について信託前の原
　因によって生じた権利 …………128
信託財産に対する給付 ……………116
信託財産の独立性 …………………118
信託財産破産 ………………………431
信託財産法人 ………………………298
信託財産法人管理人 ………………299
信託事務処理義務 …………………179
信託事務年度 ………………………168
信託社債 ………………………………45
「信託する」という言葉 …………424
信託設定意思 …………………53, 249
信託宣言 ………………………………72
　　──法的性格 ………………………78
　　──黙示 ……………………………77
信託帳簿 ……………………………208
「信託でできるなら」と「信託ならうまく
　いく」…………………………………24
信託の終了 …………………………427
　　──委託者・受益者の合意 ……433
　　──裁判所の命令 …………434, 435
　　──信託行為の定め ……………433
信託の清算 …………………………438

――限定責任信託 …………………448
――終了 ………………………447
信託の設定 …………………………29
――占有の瑕疵の承継 ……………31
――当初信託財産 …………………30
――物権の設定的処分 ……………43
信託の存続 …………………………438
信託のためにする意思 ………………81
信託の分割 …………………………424
――不法行為債権者の扱い ………426
信託の分類 ……………………25, 179
信託の併合 ……………………420, 430
信託の併合・分割無効の訴え ………424
信託の変更 ……………………170, 413
――裁判所による変更を命じる裁判 …419
――信託業法による規律 …………418
信託の本旨 …………………………180
信託報酬 ………………………288, 409
信託目的 ………………………46, 415
――機能 ……………………………47
――受益者の利益との関係 ………311
――信託行為の具体化との関係 …416
――達成・達成不能 ………………427
――達成または達成不能の判断 …428
信託約款の変更 ……………………413
清算受託者 …………………………438
――残余財産受益者または帰属権利者に
する定め …………………………444
――職務執行の順序 ………………440
――職務と権限 ……………………439
清算の終了 …………………………447
誠実公平義務 …………………392, 400
責任財産限定特約 …………………163
――相殺 ……………………………158
セキュリティ・トラスト →担保信託
善管注意執行義務 …………………181
――軽過失免責の定め ……………186
――受益者による同意 ……………188
――受託者の権限の縮減 …………184
――受託者の行為義務の具体化 …186
――注意水準の軽減 ……………56, 183
――忠実義務との関係 ……………241
前受託者等の権限違反行為 ………300

前受託者等の任務懈怠 ……………300
占有の瑕疵 …………………………31
善良な管理者の注意 ………………180
相　殺 ………………………………153
――受託者からの …………………159
――受託者による承認 ……………156
――受託者の保護 …………………158
――第三者からの …………………153
相殺の期待 ………………35, 155, 159, 245
相続財産分離 ………………………129
双方未履行双務契約 ……………129, 432
訴訟信託 ……………………………52
損失てん補・原状回復責任 …………252
――基準時 …………………………258
――帰責事由 ………………………256
――原状回復義務の排除特約 ……255
――原状回復の内容 ………………262
――受益者が複数の場合 …………254
――消滅時効 ………………………272
――請求権者 ………………………254
――損失額の推定 …………………265
――第三者への委託の場合 ………259
――免除 ……………………………270
損失てん補責任
――合同運用財産 …………………97
損失てん補責任の範囲 ………………261
損失てん補と原状回復の関係 ………260

タ　行

代　位 ………………………………286
待機義務 ……………………………283
第三者への委託 ……………………189
――受託者の責任 …………………197
――信託業法における規律 ……191, 200
――当該第三者の責任 ……………199
――法律関係 ………………………192
――有効要件 ………………………194
――有効要件の充足についての判断 …196
貸借対照表 …………………………172
他益信託 …………………………20, 27
脱法信託 ……………………………50
種銭信託 ……………………………45
単独受益者権 ………………………329

事項索引　481

担保権信託……………………………………38
　──債権者と同意の要否………………40
　──自己信託………………………………42
　──被担保債権の消滅時期……………40
担保付社債信託法……………………………3, 10
担保のための信託……………………………39
忠実義務（→一般的忠実義務）…………219
　──義務違反における損失額の推定 …265
　──善管注意執行義務との関係 ………241
忠実義務と善管注意執行義務の関係 …241
中性の事務 ……………………………81, 85
帳簿等作成・報告義務 ……………………208
　──合同運用財産………………………97
直接設定方式…………………………………39
追加信託 ……………………………………421
通知義務 ………………………233, 240, 248, 283,
　　　　　　　　　　　　　　296, 315, 318
同意権者 ……………………………………188
投資事業有限責任組合契約に関する法律
　　………………………………………………9
投資信託及び投資法人に関する法律………15
当初信託財産 ……………………………19, 30
　──委託者に対する将来債権…………43
　──議決権………………………………36
　──譲渡禁止・制限特約付債権………35
　──情報…………………………………37
　──将来債権……………………………36
　──人格権………………………………35
　──新株予約権…………………………45
　──担保権………………………………38
　──地上権………………………………43
　──賃借権………………………………43
当初信託財産に属する財産の転得者 …137
当初信託財産についての性質保証約定 …409
特定金銭信託 ………………………………15
特定目的会社による特定資産の流動化に関
　する法律 ……………………………………3
取消しをしない・追認するということの意
　義 …………………………………………88
取引的不法行為 ………………………………125

ナ 行

二重信託 ………………………………………72

二段階設定方式………………………………39
日本興業銀行法………………………………10
日本版チャリタブル・トラスト …………335
年金信託 ……………………………………15

ハ 行

罰　則 ………………………………………451
非営業信託……………………………………28
費用償還請求権 ……………………………279
　──代位…………………………………286
　──代位行使・差押え…………………286
費用前払請求権 ……………………………280, 392
費用または報酬の支弁等 ………120, 174, 215,
　　　　　　　　　　　　　278, 330, 332
ファンドトラスト……………………………15
複数受託………………………………………95
複数の受益者 ………………………………371
付　合 ………………………………………108
普通銀行等ノ貯蓄銀行業務又ハ信託業務ノ
　兼営等ニ関スル法律 ………………………2
物権的救済……………………………………17
不当な費用支出と信託財産の増加 ………279
不特定の受益者 ……………………………309
不法行為による債務 ………………………125
　──求償関係……………………………127
振替受益権 ……………………………353, 356
分割信託 ……………………………………425
分別管理義務 ………………………………203
　──合同運用財産………………………96
　──別段の定め………………………56, 205
分別管理の効果 ………………………152, 204
ベビーファンド………………………………72
報告義務 ……………………………………208
　──合同運用財産………………………97
法人制度の不十分さ …………………………5
法人である受託者の理事等の連帯責任 …267
　──悪意又は重過失 …………………268
法定訴訟担当 ………………………………255

マ 行

マザーファンド………………………………72
未存在の受益者 ……………………………309
みなし賛成 …………………………………373

無記名受益権 …………………………353
名義信託………………………………54
黙示の信託宣言………………………77
目的信託………………………20, 334
　——遺言による設定 ……………337
　——事務執行 ……………………339
　——制限 …………………………340
　——設定 …………………………336
　——読み替え規定 ………………339
物の信託………………………………28

ヤ 行

有限責任事業組合契約に関する法律 ………9

ラ 行

利益相反行為 …………………………220
　——共同受託者の存在 …………223
　——許容される場合 ……………226
　——禁止される利益相反行為の対象財産
　　の第三者に対する処分等 ………234
　——受益者の承認 ………………229
　——信託業法 ……………………236
　——信託行為の定め ……………228
　——相殺 …………………………159
　——相続その他の包括承継 ……231
　——弁済受領 ……………………243
　——包括的な例外 ………………231
　——許されない行為の効果 ……233
利害関係人…………69, 71, 94, 214, 226, 266,
　　　　　　　　　　300, 328, 338, 389

道垣内 弘人（どうがうち・ひろと）

1959年　岡山県生まれ
1982年　東京大学法学部卒業
東京大学法学部助手，筑波大学社会科学系講師，神戸大学法学部助教授，東京大学教養学部助教授，同教授，東京大学大学院法学政治学研究科教授を経て，
2020年　専修大学大学院法務研究科教授，東京大学名誉教授

著書
民法解釈ゼミナール②物権（共著，有斐閣，1995），信託法理と私法体系（有斐閣，1996），買主の倒産における動産売主の保護（有斐閣，1997），民法解釈ゼミナール⑤親族・相続（共著，有斐閣，1999），民法研究ハンドブック（共著，有斐閣，2000），刑法と民法の対話（共著，有斐閣，2001），新しい担保・執行制度〔補訂版〕（共著，有斐閣，2004），信託法入門（日本経済新聞出版社，2007），ゼミナール民法入門〔第4版〕（日本経済新聞出版社，2008），典型担保法の諸相（有斐閣，2013），非典型担保法の課題（有斐閣，2015），担保物権法〔第4版〕（有斐閣，2017），プレップ法学を学ぶ前に〔第2版〕（弘文堂，2017），リーガルベイシス民法入門〔第3版〕（日本経済新聞出版社，2019），信託法の問題状況（有斐閣，近刊）

信託法　第2版　（現代民法 別巻）

2017年5月10日　初　版第1刷発行
2022年7月1日　第2版第1刷発行

著　者　　道　垣　内　弘　人
発行者　　江　草　貞　治
発行所　　株式会社　有　斐　閣
〒101-0051 東京都千代田区神田神保町2-17
http://www.yuhikaku.co.jp/

印刷・株式会社精興社／製本・牧製本印刷株式会社
Ⓒ 2022，道垣内弘人．Printed in Japan
落丁・乱丁本はお取替えいたします．
★定価はカバーに表示してあります
ISBN 978-4-641-13887-2

JCOPY　本書の無断複写（コピー）は，著作権法上での例外を除き，禁じられています．複写される場合は，そのつど事前に，（一社）出版者著作権管理機構（電話03-5244-5088，FAX03-5244-5089，e-mail：info@jcopy.or.jp）の許諾を得てください．

本書のコピー，スキャン，デジタル化等の無断複製は著作権法上での例外を除き禁じられています。本書を代行業者等の第三者に依頼してスキャンやデジタル化することは，たとえ個人や家庭内での利用でも著作権法違反です。